Indépendance, compétence et écoute : depuis toujours Le Guide Rouge a placé ces valeurs au cœur de son service aux lecteurs.

L'indépendance pour Le Guide Rouge, c'est celle de ses inspecteurs qui visitent les hôtels et les restaurants et règlent toutes leurs additions, dans un total anonymat. C'est aussi celle du Guide lui-même qui refuse toute forme de publicité dans ses pages.

La compétence du Guide Rouge passe par celle de ses inspecteurs, professionnels passionnés, qui toute l'année explorent, testent, goûtent, apprécient, comme de simples voyageurs particulièrement attentifs.

À la fois complice et conseiller, Le Guide Rouge est continuellement à votre écoute. Des milliers d'appréciations sur les hôtels et les restaurants sont ainsi reçues chaque année et constituent autant de témoignages précieux qui viendront orienter la prochaine édition.

C'est de cette façon que Le Guide Rouge peut vous proposer une sélection toujours fiable, actualisée et adaptée à tous les budgets. Retrouvez-la aujourd'hui sur le site www.michelin-travel.com.

Le Guide Rouge vit et progresse pour vous et grâce à vous : écrivez-nous !

Sommaire

MICHELIN - Éditions des Voyages
46, Av. de Breteuil, 75324 PARIS CEDEX 07
Tél. 01 45 66 12 34 - Fax : 01 45 66 13 54
www.michelin-travel.com
Boutique Michelin :
32, Av. de l'Opéra, 75002 PARIS
Tél. 01 42 68 05 20 - Fax : 01 47 42 10 50

Comprendre

*Pour faciliter votre séjour à Paris,
ce Guide vous propose une sélection d'hôtels
et restaurants, classés selon leur confort
et cités par ordre de préférence
dans chaque catégorie.*

Catégories

🏨🏨🏨🏨🏨	XXXXX	*Grand luxe et tradition*
🏨🏨🏨🏨	XXXX	*Grand confort*
🏨🏨🏨	XXX	*Très confortable*
🏨🏨	XX	*De bon confort*
🏨	X	*Assez confortable*
M		*Dans sa catégorie, hôtel d'équipement moderne*
sans rest.		*L'hôtel n'a pas de restaurant*
	avec ch.	*Le restaurant possède des chambres*

Agrément et tranquillité

*Certains établissements se distinguent dans le guide
par les symboles rouges indiqués ci-après.
Le séjour dans ces hôtels se révèle particulièrement
agréable ou reposant.
Cela peut tenir d'une part au caractère de l'édifice,
au décor original, au site, à l'accueil
et aux services qui sont proposés,
d'autre part à la tranquillité des lieux.*

🏨🏨🏨🏨🏨 à 🏨	*Hôtels agréables*
XXXXX à X	*Restaurants agréables*
🐴	*Hôtel très tranquille ou isolé et tranquille*
🐴	*Hôtel tranquille*
← Notre-Dame	*Vue exceptionnelle*
←	*Vue intéressante ou étendue*

Installation

Les chambres des hôtels que nous recommandons possèdent, en général, des installations sanitaires complètes. Il est toutefois possible que dans la catégorie 🏠*, certaines chambres en soient dépourvues.*

30 ch	*Nombre de chambres*
	Ascenseur
	Air conditionné (dans tout ou partie de l'établissement)
TV	*Télévision dans la chambre*
	Chambres réservées aux non-fumeurs
	Prise Modem-Minitel dans la chambre
	Chambres accessibles aux handicapés physiques
	Repas servis au jardin ou en terrasse
	Salle de remise en forme
	Piscine : de plein air ou couverte
	Jardin de repos
	Parc
	Tennis à l'hôtel
25 à 150	*Salles de conférences : capacité maximum*
	Garage dans l'hôtel (généralement payant)
P	*Parking réservé à la clientèle*
P	*Parking clos réservé à la clientèle*
	Accès interdit aux chiens (dans tout ou partie de l'établissement)
fermé 3 août au 15 sept.	*Période de fermeture, communiquée par l'hôtelier. En l'absence de mention, l'établissement est ouvert toute l'année.*

La table

Les étoiles

Certains établissements méritent d'être signalés à votre attention pour la qualité de leur cuisine. Nous les distinguons par **les étoiles de bonne table.** *Nous indiquons, pour ces établissements, trois spécialités culinaires qui pourront orienter votre choix.*

✿✿✿ **Une des meilleures tables, vaut le voyage**

On y mange toujours très bien, parfois merveilleusement. Grands vins, service impeccable, cadre élégant... Prix en conséquence.

✿✿ **Table excellente, mérite un détour**

Spécialités et vins de choix... Attendez-vous à une dépense en rapport.

✿ **Une très bonne table dans sa catégorie**

L'étoile marque une bonne étape sur votre itinéraire. Mais ne comparez pas l'étoile d'un établissement de luxe à prix élevés avec celle d'une petite maison où à prix raisonnables, on sert également une cuisine de qualité.

Le "Bib Gourmand"

Repas soignés à prix modérés

Vous souhaitez parfois trouver des tables plus simples, à prix modérés ; c'est pourquoi nous avons sélectionné des restaurants proposant un repas soigné, pour un rapport qualité-prix particulièrement favorable.

Ces restaurants sont signalés par le **"Bib Gourmand"** *et* Repas.

Ex. Repas 130/190.

Consultez les listes des étoiles de bonne table ✿✿✿, ✿✿, ✿ *et des* **"Bib Gourmand"**, *page 30 à 34.*

Les prix

Les prix que nous indiquons dans ce guide ont été établis en automne 2000. Ils sont susceptibles de modifications, notamment en cas de variations des prix des biens et services.

Ils s'entendent taxes et service compris. Aucune majoration ne doit figurer sur votre note, sauf éventuellement la taxe de séjour.

Les hôtels et restaurants figurent en gros caractères lorsque les hôteliers nous ont donné tous leurs prix et se sont engagés, sous leur propre responsabilité, à les appliquer aux touristes de passage porteurs de notre guide.

En dehors de la saison touristique et des périodes de salons, certains établissements proposent des conditions avantageuses, renseignez-vous lors de votre réservation.

Entrez à l'hôtel le guide à la main, vous montrerez ainsi qu'il vous conduit là en confiance.

Repas

enf. 60	*Prix du menu pour enfants*
☺	*Établissement proposant un menu simple à moins de 85 F*

Repas à prix fixe :

Repas *(52)*	*Prix d'un repas composé d'un plat principal, accompagné d'une entrée ou d'un dessert, généralement servi au déjeuner en semaine*
90 (déj.)	*Menu servi au déjeuner uniquement*
110/150	*Prix du menu : minimum* 110, *maximum* 150
100/150	*Menu à prix fixe minimum* 100 *non servi les fins de semaine et jours fériés*
bc	*Boisson comprise*
🍷	*Vin servi au verre*
🍶	*Vin de table en carafe*

Repas à la carte

Repas carte 140 à 310	*Le premier prix correspond à un repas normal comprenant : entrée, plat garni et dessert. Le 2e prix concerne un repas plus complet (avec spécialité) comprenant : deux plats, fromage et dessert (boisson non comprise)*

Chambres

ch 365/620	*Prix minimum* 365 *pour une chambre d'une personne, prix maximum* 620 *pour une chambre de deux personnes*
29 ch 360/750	*Prix des chambres petit déjeuner compris*
40	*Prix du petit déjeuner (généralement servi dans la chambre)*
appart.	*Se renseigner auprès de l'hôtelier*

Demi-pension

1/2 P 350/650	*Prix minimum et maximum de la demi-pension (chambre, petit déjeuner et un repas) par personne et par jour, en saison. Il est indispensable de s'entendre par avance avec l'hôtelier pour conclure un arrangement définitif.*

Les arrhes

Certains hôteliers demandent le versement d'arrhes. Il s'agit d'un dépôt-garantie qui engage l'hôtelier comme le client. Bien faire préciser les dispositions de cette garantie.

Cartes de crédit

AE ⓓ VISA GB JCB	*Cartes de crédit acceptées par l'établissement : American Express – Diners Club – Carte Bancaire (Visa, Eurocard, Mastercard) – Japan Credit Bureau*

With the principal aim of providing a service to our readers, the strength of The Red Guide has always been our independence, expertise and appreciation.

The independence of The Red Guide is unquestionable:
Firstly, our inspectors visit anonymously and always settle their own bills.
Secondly, the Guide retains its impartiality by refusing to include any form of publicity.

The Guide relies on the expertise of our inspectors; dedicated professionals who spend every year travelling inconspicuously around the country seeking out, testing and digesting a wide range of accommodation and cuisine.

And as much as the Guide is written for you, it is also influenced by you. Every year we receive thousands of comments, recommendations and appreciations, all of which contribute to the following year's edition.

These key values mean that every year The Red Guide gives you a reliable, accurate and up-to-date selection to suit every occasion and every pocket.

Look out for us on-line at www.michelin-travel.com.

The Red Guide is influenced by you and is developed for your benefit, which is all the more reason to send us your comments!

Contents

How to use this guide

In order to make your stay in Paris easier, this Guide offers a selection of hotels and restaurants which have been categorised by level of comfort and listed in order of preference within each category.

Categories

	Luxury in the traditional style
	Top class comfort
	Very comfortable
	Comfortable
	Quite comfortable
M	*In its category, hotel with modern amenities*
sans rest.	*No restaurant in the hotel*
avec ch.	*The restaurant also offers accommodation*

Peaceful atmosphere and setting

Certain establishments are distinguished in the guide by the red symbols shown below.

Your stay in such hotels will be particularly pleasant or restful, owing to the character of the building, its decor, the setting, the welcome and services offered, or simply the peace and quiet to be enjoyed there.

to	*Pleasant hotels*
to	*Pleasant restaurants*
	Very quiet or quiet, secluded hotel
	Quiet hotel
Notre-Dame	*Exceptional view*
	Interesting or extensive view

Hotel facilities

In general the hotels we recommend have full bathroom and toilet facilities in each room. However, this may not be the case for certain rooms in category 🏠.

30 rm	*Number of rooms*
	Lift (elevator)
	Air conditioning (in all or part of the hotel)
TV	*Television in room*
	Rooms reserved for non-smokers
	Minitel-modem point in the bedrooms
	Rooms accessible to the physically handicapped
	Meals served in garden or on terrace
	Exercise room
	Outdoor or indoor swimming pool
	Garden
	Park
	Hotel tennis court
25 à 150	*Equipped conference hall (minimum and maximum capacity)*
	Hotel garage (additional charge in most cases)
P	*Car park for customers only*
P	*Enclosed car park for customers only*
	Dogs are excluded from all or part of the hotel
fermé 3 août au 15 sept.	*Dates when closed, as indicated by the hotelier. Where no date or season is shown, establishments are open all year round*

Cuisine

Stars

Certain establishments deserve to be brought to your attention for the particularly fine quality of their cooking. **Michelin stars** *are awarded for the standard of meals served. For each of these restaurants we indicate three culinary specialities to assist you in your choice.*

✿✿✿ **Exceptional cuisine, worth a special journey**

One always eats here extremely well, sometimes superbly. Fine wines, faultless service, elegant surroundings. One will pay accordingly!

✿✿ **Excellent cooking, worth a detour**

Specialities and wines of first class quality. This will be reflected in the price.

✿ **A very good restaurant in its category**

The star indicates a good place to stop on your journey. But beware of comparing the star given to an expensive «de luxe» establishment to that of a simple restaurant where you can appreciate fine cuisine at a reasonable price.

The "Bib Gourmand"

Good food at moderate prices

You may also like to know of other restaurants with less elaborate, moderately priced menus that offer good value for money and serve carefully prepared meals.

In the guide such establishments are marked ☺ *the* **"Bib Gourmand"** *and* Repas *just before the price of the menu, for example* Repas 130/190.

Please refer to the lists of star-rated restaurants ✿✿✿, ✿✿, ✿ and the **"Bib Gourmand"** ☺, *p 30 at 34.*

Prices

Prices quoted are valid for autumn 2000. Changes may arise if goods and service costs are revised.

The rates include tax and service and no extra charge should appear on your bill, with the possible exception of visitor's tax.

Hotels and restaurants in bold type have supplied details of all their rates and have assumed responsibility for maintaining them for all travellers in possession of this guide.

Certain establishments offer special rates apart from during high season and major exhibitions. Ask when booking.

Your recommendation is self-evident if you always walk into a hotel Guide in hand.

Meals

enf. 60	*Price of children's menu*
☺☺	*Establishment serving a simple menu for less than 85 F*

Set meals

Repas *(52)*	*Price for a 2 course meal, generally served weekday lunchtimes*
90 (déj.)	*Set meal served only at lunch time*
110/150	*Lowest* 110 *and highest* 150 *prices for set meals*
100/150	*The cheapest set meal* 100 *is not served on Saturdays, Sundays or public holidays*
bc	*House wine included*
🍷	*Wine served by the glass*
🍶	*Table wine by the carafe*

«A la carte» meals

Repas carte 140 à 310	*The first figure is for a plain meal and includes first course, main dish of the day with vegetables and dessert.* *The second figure is for a fuller meal (with «spécialité») and includes 2 main courses, cheese, and dessert (drinks, not included)*

Rooms

ch 365/620	*Lowest price* 365 *for a single room and highest price* 620 *for a double.*
29 ch ☕ 360/750	*Price includes breakfast*
☕ 40	*Price of continental breakfast (generally served in the bedroom)*
appart.	*Enquire at hotel for rates*

Half board

1/2 P 350/650	*Lowest and highest prices of half board (room, breakfast and a meal) per person, per day in the season. It is advisable to agree on terms with the hotelier before arriving.*

Deposits

Some hotels will require a deposit, which confirms the commitment of customer and hotelier alike. Make sure the terms of the agreement are clear.

Credit cards

AE ⓓ VISA GB JCB	*Credit cards accepted by the establishment: American Express – Diners Club – Carte Bancaire (includes Eurocard, MasterCard and Visa) – Japan Credit Bureau*

Glossary of menu terms

This section provides translations and explanations of many terms commonly found on French menus. It will also give visitors some idea of the specialities listed under the "starred" restaurants which we have recommended for fine food. Far be it from us, however, to spoil the fun of making your own inquiries to the waiter, as, indeed, the French do when confronted with a mysterious but intriguing dish!

A

Agneau – *Lamb*
Aiguillette (caneton *or* ***canard)*** – *Thin, tender slice of duckling, cut lengthwise*
Ail – *Garlic*
Andouillette – *Sausage made of pork or veal tripe*
Artichaut – *Artichoke*
Avocat – *Avocado pear*

B

Ballotine – *A variety of galantine (white meat moulded in aspic)*
Bar – *Sea bass (see* Loup au Fenouil*)*
Barbue – *Brill*
Baudroie – *Burbot*
Béarnaise – *Sauce made of butter, eggs, tarragon, vinegar served with steaks and some fish dishes*
Belons – *Variety of flat oyster with delicate flavor*
Beurre blanc – *"White butter", a sauce made of butter wellwhipped with vinegar and shallots, served with pike and other fish*
Bœuf bourguignon – *Beef stewed in red wine*
Bordelaise (à la) – *Red wine sauce with shallots and bone marrow*
Boudin grillé – *Grilled pork blood-sausage*
Bouillabaisse – *A soup of fish and, sometimes, shellfish, cooked with garlic, parsley, tomatoes, olive oil, spices, onions and saffron. The fish and the soup are served separately. A Marseilles speciality*
Bourride – *Fish chowder prepared with white fish, garlic, spices, herbs and white wine, served with* aïoli
Brochette (en) – *Skewered*

C

Caille – *Quail*

Calamar – *Squid*

Canard à la rouennaise – *Roast or fried duck, stuffed with its liver*

Canard à l'orange – *Roast duck with oranges*

Canard aux olives – *Roast duck with olives*

Carré d'agneau – *Rack of lamb (loin chops)*

Cassoulet – *Casserole dish made of white beans, condiments, served (depending on the recipe) with sausage, pork, mutton, goose or duck*

Cèpes – *Variety of mushroom*

Cerfeuil – *Chervil*

Champignons – *Mushrooms*

Charcuterie d'Auvergne – *A region of central France, Auvergne is reputed to produce the best country-prepared pork-meat specialities, served cold as a first course*

Charlotte – *A moulded sponge cake although sometimes made with vegetables*

Chartreuse de perdreau – *Young partridge cooked with cabbage*

Châtaigne – *Chestnuts*

Châteaubriand – *Thick, tender cut of steak from the heart of the fillet or tenderloin*

Chevreuil – *Venison*

Chou farci – *Stuffed cabbage*

Choucroute garnie – *Sauerkraut, an Alsacian speciality, served hot and "garnished" with ham, frankfurters, bacon, smoked pork, sausage and boiled potatoes. A good dish to order in a* brasserie

Ciboulette – *Chives*

Civet de gibier – *Game stew with wine and onions (*civet de lièvre *= jugged hare)*

Colvert – *Wild duck*

Confit de canard or d'oie – *Preserved duck or goose cooked in its own fat sometimes served with* cassoulet

Coq au vin – *Chicken (literally, "rooster") cooked in red wine sauce with onions, mushrooms and bits of bacon*

Coques – *Cockles*

Coquilles St-Jacques – *Scallops*

Cou d'oie farci – *Stuffed goose neck*

Coulis – *Thick sauce*

Couscous – *North African dish of semolina (crushed wheat grain) steamed and served with a broth of chick-peas and other vegetables, a spicy sauce, accompanied by chicken, roast lamb and sausage.*

Crêpes – *Thin, light pancakes*

Crevettes – *Shrimps*

Croustades – *Small moulded pastry (puff pastry)*

Crustacés – *Shellfish*

D

Daube (Bœuf en) – *Beef braised with carrots and onions in red wine sauce*
Daurade – *Sea bream*

E

Écrevisses – *Fresh water crayfish*
Entrecôte marchand de vin – *Rib steak in a red wine sauce with shallots*
Escalope de veau – *(Thin) veal steak, sometimes served* panée, *breaded, as with* Wiener Schnitzel
Escargot – *Snails, usually prepared with butter, garlic and parsley*
Estragon – *Tarragon*

F

Faisan – *Pheasant*
Fenouil – *Fennel*
Feuillantine – *See* feuilleté
Feuilleté – *Flaky puff pastry used for making pies or tarts*
Filet de bœuf – *Fillet (tenderloin) of beef*
Filet mignon – *Small, round, very choice cut of meat*
Flambé(e) – *"Flamed", i.e., bathed in brandy, rum, etc., which is then ignited*
Flan – *Baked custard*
Foie gras au caramel poivré – *Peppered caramelized goose or duck liver*
Foie gras d'oie or de canard – *Liver of fatted geese or ducks, served fresh* (frais) *or in* pâté
Foie de veau – *Calf's liver*
Fruits de mer – *Seafood*

G

Gambas – *Prawns*
Gibier – *Game*
Gigot d'agneau – *Roast leg of lamb*
Gingembre – *Ginger*
Goujon* or *goujonnette de sole – *Small fillets of fried sole*
Gratin (au) – *Dish baked in the oven to produce thin crust on surface*
Gratinée – *See : onion soup under* soupe à l'oignon
Grenadin de veau – *Veal tournedos*
Grenouilles (cuisses de) – *Frogs' legs, often served* à la provençale
Grillades – *Grilled meats, mostly steaks*

H

Homard – *Lobster*
Homard à l'américaine* or *à l'armoricaine – *Lobster sauted in butter and olive oil, served with a sauce of tomatoes, garlic, spices, white wine and cognac*
Huîtres – *Oysters*

J

Jambon – *Ham (raw or cooked)*
Jambonnette de barbarie – *Stuffed leg of Barbary duck*
Joue de bœuf – *A very tasty piece of beef, literally the cheek of the beef*
Julienne – *Vegetables, fruit, meat or fish cut up in small sticks*

L

Lamproie – *Lamprey, often served* à la bordelaise
Langoustines – *Large prawns*
Lapereau – *Young rabbit*
Lièvre – *Hare*
Lotte – *Burbot*
Loup au fenouil – *In the south of France, sea bass with fennel (same as* bar*)*

M

Magret – *Duck steak*
Marcassin – *Young wild boar*
Mariné – *Marinated*
Marjolaine – *A pastry of different flavors often with a chocolate base*
Marmite dieppoise – *Fish soup from Dieppe*
Matelote d'anguilles or de lotte – *Eel or burbot stew with red wine, onions and herbs*
Méchoui – *A whole roasted lamb*
Merlan – *Whiting*
Millefeuille – *Napoleon, vanilla slice*
Moelle (à la) – *With bone marrow*
Morilles – *Morel mushroom*
Morue fraîche – *Fresh cod*
Mouclade – *Mussels prepared without shells, in white wine and shallots wit cream sauce and spices*
Moules farcies – *Stuffed mussels (usually filled with butter, garlic and parsley)*
Moules marinières – *Mussels steamed in white wine, onions and spices*

N

Nage (à la) – *A court-bouillon with vegetables and white wine*
Nantua – *Sauce made with fresh water crayfish tails and served with* quenelles *fish, seafood, etc.*
Navarin – *Lamb stew with small onions, carrots, turnips and potatoes*
Noisettes d'agneau – *Small, round, choice morsels of lamb*

O

Œufs brouillés – *Scrambled eggs*
Œufs en meurette – *Poached eggs in red wine sauce with bits of bacon*
Œufs sur le plat – *Fried eggs, sunnyside up*

Omble chevalier – *Fish : Char*
Omelette soufflée – *Souffled omelette*
Oseille – *Sorrel*
Oursin – *Sea urchin*

P

Paëlla – *A saffron-flavored rice dish made with a mixture of seafood, sausage, chicken and vegetables*
Palourdes – *Clams*
Panaché de poissons – *A selection of different kinds of fish*
Pannequet – *Stuffed* crêpe
Pâté – *Also called terrine. A common French hors-d'œuvre, a kind of cold, sliced meat loaf which is made from pork, veal, liver, fowl, rabbit or game and seasoned appropriately with spices. Also served hot in pastry crust* (en croûte)
Paupiette – *Usually, slice of veal wrapped around pork or sausage meat*
Perdreau – *Young partridge*
Petit salé – *Salt pork tenderloin, usually served with lentils or cablage*
Petits-gris – *Literally, "small grays"; a variety of snail with brownish, pebbled shell*
Pétoncles – *Small scallops*
Pieds de mouton Poulette – *Sheep's feet in cream sauce*
Pigeonneau – *Young pigeon*
Pintade – *Guinea fowl*
Piperade – *A Basque dish of scrambled eggs and cooked tomato, green pepper and Bayonne ham*
Plateau de fromages – *Tray with a selection of cheeses made from cow's or goat's milk (see* cheeses)
Poireaux – *Leek*
Poivron – *Red or green pepper*
Pot-au-feu – *Beef soup which is served first and followed by a joint of beef cooked in the soup, garnished with vegetables*
Potiron – *Pumpkin*
Poule au pot – *Boiled chicken and vegetables served with a hot broth*
Poulet à l'estragon – *Chicken with tarragon*
Poulet au vinaigre – *Chicken cooked in vinegar*
Poulet aux écrevisses – *Chicken with crayfish*
Poulet de Bresse – *Finest breed of chicken in France, grain-fed*
Pré-salé – *A particularly fine variety of lamb raised on salt marshes near the sea*
Provençale (à la) – *With tomato, garlic and parsley*

Q

Quenelles de brochet – *Fish-balls made of pike;* quenelles *are also made of veal or chicken farcemant*
Queue de bœuf – *Oxtail*
Quiche lorraine – *Hot custard pie flavored with chopped bacon and baked in an unsweetened pastry shell*

R

Ragoût – *Stew*
Raie aux câpres – *Skate fried in butter garnished with capers*
Ris de veau – *Sweetbreads*
Rognons de veau – *Veal kidneys*
Rouget – *Red mullet*

S

St-Jacques – *Scallops, as* coquilles St-Jacques
St-Pierre – *Fish : John Dory*
Salade niçoise – *A first course made of lettuce, tomatoes, celery, olives, green pepper, cucumber, anchovy and tuna, seasoned to taste. A favorite hors-d'œuvre*
Sandre – *Pike perch*
Saucisson chaud – *Pork sausage, served hot with potato salad, or sometimes in pastry shel* (en croûte)
Saumon fumé – *Smoked salmon*
Scampi fritti – *French-fried shrimp*
Selle d'agneau – *Saddle of lamb*
Soufflé – *A light, fluffy baked dish made of eggs yolks and whites beaten separately and combined with cheese or fish, for example, to make a first course, or with fruit or liqueur as a dessert*
Soupe à l'oignon – *Onion soup with grated cheese and* croûtons *(small crisp pieces of toasted bread)*
Soupe de poissons – *Fish chowder*
Steak au poivre – *Pepper steak, often served flamed*
Suprême – *Usually refers to poultry or fish served with a white sauce*

T

Tagine – *A stew with either chicken, lamb, pigeons or vegetables*
Tartare – *Raw meat or fish minced up and then mixed with eggs, herbs and other condiments before being shaped into a patty*
Terrine – *See* pâté
Tête de veau – *Calf's head*
Thon – *Tuna*
Tournedos – *Small, round tenderloin steak*
Tourteaux – *Large crab (from Atlantic)*
Tripe à la mode de Caen – *Beef tripe with white wine and carrots*
Truffe – *Truffle*
Truite – *Trout*

V

Volaille – *Fowl*
Vol-au-Vent – *Puff pastry shell filled with chicken, meat, fish, fish-balls* (quenelles) *usually in cream sauce with mushrooms*

Desserts

Baba au rhum – *Sponge cake soaked in rum, sometimes served with whipped cream*
Beignets de pommes – *Apple fritters*
Clafoutis – *Dessert of apples (cherries, or other fruit) baked in batter*
Glace – *Ice cream*
Gourmandises – *Selection of desserts*
Nougat glacé – *Iced nougat*
Pâtisseries – *Pastry, cakes*
Profiteroles – *Small round pastry puffs filled with cream or ice cream and covered with chocolate sauce*
St-Honoré – *Cake made of two kinds of pastry and whipped cream, names after the patron saint of pastry cooks*
Sorbet – *Sherbet*
Soupe de pêches – *Peaches in syrup or in wine*
Tarte aux pommes – *Open apple tart*
Tarte Tatin – *Apple upside-down tart, caramelized and served warm*
Vacherin – *Meringue with ice-cream and whipped cream*

Fromages

Several famous French cheeses
Cow's milk – *Bleu d'Auvergne, Brie, Camembert, Cantal, Comté, Gruyère, Munster, Pont-l'Évêque, Tomme de Savoie*
Goat's milk – *Chabichou, Crottin de Chavignol, Ste-Maure, Selles-sur-Cher, Valençay*
Sheep's milk – *Roquefort*

Fruits

Airelles – *Cranberries*
Cassis – *Blackcurrant*
Cerises – *Cherries*
Citron – *Lemon*
Fraises – *Strawberries*
Framboises – *Raspberries*
Pamplemousse – *Grapefruit*
Pêches – *Peaches*
Poires – *Pears*
Pomme – *Apple*
Pruneaux – *Prunes*
Raisin – *Grapes*

Les Vins / *Wines*

En dehors des grands crus, beaucoup de vins moins connus, souvent proposés au verre ou en pichet, vous procureront aussi de belles satisfactions.

As well as the great vintages, many less famous wines, often served by the glass or carafe, will also give much enjoyment.

Un mets préparé avec une sauce au vin s'accommode si possible du même cru.

A dish with a wine-based sauce should ideally be accompanied by the same wine.

Vins et fromages d'une même région s'associent souvent avec succès. Osez parfois les mariages vins blancs/fromages, ils vous réserveront d'étonnantes surprises.

Cheese and wine from the same region usually go together well. White wine with cheese can be a surprisingly good combination.

Il est conseillé de ne pas boire les vins blancs trop froids et les vins rouges trop chambrés.

White wines should not be served too chilled, nor red wines too warm.

Les Millésimes / *Vintages*

	1988	1989	1990	1991	1992	1993	1994	1995	1996	1997	1998	1999
Alsace	Grandes années	Grandes années	Grandes années	Bonnes années	Bonnes années	Bonnes années	Bonnes années	Bonnes années	Bonnes années	Grandes années	Bonnes années	Bonnes années
Bordeaux blanc	Grandes années	Grandes années	Grandes années	Années moyennes	Années moyennes	Bonnes années	Bonnes années	Bonnes années	Grandes années	Bonnes années	Bonnes années	Années moyennes
Bordeaux rouge	Bonnes années	Grandes années	Grandes années	Années moyennes	Années moyennes	Bonnes années	Bonnes années	Grandes années	Grandes années	Années moyennes	Bonnes années	Bonnes années
Bourgogne blanc	Bonnes années	Grandes années	Bonnes années	Bonnes années	Bonnes années	Bonnes années	Bonnes années	Grandes années	Grandes années	Grandes années	Bonnes années	Bonnes années
Bourgogne rouge	Bonnes années	Bonnes années	Grandes années	Bonnes années	Années moyennes	Bonnes années	Bonnes années	Grandes années	Grandes années	Bonnes années	Bonnes années	Grandes années
Beaujolais	Années moyennes	Bonnes années	Bonnes années	Grandes années	Années moyennes	Bonnes années	Bonnes années	Grandes années	Bonnes années	Grandes années	Bonnes années	Grandes années
Champagne	Grandes années	Bonnes années	Grandes années	Bonnes années	Bonnes années	Bonnes années	Bonnes années	Bonnes années	Grandes années	Bonnes années	Bonnes années	Grandes années
Côtes du Rhône *Septentrionales*	Bonnes années	Grandes années	Grandes années	Bonnes années	Bonnes années	Bonnes années	Bonnes années	Bonnes années	Grandes années	Bonnes années	Bonnes années	Grandes années
Côtes du Rhône *Méridionales*	Bonnes années	Bonnes années	Grandes années	Bonnes années	Bonnes années	Bonnes années	Bonnes années	Bonnes années	Grandes années	Bonnes années	Grandes années	Bonnes années
Provence	Grandes années	Bonnes années	Grandes années	Bonnes années	Années moyennes	Bonnes années	Bonnes années	Bonnes années	Bonnes années	Bonnes années	Années moyennes	Bonnes années
Languedoc Roussillon	Grandes années	Bonnes années	Grandes années	Années moyennes	Années moyennes	Grandes années	Grandes années	Bonnes années	Grandes années	Bonnes années	Bonnes années	Bonnes années
Val de Loire *Muscadet*	Bonnes années	Bonnes années	Grandes années	Années moyennes	Bonnes années	Bonnes années	Bonnes années	Grandes années	Grandes années	Bonnes années	Bonnes années	Bonnes années
Val de Loire *Anjou-Touraine*	Bonnes années	Bonnes années	Grandes années	Années moyennes	Années moyennes	Bonnes années	Bonnes années	Grandes années	Grandes années	Bonnes années	Bonnes années	Bonnes années
Val de Loire *Pouilly-Sancerre*	Bonnes années	Bonnes années	Grandes années	Bonnes années	Bonnes années	Bonnes années	Bonnes années	Bonnes années	Grandes années	Grandes années	Bonnes années	Bonnes années

Grandes années ***Bonnes années*** ***Années moyennes***

Les Grandes Années du XXe siècle : 1911/1921/1928/1929/1934/1945/1947/1953/1955/1961/1990

Quelques suggestions d'associations Mets & Vins

A few suggestions for complementary Dishes and Wines

Que boire avec ? *What to drink with ?*	Type de vin *Type of wine*	Région vinicole *Region of production*	Appellation *Appellation*
	Blancs secs — *Dry whites*	Alsace Bordeaux Bourgogne Côtes du Rhône Provence Languedoc-Roussillon Val de Loire	Sylvaner/Riesling Entre-deux-Mers Chablis/Mâcon Villages St Joseph Cassis/Palette Picpoul de Pinet Muscadet/Montlouis
	Blancs secs — *Dry whites*	Alsace Bordeaux Bourgogne Côtes du Rhône Provence Corse Languedoc-Roussillon Val de Loire	Riesling Pessac-Léognan/Graves Meursault/Chassagne Montrachet Hermitage/Condrieu Bellet/Bandol Patrimonio Coteaux du Languedoc Sancerre/Menetou-Salon
	Blancs et rouges légers — *Whites and light reds*	Alsace Champagne Bordeaux Bourgogne Beaujolais Côtes du Rhône Provence Corse Languedoc-Roussillon Val de Loire	Tokay-Pinot gris/Pinot noir Coteaux Champenois blanc et rouge Côtes de Bourg/Blaye/Castillon Mâcon/St Romain Beaujolais Villages Tavel (rosé)/Côtes du Ventoux Coteaux d'Aix-en-Provence Coteaux d'Ajaccio/Porto Vecchio Faugères Anjou/Vouvray
	Rouges *Reds*	Bordeaux/Sud-Ouest Bourgogne Beaujolais Côtes du Rhône Provence Languedoc-Roussillon Val de Loire	Médoc/St Emilion/Buzet Volnay/Hautes Côtes de Beaune Moulin à Vent/Morgon Vacqueyras/Gigondas Bandol/Côtes de Provence Fitou/Minervois Bourgueil/Saumur
	Rouges corsés — *Hearty reds*	Bordeaux/Sud-Ouest Bourgogne Côtes du Rhône Languedoc-Roussillon Val de Loire	Pauillac/St Estèphe/Madiran Pommard/Gevrey-Chambertin Côte Rôtie/Cornas Corbières/Collioure Chinon
	Blancs et rouges — *Whites and reds*	Alsace Bordeaux Bourgogne Beaujolais Côtes du Rhône Languedoc-Roussillon Jura/Savoie Val de Loire	Gewürztraminer St Julien/Pomerol/Margaux Pouilly-Fuissé/Santenay St Amour/Fleurie Hermitage/Châteauneuf-du-Pape St Chinian Vin Jaune/Chignin Pouilly-Fumé/Valençay
	Vins de desserts — *Dessert wines*	Alsace Champagne Bordeaux/Sud-Ouest Bourgogne Jura/Bugey Côtes du Rhône Languedoc-Roussillon Val de Loire	Muscat d'Alsace/Crémant d'Alsace Champagne blanc et rosé Sauternes/Monbazillac/Jurançon Crémant de Bourgogne Vin de Paille/Cerdon Muscat de Beaumes-de-Venise Banyuls/Maury/Muscats/Limoux Coteaux du Layon/Bonnezeaux

Vignobles et Spécialités régionales

Normandie

Andouille de Vire
Demoiselles de Cherbourg à la nage
Sole dieppoise
Tripes à la mode de Caen
Canard à la rouennaise
Poulet Vallée d'Auge
Agneau de pré-salé
Camembert, Livarot, Pont-l'Evêque, Neufchâtel
Tarte aux pommes au calvados
Crêpes à la normande
Douillons

Nord-Picardie

Moules
Poissons : sole, turbot, etc.
Potjevlesch
Ficelle picarde
Flamiche aux poireaux
Gibier d'eau
Waterzoï
Lapin à la bière
Hochepot
Maroilles, Boulette d'Avesne
Gaufres

Bretagne

Fruits de mer, crustacés
Huîtres de Belon
Galettes au sarrazin/blé noir
Charcuteries, andouille de Guéméné
St-Jacques à la bretonne
Homard à l'armoricaine
Poissons : bar, turbot, lieu jaune, maquereau, etc.
Cotriade
Kig Ha Farz
Légumes : artichauts, choux-fleurs, etc.
Crêpes, gâteau breton, far, kouing-aman

Val de Loire

Rillettes de Tours
Andouillette au vouvray
Poissons de rivière : brochet, sandre, etc.
Saumon beurre blanc
Gibier de Sologne
Fromages de chèvre : Ste-Maure, Valençay
Crémet d'Angers
Macarons, nougat glacé, pithiviers, tarte tatin

Centre-Auvergne

Cochonnailles
Tripous
Champignons, cèpes, girolles, etc.
Pâté bourbonnais
Aligot
Potée auvergnate
Chou farci
Pounti
Lentilles du Puy
Cantal, St-Nectaire, fourme d'Ambert
Flognarde, Gâteau à la broche

Sud-Ouest

Garbure
Ttoro
Jambon de Bayonne
Foie gras
Omelette aux truffes
Pipérade
Lamproie à la bordelaise
Poulet basquaise
Cassoulet
Confit de canard ou d'oie
Cèpes à la bordelaise
Tomme de brebis
Roquefort
Gâteau basque
Pruneaux à l'armagnac

Provence-Méditerranée

Aïoli
Pissaladière
Salade niçoise
Anchois de Collioure
Brandade nîmoise
Bourride sétoise
Bouillabaisse
Loup grillé au fenouil
Petits farcis niçois
Daube provençale
Agneau de Sisteron
Pieds paquets à la marseillaise
Picodon
Crème catalane, calissons, fruits confits

Vineyards and Regional Specialities

Lille
Reims
Épernay
CHAMPAGNE
Côtes de Toul
ALSACE
Strasbourg
Colmar
Chablis
BOURGOGNE
Dijon
Côte de Nuits
Beaune
Côte de Beaune
Jura
Mâcon
BEAUJOLAIS
Bugey
Lyon
Savoie
Côte Rôtie
Hermitage
CÔTES du RHÔNE
Châteauneuf-du-Pape
Tavel
Avignon
Nice
Coteaux d'Aix
PROVENCE
Marseille
Côtes de Provence
Cassis
Bandol
Bastia
Corse
Ajaccio

Bourgogne

Jambon persillé
Gougère
Escargots de Bourgogne
Oeufs en meurette
Pochouse
Jambon chaud à la crème
Coq au vin
Viande de charolais
Bœuf bourguignon
Epoisses
Poire dijonnaise
Desserts au pain d'épice

Alsace-Lorraine

Charcuterie, presskopf
Quiche lorraine
Tarte à l'oignon
Asperges
Poissons : sandre, carpe, anguille
Grenouilles
Coq au riesling
Spaetezele
Choucroute
Baeckeoffe
Gibiers : biche, chevreuil, sanglier
Munster
Tarte aux mirabelles ou quetches
Kougelhopf, vacherin glacé

Franche-Comté/Jura

Jésus de Morteau
Saucisse de Montbéliard
Croûte aux morilles
Soufflé au fromage
Poissons de lac et rivières : brochet, truite
Grenouilles
Coq au vin jaune
Comté, vacherin, morbier, cancoillotte
Gaudes au maïs

Lyonnais-Pays Bressan

Rosette de Lyon
Grenouilles de la Dombes
Saucisson truffé pistaché
Gâteau de foies blonds
Quenelles de brochet
Tablier de sapeur
Volailles de Bresse à la crème
Poularde demi-deuil
Cardons à la mœlle
Cervelle de canut
Bugnes

Savoie-Dauphiné

Gratin de queues d'écrevisses
Poissons de lac : omble chevalier, perche, féra
Ravioles du Royans
Fondue, raclette, tartiflette
Diots au vin blanc
Fricassée de caïon
Potée savoyarde
Farçon, farcement
Gratin dauphinois
Beaufort, reblochon, tomme de Savoie, St-Marcellin
Gâteau de Savoie, tarte aux myrtilles, gâteau aux noix

Corse

Jambon, figatelli, lonzo, coppa
Langouste
Omelette au brocciu
Civet de sanglier
Chevreau
Fromages de brebis (Niolu)
Flan de châtaignes, fiadone

BORDEAUX *Pomerol* *Bergerac*	**Vignobles** *Vineyards*
Val de Loire **Rillettes de Tours**	**Spécialités régionales** *Regional specialities*

Listes thématiques

Les bonnes tables à étoiles

✿✿✿

173	XXXXX	Lucas Carton *(Senderens)* - 8e
174	XXXXX	Plaza Athénée - 8e
173	XXXXX	Taillevent *(Vrinat)* - 8e
123	XXXX	Ambroisie (L') *(Pacaud)* - 4e
154	XXXX	Arpège *(Passard)* - 7e
110	XXXX	Grand Vefour - 1er
175	XXXX	Pierre Gagnaire - 8e

✿✿

181	XXXXX	Ambassadeurs (Les) - 8e
174	XXXXX	Bristol - 8e
173	XXXXX	"Cinq" (Le) - 8e
173	XXXXX	Lasserre - 8e
174	XXXXX	Laurent - 8e
174	XXXXX	Ledoyen - 8e
139	XXXXX	Tour d'Argent - 5e
175	XXXX	Astor (L') - 8e
110	XXXX	Carré des Feuillants - 1er
174	XXXX	Élysées (Les) - 8e
235	XXXX	Faugeron - 16e
110	XXXX	Gérard Besson - 1er
250	XXXX	Guy Savoy - 17e
154	XXXX	Le Divellec - 7e
250	XXXX	Michel Rostang - 17e
241	XXXX	Pré Catelan - 16e
329	XXXX	Trois Marches (Les) Versailles
250	XXX	Apicius - 17e
236	XXX	Jamin - 16e
236	XXX	Relais d'Auteuil - 16e
139	XXX	Relais Louis XIII - 6e
278	XXX	Relais Ste-Jeanne Cergy-Pontoise Ville Nouvelle

Page	Confort	Restaurant
109	XXXXX	Espadon (L') - 1er
109	XXXXX	Meurice (Le) - 1er
218	XXXX	Célébrités (Les) - 15e
175	XXXX	Chiberta - 8e
175	XXXX	Clovis - 8e
110	XXXX	Drouant - 2e
110	XXXX	Goumard - 1er
241	XXXX	Grande Cascade - 16e
175	XXXX	Marée (La) - 8e
218	XXXX	Montparnasse 25 - 14e
194	XXXX	Muses (Les) - 9e
219	XXXX	Relais de Sèvres - 15e
177	XXX	Bath's - 8e
261	XXX	Beauvilliers - 18e
154	XXX	Cantine des Gourmets - 7e
111	XXX	Céladon - 2e
219	XXX	Chen-Soleil d'Est - 15e
279	XXX	Chiquito Cergy-Pontoise Ville Nouvelle
274	XXX	Comte de Gascogne (Au) Boulogne-Billancourt
176	XXX	Copenhague - 8e
219	XXX	Duc (Le) - 14e
251	XXX	Faucher - 17e
139	XXX	Hélène Darroze - 6e
111	XXX	Il Cortile - 1er
139	XXX	Jacques Cagna - 6e
176	XXX	Jardin - 8e
154	XXX	Jules Verne - 7e
307	XXX	Magnolias (Les) Le Perreux-sur-Marne
139	XXX	Paris - 6e
236	XXX	Pergolèse - 16e
155	XXX	Pétrossian - 7e
237	XXX	Port Alma - 16e
205	XXX	Pressoir (Au) - 12e
251	XXX	Sormani - 17e
194	XXX	Table d'Anvers - 9e
296	XXX	Tastevin Maisons-Laffitte

251	XXX	Timgad - 17e
154	XXX	Violon d'Ingres - 7e
176	XXX	W (Le) - 8e
237	XX	Astrance - 16e
287	XX	Auberge du Château "Table des Blot" Dampierre-en-Yvelines
252	XX	Béatilles (Les) - 17e
155	XX	Bellecour - 7e
123	XX	Benoît - 4e
251	XX	Braisière - 17e
177	XX	Luna - 8e
179	XX	Marius et Janette - 8e
140	XX	Maxence - 6e
155	XX	Récamier - 7e
238	XX	Tang - 16e
206	XX	Trou Gascon (Au) - 12e
303	XX	Truffe Noire Neuilly-sur-Seine

Le "Bib Gourmand"

1er arrondissement

115	X	Ardoise (L')

2e arrondissement

115	X	Pierrot

3e arrondissement

123	XX	Ambassade d'Auvergne
125	X	Pamphlet

5e arrondissement

145	X	Moissonnier

6e arrondissement

141	XX	Maître Paul (Chez)
144	X	Épi Dupin (L')

7e arrondissement

158	XX	Champ de Mars
160	X	Bon Accueil (Au)
159	X	Clos des Gourmets
159	X	Maupertu
158	X	Olivades (Les)
159	X	P'tit Troquet

8e arrondissement

182	X	Boucoléon
182	X	Ferme des Mathurins

9e arrondissement

196	X	Jean (Chez)
196	X	Petite Sirène de Copenhague
197	X	Pré Cadet

11e arrondissement

124	XX	Péché Mignon
125	XX	Repaire de Cartouche
125	X	Astier

Pour souper après le spectacle

(Nous indiquons entre parenthèses l'heure limite d'arrivée)

194	XXX	Charlot "Roi des Coquillages" - 9e (0 h)
219	XXX	Dôme - 14e (0 h 30)
237	XXX	Étoile (L') - 16e (0 h 30)
176	XXX	Fouquet's - 8e (0 h)
236	XXX	Pavillon Noura - 16e (0 h)
111	XXX	Pierre " A la Fontaine Gaillon " - 2e (0 h 30)
140	XXX	Procope - 6e (1 h)
141	XX	Alcazar - 6e (1 h)
114	XX	Baan Boran - 1er (0 h)
253	XX	Ballon des Ternes - 17e (0 h 30)
124	XX	Blue Elephant - 11e (0 h)
123	XX	Bofinger - 4e (1 h)
194	XX	Brasserie Café de la Paix - 9e (0 h)
195	XX	Brasserie Flo - 10e (1 h 30)
220	XX	Coupole (La) - 14e (1 h)
239	XX	El Malouf - 16e (0 h)
157	XX	Esplanade (L') - 7e (1 h)
178	XX	Fermette Marbeuf 1900 - 8e (0 h)
158	XX	Françoise (Chez) - 7e (0 h)
113	XX	Gallopin - 2e (0 h)
123	XX	Georges - 4e (1 h)
253	XX	Georges (Chez) - 17e (0 h 30)
195	XX	Grand Café - 9e (jour et nuit)
113	XX	Grand Colbert - 2e (1 h)
292	XX	Ile (L') Issy-les-Moulineaux (0 h)
194	XX	Petit Riche (Au) - 9e (0 h 15)
112	XX	Pied de Cochon (Au) - 1er (jour et nuit)
319	XX	Régency 1925 St-Maur-des-Fossés (1 h)

196	XX	Terminus Nord - 10e (1 h)
180	XX	Village d'Ung et Li Lam - 8e (0 h)
220	XX	Vin et Marée - 14e (0 h)
238	XX	Zébra Square - 16e (0 h)
145	X	Balzar - 5e (0 h)
255	X	Bellagio - 17e (0 h)
197	X	Bistro des Deux Théâtres - 9e (0 h 30)
126	X	C'Amelot (Au) - 11e (0 h)
114	X	Café Marly - 1er (1 h)
143	X	Dominique - 6e (1 h)
197	X	I Golosi - 9e (0 h)
198	X	Michel (Chez) - 10e (0 h)
223	X	Père Claude - 15e (0 h)
125	X	Petit Bofinger - 4e (0 h)
226	X	Petit Bofinger - 15e (0 h)
196	X	Petite Sirène de Copenhague - 9e (0 h)
224	X	Régalade - 14e (0 h)
143	X	Rotonde - 6e (1 h)
181	X	Spicy - 8e (0 h)
115	X	Tour de Montlhéry, Chez Denise - 1er (jour et nuit)
181	X	Zo - 8e (0 h)
166		Café M (H. Hyatt Regency) - 8e (0 h)
140		Brasserie (Closerie des Lilas) - 6e (1 h)
104		Ritz Club (H. Ritz) - 1er (1 h)

Le plat que vous recherchez

Une andouillette

123	XX	Ambassade d'Auvergne - 3e
220	XX	Coupole (La) - 14e
141	XX	Marty - 5e
206	XX	Petit Marguery - 13e
126	X	Anjou-Normandie - 11e
197	X	Catherine (Chez) - 9e
255	X	Caves Petrissans - 17e
126	X	Chardenoux - 11e
225	X	Château Poivre - 14e
182	X	Ferme des Mathurins - 8e
159	X	Fontaine de Mars - 7e
114	X	Georges (Chez) - 2e
125	X	Grizzli - 4e
145	X	Moissonnier - 5e
224	X	Petit Mâchon - 15e
309	X	Pouilly Reuilly (Au) à Le Pré St-Gervais
115	X	Relais Chablisien - 1er
240	X	Scheffer - 16e

Du boudin

123	XX	Ambassade d'Auvergne - 3e
157	XX	Chez Eux (D') - 7e
126	X	Anjou-Normandie - 11e
208	X	Auberge Aveyronnaise (L') - 12e
126	X	Bascou (Au) - 3e
159	X	Fontaine de Mars - 7e
144	X	Marlotte - 6e
145	X	Moissonnier - 5e
309	X	Pouilly Reuilly (Au) à Le Pré St-Gervais
224	X	St-Vincent - 15e

Une bouillabaisse

110	XXXX	Goumard - 1er
251	XXX	Augusta - 17e
194	XXX	Charlot "Roi des Coquillages" - 9e
219	XXX	Dôme - 14e
206	XX	Frégate - 12e
238	XX	Marius - 16e
141	XX	Méditerranée - 6e
325	XX	Orée du Bois à Vélizy-Villacoublay
222	XX	Senteurs de Provence (Aux) - 15e

Un cassoulet

123	XX	Benoît - 4e
157	XX	Chez Eux (D') - 7e
195	XX	Julien - 10e
253	XX	Léon (Chez) - 17e
112	XX	Pays de Cocagne - 2e
195	XX	Quercy - 9e
178	XX	Sarladais - 8e
123	XX	Sousceyrac (A) - 11e
295	XX	St-Pierre à Longjumeau
321	XX	Table d'Antan à Ste-Geneviève-des-Bois
206	XX	Trou Gascon (Au) - 12e
125	X	Auberge Pyrénées Cévennes - 11e
116	X	Dauphin - 1er
223	X	Gastroquet - 15e
207	X	Quincy - 12e
159	X	Thoumieux - 7e

Une choucroute

123	XX	Bofinger - 4e
220	XX	Coupole (La) - 14e
196	XX	Terminus Nord - 10e
198	X	Alsaco Winstub (L') - 9e
145	X	Balzar - 5e
115	X	Café Runtz - 2e
105		Brasserie Le Louvre(H. Louvre) - 1er

Un confit

318	XXX	Cazaudehore à St-Germain-en-Laye
157	XX	Chez Eux (D') - 7e
238	XX	Paul Chêne - 16e
112	XX	Pays de Cocagne - 2e
195	XX	Quercy - 9e
178	XX	Sarladais - 8e

206	XX	Trou Gascon (Au) - 12e
289	X	Aub. Landaise à Enghien-les-Bains
126	X	Bascou (Au) - 3e
197	X	Deux Canards (Aux) - 10e
223	X	Gastroquet - 15e
116	X	Lescure - 1er
126	X	Monde des Chimères - 4e
159	X	Thoumieux - 7e

Un coq au vin

296	XX	Bourgogne à Maisons-Alfort
320	XX	Coq de la Maison Blanche à St-Ouen
206	XX	Marronniers (Les) - 13e
125	XX	Repaire de Cartouche - 11e
208	X	Biche au Bois - 12e
263	X	Marie-Louise - 18e
224	X	St-Vincent - 15e

Des coquillages, crustacés, poissons

110	XXXX	Goumard - 1er
154	XXXX	Le Divellec - 7e
175	XXXX	Marée (La) - 8e
251	XXX	Augusta - 17e
194	XXX	Charlot "Roi des Coquillages" - 9e
140	XXX	Closerie des Lilas - 6e
219	XXX	Dôme - 14e
219	XXX	Duc (Le) - 14e
251	XXX	Pétrus - 17e
237	XXX	Port Alma - 16e
253	XX	Ballon des Ternes - 17e
157	XX	Bar au Sel - 7e
123	XX	Bofinger - 4e
195	XX	Brasserie Flo - 10e
220	XX	Coupole (La) - 14e
252	XX	Dessirier - 17e
206	XX	Frégate - 12e
157	XX	Gaya Rive Gauche - 7e
156	XX	Glénan (Les) - 7e
195	XX	Grand Café - 9e
195	XX	Julien - 10e
177	XX	Luna - 8e
329	XX	Marée de Versailles à Versailles
179	XX	Marius et Janette - 8e
141	XX	Marty - 5e
112	XX	Pied de Cochon (Au) - 1er

179	XX	Stella Maris - 8e
253	XX	Taïra - 17e
196	XX	Terminus Nord - 10e
220	XX	Vin et Marée - 14e
124	XX	Vin et Marée - 11e
181	X	Bistrot de Marius - 8e
125	X	Bistrot du Dôme - 4e
180	X	Cap Vernet - 8e
143	X	Espadon Bleu (L') - 6e
255	X	Huîtrier et presqu'île - 17e
159	X	Vin et Marée - 7e
240	X	Vin et Marée - 16e

Des escargots

123	XX	Benoît - 4e
158	XX	Champ de Mars - 7e
271	XX	Escargot (A l') à Aulnay-sous-Bois
253	XX	Léon (Chez) - 17e
143	X	Allard - 6e
198	X	Alsaco Winstub (L') - 9e
114	X	Bistrot St-Honoré - 1er
182	X	Ferme des Mathurins - 8e
145	X	Moissonnier - 5e
145	X	Moulin à Vent (Au) - 5e
207	X	Quincy - 12e

Une paëlla

289	X	Aub. Landaise à Enghien-les-Bains
240	X	Rosimar - 16e

Une grillade

205	XXX	Train Bleu - 12e
195	XX	Brasserie Flo - 10e
320	XX	Coq de la Maison Blanche à St-Ouen
220	XX	Coupole (La) - 14e
178	XX	Fermette Marbeuf 1900 - 8e
113	XX	Gallopin - 2e
195	XX	Julien - 10e
112	XX	Pied de Cochon (Au) - 1er
112	XX	Rôtisserie Monsigny - 2e
196	XX	Terminus Nord - 10e
113	XX	Vaudeville - 2e
144	X	Joséphine "Chez Dumonet" - 6e
253	X	Rôtisserie d'Armaillé - 17e
144	X	Rôtisserie d'en Face - 6e

De la tête de veau

250	XXX	Apicius - 17e
253	XX	Léon (Chez) - 17e
221	XX	les Frères Gaudet (Chez) - 15e
141	XX	Marty - 5e
270	XX	Petite Auberge à Asnières-sur-Seine
239	XX	Petite Tour - 16e
195	XX	Quercy - 9e
207	X	Bistrot de la Porte Dorée - 12e
255	X	Caves Petrissans - 17e
226	X	Coteaux (Les) - 15e
224	X	Petit Mâchon - 15e
197	X	Pré Cadet - 9e
159	X	Thoumieux - 7e

Des tripes

253	XX	Georges (Chez) - 17e
126	X	Anjou-Normandie - 11e
208	X	Auberge Aveyronnaise (L') - 12e
126	X	Chardenoux - 11e
225	X	Château Poivre - 14e
126	X	Fernandises (Les) - 11e
224	X	Petit Mâchon - 15e
159	X	Thoumieux - 7e

Des fromages

218	XXXX	Montparnasse 25 - 14e
271	XX	Escargot (A l') à Aulnay-sous-Bois

Des soufflés

113	XX	Soufflé - 1er
158	X	Cigale - 7e

Cuisine végétarienne

116	X	Entre Ciel et Terre - 1er

Cuisine d'Ailleurs

156	XX	Gildo - 7e
237	XX	Giulio Rebellato - 16e
253	XX	Paolo Petrini - 17e
296	XX	Ribot à Maisons-Laffitte
237	XX	San Francisco - 16e
179	XX	Stresa - 8e
238	XX	Vinci - 16e
255	X	Bellagio - 17e
145	X	Cafetière - 6e
144	X	Emporio Armani Caffé - 6e
223	X	Fontanarosa - 15e
197	X	I Golosi - 9e
198	X	Il Sardo - 9e
160	X	Perron - 7e
169		Caffe Ristretto (H. Monna Lisa) - 8e

Japonaise

141	XX	Inagiku - 5e
112	XX	Kinugawa - 1er
179	XX	Kinugawa - 8e
178	XX	Shozan - 8e
142	XX	Yen - 6e
160	X	Miyako - 7e
255	X	Nagoya - 17e
212		Benkay (H.Nikko) - 15e

Libanaise

236	XXX	Pavillon Noura - 16e
180	XX	Al Ajami - 8e
237	XX	Fakhr el Dine - 16e

Nord-Africaine

177	XXX	El Mansour - 8e
251	XXX	Timgad - 17e
220	XX	Caroubier - 15e
239	XX	El Malouf - 16e
124	XX	Mansouria - 11e
303	XX	Riad à Neuilly-sur-Seine
196	XX	Wally Le Saharien - 9e
140	XX	Ziryab - 5e
262	X	Oriental (L') - 18e
146	X	Table de Fés - 6e
269	X	Tour de Marrakech à Antony
263	X	Village Kabyle - 18e

Portugaise

114	XX	Saudade - 1er

Russe

182	X	Daru - 8e
143	X	Dominique - 6e

Scandinave

176	XXX	Copenhague - 8e
196	X	Petite Sirène de Copenhague - 9e
224	X	Soleil de Minuit (Au) - 15e

Tibétaine

146	X	Lhassa - 5e

Turque

207	XX	Janissaire - 12e

Dans la tradition, bistrots et brasseries

Les bistrots

Les brasseries

Restaurant "Nouveaux Concepts"

1er arrondissement

114	✗	Café Marly

4e arrondissement

123	✗✗	Georges

6e arrondissement

141	✗✗	Alcazar
144	✗	Emporio Armani Caffé

7e arrondissement

157	✗✗	Esplanade (L')
157	✗✗	Télégraphe

8e arrondissement

178	✗✗	Korova
177	✗✗	Rue Balzac
177	✗✗	Spoon
180	✗	Appart' (L')
181	✗	Spicy
181	✗	Zo

9e arrondissement

195	✗✗	Bubbles

16e arrondissement

236	✗✗✗	59 Poincaré
238	✗✗	Zébra Square
240	✗	Gare

17e arrondissement

252	✗✗	Coco et sa Maison

ENVIRONS

Issy-les-Moulineaux

292	✗✗	Ile (L')
292	✗✗	River Café

Restaurants proposant des menus de 100 F à 160 F servis midi et soir

1er arrondissement

2e arrondissement

3e arrondissement

4e arrondissement

5e arrondissement

6e arrondissement

7e arrondissement

8e arrondissement

9e arrondissement

11e arrondissement

12e arrondissement

13e arrondissement

14e arrondissement

15e arrondissement

16e arrondissement

17e arrondissement

18e arrondissement

Levallois-Perret

294 XX Petit Jardin
294 XX Rôtisserie

Longjumeau

295 XX St-Pierre

Marcoussis

297 X Colombes de Bellejame (Les)

Montmorency

301 XX Coeur de la Forêt (Au)

Montreuil

301 XXX Gaillard

Nanterre

302 XX Rôtisserie

Neuilly-sur-Seine

304 XX Foc Ly
304 X Petit Bofinger

Noisy-le-Grand

305 XX Amphitryon

Port-Marly (Le)

309 XX Auberge du Relais Breton

Puteaux

310 XX Table d'Alexandre

Romainville

313 XXX Henri (Chez)

Rueil-Malmaison

314 XX Bonheur de Chine

Rungis

315 X Charolais

St-Cloud

315 X Garde-Manger

St-Denis

316 X Verdiots (Les)

St-Germain-en-Laye

316 X Feuillantine

St-Leu-la-Forêt

318 XX Petit Castor

St-Mandé

318 XX Ambassade de Pékin
318 X Capucins (Aux)

St-Maur-des-Fossés

319 XXX Bretèche
319 XX Régency 1925
319 X Gargamelle

Ste-Geneviève-des-Bois

321 XX Table d'Antan

Sartrouville

321 XX Jardin Gourmand

Soisy-sur-Seine

322 XX Terrasse des Donjons

Sucy-en-Brie

323 XX Terrasse Fleurie

Triel-sur-Seine

324 X St-Martin

Vélizy-Villacoublay

325 XX Orée du Bois

Vernouillet

325 XX Charmilles (Les)

Villeparisis

332 XX Bastide

Restaurants de plein air

1er arrondissement
111 XX Palais Royal

4e arrondissement
123 XX Georges

5e arrondissement
140 XX Ziryab

7e arrondissement
155 XX Maison de l'Amérique Latine

8e arrondissement
174 XXXXX Laurent

14e arrondissement
219 XXX Pavillon Montsouris

16e arrondissement
241 XXXX Grande Cascade
241 XXXX Pré Catelan
241 XXX Terrasse du Lac

19e arrondissement
261 XXX Pavillon Puebla

ENVIRONS

Asnières-sur-Seine
270 XXX Van Gogh

Aulnay-sous-Bois
271 XX Escargot (A l')

Cergy-Pontoise
279 XX Moulin de la Renardière

Chennevières-sur-Marne
281 XXX Écu de France

Gagny
290 XX Vilgacy

Livry-Gargan
295 XX Petite Marmite

Maisons-Laffitte
296 XXX Tastevin

Montreuil
301 XXX Gaillard

Rueil-Malmaison
314 XX Pavillon des Muettes

St-Germain-en-Laye
318 XXX Cazaudehore

Vaucresson
325 XXX Auberge de la Poularde

Restaurants servant des repas en terrasse

1er arrondissement

109	XXXXX	Espadon (L')
111	XXX	Il Cortile
111	XX	Palais Royal
112	XX	Pied de Cochon (Au)
114	X	Café Marly
104		Terrasse Fleurie (H. Inter-Continental)
104		Bar Vendôme (H. Ritz)
104		Rest. de l'hôtel Costes
105		Brasserie Le Louvre (H. Louvre)
106		Rest. de l'hôtel Régina

2e arrondissement

111	XXX	Pierre " A la Fontaine Gaillon "
112	XX	Café Drouant

4e arrondissement

123	XX	Georges
125	X	Grizzli

5e arrondissement

140	XX	Ziryab

6e arrondissement

140	XXX	Closerie des Lilas

7e arrondissement

158	XX	Françoise (Chez)
155	XX	Maison de l'Amérique Latine
155	XX	Récamier
157	XX	Télégraphe
159	X	Fontaine de Mars
150		Rest. de l'hôtel Montalembert

8e arrondissement

173	XXXXX	"Cinq" (Le)
174	XXXXX	Bristol
174	XXXXX	Laurent
176	XXX	Copenhague
176	XXX	Fouquet's
176	XXX	Jardin
176	XXX	Marcande
179	XX	Marius et Janette
181	X	Bistrot de Marius
180	X	Cap Vernet
164		Cour Jardin (La) (H. Plaza Athénée)
164		Jardin des Cygnes (H. Prince de Galles)
164		Carpaccio (H. Royal Monceau)
167		Rest. de l'hôtel California
165		Rest. de l'hôtel Lancaster
166		Pavillon (H. Marriot)
168		Les Signatures (H. Sofitel Champs-ÉLysées)

9e arrondissement

195	XX	Bubbles
186		Brasserie Haussmann (H. Millennium Opéra)

12e arrondissement

205	XXX	Oulette (L')
207	XX	Janissaire
202		Rest. de l'hôtel Novotel Bercy
202		Rest. de l'hôtel Novotel Gare de Lyon
203		Rest. de l'hôtel Relais Mercure Bercy

14e arrondissement

219	XXX	Pavillon Montsouris
212		Justine (H. Méridien Montparnasse)

15e arrondissement

221	XX	Gauloise
223	X	Fontanarosa
212		Pacific Eiffel (H. Hilton)
213		Transatlantique (H. Novotel Vaugirard)

Boulogne-Billancourt

275	X	Petit Bofinger
273		L'Entracte (H. Golden Tulip)
273		Rest. de l'hôtel Melià Confort

Bourget (Le)

275		Rest. de l'hôtel Novotel

Carrières-sur-Seine

276	XX	Panoramic de Chine

Cergy-Pontoise Ville Nouvelle

279	XX	Moulin de la Renardière
279	XX	Vignes Rouges
277		Rest. de l'hôtel Novotel
280		Rest. de l'hôtel Campanile

Cernay-la-Ville

280		Rest. de l'hôtel Abbaye des Vaux de Cernay

Charenton-le-Pont

280		Rest. de l'hôtel Novotel Atria

Châteaufort

281	XX	Belle Époque

Chennevières-sur-Marne

281	XXX	Écu de France

Clichy

282	XXX	Romantica

Conflans-Ste-Honorine

283	XX	Confluent de l'Oise (Au)

Corbeil-Essonnes

283	XX	Auberge du Barrage
283		Rest. de l'hôtel Mercure

Créteil

286		Rest. de l'hôtel Novotel

Défense (La)

288		Les 2 Arcs (H. Sofitel La Défense)
288		Rest. de l'hôtel Ibis La Défense

Enghien-les-Bains

288		Rest. de l'hôtel Grand Hôtel
288		Rest. de l'hôtel du Lac

Épinay-sur-Seine

289		Rest. de l'hôtel Ibis

Évry (Agglomération d')

289		Rest. de l'hôtel Mercure
289		Rest. de l'hôtel Novotel
290		Rest. de l'Espace Léonard de Vinci
289		Rest. de l'hôtel Ibis

Port-Marly (Le)

309 XX Auberge du Relais Breton

Queue-en-Brie (La)

310 Rest. du Relais de Pincevent

Quincy-sous-Sénart

311 X Lisière de Sénart

Roissy-en-France (Aéroports de Paris)

311 Rest. de l'hôtel Copthorne
312 Rest. de l'hôtel Hyatt Regency
311 Rest. de l'hôtel Mercure
311 Rest. de l'hôtel Campanile
312 Rest. de l'hôtel Ibis

Rosny-sous-Bois

313 Vieux Carré (Quality Hôtel)

Rueil-Malmaison

314 XX Pavillon des Muettes

Rungis

315 Rest. de l'hôtel Ibis

St-Germain-en-Laye

318 XXX Cazaudehore
316 Rest. de l'Ermitage des Loges

St-Maur-des-Fossés

319 XXX Bretèche
319 XX Gourmet
319 X Gargamelle

St-Maurice

319 XXX Michel B.

St-Ouen

320 XX Coq de la Maison Blanche

St-Pierre-du-Perray

320 Rest. de l'hôtel Novotel

St-Quentin-en-Yvelines

320 Rest. de l'hôtel Mercure
321 Rest. de l'hôtel Novotel St-Quentin Golf National
320 Rest. de l'Auberge du Manet
320 Rest. de l'hôtel Holiday Inn Garden Court
321 Rest. du Relais de Voisins

Restaurants proposant des menus d'affaires au déjeuner

1er arrondissement

2e arrondissement

4e arrondissement

5e arrondissement

6e arrondissement

7e arrondissement

8e arrondissement

Page	Catégorie	Restaurant
179	XX	Kinugawa
179	XX	Stella Maris
178	XX	Tante Louise
181	X	Cô Ba Saigon

9e arrondissement

Page	Catégorie	Restaurant
194	XXX	Table d'Anvers
196	XX	Paprika
194	XX	Petit Riche (Au)
198	X	Alsaco Winstub (L')

11e arrondissement

Page	Catégorie	Restaurant
124	XX	Blue Elephant
125	X	Astier

12e arrondissement

Page	Catégorie	Restaurant
205	XXX	Oulette (L')
206	XX	Traversière
206	XX	Trou Gascon (Au)

14e arrondissement

Page	Catégorie	Restaurant
218	XXXX	Montparnasse 25
219	XXX	Duc (Le)
226	X	Flamboyant
223	X	Pascal Champ

15e arrondissement

Page	Catégorie	Restaurant
218	XXXX	Célébrités (Les)
219	XXX	Chen-Soleil d'Est
219	XXX	Ciel de Paris
221	XX	Philippe Detourbe
224	X	Cévennes (Les)
223	X	Fontanarosa
225	X	Os à Moelle (L')
223	X	Père Claude
226	X	Sept/Quinze
223	X	Stéphane Martin
225	X	Troquet

16e arrondissement

Page	Catégorie	Restaurant
235	XXXX	Faugeron
241	XXXX	Pré Catelan
237	XXX	Étoile (L')
236	XXX	Jamin
236	XXX	Pavillon Noura
237	XXX	Port Alma
236	XXX	Relais d'Auteuil
237	XX	Astrance
238	XX	Bellini

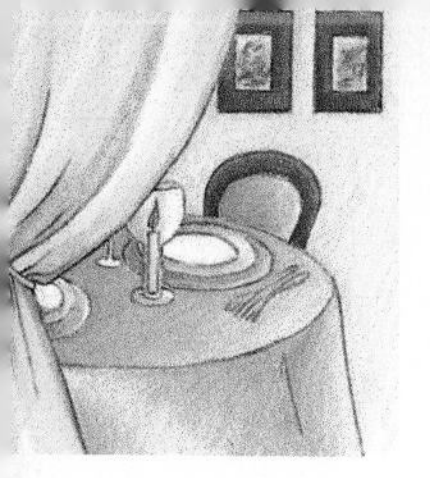

Restaurants avec salons particuliers

1er arrondissement

110 XXXX Carré des Feuillants
110 XXXX Goumard
110 XXXX Grand Vefour
111 XXX Macéo
112 XX Kinugawa
111 XX Palais Royal
112 XX Pauline (Chez)
112 XX Pied de Cochon (Au)

2e arrondissement

110 XXXX Drouant
111 XXX Céladon
111 XXX Pierre " A la Fontaine Gaillon "
112 XX Rôtisserie Monsigny

3e arrondissement

123 XX Ambassade d'Auvergne

4e arrondissement

123 XX Benoît
123 XX Bofinger

5e arrondissement

139 XXXXX Tour d'Argent
141 XX Marty
140 XX Ziryab
145 X Moissonnier

6e arrondissement

140 XXX Procope
139 XXX Relais Louis XIII

7e arrondissement

8e arrondissement

9e arrondissement

11e arrondissement

12e arrondissement

14e arrondissement

15e arrondissement

16e arrondissement

17e arrondissement

18e arrondissement

19e arrondissement

Restaurants ouverts en juillet-août

1er arrondissement

109	XXXXX	Espadon (L')
109	XXXXX	Meurice (Le)
110	XXXX	Gérard Besson
110	XXXX	Goumard
111	XXX	Il Cortile
111	XXX	Macéo
114	XX	Baan Boran
113	XX	Delizie d'Uggiano
112	XX	Kinugawa
111	XX	Palais Royal
112	XX	Pauline (Chez)
112	XX	Pied de Cochon (Au)
111	XX	Pierre - J.-P. Arabian
114	XX	Saudade
113	XX	Soufflé
114	XX	Willi's Wine Bar
114	X	Café Marly
116	X	Dauphin
115	X	La Vieille "Adrienne" (Chez)

2e arrondissement

112	XX	Café Drouant
113	XX	Gallopin
113	XX	Gandhi
113	XX	Grand Colbert
113	XX	Vaudeville

4e arrondissement

123	XX	Bofinger
123	XX	Georges
125	X	Bistrot du Dôme
125	X	Grizzli
126	X	Monde des Chimères
125	X	Petit Bofinger

5e arrondissement

6e arrondissement

7e arrondissement

8e arrondissement

9e arrondissement

10e arrondissement

195 XX Brasserie Flo
195 XX Julien
196 XX Terminus Nord

11e arrondissement

123 XX Aiguière (L')
124 XX Blue Elephant
124 XX Mansouria
124 XX Vin et Marée
126 X Piton des Iles

12e arrondissement

205 XXX Oulette (L')
205 XXX Train Bleu
207 XX Janissaire
207 XX Sologne
207 X Bistrot de la Porte Dorée
208 X Potinière du Lac

14e arrondissement

219 XXX Dôme
219 XXX Pavillon Montsouris
220 XX Coupole (La)
222 XX Créole (La)
220 XX Vin et Marée
225 X Bistrot du Dôme
223 X Contre-Allée

15e arrondissement

219 XXX Ciel de Paris
220 XX Clos Morillons
221 XX Dînée (La)
221 XX Gauloise
221 XX les Frères Gaudet (Chez)
221 XX Philippe Detourbe
222 X Bistro d'Hubert
223 X Fontanarosa
224 X P'tits Bouchons de François Clerc (Les)
223 X Père Claude
226 X Petit Bofinger
226 X Sept/Quinze

16e arrondissement

Page	Confort	Restaurant
241	XXXX	Grande Cascade
241	XXXX	Pré Catelan
237	XXX	Étoile (L')
236	XXX	Pavillon Noura
237	XXX	Port Alma
241	XXX	Terrasse du Lac
236	XXX	Tsé-Yang
239	XX	Butte Chaillot
239	XX	Detourbe Duret
237	XX	Fakhr el Dine
239	XX	Fontaine d'Auteuil
237	XX	San Francisco
238	XX	Zébra Square
240	X	Bouchons de François Clerc (Les)
240	X	Gare
240	X	Scheffer
240	X	Victor
240	X	Vin et Marée

17e arrondissement

Page	Confort	Restaurant
251	XXX	Faucher
251	XXX	Pétrus
251	XXX	Timgad
252	XX	Dessirier
253	XX	Georges (Chez)
252	XX	Graindorge
253	XX	Taïra
255	X	Ampère (L')
255	X	Bellagio
254	X	Impatient (L')

18e arrondissement

Page	Confort	Restaurant
261	XXX	Beauvilliers
263	X	Bouclard
263	X	Village Kabyle

19e arrondissement

Page	Confort	Restaurant
261	XXX	Pavillon Puebla

ENVIRONS

St-Cloud

315 ✗ Garde-Manger

St-Germain-en-Laye

318 ✗✗✗ Cazaudehore
316 ✗ Feuillantine

St-Mandé

318 ✗✗ Ambassade de Pékin

St-Maur-des-Fossés

319 ✗✗✗ Bretèche
319 ✗✗ Gourmet
319 ✗✗ Régency 1925

St-Ouen

320 ✗✗ Coq de la Maison Blanche

Soisy-sur-Seine

322 ✗✗ Terrasse des Donjons

Suresnes

323 ✗✗ Jardins de Camille (Les)

Tremblay-en-France

324 ✗✗✗ Relais Gourmand

Versailles

329 ✗✗ Potager du Roy
329 ✗✗ Valmont

Villeneuve-sous-Dammartin

332 ✗✗✗ Amarande

Villiers-le-Bâcle

332 ✗✗ Petite Forge

Restaurants ouverts samedi et dimanche

6e arrondissement

140	XXX	Closerie des Lilas
140	XXX	Procope
141	XX	Alcazar
141	XX	Méditerranée
142	XX	Yugaraj
142	X	Bouillon Racine
143	X	Rotonde

7e arrondissement

154	XXX	Cantine des Gourmets
154	XXX	Jules Verne
157	XX	Bar au Sel
158	XX	Champ de Mars
157	XX	Esplanade (L')
158	XX	Françoise (Chez)
159	X	Fontaine de Mars
159	X	Thoumieux
159	X	Vin et Marée

8e arrondissement

173	XXXXX	Ambassadeurs (Les)
174	XXXXX	Bristol
173	XXXXX	Le "Cinq"
176	XXX	Fouquet's
176	XXX	Obélisque (L')
177	XXX	Yvan
178	XX	Fermette Marbeuf 1900
179	XX	Marius et Janette
180	X	Appart' (L')
181	X	Bistrot de Marius
182	X	Café Indigo
180	X	Cap Vernet
181	X	Spicy

9e arrondissement

194	XXX	Charlot "Roi des Coquillages"
194	XX	Brasserie Café de la Paix
195	XX	Grand Café
197	X	Bistro des Deux Théâtres

10e arrondissement

195	XX	Brasserie Flo
195	XX	Julien
196	XX	Terminus Nord

11e arrondissement

124	XX	Vin et Marée

12e arrondissement

205	XXX	Train Bleu
206	XX	Grandes Marches
207	X	Bistrot de la Porte Dorée
208	X	Temps des Cerises

13e arrondissement

206	XX	Marronniers (Les)

14e arrondissement

219	XXX	Dôme
219	XXX	Pavillon Montsouris
220	XX	Coupole (La)
222	XX	Créole (La)
220	XX	Monsieur Lapin
220	XX	Vin et Marée
225	X	Bistrot du Dôme

15e arrondissement

218	XXXX	Célébrités (Les)
219	XXX	Ciel de Paris
220	XX	Caroubier
221	XX	Gauloise
223	X	Fontanarosa
223	X	Père Claude
226	X	Petit Bofinger

16e arrondissement

241	XXXX	Grande Cascade
236	XXX	Pavillon Noura
236	XXX	Tsé-Yang
237	XX	Astrance
239	XX	Butte Chaillot
237	XX	Fakhr El Dine
237	XX	Giulo Rebellato
238	XX	Zébra Square
240	X	Bouchons de François Clerc (Les)
240	X	Gare
240	X	Vin et Marée

17e arrondissement

251	XXX	Pétrus
251	XXX	Timgad
253	XX	Ballon des Ternes
252	XX	Dessirier
253	XX	Georges (Chez)
252	XX	Truite Vagabonde
255	X	Bellagio

ENVIRONS

Antony

269 ✗ Tour de Marrakech

Boulogne-Billancourt

275 ✗ Petit Bofinger

Brou-sur-Chantereine

276 ✗✗ Lotus de Brou

Carrières-sur-Seine

276 ✗✗ Panoramic de Chine

Conflans-Ste-Honorine

283 ✗ Bord de l'Eau (Au)

Issy-les-Moulineaux

292 ✗✗ Ile (L')

Maisons-Laffitte

296 ✗✗✗ Tastevin

Neuilly-sur-Seine

304 ✗✗ Foc Ly
304 ✗ Petit Bofinger

Rueil-Malmaison

314 ✗✗ Bonheur de Chine

St-Germain-en-Laye

318 ✗✗✗ Cazaudehore
316 ✗ Feuillantine

St-Mandé

318 ✗✗ Ambassade de Pékin
318 ✗ Capucins (Aux)

St-Maur-des-Fossés

318 ✗✗ Auberge de la Passerelle
319 ✗✗ Régency 1925

Savigny-sur-Orge

322 ✗✗ Ménil (Au)

Viroflay

333 ✗✗ Chaumière

Hôtels et Restaurants agréables

Hôtels proposant des chambres doubles à moins de 500 F

7e arrondissement

153	Champ-de-Mars
153	Lévêque

9e arrondissement

192	Riboutté-Lafayette

10e arrondissement

193	Campanile Gare du Nord
193	Gilden Magenta
192	Ibis Gare de l'Est

11e arrondissement

122	Grand Prieuré
122	Nord et Est
122	Prince Eugène

12e arrondissement

204	Agate
204	Lux Hôtel Picpus

13e arrondissement

203	Slavia
205	Arts
204	Ibis Italie Tolbiac
204	Ibis Place d'Italie
205	Touring Hôtel Magendie

14e arrondissement

216	Acropole
217	Apollon Montparnasse
217	Châtillon Hôtel.
217	Parc

15e arrondissement

217	Carladez Cambronne
216	Lilas Blanc

Courbevoie

286 Central

Épinay-sur-Seine

289 Ibis

Évry (Agglomération d')

289 Ibis

Issy-les-Moulineaux

292 Campanile

Joinville-le-Pont

293 Cinépole

Kremlin-Bicêtre (Le)

293 Campanile

Lésigny

293 Réveillon

Levallois-Perret

294 ABC Champerret
294 Champagne Hôtel
294 Espace Champerret
294 Splendid'Hôtel

Lieusaint

295 Flamboyant

Longjumeau

295 St-Georges

Maisons-Laffitte

296 Climat de France

Marne-la-Vallée

300 Moulin de Paris
298 Ibis
299 Ibis

Nogent-sur-Marne

305 Campanile

Orly (Aéroports de Paris)

306 Kyriad - Air Plus

Queue-en-Brie (La)

310 Relais de Pincevent

Rungis

315 Ibis

St-Denis

316 Campanile
316 Ibis Stade de France Sud

St-Ouen

320 🏨 Sovereign

St-Quentin-en-Yvelines

321 🏨 Port Royal
321 🏨 Relais de Voisins

Sevran

322 🏨 Campanile

Sucy-en-Brie

323 🏨 Tartarin

Suresnes

323 🏨 Astor

Vanves

324 🏨 Ibis

Versailles

329 🏨 Home St-Louis
326 🏨 Ibis
330 🏨 Ibis

Villejuif

331 🏨 Campanile

Villejust

331 🏨 Campanile

Villeparisis

332 🏨 Relais du Parisis

Vincennes

333 🏨 Donjon

Hôtels avec salles de conférences

1er arrondissement

- 104 Inter - Continental
- 104 Meurice
- 104 Ritz
- 104 Castille
- 105 Louvre
- 105 Normandy
- 107 Novotel Les Halles
- 106 Régina

2e arrondissement

- 105 Westminster
- 105 Edouard VII
- 106 Horset Opéra (L')
- 107 États-Unis Opéra
- 107 Noailles

3e arrondissement

- 120 Villa Beaumarchais

4e arrondissement

- 120 Jeu de Paume

5e arrondissement

- 136 Grands Hommes
- 135 Relais St-Jacques
- 132 Rives de Notre-Dame

6e arrondissement

- 130 Lutétia
- 130 Victoria Palace
- 132 Holiday Inn Saint-Germain-des-Prés
- 130 Littré
- 130 Relais Christine

7e arrondissement

- 150 Montalembert
- 150 Pont Royal

8e arrondissement

9e arrondissement

10e arrondissement

11e arrondissement

12e arrondissement

203	🏨	Paris Bastille
203	🏨	Relais Mercure Bercy
204	🏨	Bercy Gare de Lyon

13e arrondissement

202	🏨	Holiday Inn Tolbiac
202	🏨	Mercure Blanqui
202	🏨	Mercure Pont de Bercy
205	🏨	Touring Hôtel Magendie

14e arrondissement

212	🏨	Méridien Montparnasse
212	🏨	Sofitel Forum Rive Gauche
213	🏨	Mercure Montparnasse
213	🏨	Novotel Porte d'Orléans
215	🏨	Park Plaza Orléans Palace

15e arrondissement

212	🏨	Hilton
212	🏨	Nikko
212	🏨	Sofitel Porte de Sèvres
213	🏨	Mercure Porte de Versailles
213	🏨	Mercure Tour Eiffel
213	🏨	Novotel Vaugirard
214	🏨	Holiday Inn Garden Court
214	🏨	Mercure Paris XV
216	🏨	Terminus Vaugirard
216	🏨	Abaca Messidor

16e arrondissement

230	🏨	Baltimore
230	🏨	Raphaël
230	🏨	Sofitel Parc Hôtel
230	🏨	St-James Paris
231	🏨	Auteuil
231	🏨	Élysées Régencia
231	🏨	Villa Maillot
233	🏨	Chambellan Morgane
233	🏨	Floride Étoile
234	🏨	Kléber
234	🏨	Boileau

17e arrondissement

246	🏨	Concorde La Fayette
246	🏨	Meridien Étoile
247	🏨	Ampère
247	🏨	Quality Inn Pierre
248	🏨	Tilsitt Étoile
250	🏨	Campanile

St-Cloud

315 Villa Henri IV

St-Denis

316 Campanile

St-Germain-en-Laye

317 Forestière
316 Ermitage des Loges

St-Ouen

320 Sovereign

St-Pierre-du-Perray

320 Novotel

St-Quentin-en-Yvelines

320 Mercure
321 Novotel St-Quentin Golf National
320 Holiday Inn Garden Court
321 Relais de Voisins

Sevran

322 Campanile

Sucy-en-Brie

323 Tartarin

Suresnes

323 Atrium
323 Novotel

Vanves

324 Mercure Porte de la Plaine
324 Parc des Expositions

Vélizy-Villacoublay

325 Holiday Inn

Versailles

326 Sofitel Château de Versailles
326 Trianon Palace
330 Novotel
330 Mercure
326 Relais Mercure
326 Versailles

Villejuif

331 Relais Mercure Timing
331 Campanile

Vincennes

332 St-Louis

Paris

Hôtels ______________________________

Restaurants ______________________________

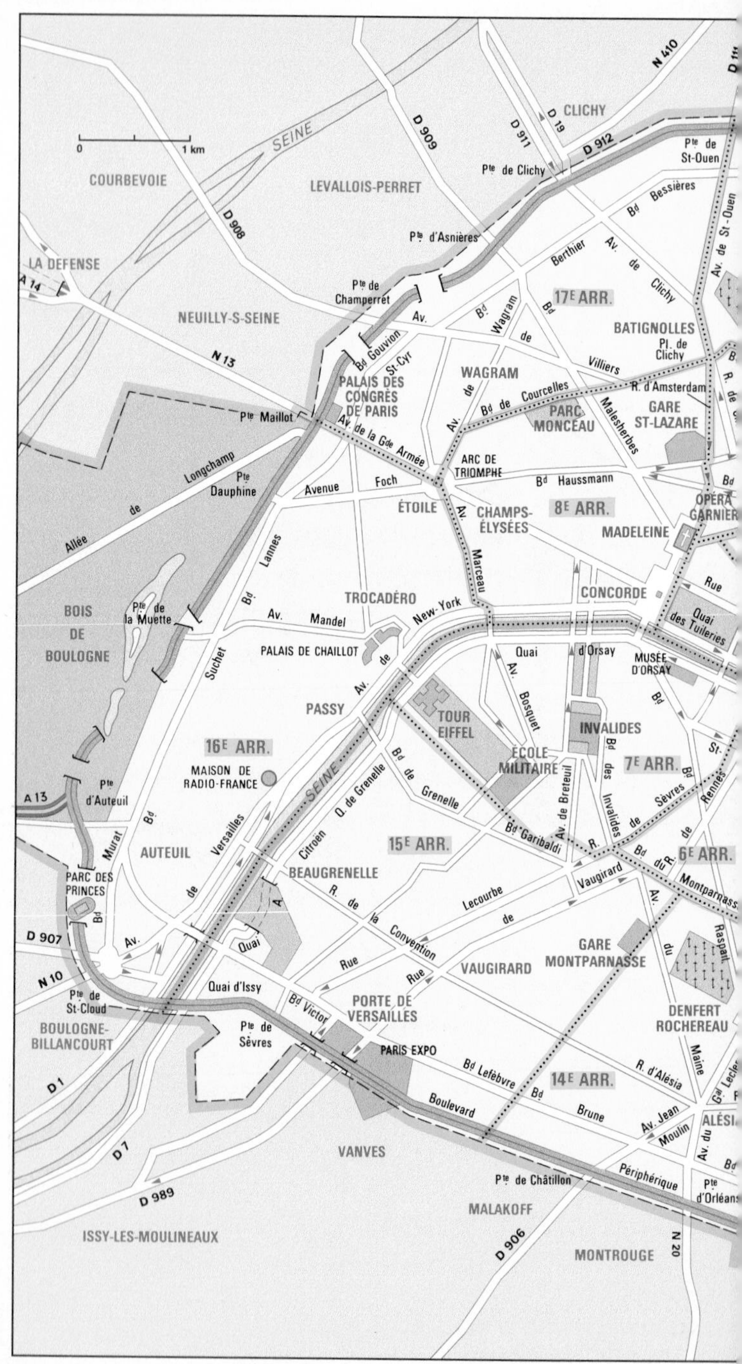
0
1 km
SEINE
COURBEVOIE
LEVALLOIS-PERRET
CLICHY
D 909
D 911
D 19
D 912
N 410
Pte de St-Ouen
Pte de Clichy
Bd Bessières
D 908
Pte d'Asnières
LA DEFENSE
A 14
Pte de Champerret
NEUILLY-S-SEINE
N 13
Berthier
Av. de Clichy
Av. de St-Ouen
17E ARR.
BATIGNOLLES
Pl. de Clichy
Bd Wagram
Bd de Villiers
Bd Gouvion St-Cyr
PALAIS DES CONGRÈS DE PARIS
WAGRAM
Av. de Wagram
R. d'Amsterdam
Bd de Courcelles
PARC MONCEAU
Malesherbes
GARE ST-LAZARE
Pte Maillot
Av. de la Gde Armée
ARC DE TRIOMPHE
Bd Haussmann
Longchamp
Pte Dauphine
Avenue Foch
ÉTOILE
CHAMPS-ÉLYSÉES
8E ARR.
OPÉRA GARNIER
MADELEINE
Allée de Longchamp
Bd Lannes
Av. Marceau
TROCADÉRO
CONCORDE
Rue
Quai des Tuileries
BOIS DE BOULOGNE
Pte de la Muette
Av. Mandel
New-York
Quai d'Orsay
MUSÉE D'ORSAY
PALAIS DE CHAILLOT
Suchet
Av. de
Av. Bosquet
Bd
PASSY
TOUR EIFFEL
INVALIDES
16E ARR.
ÉCOLE MILITAIRE
7E ARR.
St-
MAISON DE RADIO-FRANCE
SEINE
Bd de Grenelle
Q. de Grenelle
Bd des Invalides
Av. de Breteuil
Bd de Sèvres
Rennes
A 13
Pte d'Auteuil
Bd Murat
Versailles
Citroën
15E ARR.
Bd Garibaldi
R. de Vaugirard
Bd du Montparnasse
6E ARR.
AUTEUIL
BEAUGRENELLE
Av. de Versailles
PARC DES PRINCES
R. de la Convention
Lecourbe
Av. Raspail
D 907
Av.
Quai
GARE MONTPARNASSE
Rue
VAUGIRARD
N 10
Pte de St-Cloud
Quai d'Issy
Bd Victor
PORTE DE VERSAILLES
DENFERT ROCHEREAU
BOULOGNE-BILLANCOURT
Pte de Sèvres
PARIS EXPO
Maine
Bd Lefèbvre
R. d'Alésia
14E ARR.
D 1
Boulevard
Bd Brune
Av. Jean Moulin
Gal Leclerc
ALÉSIA
Av. du
D 7
VANVES
Périphérique
Pte de Châtillon
Pte d'Orléans
D 989
MALAKOFF
ISSY-LES-MOULINEAUX
D 906
N 20
MONTROUGE

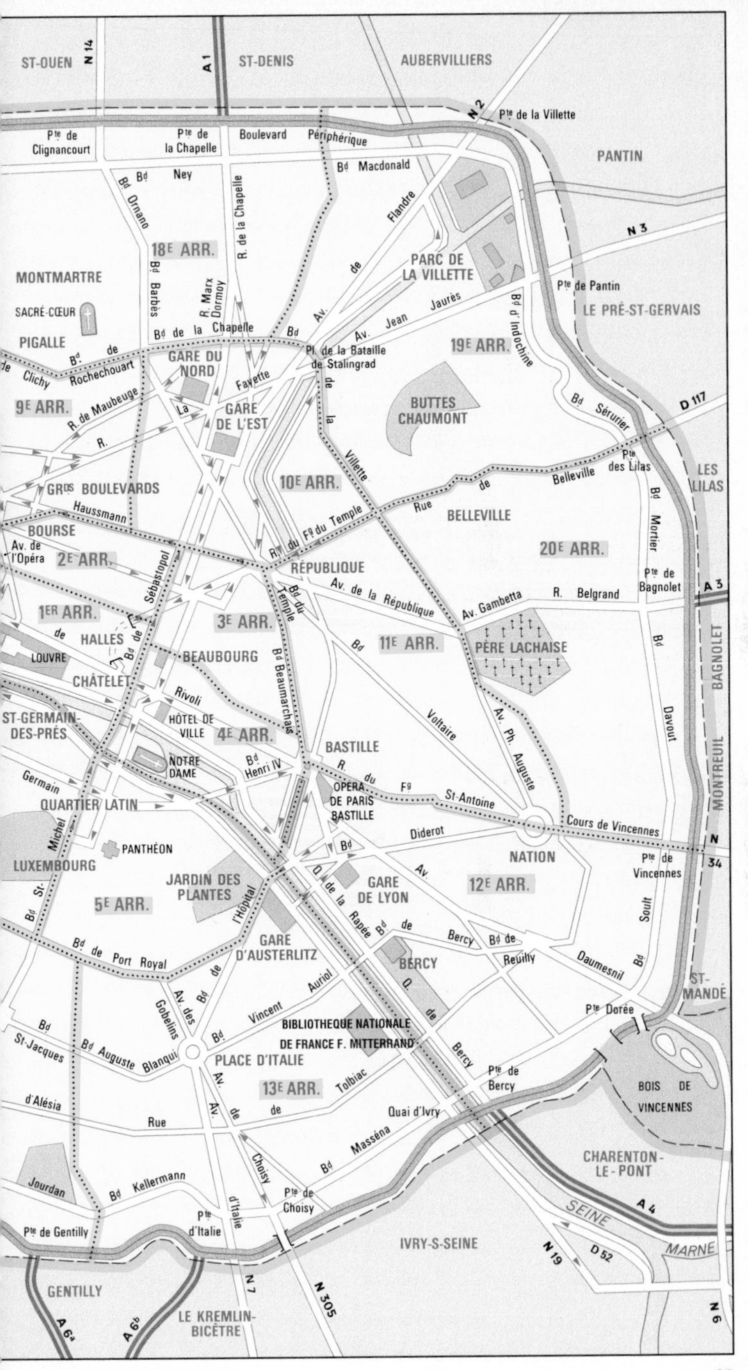

ST-OUEN
N 14
A 1
ST-DENIS
AUBERVILLIERS
N 2
Pte de la Villette
Pte de Clignancourt
Pte de la Chapelle
Boulevard
Périphérique
Bd Macdonald
PANTIN
Bd Ney
Bd Ornano
R. de la Chapelle
de Flandre
N 3
18E ARR.
PARC DE LA VILLETTE
MONTMARTRE
Bd Barbès
R. Marx Dormoy
Av. de
Av. Jean Jaurès
Pte de Pantin
Bd d'Indochine
SACRÉ-CŒUR
LE PRÉ-ST-GERVAIS
PIGALLE
Bd de la Chapelle
Pl. de la Bataille de Stalingrad
19E ARR.
GARE DU NORD
Bd de Clichy
Rochechouart
La Fayette
BUTTES CHAUMONT
9E ARR.
R. de Maubeuge
GARE DE L'EST
de la Villette
Bd Sérurier
D 117
GRDS BOULEVARDS
10E ARR.
Pte des Lilas
LES LILAS
Haussmann
Rue de Belleville
BELLEVILLE
Bd Mortier
BOURSE
R. du Fg du Temple
Av. de l'Opéra
2E ARR.
Sébastopol
RÉPUBLIQUE
20E ARR.
Av. de la République
Pte de Bagnolet
A 3
1ER ARR.
Bd du Temple
R. Belgrand
3E ARR.
Av. Gambetta
HALLES
11E ARR.
PÈRE LACHAISE
LOUVRE
BEAUBOURG
Bd Beaumarchais
BAGNOLET
CHÂTELET
Rivoli
Voltaire
ST-GERMAIN-DES-PRÉS
HÔTEL DE VILLE
4E ARR.
Davout
BASTILLE
Av. Ph. Auguste
NOTRE DAME
Bd Henri IV
R. du Fg St-Antoine
MONTREUIL
Germain
OPÉRA DE PARIS BASTILLE
QUARTIER LATIN
Diderot
Cours de Vincennes
Michel
PANTHÉON
NATION
N 34
Pte de Vincennes
LUXEMBOURG
JARDIN DES PLANTES
GARE DE LYON
12E ARR.
5E ARR.
l'Hôpital
Q. de la Rapée
Soult
Bd de Bercy
Bd de Reuilly
GARE D'AUSTERLITZ
Bd de Port Royal
BERCY
Daumesnil
Auriol
ST-MANDÉ
Gobelins
Av. des
Bd de
Vincent
Pte Dorée
BIBLIOTHEQUE NATIONALE DE FRANCE F. MITTERRAND
Q. de Bercy
Bd St-Jacques
Bd Auguste Blanqui
PLACE D'ITALIE
Pte de Bercy
BOIS DE VINCENNES
13E ARR.
Tolbiac
d'Alésia
Rue de
Av. de
Quai d'Ivry
Masséna
CHARENTON-LE-PONT
Jourdan
Bd Kellermann
Choisy
Pte de Choisy
A 4
SEINE
Pte de Gentilly
Pte d'Italie
d'Italie
IVRY-S-SEINE
N 19
D 52
MARNE
GENTILLY
N 7
N 305
N 6
A 6a
A 6b
LE KREMLIN-BICÊTRE

Légende

•	*Hôtel*
•	*Restaurant*
AX 1	*Repérage des ressources sur les plans*
2E	*Limite et numéro d'arrondissement*
	Grande voie de circulation
P	*Parking*
M	*Station de métro ou de RER*
T	*Station de Taxi*
	Bateau mouche : embarcadère
	Batobus : embarcadère

Key

•	*Hotel*
•	*Restaurant*
AX 1	*Reference letters locating position on town plan*
2E	*Arrondissement number and boundary*
	Major through route
P	*Car park*
M	*Metro or RER station*
T	*Taxi rank*
	Bateau mouche : boarding point
	Batobus : boarding point

Opéra - Palais-Royal
Halles - Bourse
Châtelet - Tuileries

1er et 2e arrondissements

1er : ✉ 75001 - 2e : ✉ 75002

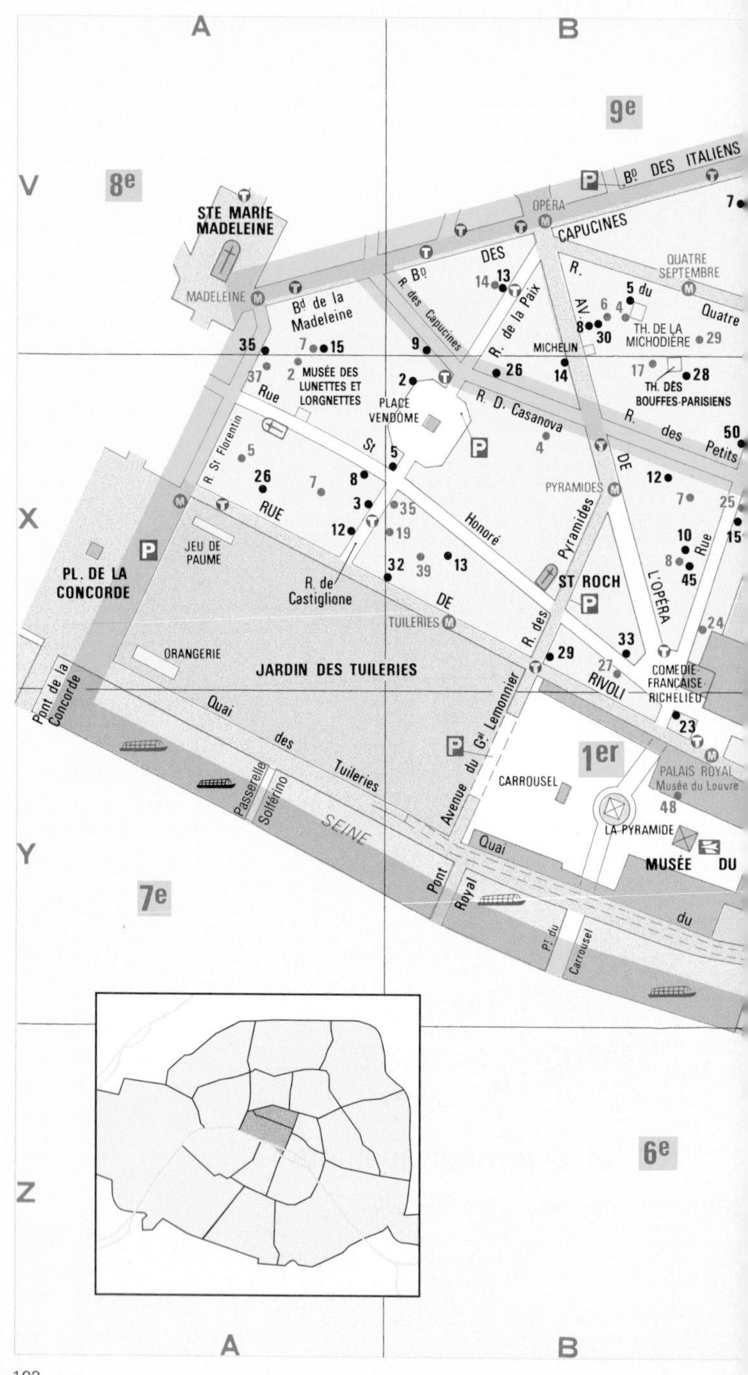
A
B
9e
8e
V
X
Y
Z
STE MARIE
MADELEINE
MADELEINE
Bd de la
Madeleine
Bd DES ITALIENS
OPÉRA
CAPUCINES
DES
Bd
R. des Capucines
R. de la Paix
QUATRE
SEPTEMBRE
Quatre
AV.
TH. DE LA
MICHODIÈRE
MICHELIN
TH. DES
BOUFFES-PARISIENS
MUSÉE DES
LUNETTES ET
LORGNETTES
PLACE
VENDÔME
R. D. Casanova
des
Petits
Rue
St
R. St Florentin
RUE
Honoré
PYRAMIDES
DE
Pyramides
R. des
L'OPÉRA
Rue
ST ROCH
JEU DE
PAUME
PL. DE LA
CONCORDE
R. de
Castiglione
DE
TUILERIES
ORANGERIE
JARDIN DES TUILERIES
RIVOLI
COMEDIE-
FRANCAISE-
RICHELIEU
Pont de la
Concorde
Quai
des
Tuileries
Avenue du Gal Lemonnier
1er
CARROUSEL
PALAIS ROYAL
Musée du Louvre
LA PYRAMIDE
MUSÉE DU
Passerelle
Solférino
SEINE
Quai
Pont
Royal
Pt du
Carrousel
du
7e
6e

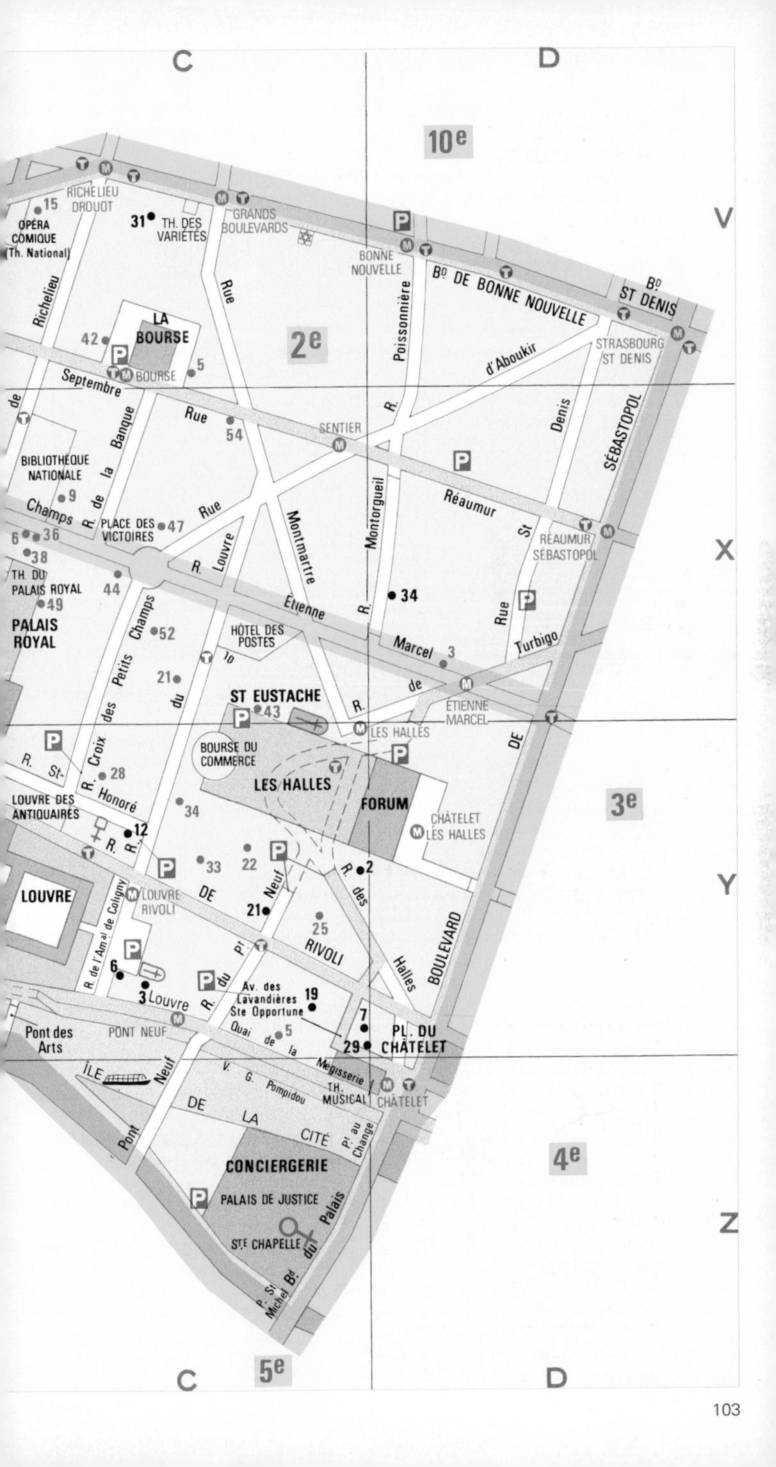
C
D
10e
V
X
Y
Z
RICHELIEU DROUOT
15
OPÉRA COMIQUE (Th. National)
31
TH. DES VARIÉTÉS
GRANDS BOULEVARDS
BONNE NOUVELLE
Bd DE BONNE NOUVELLE
Bd ST DENIS
STRASBOURG ST DENIS
Richelieu
LA BOURSE
42
5
BOURSE
2e
Rue
Poissonnière
d'Aboukir
Septembre
Rue
54
SENTIER
R.
Denis
SÉBASTOPOL
BIBLIOTHÈQUE NATIONALE
R. de la Banque
9
Champs
PLACE DES VICTOIRES
47
Rue
Montmartre
Montorgueil
Réaumur
St
RÉAUMUR SÉBASTOPOL
6
36
38
TH. DU PALAIS ROYAL
44
R. Louvre
Étienne
R.
34
Rue
Turbigo
49
PALAIS ROYAL
Champs
52
HÔTEL DES POSTES
Marcel
3
Petits
21
du
des
ST EUSTACHE
43
R.
de
ÉTIENNE MARCEL
LES HALLES
DE
R. St-Honoré
Croix
28
BOURSE DU COMMERCE
LES HALLES
FORUM
CHÂTELET LES HALLES
3e
LOUVRE DES ANTIQUAIRES
12
R.
34
33
22
R.
2
des
LOUVRE
R. de l'Amal de Coligny
LOUVRE RIVOLI
DE
Neuf
21
25
RIVOLI
Halles
BOULEVARD
6
3
Louvre
R. du Pt
Av. des Lavandières Ste Opportune
19
7
29
PL. DU CHÂTELET
Pont des Arts
PONT NEUF
Quai de la Mégisserie
5
ÎLE
Neuf
V. G. Pompidou
TH. MUSICAL
CHÂTELET
Pont
DE LA CITÉ
Pt au Change
4e
CONCIERGERIE
PALAIS DE JUSTICE
STE CHAPELLE
du Palais
P. St Michel
Bd
5e

Ritz BX 2
15 pl. Vendôme (1er) 01 43 16 30 30, *mgt@ritzparis.com, Fax 01 43 16 33 68*
– 30 à 80. AE GB JCB.
voir rest. ***L'Espadon*** ci-après
Ritz Club (dîner seul.) *(fermé août, dim. et fériés)* **Repas** carte 360 à 430
Bar Vendôme (déj. seul.) **Repas** carte 440 à 630 – 200 – **130 ch** 3280/4527, 45 appart.
◆ César Ritz inaugura en 1898 "l'hôtel parfait" dont il rêvait. R. Valentino, Proust, Hemingway, Coco Chanel en furent les hôtes. Chambres d'un raffinement incomparable.

Meurice BX 32
228 r. Rivoli (1er) 01 44 58 10 10, *reservations@meuricehotel.com, Fax 01 44 58 10 15*
– 40 à 70. AE GB JCB. rest
voir rest. ***Le Meurice*** ci-après
Jardin d'Hiver 01 44 58 10 44 **Repas** carte 260 à 390 – 190 – **135 ch** 3500/4700, 25 appart.
◆ Créé dès 1817, l'un des premiers hôtels de luxe, transformé en palace en 1907. Ce haut lieu de l'élégance entame le 3e millénaire entièrement rénové, toujours plus fastueux.

Inter - Continental AX 12
3 r. Castiglione (1er) 01 44 77 11 11, *paris@interconti.com, Fax 01 44 77 14 60*
– 15 à 350. AE GB JCB. rest
234 Rivoli 01 44 77 10 40 **Repas** carte 260 à 370
Terrasse Fleurie *(mai-sept.)* **Repas** carte 260 à 370 – 200 – **410 ch** 3411/4526, 33 appart.
◆ Glorieux hôtel édifié en 1878. Le décor des chambres décline les styles du 19e s. ; certaines offrent la vue sur les Tuileries. Somptueux salons Napoléon III.

Costes AX 8
239 r. St-Honoré (1er) 01 42 44 50 00, *Fax 01 42 44 50 01*
AE GB JCB
Repas carte 290 à 460 – 170 – **80 ch** 2000/4500, 3 duplex.
◆ Style Napoléon III revisité dans des chambres pourpre et or, ravissante cour à l'italienne et restaurant-bar "branché" : un palace extravagant, adulé par la "jet-set".

Vendôme BX 5
1 pl. Vendôme (1er) 01 55 04 55 00, *Fax 01 49 27 97 89*
M – AE GB JCB
Café de Vendôme 01 55 04 55 55 **Repas** 240/270
Les Perles de Vendôme 01 55 04 55 62 *(fermé sam. et dim.)* **Repas** carte 150 à 300 – 160 – **19 ch** 3200/4500, 10 appart.
◆ Bel hôtel particulier du 18e s. devenu palace. Profusion de marbre et équipements "dernier cri". Décor vénitien au Café de Vendôme ; cuisine libanaise aux Perles.

Castille AV 15
37 r. Cambon (1er) 01 44 58 44 58, *reservation@castille.com, Fax 01 44 58 44 00*
M – – 30. AE GB JCB
voir rest. ***Il Cortile*** ci-après – 150 – **86 ch** 2875/5938, 7 appart, 14 duplex.
◆ Côté "Opéra", chaleureux décor inspiré de l'Italie et de la Renaissance ; côté "Rivoli", cadre chic et sobre à la française, agrémenté de photos du Paris de Doisneau.

Louvre
BY **23**

pl. A. Malraux (1er) ✆ 01 44 58 38 38, *hoteldulouvre@hoteldulouvre.com, Fax 01 44 58 38 01*

– – 15 à 80. AE GB JCB

Brasserie Le Louvre : **Repas** *(145)*-190 ♀, enf. 75 – 125 – **195 ch** 2350/4800.

◆ Un des premiers grands hôtels parisiens, où logea le peintre Pissarro. Certaines chambres jouissent d'une perspective unique sur l'avenue de l'Opéra et le palais Garnier.

Westminster
BV **13**

13 r. Paix (2e) ✆ 01 42 61 57 46, *resa-westminster@warwickhotels.com, Fax 01 42 60 30 66*

– , ch, – 15 à 30. AE GB JCB

voir rest. ***Céladon*** ci-après – 120 – **82 ch** 2500/3100, 20 appart.

◆ C'est en 1846 que cet élégant hôtel, jadis couvent puis relais de poste, adopta le nom de son plus fidèle client, le duc de Westminster. Chambres cossues, appartements luxueux.

Lotti
AX **3**

7 r. Castiglione (1er) ✆ 01 42 60 37 34, *hotel.lotti@wanadoo.fr, Fax 01 40 15 93 56*

sans rest – . AE GB JCB

140 – **129 ch** 2000/3400.

◆ Non loin des joailliers de la place Vendôme, un petit "bijou" de l'hôtellerie : chambres douillettes ornées de meubles de divers styles, confortable salon sous verrière.

Edouard VII
BX **14**

39 av. Opéra (2e) ✆ 01 42 61 56 90, *info@edouard7hotel.com, Fax 01 42 61 47 73*

sans rest – – 15 à 25. AE GB JCB

110 – **65 ch** 1850/2350, 4 appart.

◆ Le prince de Galles Édouard VII aimait séjourner ici lors de ses passages à Paris. Chambres spacieuses et feutrées. Bar Art déco, hall "kitsch" garni de fauteuils zébrés.

Royal St-Honoré
BX **13**

221 r. St-Honoré (1er) ✆ 01 42 60 32 79, *rsh@hotel-royal-st-honore.com, Fax 01 42 60 47 44*

M sans rest – . AE GB JCB.

105 – **67 ch** 1700/2200, 5 appart.

◆ Immeuble bâti au 19e s. sur l'emplacement de l'ancien hôtel de Noailles. Chambres personnalisées, très raffinées. Décor Louis XVI dans la salle des petits-déjeuners.

Normandy
BX **33**

7 r. Échelle (1er) ✆ 01 42 60 30 21, *normandy@hotelsparis.fr, Fax 01 42 60 45 81*

– 15 à 30. AE GB JCB

L'Échelle *(fermé août, sam. et dim.)* **Repas** *(130)*-185/285 – 95 – **118 ch** 1100/2800, 4 appart.

◆ À deux pas du Louvre. Les nostalgiques des palaces d'antan seront séduits par le cachet "rétro" des chambres plutôt grandes, souvent dotées de meubles de style.

Régina BX 29
2 pl. Pyramides (1er) ✆ 01 42 60 31 10, *management@regina-hotel.com, Fax 01 40 15 95 16*
– |‡| ✈ ▤ TV ✆ – 🏛 30. AE ⓓ GB JCB
Repas *(fermé août, sam., dim. et fériés) (160)* - 175/285 bc et carte 330 à 440 ♀
– ☕ 100 – **105 ch** 1770/2400, 15 appart.
◆ De sa création en 1900, cet hôtel a conservé son superbe hall Art nouveau. Chambres riches en mobilier ancien, plus calmes côté patio ; certaines ont vue sur la tour Eiffel.

Opéra Richepanse AV 35
14 r. Richepanse (1er) ✆ 01 42 60 36 00, *richepanseotel@wanadoo.fr, Fax 01 42 60 13 03*
M sans rest – |‡| ▤ TV ✆. AE ⓓ GB JCB
☕ 110 – **35 ch** 1630/1890, 3 appart.
◆ Établissement entièrement rénové et meublé dans le style Art déco. Chambres aux tons jaune et bleu, parfois avec poutres apparentes. Sauna au sous-sol.

Washington Opéra BX 15
50 r. Richelieu (1er) ✆ 01 42 96 68 06, *hotel@washingtonopera.com, Fax 01 40 15 01 12*
M sans rest – |‡| ✈ ▤ TV ✆ ♿. AE ⓓ GB JCB. ✂
☕ 80 – **36 ch** 1400/1800.
◆ Ancien hôtel particulier de la marquise de Pompadour. Chambres de style Directoire ou gustavien. La terrasse du 6e étage offre une belle vue sur le jardin du Palais-Royal.

Cambon AX 26
3 r. Cambon (1er) ✆ 01 44 58 93 93, *cambon@cybercable.fr, Fax 01 42 60 30 59*
M sans rest – |‡| ▤ TV ✆. AE ⓓ GB JCB. ✂
☕ 85 – **40 ch** 1680/1880.
◆ Entre jardin des Tuileries et rue St-Honoré, plaisantes chambres où cohabitent mobilier contemporain, jolies gravures et tableaux anciens. Agréable bar Art déco.

Stendhal BX 26
22 r. D. Casanova (2e) ✆ 01 44 58 52 52, *h1610@accor-hotels.com, Fax 01 44 58 52 00*
sans rest – |‡| ▤ TV ✆. AE ⓓ GB JCB
☕ 105 – **20 ch** 1680/2100.
◆ Sur les traces du célèbre écrivain, séjournez dans la suite "Rouge et Noir" de cette demeure de caractère. Les chambres, raffinées, se déclinent toutes en deux couleurs.

Mansart BV 9
5 r. Capucines (1er) ✆ 01 42 61 50 28, *hotel.mansart@wanadoo.fr, Fax 01 49 27 97 44*
sans rest – |‡| TV. AE ⓓ GB JCB. ✂
☕ 60 – **57 ch** 800/1700.
◆ Hôtel dont la rénovation rend hommage à Mansart, architecte de Louis XIV. Dans le hall, fresques inspirées des jardins de Le Nôtre. Chambres personnalisées.

L'Horset Opéra BV 30
18 r. d'Antin (2e) ✆ 01 44 71 87 00, *Fax 01 42 66 55 54*
M sans rest – |‡| ✈ ▤ TV ✆ – 🏛 20. AE ⓓ GB JCB
☕ 85 – **55 ch** 1400/1550.
◆ Tons chauds, mobilier en bois blond et espace caractérisent les chambres de cet hôtel de tradition situé à deux pas du palais Garnier. Atmosphère "cosy" au salon.

Novotel Les Halles CY 2
8 pl. M.-de-Navarre (1er) 01 42 21 31 31, *h0785@accor-hotel.com, Fax 01 40 26 05 79*
M – 15 à 20. AE GB JCB
Repas carte environ 180, enf. 50 – 85 – **271 ch** 1500/1625.
◆ Près du Forum des Halles, établissement bien insonorisé, conforme aux normes de la chaîne. Quelques chambres ont vue sur l'église St-Eustache.

États-Unis Opéra BV 8
16 r. d'Antin (2e) 01 42 65 05 05, *us-opare@wanadoo.fr, Fax 01 42 65 93 70*
sans rest – 25. AE GB JCB.
65 – **45 ch** 720/1130.
◆ Récemment rénové, cet immeuble des années 1930 propose des chambres confortables et actuelles ; quelques-unes sont dotées d'un mobilier de style.

Violet CY 7
7 r. J. Lantier (1er) 01 42 33 45 38, *hotel.violet@wanadoo.fr, Fax 01 40 28 03 56*
M sans rest – AE GB JCB.
60 – **30 ch** 600/800.
◆ Mobilier en bois peint et étoffes colorées dans des chambres efficacement insonorisées et aménagées avec soin. Petits-déjeuners servis dans une cave voûtée du 16e s.

Noailles BV 5
9 r. Michodière (2e) 01 47 42 92 90, *goldentulip.denoailles@wanadoo.fr, Fax 01 49 24 92 71*
M sans rest – 20. AE GB JCB
60 – **55 ch** 1100/1300, 6 appart.
◆ Élégance résolument contemporaine derrière une sobre façade ancienne. Décor japonisant dans des chambres de bonne ampleur ; la plupart donnent sur un agréable patio.

Malte Opéra BX 50
63 r. Richelieu (2e) 01 44 58 94 94, *hotel.malte@astotel.com, Fax 01 42 86 88 19*
sans rest – AE GB JCB.
90 – **54 ch** 990/1290, 5 duplex.
◆ Face à la Bibliothèque nationale, belle façade ouvragée abritant des chambres de tailles variées, meublées dans le style Louis XV. Salon cossu prolongé d'une verrière.

Britannique CY 29
20 av. Victoria (1er) 01 42 33 74 59, *mailbox@hotel-britannique.fr, Fax 01 42 33 82 65*
sans rest – AE GB JCB.
67 – **40 ch** 780/1080.
◆ Créée au 19e s. par une famille anglaise, cette adresse a conservé sa douce atmosphère "british". Chambres contemporaines. Çà et là, des reproductions de W. Turner.

Relais du Louvre CY 3
19 r. Prêtres-St-Germain-L'Auxerrois (1er) 01 40 41 96 42, *au-relais-du-louvre@dial.oleane.com, Fax 01 40 41 96 44*
sans rest – AE GB JCB
60 – **19 ch** 650/1050.
◆ Étroite façade du 18e s. abritant un hôtel de caractère. Mobilier de style, couleurs gaies et accessoires de la vie moderne dans des chambres douillettes et raffinées.

Louvre St-Honoré CY 12

141 r. St-Honoré (1er) ✆ 01 42 96 23 23, *hotellouvresainthonore@regetel.com, Fax 01 42 96 21 61*
sans rest – AE GB JCB.
75 – **40 ch** 950/1350.
◆ Deux immeubles anciens reliés par la salle des petits-déjeuners coiffée d'une verrière. Mobilier contemporain et tons chauds. La plupart des chambres donnent côté cour.

Place du Louvre CY 6

21 r. Prêtres-St-Germain-L'Auxerrois (1er) ✆ 01 42 33 78 68, *hotel.place.louvre@wanadoo.fr, Fax 01 42 33 09 95*
sans rest – AE GB JCB
60 – **20 ch** 560/910.
◆ Plaisantes petites chambres modernes ; certaines bénéficient d'une vue sur le Louvre et St-Germain-l'Auxerrois. Jolie voûte du 14e s. dans la salle des petits-déjeuners.

Grand Hôtel de Champagne CY 19

17 r. J.-Lantier (1er) ✆ 01 42 36 60 00, *Fax 01 45 08 43 33*
sans rest – AE GB JCB
70 – **43 ch** 866/972.
◆ Dans les murs du plus vieil immeuble (édifié en 1562) de la rue J.-Lantier, chambres personnalisées et bien équipées, souvent avec pierres et poutres apparentes.

Favart BV 7

5 r. Marivaux (2e) ✆ 01 42 97 59 83, *favart.hotel@wanadoo.fr, Fax 01 40 15 95 58*
sans rest – AE GB JCB
20 – **38 ch** 520/645.
◆ Le peintre Goya séjourna dans ce charmant hôtel. Les chambres de la façade principale, tournées vers l'Opéra-Comique (autrefois salle Favart) sont les plus agréables.

Molière BX 10

21 r. Molière (1er) ✆ 01 42 96 22 01, *moliere@worldnet.fr, Fax 01 42 60 48 68*
sans rest – AE GB.
70 – **32 ch** 780/880.
◆ L'enseigne rend hommage au célèbre auteur de théâtre qui serait né dans cette rue. Mobilier de style et charme "provincial" dans des chambres assez spacieuses.

Victoires Opéra DX 34

56 r. Montorgueil (2e) ✆ 01 42 36 41 08, *hotel@victoiresopera.com, Fax 01 45 08 08 79*
M sans rest – AE GB JCB.
80 – **24 ch** 1200/1800.
◆ Dans une rue piétonne, commerçante et souvent animée. L'établissement vient de bénéficier d'une rénovation de qualité. Chambres contemporaines dotées de salle de bains en marbre.

Ducs de Bourgogne CY 21

19 r. Pont-Neuf (1er) ✆ 01 42 33 95 64, *mail@hotel-paris-bourgogne.com, Fax 01 40 39 01 25*
sans rest – AE GB JCB
70 – **50 ch** 610/1010.
◆ Immeuble du 19e s. dont les chambres, refaites, sont presque toutes garnies de meubles de style. Hall et salon au cadre bourgeois. Salle des petits-déjeuners rustique.

Baudelaire Opéra BX 28
61 r. Ste Anne (2e) ✆ 01 42 97 50 62, *hotel@cybercable.fr, Fax 01 42 86 85 85*
sans rest – . AE GB JCB.
47 – **24 ch** 600/800, 5 duplex.
◆ Dans la "rue japonaise" de Paris, établissement disposant de chambres correctement équipées et bien insonorisées. Décor un peu ancien, que l'on rajeunit progressivement.

Louvre Rivoli BX 45
20 r. Molière (1er) ✆ 01 42 60 31 20, *louvre@hotelsparis.fr, Fax 01 42 60 32 06*
sans rest – . AE GB JCB.
75 – **29 ch** 990/1030.
◆ Bien situé entre quartier de l'Opéra et musée du Louvre, cet hôtel entièrement rénové séduira amateurs d'art et de shopping. Chambres menues, mais fraîches et colorées.

Louvre Ste-Anne BX 12
32 r. Ste-Anne (1er) ✆ 01 40 20 02 35, *ste-anne@worldonline.fr, Fax 01 40 15 91 13*
sans rest – . AE GB JCB.
60 – **20 ch** 796/1190.
◆ Chambres un peu petites, mais bien agencées et plaisamment décorées dans des tons pastel. Petits-déjeuners sous forme de buffet, servis dans une jolie salle voûtée.

Vivienne CV 31
40 r. Vivienne (2e) ✆ 01 42 33 13 26, *paris@hotel-vivienne.com, Fax 01 40 41 98 19*
sans rest – . GB
40 – **44 ch** 305/540.
◆ Les chambres, de bonne ampleur, dotées d'un mobilier de style ou simplement pratique, sont mansardées au dernier étage ; quelques-unes possèdent un balcon.

L'Espadon - Hôtel Ritz BX 2
15 pl. Vendôme (1er) ✆ 01 43 16 30 80, *mgt@ritzparis.com, Fax 01 43 16 33 75*
– . AE GB JCB.
Repas 400 (déj.)/850 et carte 580 à 830.
◆ Vous rêvez d'un repas dans un décor éblouissant ? Réservez une table au restaurant du Ritz ! Salle à manger submergée d'ors et de drapés.
Spéc. Homard de Bretagne à la crème de corail. Turbot rôti sur lit de cèpes au jus de viande (automne). Poulet "gauloise blanche" rôti aux rattes confites.

Le Meurice - Hôtel Meurice BX 32
228 r. Rivoli (1er) ✆ 01 44 58 10 55, *restauration@meuricehotel.com, Fax 01 44 58 10 13*
. AE GB JCB.
Repas 360 (déj.), 600/950 et carte 430 à 630.
◆ Une pure merveille que cette salle à manger de style Grand Siècle, directement inspirée des Grands Appartements du château de Versailles. Cuisine soignée.
Spéc. Millefeuille de tomate et chèvre frais au basilic. Pavé de thon poêlé à l'huile d'olive. Volaille et petites pommes de terre nouvelles rôties ensemble.

XXXX ✿✿✿ **Grand Vefour** CX 38
17 r. Beaujolais (1er) ✆ 01 42 96 56 27, *grand.vefour@wanadoo.fr, Fax 01 42 86 80 71*
▤. AE ⓓ GB JCB.
fermé 14 au 22 avril, août, 22 déc. au 2 janv., vend. soir, sam. et dim. – **Repas** 415 (déj.)/990 et carte 740 à 990.
◆ Dans les jardins du Palais-Royal : les somptueux salons Directoire de l'ancien café de Chartres, décorés de splendides "fixés sous verre", sont célèbres dans le monde entier.
Spéc. Foie gras de canard en terrine. Tronçon de sole à la tomate, jus menthe-coriandre. Tourte d'artichauts et légumes confits, sorbet aux amandes amères (dessert).

XXXX ✿✿ **Carré des Feuillants** (Dutournier) BX 35
14 r. Castiglione (1er) ✆ 01 42 86 82 82, *Fax 01 42 86 07 71*
▤. AE ⓓ GB JCB
fermé août, sam. midi et dim. – **Repas** 360 (déj.)/880 et carte 560 à 780.
◆ Ce restaurant occupe le site de l'ancien couvent des Feuillants où David peignit le fameux Serment du Jeu de Paume. Cuisine inventive à l'accent gascon.
Spéc. Huîtres spéciales de Marennes en chaud-froid et tartines de foie gras (sept. à avril). Filets de perdreau flanqués de foie gras caramélisé (saison). Figues fraîches à la crème de noix et glace à la fourme d'Ambert (automne-hiver).

XXXX ✿ **Drouant** BV 4
pl. Gaillon (2e) ✆ 01 42 65 15 16, *drouantrv@elior.com, Fax 01 49 24 02 15*
voir aussi rest. ***Café Drouant*** – ▤. AE ⓓ GB JCB
fermé 28 juil. au 26 août, sam. et dim. – **Repas** 320 (déj.)/680 (dîner) et carte 500 à 780 ♀.
◆ Vous prendrez votre repas dans l'une des petites salles Art déco groupées autour d'un majestueux escalier. Le salon Louis XVI, à l'étage, accueille le jury du "Goncourt".
Spéc. Raviole d'oeuf au coulis de truffe. Saint-Jacques aux crevettes grises et bigorneaux (oct. à mai). Millefeuille au pralin et chocolat noir.

XXXX ✿✿ **Gérard Besson** CX 21
5 r. Coq Héron (1er) ✆ 01 42 33 14 74, *Fax 01 42 33 85 71*
▤. AE ⓓ GB JCB
fermé sam. sauf le soir de sept. à juin et dim. – **Repas** *(240)* - 300 (déj.)/580 et carte 590 à 620 ♀.
◆ À deux pas des Halles, restaurant au cadre feutré et élégant, agrémenté de collections d'aiguières anciennes et de coqs en faïence. Cuisine classique subtilement revisitée.
Spéc. Homard "Georges Garin". Gibier (saison). Fenouil confit aux épices (dessert).

XXXX ✿ **Goumard** AX 37
9 r. Duphot (1er) ✆ 01 42 60 36 07, *Fax 01 42 60 04 54*
▤. AE GB
fermé 1er au 23 août – **Repas** 250 (déj.)et carte 340 à 480 ♀.
◆ Petites salles à manger intimes au cadre Art déco rehaussé de marines. Les toilettes, vestige de l'ancien décor signé Majorelle, méritent la visite. Belle cuisine de la mer.
Spéc. Emincé de palmiste et Saint-Jacques poêlées (oct. à avril) Turbot de ligne rôti au jus de volaille. Arlette caramélisée et glace à la confiture de lait.

XXX **Céladon** - Hôtel Westminster BV 14
✿ 15 r. Daunou (2e) ✆ 01 42 61 77 42, *resa@westminster.hepta.fr, Fax 01 42 60 30 66*
▤. AE ⓓ GB JCB
fermé août, sam., dim. et fériés – **Repas** 290 bc (déj.)/380 (dîner) et carte 400 à 540 ♀.
◆ Ravissantes salles à manger où mobilier de style Régence, murs vert "céladon" et collection de porcelaines chinoises composent un décor au goût très sûr. Cuisine classique.
Spéc. Minestrone de bouquets au lomo (sept. à déc.). Saint-Pierre rôti en persillade d'amandes fraîches. Tomates rôties aux fruits secs.

XXX **Macéo** CX 36
15 r. Petits-Champs (1er) ✆ 01 42 97 53 85, *Fax 01 47 03 36 93*
▤. GB
fermé sam. midi et dim. – **Repas** 220 (déj.)/250 et carte 290 à 410 ♀.
◆ Dans une salle à manger du Second Empire, mobilier et éclairage contemporains créent une atmosphère particulière. Cuisine inventive et vins du monde entier.

XXX **Il Cortile** - Hôtel de Castille AV 7
✿ 37 r. Cambon (1er) ✆ 01 44 58 45 67, *ilcortile@castille.com, Fax 01 44 58 45 69*
☂ – AE ⓓ GB JCB
fermé sam., dim. et fériés – **Repas** 290 bc (déj.)et carte 260 à 420.
◆ La salle façon "villa d'Este", l'activité fébrile de la brigade au "piano", le très beau patio en azulejos et sa fontaine : un joli cadre pour une cuisine italienne raffinée.
Spéc. Cannelloni à l'encre, chair de tourteau et homard. Piccata de veau à la sauge. Palet moelleux au chocolat, noisettes et amandes.

XXX **Pierre " A la Fontaine Gaillon "** BV 6
pl. Gaillon (2e) ✆ 01 47 42 63 22, *Fax 01 47 42 82 84*
☂ – ▤. AE ⓓ GB JCB
fermé août – **Repas** 195 et carte 260 à 440.
◆ Hôtel particulier du 17e s., jadis demeure du prince de Conti, et sa belle fontaine restaurée par Visconti. Décor assez fastueux avec boiseries, tableaux et meubles anciens.

XX **Pierre - J.-P. Arabian** BX 24
10 r. Richelieu (1er) ✆ 01 42 96 09 17, *Fax 01 42 96 09 62*
▤. AE ⓓ GB JCB
fermé 24 déc. au 2 janv., sam. midi et dim. – **Repas** carte 260 à 360 ♀.
◆ Jamais boutique de fleurs n'aura eu autant de visiteurs... masculins : il faut la traverser pour rejoindre la salle de restaurant ! Cuisine traditionnelle, accueil emphatique.

XX **Palais Royal** CX 49
110 Galerie de Valois - Jardin du Palais Royal (1er) ✆ 01 40 20 00 27, *palaisrest@aol.com, Fax 01 40 20 00 82*
☂ – AE ⓓ GB
fermé 15 déc. au 15 fév., sam. midi d'oct. à avril et dim. – **Repas** carte 240 à 380 ♀.
◆ Sous les fenêtres de l'appartement de Colette, longue salle de restaurant de style Art déco et son idyllique terrasse "grande ouverte" sur le jardin du Palais-Royal.

XX **Chez Pauline** BX 7
5 r. Villédo (1er) ☎ 01 42 96 20 70, *Fax 01 49 27 99 89*
▤. AE ① GB JCB
fermé sam. sauf le soir en hiver et dim. – **Repas** *(170)* - 220 (déj.)/250 et carte 370 à 450 ♀.
◆ Dans une jolie petite rue tranquille, discrète adresse aménagée à la façon d'un bistrot du début du 20e s. La salle du premier étage est chaleureuse et cossue.

XX **Café Drouant** BV 4
pl. Gaillon (2e) ☎ 01 42 65 15 16, *Fax 01 49 24 02 15*
☂ – ▤. AE ① GB JCB
Repas 220 et carte 250 à 460 ♀.
◆ Le "petit frère" du restaurant Drouant sert ses grillades sous un original plafond en staff argenté orné de poissons, coquillages et crustacés.

XX **Pays de Cocagne** - Espace Tarn - CX 54
111 r. Réaumur (2e) ☎ 01 40 13 81 81, *Fax 01 40 13 87 70*
▤. AE ① GB JCB
fermé août, 24 déc. au 2 janv., sam. midi, dim. et fériés – **Repas** 178/295 bc ♀.
◆ Situé à l'étage de la maison du Tarn, restaurant au cadre contemporain rehaussé de tableaux d'artistes régionaux. Cuisine du Sud-Ouest et vins de Gaillac exclusivement.

XX **Au Pied de Cochon** CX 43
6 r. Coquillière (1er) ☎ 01 40 13 77 00, *Fax 01 40 13 77 09*
(ouvert jour et nuit), ☂ – |♦| ▤. AE ① GB
Repas carte 180 à 420 ♀.
◆ Le pied de cochon a fait la célébrité de cette immense brasserie qui, depuis son ouverture en 1946, régale aussi les noctambules. Cadre de style Art déco flambant neuf.

XX **Aristippe** CY 28
8 r. J. J. Rousseau (1er) ☎ 01 42 60 08 80, *Fax 01 42 60 11 13*
▤. AE GB JCB
fermé août, sam. midi et dim. – **Repas** 179 (déj.)/240 et carte 210 à 300 ♀.
◆ Salle à manger de caractère avec ses vieilles poutres peintes en blanc, ses murs de briques, ses tomettes et son bar qui était à l'origine un poulailler ! Cuisine de la mer.

XX **Rôtisserie Monsigny** BX 17
1 r. Monsigny (2e) ☎ 01 42 96 16 61, *Fax 01 42 97 40 97*
▤. AE ① GB JCB
fermé 1er au 25 août, sam. midi et dim. – **Repas** *(129)* - 165 et carte 200 à 300 ♀.
◆ Dans la rue des "Bouffes-Parisiens" - animée surtout en soirée - restaurant comprenant plusieurs salles à manger spacieuses et élégantes, réchauffées de tons ocre.

XX **Kinugawa** BX 39
9 r. Mont Thabor (1er) ☎ 01 42 60 65 07, *Fax 01 42 60 45 21*
▤. AE ① GB JCB. ✂
fermé 23 déc. au 5 janv. et dim. – **Repas** 165 (déj.), 510/700 et carte 250 à 450 ♀.
◆ Cuisine japonaise servie dans une salle à manger contemporaine très "nippone" : lignes épurées et sobres tonalités. Bar à sushis au rez-de-chaussée. Ambiance "zen".

XX **Gallopin** CV 5

40 r. N.-D.-des-Victoires (2e) ✆ 01 42 36 45 38, *Fax 01 42 36 10 32*

AE ⓓ GB

fermé dim. – **Repas** *(129)* - 159/189 bc et carte 180 à 340 ♀.

◆ Arletty, Raimu et le précieux décor victorien ont fait la renommée de ce bistrot situé juste derrière la Bourse. Préférez la salle du fond et sa jolie verrière.

XX **Soufflé** BX 19

36 r. Mont-Thabor (1er) ✆ 01 42 60 27 19, *c_rigaud@club-internet.fr, Fax 01 42 60 54 98*

▤. AE GB JCB

fermé dim. et fériés – **Repas** 175/220 et carte 210 à 310 ♀.

◆ À deux pas des Tuileries, cet accueillant petit restaurant est pour ainsi dire une institution en matière de... "soufflé" : un menu lui est entièrement dédié !

XX **Vaudeville** CV 42

29 r. Vivienne (2e) ✆ 01 40 20 04 62, *Fax 01 49 27 08 78*

AE ⓓ GB JCB

Repas 138 (déj.)/189 et carte 210 à 260 ♀.

◆ Cette grande brasserie au rutilant cadre Art déco est devenue la "cantine" de nombreux journalistes et s'anime particulièrement à la sortie des théâtres.

XX **Grand Colbert** CX 9

2 r. Vivienne (2e) ✆ 01 42 86 87 88, *Fax 01 42 86 82 65*

▤. AE ⓓ GB JCB

Repas 160 et carte 230 à 300 ♀.

◆ Belle brasserie parisienne du 19e s. qui, après restauration, a retrouvé son faste d'antan : mosaïques, fresques, lustres, miroirs et cuivres brillent de mille feux !

XX **Delizie d'Uggiano** AX 2

18 r. Duphot (1er) ✆ 01 40 15 06 69, *Fax 01 40 15 03 90*

AE ⓓ GB JCB

fermé sam. midi et dim. – **Repas** 179 bc (déj.), 225/285 et carte 280 à 380 ♀.

◆ À l'étage, salle à manger principale et son joli décor inspiré de la Toscane. Au rez-de-chaussée, bar à vins et épicerie fine. Le tout voué à une cuisine "italianissime".

XX **Gandhi** BV 29

66 r. Ste-Anne (2e) ✆ 01 47 03 41 00, *Fax 01 49 10 03 73*

▤. AE ⓓ GB JCB

fermé dim. midi – **Repas** *(69)* - 80 (déj.), 149/179 et carte 210 à 280 ♀.

◆ Ambiance feutrée dans ce restaurant orné de tableaux figurant des scènes indiennes, où les douces sonorités d'un sitar accompagnent les repas. Cuisine du Pendjab.

XX **Poquelin** BX 8

17 r. Molière (1er) ✆ 01 42 96 22 19, *Fax 01 42 96 05 72*

▤. AE ⓓ GB JCB

fermé 1er au 20 août, sam. midi, lundi midi et dim. – **Repas** 198 et carte 240 à 340.

◆ Confortable salle de restaurant agrémentée de gravures et tableaux à l'effigie de Molière et de nombreux pensionnaires de la Comédie-Française, située à deux pas.

Baan Boran
BX 25

43 r. Montpensier (1er) ☏ 01 40 15 90 45, *Fax 01 40 15 90 45*

fermé dim. – **Repas** 70 (le midi en semaine)et carte 180 à 250 ♀.

◆ Escale asiatique face au théâtre du Palais-Royal : spécialités thaïlandaises préparées au "wok" et servies dans un cadre actuel rehaussé de tableaux du pays de Siam.

Saudade
CY 25

34 r. Bourdonnais (1er) ☏ 01 42 36 30 71, *Fax 01 42 36 27 77*

fermé dim. – **Repas** 129 (déj.)et carte 220 à 250.

◆ Pour un repas au Portugal... en plein Paris, rendez-vous dans cette salle de restaurant décorée d'azulejos. Plats typiques et vins lusitaniens à déguster au son du fado.

Willi's Wine Bar
CX 6

13 r. Petits-Champs (1er) ☏ 01 42 61 05 09, *Fax 01 47 03 36 93*

fermé dim. – **Repas** 158 (déj.), 195/230 ♀.

◆ Sobre cadre contemporain et ambiance conviviale - un tantinet "british" - caractérisent ce bar à vins. Cuisine simple et goûteuse, nombreux crus attentivement sélectionnés.

L'Atelier Berger
CY 34

49 r. Berger (1er) ☏ 01 40 28 00 00, *contact@atelierberger.com, Fax 01 40 28 10 65*

fermé 13 au 19 août et dim. – **Repas** 132 (déj.), 186/260.

◆ Face au jardin des Halles, sobre salle à manger moderne (à l'étage) où la clientèle du quartier apprécie particulièrement un menu-carte très au goût du jour.

Bistrot St-Honoré
BX 4

10 r. Gomboust (1er) ☏ 01 42 61 77 78, *Fax 01 42 61 77 78*

fermé août, 24 déc. au 2 janv., sam. soir et dim. – **Repas** 150 et carte 230 à 280 ♀.

◆ Atmosphère vivante et décontractée dans ce petit bistrot fleurant bon la Bourgogne : fresques en façade, cuisine et vins rendent hommage à la "patrie" du maître des lieux.

Chez Georges
CX 47

1 r. Mail (2e) ☏ 01 42 60 07 11

fermé 29 juil. au 19 août, dim. et fériés – **Repas** carte 230 à 300.

◆ L'institution du Sentier. Ce bistrot parisien typique a conservé son décor d'origine : zinc, banquettes, stucs et miroirs ; on s'immerge dans le Paris des années 1900.

Café Marly
BY 48

93 r. Rivoli - Cour Napoléon (1er) ☏ 01 49 26 06 60, *Fax 01 49 26 07 06*

Repas carte environ 260 ♀.

◆ Sous les arcades du Grand Louvre, attablés en terrasse face à la Pyramide ou dans le cadre Napoléon III relooké des salles à manger : et si l'oeuvre d'art, c'était vous ?

Café Runtz CV 15

16 r. Favart (2e) ✆ 01 42 96 69 86, *Fax 01 40 20 92 95*

AE GB

fermé 19 au 27 mai, 28 juil. au 26 août, sam. (sauf le soir d'oct. à juin), dim. et fériés – **Repas** *(133)* - carte 180 à 280 ♀.

◆ Cette "winstub" parisienne servant une authentique cuisine alsacienne a gardé son joli décor 1900. Une sympathique adresse où souper après un spectacle à l'Opéra-Comique.

Pierrot DX 3

18 r. Étienne Marcel (2e) ✆ 01 45 08 00 10

AE GB

fermé août, 1er au 7 janv., sam. midi et dim. – Repas carte 170 à 200.

◆ Dans l'animation du Sentier, ce bistrot chaleureux vous fait découvrir toutes les saveurs et les produits de l'Aveyron. Petite terrasse d'été sur le trottoir.

L'Ardoise AX 7

28 r. Mont-Thabor (1er) ✆ 01 42 96 28 18

GB

fermé 1er au 7 mai, août, 24 déc. au 1er janv., sam. midi et lundi – Repas 175 ♀.

◆ La salle à manger toute blanche est meublée de tables couvertes d'ardoise, et le menu inscrit à la craie. À côté de la Cour des comptes, une atmosphère d'école primaire !

Relais Chablisien CY 5

4 r. B. Poirée (1er) ✆ 01 45 08 53 73, *Fax 01 45 08 53 73*

GB.

fermé 1er au 21 août, sam. et dim. – **Repas** carte 150 à 310 ♀.

◆ Cette maison de tanneur du 17e s. proche des quais mijote une cuisine traditionnelle aux légers accents bourguignons. Boiseries et pierres d'époque ; ambiance conviviale.

Tour de Montlhéry, Chez Denise CY 22

5 r. Prouvaires (1er) ✆ 01 42 36 21 82, *Fax 01 45 08 81 99*

(ouvert jour et nuit) – GB

fermé 14 juil. au 19 août , sam. et dim. – **Repas** carte 220 à 350.

◆ Typique bistrot du quartier des Halles où l'on sert, dans une bonne humeur générale, des préparations aptes à rassasier les plus affamés. Une institution !

Chez La Vieille "Adrienne" CY 33

1 r. Bailleul (1er) ✆ 01 42 60 15 78, *Fax 01 42 33 85 71*

AE GB JCB

fermé sam., dim. et le soir sauf jeudi – **Repas** (prévenir) 150/250 et carte 220 à 350 ♀.

◆ Accueil tout sourire dans cette maison du 16e s. au cadre rustique patiné. Autre atout : sa généreuse cuisine traditionnelle, dont les rognons et foies de veau "maison".

Souletin CX 44

6 r. Vrillière (1er) ✆ 01 42 61 43 78, *Fax 01 42 61 43 78*

GB

fermé 30 juil. au 26 août, sam. midi, dim. et fériés – **Repas** carte 170 à 250 ♀.

◆ Goûteuse cuisine basque dans la salle à manger décorée à la mode du pays de Soule ; un sympathique bistrot qui est au déjeuner la "cantine" de la Banque de France.

Lescure
AX 5

7 r. Mondovi (1er) ✆ 01 42 60 18 91

▤. GB

fermé 1er au 23 août, sam. et dim. – **Repas** 115 bc et carte 120 à 190 ♀.

◆ Auberge rustique voisine de la place de la Concorde ; on vient y déguster au coude à coude, à la table commune, de copieuses spécialités limousines.

Entre Ciel et Terre
CX 52

5 r. Hérold (1er) ✆ 01 45 08 49 84

◑ GB

fermé 21 juil. au 19 août, sam. et dim. – **Repas** *(74)* - 107 et carte 140 à 160.

◆ Ici, l'on revendique le choix d'une vie saine et équilibrée : dans une ambiance conviviale et un sobre décor vous sera proposée une cuisine végétarienne inspirée.

Dauphin
BX 27

167 r. St-Honoré (1er) ✆ 01 42 60 40 11, *Fax 01 42 60 01 18*

AE ◑ GB JCB

Repas *(140)* - 150 (déj.), 195/270 ♀.

◆ Cuisine du Sud-Ouest mise au goût du jour, avec des spécialités préparées "à la plancha" : levez le rideau sur ce bistrot parisien "pur jus" voisin de la Comédie-Française.

République
Nation - Bastille
Ile St-Louis - Beaubourg

3e, 4e et 11e arrondissements

3e : ✉ 75003 - 4e : ✉ 75004 - 11e : ✉ 75011

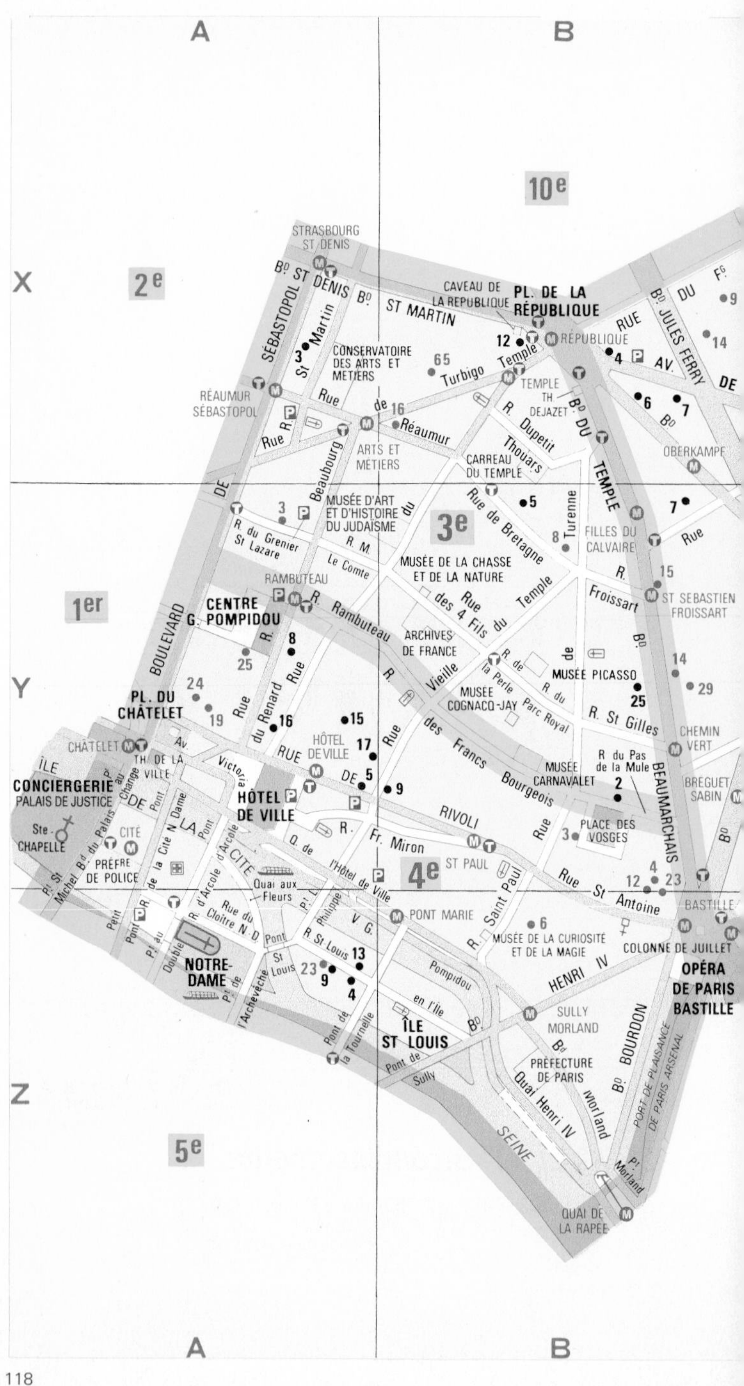
A
B
X
Y
Z
2e
10e
3e
1er
4e
5e
STRASBOURG ST DENIS
Bd ST DENIS
Bd ST MARTIN
SÉBASTOPOL
CAVEAU DE LA RÉPUBLIQUE
PL. DE LA RÉPUBLIQUE
RÉPUBLIQUE
CONSERVATOIRE DES ARTS ET MÉTIERS
RÉAUMUR SÉBASTOPOL
ARTS ET MÉTIERS
Rue de Réaumur
Turbigo
TEMPLE
TH DEJAZET
Bd DU TEMPLE
Bd JULES FERRY
OBERKAMPF
CARREAU DU TEMPLE
R. Dupetit Thouars
MUSÉE D'ART ET D'HISTOIRE DU JUDAÏSME
Rue de Bretagne
FILLES DU CALVAIRE
R. du Grenier St Lazare
R. M. Le Comte
RAMBUTEAU
R. Rambuteau
MUSÉE DE LA CHASSE ET DE LA NATURE
Rue des 4 Fils
R. Froissart
ST SEBASTIEN FROISSART
CENTRE G. POMPIDOU
BOULEVARD DE
ARCHIVES DE FRANCE
MUSÉE PICASSO
R. de la Perle
R. du Parc Royal
R. St Gilles
CHEMIN VERT
PL. DU CHÂTELET
Rue du Renard
HÔTEL DE VILLE
Rue Vieille du Temple
Rue des Francs Bourgeois
MUSÉE COGNACQ-JAY
R. du Pas de la Mule
MUSÉE CARNAVALET
BEAUMARCHAIS
BREGUET SABIN
CHÂTELET
TH DE LA VILLE
Av. Victoria
RUE DE RIVOLI
ÎLE DE LA CITÉ
CONCIERGERIE
PALAIS DE JUSTICE
Ste CHAPELLE
CITÉ
PRÉFRE DE POLICE
R. Fr. Miron
Q. de l'Hôtel de Ville
ST PAUL
PLACE DES VOSGES
Rue St Antoine
BASTILLE
Quai aux Fleurs
Rue du Cloître N. D.
PONT MARIE
R. Saint Paul
MUSÉE DE LA CURIOSITÉ ET DE LA MAGIE
COLONNE DE JUILLET
NOTRE-DAME
R. St Louis
Pompidou en l'Île
ÎLE ST LOUIS
HENRI IV
OPÉRA DE PARIS BASTILLE
SULLY MORLAND
Bd Morland
PRÉFECTURE DE PARIS
Bd BOURDON
PORT DE PLAISANCE DE PARIS ARSENAL
Pont de Sully
Pont de la Tournelle
Quai Henri IV
SEINE
Pt Morland
QUAI DE LA RAPÉE

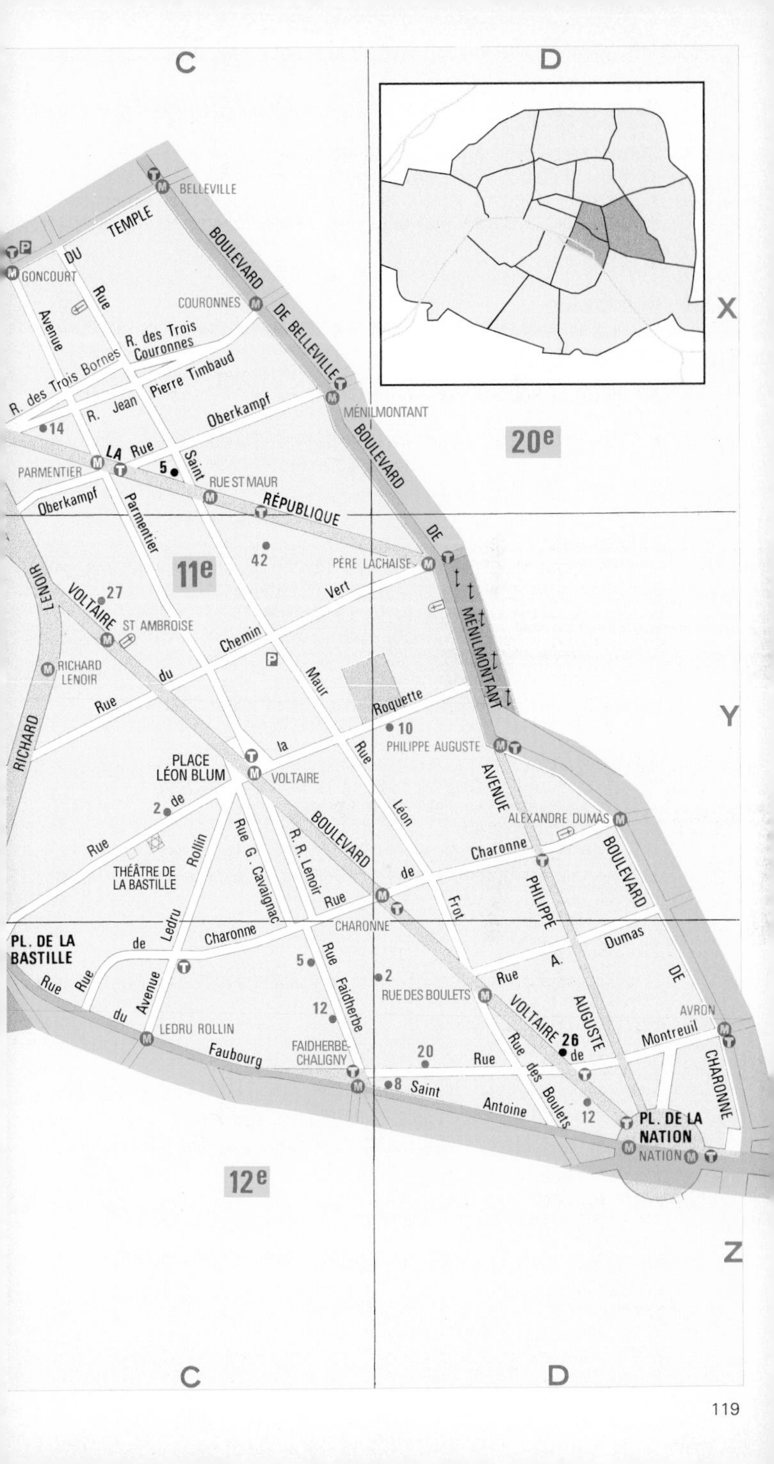
C
D
X
Y
Z
BELLEVILLE
BOULEVARD DE BELLEVILLE
COURONNES
GONCOURT
DU TEMPLE
Rue
Avenue
R. des Trois Couronnes
R. des Trois Bornes
R. Jean Pierre Timbaud
Oberkampf
MÉNILMONTANT
BOULEVARD DE MÉNILMONTANT
20e
LA Rue
PARMENTIER
Saint
RUE ST MAUR
RÉPUBLIQUE
Oberkampf
Parmentier
Avenue Parmentier
42
PÈRE LACHAISE
11e
LENOIR
VOLTAIRE
27
ST AMBROISE
Chemin Vert
Rue du Chemin Vert
RICHARD LENOIR
Maur
Roquette
10
PHILIPPE AUGUSTE
RICHARD
la
Rue
PLACE LÉON BLUM
VOLTAIRE
Rue de la Roquette
Léon
AVENUE
ALEXANDRE DUMAS
2
de
Rue
Rollin
Rue G. Cavaignac
R. R. Lenoir
BOULEVARD
Charonne
de
THÉÂTRE DE LA BASTILLE
Rue
Frot
PHILIPPE
BOULEVARD
CHARONNE
PL. DE LA BASTILLE
de
Ledru
Charonne
5
Rue
Faidherbe
2
Dumas
Rue A.
DE
Rue
Rue
Avenue
RUE DES BOULETS
VOLTAIRE
AUGUSTE
du
12
AVRON
LEDRU ROLLIN
Montreuil
26
de
CHARONNE
Faubourg
FAIDHERBE-CHALIGNY
20
Rue
Rue des Boulets
8 Saint
Antoine
12
PL. DE LA NATION
NATION
12e

Pavillon de la Reine BY 2
28 pl. Vosges (3e) 01 40 29 19 19, *pavillon@club-internet.fr, Fax 01 40 29 19 20*
sans rest – . AE GB JCB
120 – **31 ch** 2200/2400, 14 appart, 10 duplex.
◆ Le bâtiment le plus ancien, datant du 17e s., borde l'admirable place des Vosges. L'autre donne sur une cour fleurie. Chambres au décor très soigné.

Holiday Inn BX 4
10 pl. République (11e) 01 43 14 43 50, *holidays@holiday.innsfrance.fr, Fax 01 47 00 32 34*
M – – 25 à 150. AE GB JCB
Au 10 de la République : **Repas** 195 ♀, enf. 65 – 135 – **318 ch** 2995/5000.
◆ Ce bel édifice du 19e s. abrite des chambres fonctionnelles - réservez-en une s'ouvrant sur la vaste cour intérieure de style Napoléon III - et un restaurant Belle Époque.

Villa Beaumarchais BY 25
5 r. Arquebusiers (3e) 01 40 29 14 00, *beaumarchais@hotelsparis.fr, Fax 01 40 29 14 01*
M – – 30. AE GB JCB
Repas *(fermé 1er au 20 août, sam. et dim.)* 165 (déj.)/195 et carte 290 à 380 ♀ – 150 – **50 ch** 2000/3500.
◆ En retrait de l'animation du boulevard Beaumarchais. Chambres à l'ambiance raffinée, très "18e s.", donnant sur un joli jardin d'hiver.

Jeu de Paume AZ 13
54 r. St-Louis-en-l'Ile (4e) 01 43 26 14 18, *Fax 01 40 46 02 76*
sans rest – – 25. AE GB JCB
85 – **30 ch** 970/1660.
◆ Au coeur de l'île St-Louis, cette halle du 17e s., jadis vouée au jeu de paume, est devenue un hôtel de caractère utilisant malicieusement les volumes. Original.

Bretonnerie AY 15
22 r. Ste-Croix-de-la-Bretonnerie (4e) 01 48 87 77 63, *hotel@bretonnerie.com, Fax 01 42 77 26 78*
sans rest – . GB.
fermé 30 juil. au 26 août
60 – **22 ch** 680/870, 4 appart, 3 duplex.
◆ Quelques chambres de cet élégant hôtel particulier du Marais (17e s.) sont dotées de lits à baldaquin et de poutres apparentes. Salle des petits-déjeuners voûtée.

Little Palace AX 3
4 r. Salomon de Caus (3e) 01 42 72 08 15, *littlepalacehotel@compuserve.com, Fax 01 42 72 45 81*
M – . AE GB JCB.
Repas *(fermé 13 juil. au 20 août, sam. et dim.)* carte environ 170 ♀ – 65 – **57 ch** 850/950.
◆ Ce bel immeuble 1900 s'élève sur un joli square au coeur du Sentier des affaires. Préférer les chambres des 5e et 6e étages côté façade, avec balcon et vue sur Paris.

Caron de Beaumarchais BY 9

12 r. Vieille-du-Temple (4e) 01 42 72 34 12, *Fax 01 42 72 34 63*
sans rest – AE GB.
58 – **19 ch** 790/870.
◆ Le père de Figaro vécut dans cette rue du Marais historique ; la décoration bourgeoise de ce charmant établissement lui rend un hommage fidèle et chaleureux.

Meslay République BX 12

3 r. Meslay (3e) 01 42 72 79 79, *Fax 01 42 72 76 94*
sans rest – AE GB JCB.
47 – **39 ch** 756/862.
◆ À deux pas de la place de la République, belle façade de 1930 abritant des chambres bien insonorisées et impeccablement tenues. Cave voûtée pour les petits-déjeuners.

Beaubourg AY 8

11 r. S. Le Franc (4e) 01 42 74 34 24, *Fax 01 42 78 68 11*
sans rest – AE GB JCB
42 – **28 ch** 700.
◆ Derrière le Centre Georges-Pompidou, accueillantes chambres parfois assorties de poutres et pierres apparentes ; celles donnant sur la cour sont plus calmes.

Verlain CX 5

97 r. St-Maur (11e) 01 43 57 44 88, *verlain@3and1hotels.com, Fax 01 43 57 32 06*
sans rest – AE GB JCB
50 – **38 ch** 580/650.
◆ Accueil personnalisé, chambres nettes et récemment rénovées, bénéficiant d'un double vitrage efficace, et salles de bains modernes caractérisent cet hôtel fonctionnel.

Axial Beaubourg AY 16

11 r. Temple (4e) 01 42 72 72 22, *axial@axialbeaubourg.com, Fax 01 42 72 03 53*
sans rest – AE GB JCB.
45 – **39 ch** 500/750.
◆ Immeuble ancien où l'on choisira plutôt les chambres du 1er étage, ornées de belles solives. Petits-déjeuners servis dans un joli caveau voûté datant du 15e s.

Lutèce AZ 9

65 r. St-Louis-en-l'Ile (4e) 01 43 26 23 52, *hotel.lutece@free.fr, Fax 01 43 29 60 25*
sans rest – AE GB.
60 – **23 ch** 930.
◆ La clientèle américaine apprécie particulièrement le charme rustique de cette ravissante hostellerie ancrée sur l'île St-Louis. Chambres plaisantes et assez calmes.

Deux Iles AZ 4

59 r. St-Louis-en-l'Ile (4e) 01 43 26 13 35, *Fax 01 43 29 60 25*
sans rest – AE GB.
57 – **17 ch** 790/910.
◆ À quelques pas du glacier le plus couru de la capitale, chambres confortables, salons très "cosy" et patio fleuri : aurez-vous seulement l'envie de vous éloigner d'ici ?

Rivoli Notre Dame
AY **17**

19 r. Bourg Tibourg (4e) ✆ 01 42 78 47 39, *Fax 01 40 29 07 00*
sans rest – ♦ TV ☏ ♿. AE ① GB JCB. ✱
☐ 75 – **30 ch** 800/1200.
♦ Ce sympathique petit hôtel du Marais propose de mignonnes chambres personnalisées, colorées dans des tons bleu, vert ou ocre. Hall-salon de style néogothique.

Vieux Saule
BY **5**

6 r. Picardie (3e) ✆ 01 42 72 01 14, *Fax 01 40 27 88 21*
sans rest – ♦ ✱ ▤ TV. AE ① GB JCB. ✱
☐ 55 – **31 ch** 590/890.
♦ Sur l'ancien domaine du Temple si tristement célèbre s'élève cette façade égayée par des jardinières de géraniums, abritant des chambres fraîches et colorées.

Nord et Est
BX **6**

49 r. Malte (11e) ✆ 01 47 00 71 70, *Fax 01 43 57 51 16*
sans rest – ♦ TV. AE ① GB JCB. ✱
fermé août et 24 déc. au 2 janv.
☐ 35 – **45 ch** 330/370.
♦ On se croirait presque chez soi dans cet hôtel familial proche de la République : ni luxe inutile, ni aménagements dernier cri, mais une ambiance véritablement chaleureuse.

Grand Prieuré
BX **7**

20 r. Grand Prieuré (11e) ✆ 01 47 00 74 14, *Fax 01 49 23 06 64*
sans rest – ♦ TV. AE ① GB JCB. ✱
☐ 30 – **32 ch** 350/400.
♦ Vous passerez des nuits sans histoire dans cette rue tranquille parallèle au canal St-Martin. L'accueil y est aimable, les chambres fonctionnelles et bien tenues.

Nice
AY **5**

42 bis r. Rivoli (4e) ✆ 01 42 78 55 29, *Fax 01 42 78 36 07*
sans rest – ♦ TV ☏. GB
☐ 35 – **23 ch** 410/580.
♦ Entrez dans cette maison pleine de souvenirs et de caractère : bibelots, tableaux, gravures, tapis kilims et meubles anciens décorent élégamment chambres et salons.

Prince Eugène
DZ **26**

247 bd Voltaire (11e) ✆ 01 43 71 22 81, *Fax 01 43 71 24 71*
sans rest – ♦ TV ☏. AE ① GB JCB
☐ 32 – **35 ch** 345/405.
♦ L'enseigne rend honneur au fils adoptif de Napoléon I. Chambres actuelles, munies d'un double vitrage efficace ; celles du 6e étage, mansardées, sont plus grandes.

Croix de Malte
BY **7**

5 r. Malte (11e) ✆ 01 48 05 09 36, *Fax 01 43 57 02 54*
sans rest – ♦ ✱ TV. AE ① GB JCB
☐ 49 – **29 ch** 615/685.
♦ Ambiance tropicale dans cet établissement au nom chevaleresque : mobilier coloré, (faux) perroquet et salle des petits-déjeuners conçue comme un jardin d'hiver.

L'Ambroisie (Pacaud)
BY 3

9 pl. des Vosges (4e) ✆ 01 42 78 51 45

fermé août, vacances de fév., dim. et lundi – **Repas** carte 960 à 1 210.

◆ Un décor royal, une cuisine enchanteresse touchant à la perfection : l'ambroisie n'est-elle pas l'exquise nourriture des dieux de l'Olympe ?

Spéc. Feuillantine de queues de langoustines aux graines de sésame, sauce curry. Selle d'agneau en nougatine d'ail, ragoût de cocos au pistou. Tarte fine sablée au chocolat, glace vanille.

Ambassade d'Auvergne
AY 3

22 r. Grenier St-Lazare (3e) ✆ 01 42 72 31 22, *info@ambassade-auvergne.com, Fax 01 42 78 85 47*

fermé 5 au 16 août – Repas 170 et carte 200 à 270 ♀.

◆ De vrais ambassadeurs d'une province riche de traditions et de saveurs : cadre et meubles auvergnats, produits, recettes et vins du "pays", fouchtra !

Georges
AY 25

Centre Pompidou, 6e étage (4e) ✆ 01 44 78 47 99, *Fax 01 44 78 48 93*

≤ toits de Paris,

fermé mardi – **Repas** carte 230 à 300 ♀.

◆ Métal brossé, verre dépoli, coques en alu : un insolite décor hésitant entre design pompidolien et science-fiction. Toit-terrasse avec vue inoubliable sur la Ville lumière.

Bofinger
BY 4

5 r. Bastille (4e) ✆ 01 42 72 87 82, *Fax 01 42 72 97 68*

Repas *(119)* - 189 bc et carte 220 à 370.

◆ Illustres clients et remarquable décor font de cette brasserie créée en 1864 un lieu de mémoire consacré. Coupole délicatement ouvragée et, à l'étage, salle décorée par Hansi.

L'Aiguière
DZ 20

37 bis r. Montreuil (11e) ✆ 01 43 72 42 32, *patrick-masbatin1@libertysurf.com, Fax 01 43 72 96 36*

fermé sam. midi et dim. – **Repas** *145* bc/350 bc et carte 285 à 440.

◆ Camaïeu de jaunes et tissus chatoyants donnent un petit air de Provence à ce coquet restaurant proche de la place de la Nation. Collection d'aiguières. Belle carte des vins.

Benoît
AY 19

20 r. St-Martin (4e) ✆ 01 42 72 25 76, *Fax 01 42 72 45 68*

fermé août – **Repas** 250 (déj.)et carte 340 à 470 ♀.

◆ Fi des fast-foods du quartier ! Poussez la porte de ce bistrot typique et animé, tenu par la même famille depuis 1912, pour savourer une cuisine "à l'ancienne" soignée.

Spéc. Pannequets d'huîtres chaudes au gingembre (saison). Cassoulet. Tête de veau ravigote.

A Sousceyrac
CZ 5

35 r. Faidherbe (11e) ✆ 01 43 71 65 30, *Fax 01 40 09 79 75*

fermé août – **Repas** 185 et carte 240 à 350 ♀.

◆ Une maison de tradition où l'on vient déguster le cassoulet et le lièvre à la royale dans un sympathique cadre au charme désuet. Depuis 1923, la convivialité est de rigueur !

XX **L'Excuse** BZ 6

14 r. Charles V (4e) ✆ 01 42 77 98 97, *excuse@calva.net, Fax 01 42 77 88 55*

AE GB

fermé 28 juil. au 20 août et dim. – **Repas** *(120)* - 150 (déj.)/196 et carte 280 à 350 ♀.

◆ Discret petit restaurant à deux pas du village Saint-Paul et de ses maisons anciennes. Sobre décor actuel et cuisine au goût du jour ont conquis la clientèle du quartier.

XX **Vin et Marée** DZ 12

276 bd Voltaire (11e) ✆ 01 43 72 31 23, *vin.maree@wanadoo.fr, Fax 01 40 09 05 24*

▤. AE GB

Repas carte 200 à 250 ♀.

◆ Comme pour les autres "Vin et Marée", les produits de la mer sont proposés chaque jour à l'ardoise. L'arrière-salle au décor marin offre une échappée sur les cuisines.

XX **Blue Elephant** CY 2

43 r. Roquette (11e) ✆ 01 47 00 42 00, *Fax 01 47 00 45 44*

▤. AE ⓓ GB

fermé sam. midi – **Repas** 120 (déj.)/310 et carte 280 à 340.

◆ Il y a du monde partout, mais le décor exotique réussi crée une réelle intimité. Galerie à l'étage, bambous, cascade et mini-pont vous emportent vers Bangkok. Cuisine thaï.

XX **Mansouria** CZ 12

11 r. Faidherbe (11e) ✆ 01 43 71 00 16, *Fax 01 40 24 21 97*

▤. GB.

fermé lundi midi et dim. – **Repas** 182/280 bc et carte 180 à 250.

◆ Ce restaurant composé de plusieurs petites salles colorées à la discrète décoration mauresque invite à découvrir sa cuisine marocaine fine et parfumée.

XX **Les Amognes** DZ 8

243 r. Fg St-Antoine (11e) ✆ 01 43 72 73 05, *Fax 01 43 28 77 23*

GB

fermé 1er au 19 août, 24 déc. au 2 janv., lundi midi, sam. midi et dim. – **Repas** 180 ♀.

◆ Cuisine au goût du jour jouant la carte de la simplicité et touche rustique dans la salle à manger ; pour un total bien-être, évitez les tables du milieu.

XX **Les Jumeaux** BY 14

73 r. Amelot (11e) ✆ 01 43 14 27 00

GB

fermé août, dim. et lundi – **Repas** *(150)* - 185 ♀.

◆ Jumeaux et flamands, les patrons de ce restaurant proche du Cirque d'Hiver concoctent une cuisine du marché. La salle à manger est égayée de tableaux contemporains.

XX **Péché Mignon** CY 42

5 r. Guillaume Bertrand (11e) ✆ 01 43 57 68 68, *Fax 01 49 83 91 62*

AE GB

fermé août, dim. soir et lundi – Repas *(120)* - 159/210 ♀.

◆ Si la gourmandise est votre péché mignon, ce petit restaurant au cadre sobre deviendra votre lieu de prédilection. Son menu-carte, en particulier, a séduit le quartier.

XX **Repaire de Cartouche** BY 15
99 r. Amelot (11e) ✆ 01 47 00 25 86, *Fax 01 43 38 85 91*
GB
fermé 25 juil. au 25 août, dim. et lundi – **Repas** 130 (déj.)/200 et carte 180 à 280 ♀.
◆ Cartouche, l'impétueux bandit d'honneur, se réfugia près d'ici entre deux mauvais coups : les fresques du restaurant retracent son épopée. Généreuse cuisine traditionnelle.

X **Bistrot du Dôme** BY 12
2 r. Bastille (4e) ✆ 01 48 04 88 44, *Fax 01 48 04 00 59*
AE GB
Repas carte 240 à 280 ♀.
◆ Rez-de-chaussée éclairé par les grappes de raisin d'une simili-treille, décor de Slavik à l'étage : ce lieu, jadis voué au caviar, sert aujourd'hui des produits de la mer.

X **Petit Bofinger** BY 23
6 r. Bastille (4e) ✆ 01 42 72 05 23, *Fax 01 42 72 04 94*
AE GB
Repas *(105)* - carte 160 à 250 ♀.
◆ Sol en mosaïque, fresque d'esprit naïf et banquettes bordeaux : un authentique cadre de brasserie des années 1950. Service aimable, ambiance détendue, cuisine de bistrot.

X **Pamphlet** BY 8
38 r. Debelleyne (3e) ✆ 01 42 72 39 24, *Fax 01 42 72 12 53*
GB
fermé 8 au 27 août, 1er au 15 janv., sam. midi et dim. – **Repas** *(130)* - 170 ♀.
◆ Un décor rustique agrémenté d'affiches évoquant la tauromachie, un menu-carte journalier et quelques plats du Sud-Ouest : c'est la province en plein Marais !

X **Auberge Pyrénées Cévennes** BX 14
106 r. Folie-Méricourt (11e) ✆ 01 43 57 33 78
AE GB
fermé 14 juil. au 15 août, 1er au 7 janv., sam. midi et dim. – **Repas** 158 et carte 170 à 290.
◆ Files de jambons et saucissons suspendus, nappes à petits carreaux, tables accolées, cuisine "canaille" et ambiance chaleureuse : pisse-vinaigre s'abstenir !

X **Grizzli** AY 24
7 r. St-Martin (4e) ✆ 01 48 87 77 56
– AE GB JCB
fermé lundi midi, sam. midi et dim. – **Repas** 120/160 et carte 180 à 280 ♀.
◆ Bistrot 1900 et son zinc, complété d'une autre salle à l'étage. Le décor sur le thème du grizzli rappelle le temps où des montreurs d'ours officiaient dans les rues de Paris.

X **Astier** CX 14
44 r. J.-P. Timbaud (11e) ✆ 01 43 57 16 35
GB
fermé vacances de Pâques, août, Noël au jour de l'An, sam. et dim. – **Repas** (prévenir) 120 (déj.)/145.
◆ Une sympathique ambiance règne dans ce typique bistrot. Tables en formica, service débordé et atmosphère bruyante. Cuisine du marché, richissime carte des vins.

Au Bascou BX 16
38 r. Réaumur (3e) ✆ 01 42 72 69 25, *Fax 01 42 72 69 25*
AE GB
fermé 28 juil. au 27 août, 23 déc. au 1er janv., sam. midi, lundi midi et dim. – **Repas** 180 et carte 190 à 230 ♀.
◆ Venez découvrir dans ce bistrot aux murs joliment patinés les chauds accents de la cuisine basque. Produits du terroir reçus en direct du pays, accueil enthousiaste.

Monde des Chimères AZ 23
69 r. St-Louis-en-L'Ile (4e) ✆ 01 43 54 45 27, *Fax 01 43 29 84 88*
GB
fermé dim. et lundi – **Repas** 89 (déj.)/165 et carte 250 à 350.
◆ Charmant cadre "17e s. campagnard" et gentillesse de l'accueil font le succès de cette adresse de l'île St-Louis. Les petits plats mitonnés sont loin d'être chimériques !

Chardenoux DZ 2
1 r. J. Vallès (11e) ✆ 01 43 71 49 52, *Fax 01 45 62 04 07*
AE GB.
fermé août, vacances de fév., sam. midi et dim. – **Repas** carte 200 à 300 ♀.
◆ Voilà un vrai bistrot "parigot" dont le décor n'a guère changé depuis 1904. On y déguste dans la convivialité une cuisine bourgeoise, accompagnée d'une belle carte des vins.

Clos du Vert Bois BX 65
13 r. Vert Bois (3e) ✆ 01 42 77 14 85
GB JCB
fermé 27 juil. au 28 août, sam. midi et lundi – **Repas** *(103)* - 130/215 et carte 280 à 370 ♀.
◆ Derrière le conservatoire des Arts et Métiers, dans l'ancien clos du Temple. Salle de restaurant tout en longueur, à la décoration simple et soignée. Carte classique.

Anjou-Normandie CY 27
13 r. Folie-Méricourt (11e) ✆ 01 47 00 30 59, *Fax 01 47 00 30 59*
GB
fermé août, sam. et dim. – **Repas** (déj. seul.) *(81)* - 129 et carte 150 à 220 ♀.
◆ Deux salles à manger rustiques dont une, très animée le midi, sert les plats du jour. Cuisine traditionnelle généreuse et spécialité d'andouillette préparée "maison".

Les Fernandises BX 9
19 r. Fontaine au Roi (11e) ✆ 01 48 06 16 96
GB
fermé août, dim. et lundi – **Repas** 110/135 et carte 170 à 260 ♀.
◆ Dans son bistrot, Fernand propose une cuisine à l'écart des modes. Au mur, fresque représentant la barricade dressée dans cette même rue durant la Commune.

Au C'Amelot BY 29
50 r. Amelot (11e) ✆ 01 43 55 54 04, *Fax 01 43 14 77 05*
GB
fermé août, dim. et lundi – **Repas** *(135)* - 180 ♀.
◆ Au C'amelot de la rue Amelot, on ne débite pas de boniments pour séduire le client. On se contente de mitonner de bons p'tits plats et l'succès est là...

Piton des Iles DY 10
174 r. Roquette (11e) ✆ 01 43 48 61 89
GB
fermé lundi midi et dim. – **Repas** 68 et carte 130 à 160 ♂.
◆ Nostalgiques des pitons des Neiges et de la Fournaise, retrouvez l'île de la Réunion dans cette ti'case... parisienne proposant les plats du pays dans un cadre simple.

St-Germain-des-Prés
Quartier Latin - Luxembourg
Jardin des Plantes

5e et 6e arrondissements

5e : ✉ 75005 - 6e : ✉ 75006

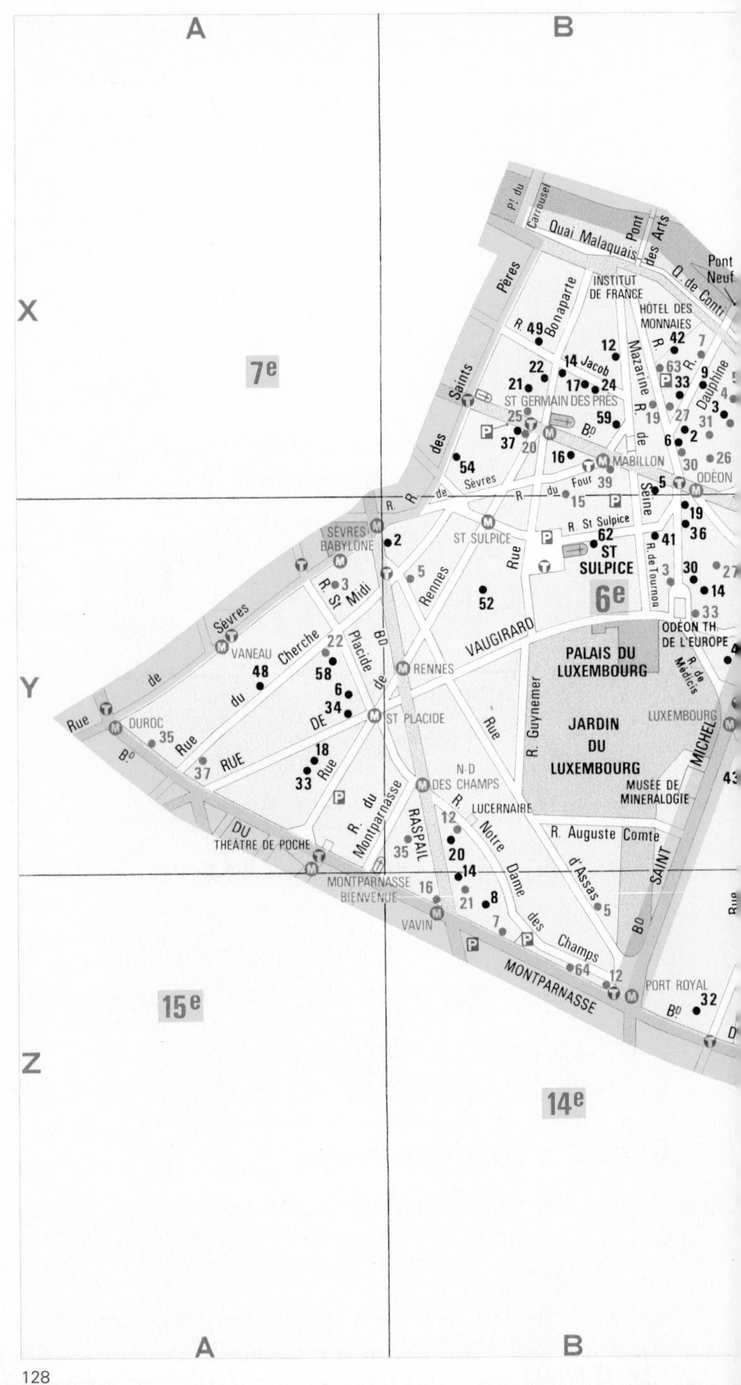
A
B
X
Y
Z
7e
6e
15e
14e
Quai Malaquais
Pont des Arts
Pont Neuf
Q. de Conti
INSTITUT DE FRANCE
HÔTEL DES MONNAIES
R. Bonaparte
R. Jacob
R. Mazarine
R. Dauphine
R. de Seine
Saints Pères
ST GERMAIN DES PRÉS
MABILLON
ODÉON
R. du Four
Sèvres
SÈVRES BABYLONE
ST SULPICE
R. St Sulpice
ST SULPICE
R. de Tournon
Rennes
VAUGIRARD
ODÉON TH. DE L'EUROPE
PALAIS DU LUXEMBOURG
JARDIN DU LUXEMBOURG
R. Guynemer
LUXEMBOURG
MICHEL
SAINT
MUSÉE DE MINERALOGIE
R. Auguste Comte
d'Assas
R. Notre Dame des Champs
LUCERNAIRE
N-D DES CHAMPS
RENNES
ST PLACIDE
R. St Placide
R. du Cherche Midi
VANEAU
DUROC
RUE DE
RASPAIL
R. du Montparnasse
THÉATRE DE POCHE
MONTPARNASSE BIENVENÜE
VAVIN
MONTPARNASSE
PORT ROYAL

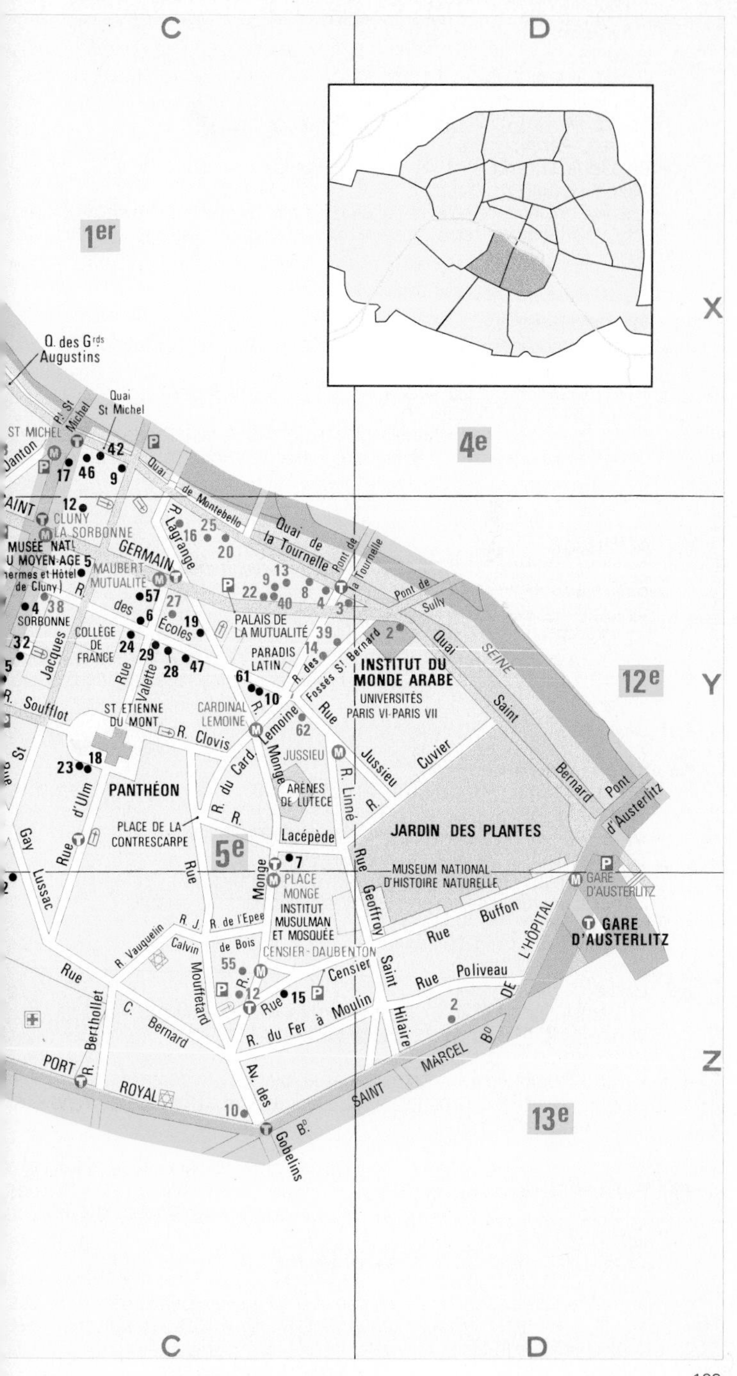
C
D
1er
4e
5e
12e
13e
X
Y
Z
Q. des Grds Augustins
Quai St Michel
Pt. St Michel
ST MICHEL
Quai de Montebello
Quai de la Tournelle
Pont de la Tournelle
Pont de Sully
Quai Saint Bernard
SEINE
Pont d'Austerlitz
CLUNY LA SORBONNE
MUSÉE NATL DU MOYEN-AGE (Thermes et Hôtel de Cluny)
MAUBERT MUTUALITÉ
SORBONNE
COLLÈGE DE FRANCE
R. des Écoles
R. Lagrange
PALAIS DE LA MUTUALITÉ
PARADIS LATIN
R. des Fossés St Bernard
INSTITUT DU MONDE ARABE
UNIVERSITÉS PARIS VI-PARIS VII
Rue Jussieu
Rue Cuvier
R. Soufflot
ST ETIENNE DU MONT
CARDINAL LEMOINE
R. Clovis
R. du Card. Lemoine
R. Monge
JUSSIEU
R. Linné
ARÈNES DE LUTECE
PANTHÉON
Rue d'Ulm
PLACE DE LA CONTRESCARPE
R. Lacépède
JARDIN DES PLANTES
MUSEUM NATIONAL D'HISTOIRE NATURELLE
Rue Geoffroy Saint Hilaire
Monge
PLACE MONGE
INSTITUT MUSULMAN ET MOSQUÉE
R. J. Calvin
R. de l'Epee de Bois
R. Vauquelin
Rue Mouffetard
CENSIER-DAUBENTON
Rue Censier
Rue Buffon
Rue Poliveau
Bd DE L'HÔPITAL
GARE D'AUSTERLITZ
Gay Lussac
Rue Berthollet
C. Bernard
R. du Fer à Moulin
PORT ROYAL
Av. des Gobelins
Bd SAINT MARCEL
Rue St Jacques
GERMAIN

Lutétia
BY 2

45 bd Raspail (6e) ✆ 01 49 54 46 46, *lutetia-paris@lutetia-paris.com, Fax 01 49 54 46 00*
– – 300. AE GB JCB
voir rest. ***Paris*** ci-après
Brasserie Lutétia ✆01 49 54 46 76 **Repas** *(165)*-195 ♀, enf. 65 – 75 –
240 ch 2100/4000, 10 appart.
◆ Édifié en 1907, ce célèbre palace de la rive gauche n'a rien perdu de son éclat : raffinement "rétro", lustres Lalique, sculptures de César, Arman, etc. Chambres rénovées.

Victoria Palace
AY 18

6 r. Blaise-Desgoffe (6e) ✆ 01 45 49 70 00, *victoria@club-internet.fr, Fax 01 45 49 23 75*
sans rest – – 30. AE GB JCB
95 – **64 ch** 1800/2250.
◆ Petit palace au charme indéniable : tissus choisis, mobilier de style et salles de bains en marbre dans les chambres, tableaux, velours rouge et porcelaines dans les salons.

Aubusson
BX 9

33 r. Dauphine (6e) ✆ 01 43 29 43 43, *reservationherve@hoteldaubusson.com, Fax 01 43 29 12 62*
sans rest – . AE GB
110 – **47 ch** 1550/2300, 3 studios.
◆ Hôtel particulier du 17e s. rénové : chambres personnalisées, parquets Versailles, tapisseries d'Aubusson... et premier café littéraire de Paris, converti en bar.

Relais Christine
BX 3

3 r. Christine (6e) ✆ 01 40 51 60 80, *relaisch@club-internet.fr, Fax 01 40 51 60 81*
M sans rest – – 20. AE GB JCB
115 – **35 ch** 2250/2400, 16 duplex.
◆ Les chambres élégantes et actuelles de cet hôtel particulier se répartissent autour d'une cour intérieure. Petit-déjeuner dans les cuisines voûtées d'un couvent du 13e s.

Littré
AY 33

9 r. Littré (6e) ✆ 01 53 63 07 07, *infos@hotel-littre.fr, Fax 01 45 44 88 13*
sans rest – – 25. AE GB JCB.
90 – **88 ch** 1350/1850.
◆ À mi-chemin de Saint-Germain-des-Prés et de Montparnasse, immeuble classique dont les chambres, assez spacieuses, sont peu à peu rénovées. Confortable bar anglais.

Bel Ami St-Germain-des-Prés
BX 21

7 r. St-Benoit (6e) ✆ 01 42 61 53 53, *contact@hotel-bel-ami.com, Fax 01 49 27 09 33*
M sans rest – . AE GB JCB
100 – **115 ch** 1750/3400.
◆ À côté des célèbres cafés de Flore et des Deux Magots. Derrière la façade du 19e s., bel aménagement contemporain : décor "zen", mobilier Starck et équipements high-tech.

Buci BX 59

22 r. Buci (6e) 01 55 42 74 74, *hotelbuci@wanadoo.fr, Fax 01 55 42 74 44*
M sans rest – AE GB.
90 – **24 ch** 1550/1950.
◆ L'hôtel a vue sur le marché animé de cette rue pittoresque. Ciels de lit, meubles de style anglais... Des chambres rénovées et parfaitement insonorisées. Piano-bar.

L'Abbaye BY 52

10 r. Cassette (6e) 01 45 44 38 11, *hotel.abbaye@wanadoo.fr, Fax 01 45 48 07 86*
sans rest – AE GB.
42 ch 1220/1750, 4 duplex.
◆ Le charme d'hier, le confort d'aujourd'hui : installées dans un ancien couvent du 17e s., coquettes chambres tournées ou non vers le patio. Les duplex possèdent une terrasse.

Relais St-Germain BY 19

9 carrefour de l'Odéon (6e) 01 44 27 07 97, *Fax 01 46 33 45 30*
M sans rest – cuisinette AE GB JCB
18 ch 1290/1850, 4 studios.
◆ Trois immeubles du 18e s. abritant un hôtel raffiné dont les fenêtres s'ouvrent sur la statue de Danton. Poutres patinées, étoffes chatoyantes et meubles anciens.

Madison BX 16

143 bd St-Germain (6e) 01 40 51 60 00, *resa@hotel-madison.com, Fax 01 40 51 60 01*
M sans rest – AE GB JCB
54 ch 850/1700.
◆ Camus aimait fréquenter cet établissement dont la moitié des chambres offrent une perspective sur l'église St-Germain-des Prés. Élégant salon Louis-Philippe.

Relais Médicis BY 14

23 r. Racine (6e) 01 43 26 00 60, *Fax 01 40 46 83 39*
M sans rest – AE GB JCB.
16 ch 1230/1595.
◆ Une touche provençale égaye les chambres de cet hôtel proche du théâtre de l'Odéon ; celles donnant sur le patio sont plus au calme. Meubles chinés chez les antiquaires.

Villa Panthéon CY 24

41 r. Écoles (5e) 01 53 10 95 95, *pantheon@hotelsparis.fr, Fax 01 53 10 95 96*
M sans rest – AE GB JCB
170 – **59 ch** 2450.
◆ Parquet, tentures colorées, mobilier en bois exotique et lampes d'inspiration Liberty : réception, chambres et bar (bon choix de whiskys) sont décorés dans l'esprit "british".

Left Bank St-Germain BX 6

9 r. Ancienne Comédie (6e) 01 43 54 01 70, *lb@paris-hotels-charm.com, Fax 01 43 26 17 14*
sans rest – AE GB JCB.
31 ch 1082/1351.
◆ Damas, toile de Jouy, meubles de style Louis XIII et colombages président au décor de cet immeuble du 17e s. Quelques chambres offrent une échappée sur Notre-Dame.

Holiday Inn Saint-Germain-des-Prés AY **34**
92 r. Vaugirard (6e) ✆ 01 49 54 87 00, *holiday-inn.psg@wanadoo.fr, Fax 01 49 54 87 01*
M sans rest – ⇕ ✕ ▤ TV ♿ 🚗 – 60. AE ⓓ GB JCB
☕ 85 – **134 ch** 1400/1550.
◆ Ouvert dans les années 1980, cet établissement aux chambres actuelles et bien équipées a su fidéliser une clientèle d'affaires. Bar de style Art déco.

Angleterre BX **49**
44 r. Jacob (6e) ✆ 01 42 60 34 72, *anglotel@wanadoo.fr, Fax 01 42 60 16 93*
sans rest – ⇕ TV ✆. AE ⓓ GB JCB. ✕
☕ 65 – **23 ch** 780/1300, 4 appart.
◆ Hemingway fut séduit par cet hôtel aménagé dans l'ancienne ambassade d'Angleterre (18e s.). Chambres au charme désuet ; petits-déjeuners servis dans un patio fleuri.

Villa BX **14**
29 r. Jacob (6e) ✆ 01 43 26 60 00, *hotel@villa-saintgermain.com, Fax 01 46 34 63 63*
M sans rest – ⇕ ✕ ▤ TV ✆. AE ⓓ GB JCB
☕ 80 – **32 ch** 1400/2500.
◆ Les murs datent du 19e s., mais l'intérieur est résolument contemporain : meubles design, couleurs vives ou tons pastel plus reposants. Original.

St-Grégoire AY **6**
43 r. Abbé Grégoire (6e) ✆ 01 45 48 23 23, *hotel@saintgregoire.com, Fax 01 45 48 33 95*
M sans rest – ⇕ ▤ TV ✆. AE ⓓ GB JCB. ✕
☕ 70 – **20 ch** 890/1490.
◆ Cet établissement vaut pour son accueillant décor bourgeois. Deux chambres bénéficient d'une petite terrasse verdoyante. Sympathique salle des petits-déjeuners voûtée.

Millésime Hôtel BX **24**
15 r. Jacob (6e) ✆ 01 44 07 97 97, *reservation@millesimehotel.com, Fax 01 46 34 55 97*
sans rest – ⇕ ▤ TV ✆. AE GB JCB
☕ 75 – **22 ch** 950/1250.
◆ Tons ensoleillés, mobilier et tissus choisis apportent une note chaleureuse aux ravissantes chambres de cet hôtel récemment rénové. Bel escalier du 17e s.

Résidence Henri IV CY **47**
50 r. Bernardins (5e) ✆ 01 44 41 31 81, *henri4@hotellerie.net, Fax 01 46 33 93 22*
M sans rest – ⇕ cuisinette TV ✆. AE ⓓ GB
☕ 45 – **8 ch** 900, 5 appart.
◆ Immeuble de 1879 dont les chambres, refaites, conservent leur charme d'antan : moulures, frises et cheminées en marbre. Toutes donnent sur un square ombragé.

Rives de Notre-Dame CX **42**
15 quai St-Michel (5e) ✆ 01 43 54 81 16, *hotel@rivesdenotredame.com, Fax 01 43 26 27 09*
M sans rest, ≤ – ⇕ ▤ TV ✆ – 15. AE ⓓ GB JCB
☕ 70 – **10 ch** 1300/2500.
◆ Maison du 16e s. superbement conservée, dont les spacieuses chambres de style provençal s'ouvrent sur la Seine et Notre-Dame. Agréable salon sous verrière.

Au Manoir St-Germain-des-Prés BX 37
153 bd St-Germain (6e) ✆ 01 42 22 21 65, *msg@paris-hotels-charm.com, Fax 01 45 48 22 25*
sans rest – |‡| ▤ TV ✆. AE ⓓ GB JCB.
33 ch ☕ 1100/1456.
◆ Chambres bourgeoises habillées de toile de Jouy et de boiseries peintes. Au pied de l'hôtel : le Flore et les Deux Magots, les deux célèbres cafés germanopratins.

Ste-Beuve BY 20
9 r. Ste-Beuve (6e) ✆ 01 45 48 20 07, *saintebeuve@wanadoo.fr, Fax 01 45 48 67 52*
M sans rest – |‡| ▤ TV ✆. AE ⓓ GB JCB.
☕ 85 – **22 ch** 780/1700.
◆ L'endroit ressemble à une maison particulière : ambiance intime, sofas moelleux, flambées dans la cheminée... Les chambres mêlent avec goût l'ancien et le contemporain.

Panthéon CY 23
19 pl. Panthéon (5e) ✆ 01 43 54 32 95, *henri4@hotellerie.net, Fax 01 43 26 64 65*
sans rest, ≤ – |‡| ▤ TV. AE ⓓ GB JCB.
☕ 55 – **36 ch** 900/1000.
◆ Réservez l'une des chambres rénovées - de style "cosy" ou d'inspiration Louis XVI - avec vue sur le dôme du "temple de la Renommée". Petits-déjeuners dans une salle voûtée.

Jardins du Luxembourg BY 43
5 imp. Royer-Collard (5e) ✆ 01 40 46 08 88, *jardinslux@wanadoo.fr, Fax 01 40 46 02 28*
M sans rest – |‡| ▤ TV. AE ⓓ GB JCB.
☕ 55 – **26 ch** 825/890.
◆ Sigmund Freud séjourna dans cet hôtel situé dans une impasse voisine du Luxembourg. Élégantes chambres contemporaines. Un comptoir de brasserie 1900 décore la réception.

Tour Notre-Dame CY 5
20 r. Sommerard (5e) ✆ 01 43 54 47 60, *tour-notre-dame@magic.fr, Fax 01 43 26 42 34*
sans rest – |‡| ▤ TV ✆. AE ⓓ GB JCB
☕ 65 – **48 ch** 925/995.
◆ Très bel emplacement pour cet hôtel quasiment accolé au musée de Cluny. Chambres refaites, habillées de toiles de Jouy. Préférez celles donnant sur l'arrière, plus calmes.

Villa des Artistes BZ 8
9 r. Grande Chaumière (6e) ✆ 01 43 26 60 86, *hotel@villa-artistes.com, Fax 01 43 54 73 70*
M sans rest – |‡| TV ✆. AE ⓓ GB JCB.
☕ 55 – **59 ch** 720/1300.
◆ L'enseigne rend hommage aux artistes qui ont fait l'histoire du quartier Montparnasse. Chambres agréables, donnant souvent sur la cour. Verrière pour les petits-déjeuners.

Relais St-Sulpice BY **62**
3 r. Garancière (6e) ✆ 01 46 33 99 00, *relaisstsulpice@wanadoo.fr*, *Fax 01 46 33 00 10*
M sans rest – TV. AE GB JCB.
60 – **26 ch** 980/1200.
◆ Tendance "ethnique" d'une décoration très actuelle mêlant esprit africain et asiatique : ce séduisant hôtel dont la façade date du 19e s. penche résolument pour l'exotisme.

Grand Hôtel St-Michel CY **35**
19 r. Cujas (5e) ✆ 01 46 33 33 02, *grand.hotel@st.michel.com*, *Fax 01 40 46 96 33*
sans rest – TV. AE GB JCB
65 – **45 ch** 690/890, 7 appart.
◆ Cet immeuble haussmannien récemment rénové abrite des chambres feutrées, garnies de meubles peints. Salon de style Napoléon III ; salle voûtée pour les petits-déjeuners.

Fleurie BX **5**
32 r. Grégoire de Tours (6e) ✆ 01 53 73 70 00, *bonjour@hotel-de-fleurie.tm.fr*, *Fax 01 53 73 70 20*
sans rest – TV. AE GB.
50 – **29 ch** 1050/1700.
◆ Pimpante façade du 18e s. agrémentée de "statues nichées". Chambres bourgeoises aux tonalités douces, agrémentées de quelques boiseries. Sympathique accueil familial.

St-Germain-des-Prés BX **22**
36 r. Bonaparte (6e) ✆ 01 43 26 00 19, *hotel-saint-germain-des-pres@wanadoo.fr*, *Fax 01 40 46 83 63*
sans rest – TV. AE GB
50 – **30 ch** 900/1500.
◆ Tissus à motif floral et poutres apparentes égayent la plupart des chambres, plus au calme côté cour. La salle des petits-déjeuners est bordée d'une plate-bande fleurie.

Saints-Pères BX **54**
65 r. des Sts-Pères (6e) ✆ 01 45 44 50 00, *hotelsts.peres@wanadoo.fr*, *Fax 01 45 44 90 83*
sans rest – TV. AE GB.
70 – **36 ch** 700/1800, 3 appart.
◆ Hôtel particulier édifié au temps de Louis XIV et bâtisses du 19e s. autour d'une verdoyante cour intérieure. Le joyau caché : la "chambre à la fresque" (1658).

Royal St-Michel CX **17**
3 bd St-Michel (5e) ✆ 01 44 07 06 06, *hotel.royal.st.michel@wanadoo.fr*, *Fax 01 44 07 36 25*
M sans rest – TV. AE GB JCB
60 – **39 ch** 1020/1250.
◆ Sur le "Boul' Mich", face à la fontaine Saint-Michel, c'est toute l'ambiance du Quartier latin que l'on découvre aux portes de cet hôtel rénové ; chambres fonctionnelles.

Notre Dame CX **9**
1 quai St-Michel (5e) ✆ 01 43 54 20 43, *Fax 01 43 26 61 75*
sans rest, – TV. AE GB.
40 – **23 ch** 910/1200, 3 duplex.
◆ La majorité des douillettes petites chambres bénéficient d'une vue sur la cathédrale Notre-Dame ; demandez-en une refaite, climatisée et bien équipée.

Relais St-Jacques CZ 2

3 r. Abbé de l'Épée (5e) 01 53 73 26 00, *sanevers@wanadoo.fr*, *Fax 01 43 26 17 81*
sans rest – 20.
72 – **23 ch** 1177/1456.
◆ Chambres de style Directoire ou d'inspiration lusitanienne, salle des petits-déjeuners sous verrière, salon Louis XV et bar 1925... Un inventaire (chic) à la Prévert !

St-Christophe CY 7

17 r. Lacépède (5e) 01 43 31 81 54, *hotelstcristophe@compuserve.com*, *Fax 01 43 31 12 54*
sans rest –
50 – **31 ch** 580/700.
◆ Le naturaliste Lacépède a donné son nom à la rue, rappelant la proximité du Jardin des Plantes. Petites chambres d'esprit rustique ; toutes sont non-fumeurs.

Sully St-Germain CY 28

31 r. Écoles (5e) 01 43 26 56 02, *hotel@sullysaintgermain.com*, *Fax 01 43 29 74 42*
M sans rest, –
75 – **58 ch** 950/1300.
◆ Est-ce le voisinage du musée du Moyen Âge ? Toujours est-il que l'établissement présente un décor d'inspiration médiévale. Salon sous verrière ; fitness.

Parc St-Séverin CY 12

22 r. Parcheminerie (5e) 01 43 54 32 17, *hotel.parc.severin@wanadoo.fr*, *Fax 01 43 54 70 71*
sans rest –
55 – **27 ch** 550/1070.
◆ L'hôtel est au coeur du Quartier latin. Les chambres des derniers étages bénéficient d'une terrasse, parfois très spacieuse, avec vue sur l'église St-Séverin.

Jardin de Cluny CY 57

9 r. Sommerard (5e) 01 43 54 22 66, *hotel.decluny@wanadoo.fr*, *Fax 01 40 51 03 36*
sans rest –
60 – **40 ch** 790/1200.
◆ Chambres fonctionnelles, garnies de meubles en rotin. Salle des petits-déjeuners voûtée, agrémentée d'une "Dame à la Licorne" (l'originale est à deux pas, au musée de Cluny).

Libertel Quartier Latin CY 10

9 r. Écoles (5e) 01 44 27 06 45, *Fax 01 43 25 36 70*
M sans rest –
82 – **29 ch** 1165/1350
◆ Hommage à l'érudition en cet hôtel sis en plein Quartier latin : chambres d'une agréable sobriété, décorées de portraits et citations de Colette, Gide ou Prévert ; bibliothèque.

Jardin de l'Odéon BY 30

7 r. Casimir Delavigne (6e) 01 53 10 28 50, *hotel@jardindelodeon.com*, *Fax 01 43 25 28 12*
M sans rest –
56 – **41 ch** 715/1170.
◆ En façade, les chambres offrent une échappée sur le théâtre de l'Odéon ; cinq sont dotées d'une terrasse. Petits-déjeuners servis dans le patio en été. Joli salon Art déco.

Prince de Conti BX 42
8 r. Guénégaud (6e) 01 44 07 30 40, *Fax 01 44 07 36 34*
sans rest – AE GB JCB
82 – **26 ch** 1165/1900.
◆ Immeuble du 18e s. jouxtant l'hôtel de la Monnaie : un emplacement idéal pour courir les fameuses galeries d'art germanopratines. Chambres et salons décorés à l'anglaise.

Clos Médicis BY 4
56 r. Monsieur Le Prince (6e) 01 43 29 10 80, *clos-medicis@composewe.com, Fax 01 43 54 26 90*
M sans rest – AE GB JCB
60 – **38 ch** 790/1300.
◆ L'hôtel est entouré par les magnifiques demeures de cette rue "princière". Son décor aux couleurs vives ne laisse guère supposer que les murs datent de 1773.

Odéon Hôtel BY 36
3 r. Odéon (6e) 01 43 25 90 67, *odeon@odeonhotel.fr, Fax 01 43 25 55 98*
M sans rest – AE GB JCB.
60 – **33 ch** 750/1500.
◆ La façade ainsi que les poutres et murs en pierres apparentes des chambres témoignent de l'ancienneté de la maison (17e s.). Salles de bains égayées d'azulejos.

Grands Hommes CY 18
17 pl. Panthéon (5e) 01 46 34 19 60, *Fax 01 43 26 67 32*
sans rest, – 20. AE GB JCB
50 – **32 ch** 850/1200.
◆ "Aux grands hommes, la patrie reconnaissante" : on devine presque la fameuse inscription depuis les chambres bourgeoises de cet hôtel posté face au Panthéon.

de l'Odéon BY 41
13 r. St-Sulpice (6e) 01 43 25 70 11, *hotelodeon@wanadoo.fr, Fax 01 43 29 97 34*
sans rest – AE GB JCB
65 – **29 ch** 820/1350.
◆ L'intérieur de cette maison du 16e s. est pour le moins éclectique : lits anciens en cuivre ou à baldaquin, bibelots chinés dans les brocantes, etc. Mini-jardin luxuriant.

Prince de Condé BX 12
39 r. Seine (6e) 01 43 26 71 56, *Fax 01 46 34 27 95*
sans rest – AE GB JCB
82 – **12 ch** 1165/1900.
◆ Chambres "cosy" récemment rénovées et cave-salon voûtée élégamment décorée. Les esthètes apprécieront les nombreuses galeries de peintures installées dans la rue.

Régent BX 2
61 r. Dauphine (6e) 01 46 34 59 80, *hotel-leregent@wanadoo.fr, Fax 01 40 51 05 07*
sans rest – AE GB JCB.
60 – **25 ch** 750/1150.
◆ Façade longiligne datant de 1769. Les chambres sont feutrées et bien équipées. Salle des petits-déjeuners en sous-sol, avec murs en pierres apparentes.

Select CY **32**
1 pl. Sorbonne (5e) ✆ 01 46 34 14 80, *select.hotel@wanadoo.fr, Fax 01 46 34 51 79*
M sans rest – |♦| ▤ TV ✆. AE ① GB JCB
☕ 40 – **68 ch** 670/920.
♦ Hôtel résolument contemporain au coeur du Paris estudiantin. Salon aménagé autour d'un verdoyant patio sous verrière. Quelques vues sur les toits depuis certaines chambres.

Albe CX **46**
1 r. Harpe (5e) ✆ 01 46 34 09 70, *albehotel@wanadoo.fr, Fax 01 40 46 85 70*
sans rest – |♦| ▤ TV ✆. AE ① GB JCB. ✻
☕ 58 – **45 ch** 650/920.
♦ Les murs en pierres apparentes s'harmonisent plaisamment avec la décoration moderne de l'hôtel. Quartier latin, île de la Cité... Paris est à vos pieds !

Agora St-Germain CY **19**
42 r. Bernardins (5e) ✆ 01 46 34 13 00, *agorastg@hotellerie.net, Fax 01 46 34 75 05*
sans rest – |♦| ▤ TV ✆. AE ① GB JCB. ✻
☕ 50 – **39 ch** 650/880.
♦ Le décor de cet hôtel voisin de l'église St-Nicolas-du-Chardonnet date des années 1980. Chambres plus calmes côté cour. Salle des petits-déjeuners de style Louis XIII.

Bréa BZ **14**
14 r. Bréa (6e) ✆ 01 43 25 44 41, *breahote@wanadoo.fr, Fax 01 44 07 19 25*
sans rest – |♦| TV ✆. AE ① GB. ✻
☕ 55 – **23 ch** 700/900.
♦ Deux bâtiments reliés par une verrière aménagée en un plaisant salon-jardin d'hiver. Ambiance méditerranéenne dans les chambres, plutôt spacieuses et bien équipées.

Ferrandi AY **48**
92 r. Cherche-Midi (6e) ✆ 01 42 22 97 40, *hotel.ferrandi@wanadoo.fr, Fax 01 45 44 89 97*
sans rest – |♦| ▤ TV ✆. AE ① GB JCB
☕ 65 – **42 ch** 640/1480.
♦ Face au charmant musée Hébert, demeure cossue du 19e s. abritant des chambres bourgeoisement décorées et bien insonorisées. Salons de style Restauration.

Dacia-Luxembourg CY **4**
41 bd St-Michel (5e) ✆ 01 53 10 27 77, *info@hoteldacia.com, Fax 01 44 07 10 33*
sans rest – |♦| ▤ TV ✆. AE ① GB JCB. ✻
☕ 50 – **38 ch** 650/800.
♦ Nombreuses rénovations dans cet établissement chaleureux du Quartier latin. Beaux jetés de lit en piqué blanc dans des chambres bien équipées (deux avec baldaquin).

Marronniers BX **17**
21 r. Jacob (6e) ✆ 01 43 25 30 60, *Fax 01 40 46 83 56*
sans rest – |♦| ▤ TV ✆. GB. ✻
☕ 70 – **37 ch** 885/1240.
♦ Tapi au fond d'une verdoyante cour de la belle rue Jacob, l'hôtel abrite de ravissantes petites chambres. Salle des petits-déjeuners en rez-de-jardin, sous une véranda.

Pierre Nicole BZ 32
39 r. Pierre Nicole (5e) ✆ 01 43 54 76 86, *Fax 01 43 54 22 45*
sans rest – TV. AE GB.
40 – **33 ch** 370/520.
♦ L'enseigne rend hommage au moraliste de Port-Royal. Chambres pratiques, plus ou moins spacieuses. Vous pourrez jogger dans les jardins de l'Observatoire, tout proches.

St-Jacques CY 29
35 r. Écoles (5e) ✆ 01 44 07 45 45, *Fax 01 43 25 65 50*
sans rest – TV. AE GB JCB.
40 – **35 ch** 420/640.
♦ La rénovation progressive des chambres préserve le cachet ancien de l'établissement : moulures, cheminées et meubles de style. Salle des petits-déjeuners ornée d'une fresque.

Maxim CZ 15
28 r. Censier (5e) ✆ 01 43 31 16 15, *Fax 01 43 91 93 87*
sans rest – TV. AE GB JCB
50 – **36 ch** 615/685.
♦ La Mosquée, le Jardin des Plantes, le marché de la "Mouffe" : un Paris insolite s'offre à vous à deux pas de ces petites bonbonnières tapissées de toile de Jouy.

Familia CY 61
11 r. Écoles (5e) ✆ 01 43 54 55 27, *Fax 01 43 29 61 77*
sans rest – TV. AE GB JCB.
38 – **30 ch** 410/595.
♦ Des "sépias" représentant des monuments de Paris ornent les petites chambres. Salle des petits-déjeuners familiale, agrémentée d'une bibliothèque d'ouvrages anciens.

Dauphine St-Germain BX 33
36 r. Dauphine (6e) ✆ 01 43 26 74 34, *Fax 01 43 26 49 09*
sans rest – TV. AE GB JCB
92 – **30 ch** 1090/1585.
♦ Les grands couturiers tiennent boutique dans le lacis de ruelles voisinant cet immeuble du 17e s. Atmosphère d'autrefois, mais confort actuel. Salles de bains en marbre.

Sèvres Azur AY 58
22 r. Abbé-Grégoire (6e) ✆ 01 45 48 84 07, *sevres.azur@wanadoo.fr, Fax 01 42 84 01 55*
sans rest – TV. AE GB JCB
40 – **31 ch** 485/590.
♦ Près du Bon Marché, hôtel aux chambres colorées, parfois pourvues de lits en cuivre. Rue calme et insonorisation efficace : Morphée vous tend les bras !

California CY 6
32 r. Écoles (5e) ✆ 01 46 34 12 90, *hotel@californiasaintgermain.com, Fax 01 46 34 75 52*
sans rest – TV. AE GB.
65 – **44 ch** 805/1300.
♦ Chambres standardisées, bien tenues et progressivement rénovées. Murs en pierre blonde et sièges Louis XIII dans la salle des petits-déjeuners aménagée au sous-sol.

XXXXX **Tour d'Argent** (Terrail) CY 3
⚘⚘ 15 quai Tournelle (5e) ✆ 01 43 54 23 31, *Fax 01 44 07 12 04*
< Notre-Dame – ▤. AE ⓓ GB JCB
fermé lundi – **Repas** 390 (déj.)et carte 950 à 1 200.
◆ On régale ici les têtes couronnées, et les autres, depuis le 16e s. ! Salle à manger "en plein ciel", au 6e étage : vue unique sur Notre-Dame et la Seine.
Spéc. Quenelles de brochet ''André Terrail''. Caneton ''Tour d'Argent''. Crêpes "Belle Époque".

XXX **Jacques Cagna** BX 29
⚘ 14 r. Grands Augustins (6e) ✆ 01 43 26 49 39, *Fax 01 43 54 54 48*
▤. AE ⓓ GB JCB
fermé 1er au 21 août, sam. midi, lundi midi et dim. – **Repas** 270 (déj.)/490 et carte 520 à 710.
◆ Dans l'une des plus anciennes maisons du vieux Paris, confortable salle à manger ornée de poutres massives, boiseries du 16e s. et tableaux flamands. Cuisine raffinée.
Spéc. Foie gras de canard chaud aux fruits confits caramélisés. Poularde de Houdan en deux services. Gibier (saison).

XXX **Paris** - Hôtel Lutétia BY 2
⚘ 45 bd Raspail (6e) ✆ 01 49 54 46 90, *lutetia-paris@lutetia-paris.com, Fax 01 49 54 46 00*
▤. AE ⓓ GB JCB
fermé août, sam., dim. et fériés – **Repas** 250 (déj.), 350/750 et carte 340 à 560.
◆ Fidèle au style de l'hôtel, la salle de restaurant Art déco, signée Sonia Rykiel, reproduit l'un des salons du paquebot Normandie. Talentueuse cuisine au goût du jour.
Spéc. Cannelloni de foie gras de canard à la truffe. Turbot cuit dans le sel de Guérande et algues bretonnes. Le ''Tout chocolat''.

XXX **Relais Louis XIII** (Martinez) BX 4
⚘⚘ 8 r. Grands Augustins (6e) ✆ 01 43 26 75 96, *Fax 01 44 07 07 80*
▤. AE GB JCB. ✂
fermé 4 au 28 août, vacances de fév., dim. et lundi – **Repas** 240 (déj.)/380 (dîner sauf sam.)et carte 430 à 550 ♀.
◆ Dans une maison du 16e s., trois intimes salles des repas de style Louis XIII où règnent balustres, tissus à rayures et pierres apparentes. Subtile cuisine au goût du jour.
Spéc. Ravioli de homard, foie gras et jus crémé aux cèpes. Caneton challandais rôti aux épices. Millefeuille à la vanille.

XXX **Hélène Darroze** BY 5
⚘ 4 r. d'Assas (6e) ✆ 01 42 22 00 11, *helene.darroze@wanadoo.fr, Fax 01 42 22 25 40*
▤. AE GB
fermé 23 juil. au 20 août, dim. et lundi – **Repas** 240 (déj.), 580/850 et carte 390 à 690
Salon : **Repas** *(145)*/185bc et carte 160 à 230 ♀.
◆ L'ambassadrice de la gastronomie du Sud-Ouest vient conquérir la capitale ! Décor contemporain haut en couleur, à l'image de la cuisine, délicieusement personnalisée.
Spéc. Escaoutoun landais au brebis basque et aux cèpes (sept. à nov.). Foie gras de canard des Landes grillé au feu de bois. Baba imbibé au vieil armagnac.

XXX **Closerie des Lilas** BZ 12
171 bd Montparnasse (6e) ✆ 01 40 51 34 50, *closerie@club-internet.fr, Fax 01 43 29 99 94*
– AE ⓓ GB JCB
Repas 250 bc (déj.)et carte 320 à 420
Brasserie : **Repas** carte 180 à 320 ♀.
◆ Le Tout-Paris artistique et littéraire a fait la renommée de la maison. La terrasse du restaurant est agréable, et le bar désaltère toujours quelques plumes bien trempées.

XXX **Procope** BX 30
13 r. Ancienne Comédie (6e) ✆ 01 40 46 79 00, *Fax 01 40 46 79 09*
. AE ⓓ GB
Repas 130 (déj.)/178 et carte 210 à 310 ♀.
◆ Un monument historique ! Le plus vieux café littéraire de Paris accueille toujours, dans ses onze salons de caractère, gens de théâtre et artistes. Cuisine "brasserie".

XX **Atelier Maître Albert** CY 20
1 r. Maître Albert (5e) ✆ 01 46 33 13 78, *Fax 01 44 07 01 86*
. AE GB
fermé lundi en août, dim. et fêtes – **Repas** *(150)* - 210.
◆ Le cadre et l'atmosphère d'un manoir provincial en plein Quartier latin ! Cheminée médiévale et rôtissoire contemporaine réchauffent la vaste mais intime salle à manger.

XX **Mavrommatis** CZ 55
42 r. Daubenton (5e) ✆ 01 43 31 17 17, *Fax 01 43 36 13 08*
. GB.
fermé lundi – **Repas** 120 (déj.), 160/170 et carte 200 à 280 ♀.
◆ L'ambassade de la cuisine grecque à Paris. Pas de folklore mais un cadre sobre, élégant et confortable rehaussé par un éclairage soigné. Accueil attentionné. Terrasse d'été.

XX **Maxence** (Van Laer) AY 35
✿ 9 bis bd Montparnasse (6e) ✆ 01 45 67 24 88, *Fax 01 45 67 10 22*
. AE GB JCB
fermé 1er au 15 août, lundi midi, sam. midi et dim. – **Repas** 150 (déj.)/340 et carte 350 à 500 ♀.
◆ Un chaud dégradé de tons brun, orangé et jaune égaye les murs de cet élégant restaurant contemporain. Atmosphère très agréable, cuisine de saison personnalisée.
Spéc. Crème de topinambours et truffes (déc. à mars). Waterzoï de volaille à la gantoise. Chicons confits, glace aux spéculoos.

XX **Ziryab** DY 2
à l'Institut du Monde Arabe, 1 r. Fossés-St-Bernard (5e) ✆ 01 53 10 10 20, *Fax 01 44 07 30 98*
≤ Paris, – AE ⓓ GB.
fermé dim. soir et lundi – **Repas** carte 250 à 300.
◆ Situé au dernier étage de l'IMA, ce lumineux restaurant au cadre design et sa terrasse panoramique offrent une superbe vue sur Notre-Dame et la Seine Cuisine orientale.

XX **Chat Grippé** BZ 5
87 r. Assas (6e) ✆ 01 43 54 70 00, *Fax 01 43 26 42 05*
. AE GB
fermé août, lundi midi, sam. midi et dim. – **Repas** 145 (déj.)/205 et carte 250 à 320 ♀.
◆ Proche des jardins de l'Observatoire, conviviale adresse de quartier dont le décor s'inspire du style Art déco. La cuisine, classique, mise sur la qualité des produits.

XX **Alcazar** BX 19
62 r. Mazarine (6e) ✆ 01 53 10 19 99, *atlanticblue@wanadoo.fr, Fax 01 53 10 23 23*
▤. AE ⓓ GB JCB
Repas *(120)* - 160 bc (déj.)et carte 280 à 350 ♀.
♦ Le cabaret froufroutant de J.-M. Rivière s'est converti en vaste restaurant "branché" au cadre design. Tables avec vue sur les fourneaux, cuisine au goût du jour.

XX **Inagiku** CY 9
14 r. Pontoise (5e) ✆ 01 43 54 70 07, *Fax 01 40 51 74 44*
▤. AE GB
fermé 6 au 19 août et dim. – **Repas** 88 (déj.), 148/348 et carte 260 à 300.
♦ L'étonnant spectacle des chefs-cuisiniers qui préparent et cuisent devant vous les plats traditionnels japonais vaut à lui seul le détour. Cadre typique, service prévenant.

XX **Marty** CZ 10
20 av. Gobelins (5e) ✆ 01 43 31 39 51, *Fax 01 43 37 63 70*
▤. AE ⓓ GB JCB
Repas 200 et carte 230 à 300 ♀, enf. 85.
♦ Cette grande brasserie au plaisant cadre des années 1930 est, le midi, la "cantine" des journalistes du Monde, venus en voisin. Produits de la mer, carte des vins fournie.

XX **Catalogne** BX 26
4 cour du Commerce St-André (6e) ✆ 01 55 42 16 19, *Fax 01 55 42 16 33*
AE ⓓ GB JCB
fermé dim. soir et lundi – **Repas** 195/295 bc ♀.
♦ Au premier étage de la Maison de la Catalogne, dans une salle au décor mariant modernité et sobriété, venez découvrir la gastronomie et les vins catalans.

XX **Méditerranée** BY 3
2 pl. Odéon (6e) ✆ 01 43 26 02 30, *Fax 01 43 26 18 44*
▤. AE GB
Repas *(160)* - 190 et carte 250 à 380 ♀.
♦ Cette institution naguère fréquentée par Balthus, Chaplin et O. Welles a conservé son riche décor : fresques de Bérard et Vertès, lithographies de Cocteau... Cuisine iodée.

XX **Au Pactole** CY 22
44 bd St-Germain (5e) ✆ 01 46 33 31 31, *nedra@au-pactole.com, Fax 01 46 33 07 60*
AE GB JCB
fermé 7 au 22 août, sam. midi et dim. – **Repas** 98 (déj.), 155/179 et carte 230 à 300 ♀.
♦ Décor tout en gaieté, confortables fauteuils et accueil souriant sont les atouts de cet agréable lieu. Cuisine du Sud et une spécialité "maison" : le tartare flambé en salle.

XX **Chez Maître Paul** BY 27
12 r. Monsieur-le-Prince (6e) ✆ 01 43 54 74 59, *chezmaitrepaul@aol.com, Fax 01 46 34 58 33*
▤. AE ⓓ GB
fermé dim. et lundi en juil.-août – **Repas** 165/195 bc.
♦ Façade anodine et salle à manger d'une grande sobriété décorative, dans une rue où souffle l'esprit du Quartier latin. Recettes et vins du Jura.

XX **Yugaraj** BX 7
14 r. Dauphine (6e) ✆ 01 43 26 44 91, *Fax 01 46 33 50 77*
▤. AE ⓓ GB JCB
fermé lundi – **Repas** 99 (déj.), 180/290 et carte 230 à 330.
◆ Boiseries, panneaux décoratifs, soieries et objets d'art anciens donnent à ce haut lieu de la gastronomie indienne des airs de musée. Carte très bien renseignée.

XX **Yen** BX 25
22 r. St-Benoît (6e) ✆ 01 45 44 11 18
▤. AE GB JCB
fermé lundi midi et dim. – **Repas** carte 210 à 300 ♀.
◆ Deux salles à manger au décor japonais très épuré, un peu plus chaleureux à l'étage. La carte fait la part belle à la spécialité du chef : le soba (nouilles de sarrasin).

XX **Bastide Odéon** BY 33
7 r. Corneille (6e) ✆ 01 43 26 03 65, *bastide.odeon@wanadoo.fr, Fax 01 44 07 28 93*
AE GB
fermé 5 au 30 août, 30 déc. au 7 janv., dim. et lundi – **Repas** 194.
◆ Proche du Luxembourg, agréable et confortable salle de restaurant dont le décor rappelle l'intérieur d'une bastide provençale. Spécialités méditerranéennes.

XX **Chez Toutoune** CY 13
5 r. Pontoise (5e) ✆ 01 43 26 56 81, *infos@cheztoutoune.com, Fax 01 40 46 80 34*
AE GB
fermé lundi – **Repas** *(148)* - 218 ♀.
◆ "Toutoune" (ainsi appelle-t-on la patronne) a fait entrer le soleil de la Provence dans son restaurant : chaudes tonalités, accent chantant et goûteuse cuisine du Midi.

X **Coco de Mer** DZ 2
34 bd St-Marcel (5e) ✆ 01 47 07 06 64, *frichot@seychelles-saveurs.com, Fax 01 47 07 41 88*
AE GB
fermé août, lundi midi et dim. – **Repas** 135/170 ♀.
◆ Mare de la grisaille ? Direction les Seychelles : ti-punch pieds nus dans le sable fin de la véranda et recettes des îles d'où l'on fait arriver le poisson chaque semaine.

X **Campagne et Provence** CY 8
25 quai Tournelle (5e) ✆ 01 43 54 05 17, *Fax 01 43 29 74 93*
▤. GB
fermé 5 au 26 août, sam. midi, lundi midi et dim. – **Repas** *(120)* - 230 et carte 260 à 320.
◆ Sur les quais de Seine, ce petit restaurant aux couleurs ensoleillées propose une cuisine provençale accompagnée d'une belle sélection de vins méridionaux au verre.

X **Bouillon Racine** CY 17
3 r. Racine (6e) ✆ 01 44 32 15 60, *bouillon.racine@wanadoo.fr, Fax 01 44 32 15 61*
AE GB
Repas 129 (déj.)/189 et carte 200 à 250 ♀, enf. 59.
◆ Le décor Art nouveau de cet ancien "bouillon" (restaurant économique) a conservé tout son lustre, notamment dans la salle du 1er étage. Saveurs belges et bonnes bières.

Les Bookinistes
BX 56

53 quai Grands Augustins (6e) ✆ 01 43 25 45 94, *bookinistes@guysavoy.com, Fax 01 43 25 23 07*

AE GB JCB

fermé sam. midi et dim. – **Repas** 160 (déj.)et carte 230 à 320.

◆ Face aux bouquinistes des quais, une cuisine originale dans un cadre moderniste créé par le jazzman D. Humair : mobilier design, lampes colorées et peintures abstraites.

Dominique
BZ 21

19 r. Bréa (6e) ✆ 01 43 27 08 80, *Fax 01 43 26 84 84*

AE GB JCB

fermé 22 juil. au 21 août, dim. et lundi – **Repas** (dîner seul.) 250/350 et carte 270 à 390.

◆ À la fois bar à vodkas, épicerie et restaurant : un haut lieu de la cuisine russe à Paris. Dégustations de zakouskis côté bistrot, dîner aux chandelles dans la salle du fond.

Allard
BX 13

41 r. St-André-des-Arts (6e) ✆ 01 43 26 48 23, *Fax 01 46 33 04 02*

AE GB JCB

fermé 6 au 27 août et dim. – **Repas** *(150)* - 200 et carte 230 à 350.

◆ Toute l'atmosphère conviviale du Quartier latin est présente dans ce bistrot 1900. Zinc d'époque, gravures et tableaux illustrant des scènes de la vie bourguignonne.

Buisson Ardent
CY 62

25 r. Jussieu (5e) ✆ 01 43 54 93 02, *Fax 01 46 33 34 77*

AE GB

fermé 4 août au 2 sept., sam. et dim. – **Repas** 90 (déj.)/160 ♀.

◆ Ambiance bon enfant en ce petit restaurant de quartier fréquenté le midi par les professeurs de la fac de Jussieu située juste en face. Fresques originales datant de 1923.

L'Espadon Bleu
BX 31

25 r. Grands Augustins (6e) ✆ 01 46 33 00 85

AE GB JCB

fermé 5 au 21 août, dim. et lundi – **Repas** *(140)* - 160 (déj.)/240 et carte 230 à 280.

◆ Sympathique maison spécialisée dans les produits de la mer. Les espadons, bien sûr de la fête, ornent les murs de pierres apparentes et les tables en mosaïque.

Rotonde
BZ 16

105 bd Montparnasse (6e) ✆ 01 43 26 68 84, *Fax 01 46 34 52 40*

AE GB JCB

Repas 178/288 et carte 200 à 310 ♀.

◆ Pour souper après le spectacle (les théâtres de la rue de la Gaîté sont à deux pas) : cette typique brasserie parisienne du début du 20e s. vous recevra même après minuit !

Les Bouchons de François Clerc
CY 16

12 r. Hôtel Colbert (5e) ✆ 01 43 54 15 34, *Fax 01 46 34 68 07*

AE GB JCB

fermé sam. midi et dim. – **Repas** 234.

◆ Peu d'espace dans cette maison du vieux Paris (17e s.), mais quel charme ! La salle à manger principale est ornée d'un tournebroche. Vins à prix coûtant.

Marmite et Cassolette
BZ 64

157 bd Montparnasse (6e) ✆ 01 43 26 26 53, *Fax 01 43 26 43 40*
GB
fermé 28 juil. au 26 août, 9 au 17 fév., sam. et dim. – **Repas** *(85)* - 110 et carte 160 à 210 ♀.
◆ À proximité de l'Observatoire et du Luxembourg, petit restaurant prolongé d'une véranda empiétant sur le trottoir. Mobilier d'esprit bistrot, lambris et tons ensoleillés.

Rôtisserie d'en Face
BX 8

2 r. Christine (6e) ✆ 01 43 26 40 98, *rotisface@aol.fr, Fax 01 43 54 22 71*
▤. AE ⓓ GB JCB
fermé sam. midi et dim. – **Repas** 105 (déj.)/240 ♀.
◆ En face de quoi ? Du restaurant de Jacques Cagna qui a créé ici un sympathique "bistrot de chef". Cadre aux tons ocre, sobrement élégant. Ambiance décontractée.

Joséphine "Chez Dumonet"
AY 37

117 r. Cherche-Midi (6e) ✆ 01 45 48 52 40, *Fax 01 42 84 06 83*
AE GB
fermé 15 juil. au 15 août, sam. et dim. – **Repas** carte 260 à 480.
◆ Authentique représentant des années folles avec zinc, banquettes et typique décor de bistrot. Belle carte des vins. Cuisine traditionnelle.

Emporio Armani Caffé
BX 20

149 bd St-Germain (6e) ✆ 01 45 48 62 15, *maximori@aol.com, Fax 01 45 48 53 17*
▤. AE ⓓ GB
fermé dim. – **Repas** carte 240 à 340.
◆ Le "caffé" chic à l'italienne : décor basé sur la simplicité et le confort, à l'image de la collection du grand couturier. Cuisine transalpine. Pour voir et être vu.

L'Épi Dupin
AY 3

11 r. Dupin (6e) ✆ 01 42 22 64 56, *Fax 01 42 22 30 42*
AE GB
fermé 27 juil.au 20 août, lundi midi, sam. et dim. – Repas (nombre de couverts limité, prévenir) *(115)* - 185.
◆ C'est un peu la bousculade et la salle à manger, offerte à la vue du passant, ne possède pas un charme fou, mais vous irez à l'Épi avant tout pour sa cuisine, inventive et soignée.

Marlotte
AY 22

55 r. Cherche-Midi (6e) ✆ 01 45 48 86 79, *infos@lamarlotte, Fax 01 45 44 34 80*
▤. AE ⓓ GB JCB
fermé 5 au 20 août, sam. midi et dim. – **Repas** *(120)* - carte 200 à 340.
◆ Près du Bon Marché, sympathique adresse de quartier où l'on croise éditeurs et politiciens. Salle des repas tout en longueur, décor rustique et cuisine traditionnelle.

Rôtisserie du Beaujolais
CY 4

19 quai Tournelle (5e) ✆ 01 43 54 17 47, *Fax 01 56 24 43 71*
▤. GB
fermé lundi – **Repas** carte 180 à 250 ♀.
◆ Cette rôtisserie au décor de bistrot offre un plaisant coup d'oeil sur les quais de la Seine. Plats traditionnels, quelquefois lyonnais, et belle sélection de beaujolais.

Cafetière
BX 63

21 r. Mazarine (6e) ✆ 01 46 33 76 90, *Fax 01 43 25 76 90*

GB

fermé août, 25 déc. au 2 janv., dim. et lundi – **Repas** 150 (déj.), 200/300 bc et carte 210 à 280 ♀.

◆ Cadre de bistrot égayé d'une originale collection de vieilles cafetières émaillées. La salle située à l'étage est plus grande et plus calme. Cuisine à dominante italienne.

Casa Corsa
BX 27

25 r. Mazarine (6e) ✆ 01 44 07 38 98, *Fax 01 43 54 14 79*

. AE GB

fermé août, lundi midi et dim. – **Repas** carte 200 à 250 ♀.

◆ Pour dîner en Corse à Paris, rendez-vous dans ce bistrot gorgé de soleil : les produits de l'Île de Beauté sont copieusement servis et les garçons ont l'accent de là-bas !

Au Moulin à Vent
CY 39

20 r. Fossés-St-Bernard (5e) ✆ 01 43 54 99 37, *Fax 01 40 46 92 23*

GB.

fermé août, 24 au 30 déc., sam. midi, dim. et lundi – **Repas** carte 250 à 330.

◆ Depuis 1948, rien n'a changé dans ce bistrot parisien ; le joli décor "rétro" s'est patiné avec les ans et la cuisine traditionnelle s'est enrichie de spécialités de viandes.

Balzar
CY 38

49 r. Écoles (5e) ✆ 01 43 54 13 67, *Fax 01 44 07 14 91*

. AE GB

Repas carte 150 à 330.

◆ Une "institution" à deux pas de la Sorbonne : cette brasserie est devenue, avec son immuable cadre 1930, la "cantine" des universitaires et intellectuels du Quartier latin.

Moissonnier
CY 14

28 r. Fossés-St-Bernard (5e) ✆ 01 43 29 87 65

GB

fermé 1er août au 1er sept., dim. et lundi – **Repas** 150 (déj.)et carte 200 à 260.

◆ Le décor typique de ce bistrot n'a pas changé depuis des lustres : zinc rutilant, murs patinés, banquettes... Cuisine d'ascendance lyonnaise et "pots" de beaujolais.

Bauta
BZ 7

129 bd Montparnasse (6e) ✆ 01 43 22 52 35, *Fax 01 43 22 10 99*

AE GB JCB

fermé 16 juil. au 16 août, sam. midi, lundi midi et dim. – **Repas** carte 250 à 390.

◆ Décoration foisonnante à base de "bautas" (masques), gravures et bibelots évoquant la Cité des Doges et son célèbre carnaval. Cuisine "cent pour cent" vénitienne.

Reminet
CY 25

3 r. Grands Degrés (5e) ✆ 01 44 07 04 24

AE GB

fermé 13 au 28 août, 7 au 29 janv., lundi et mardi – **Repas** 80/110 (dîner sauf week-ends) et carte 210 à 260.

◆ À deux pas des quais et de Notre-Dame, salle de restaurant tout en longueur, dont le cadre bistrot s'égaye de jeux de lumière créés par lustres, bougies et miroirs.

Chez Marcel BY 3
7 r. Stanislas (6e) ✆ 01 45 48 29 94
GB
fermé 6 au 26 août, sam. et dim. – **Repas** *(85)* - 150/200 et carte 150 à 210 ♀.
◆ Une vraie adresse de quartier avec son décor patiné par le temps (banquettes, cuivres, vieux bibelots) et son esprit "bouchon". Généreuse cuisine aux accents lyonnais.

Palanquin BX 15
12 r. Princesse (6e) ✆ 01 43 29 77 66, *info@lepalanquin.com*
GB
fermé 5 au 22 août, lundi midi et dim. – **Repas** 74 (déj.), 123/165 et carte 170 à 220.
◆ Point de "palanquin", mais quelques notes orientales rappelant que dans ce cadre rustique aux pierres et poutres apparentes, on savoure une cuisine vietnamienne.

Lhassa CY 27
13 r. Montagne Ste-Geneviève (5e) ✆ 01 43 26 22 19, *Fax 01 42 17 00 08*
GB
fermé lundi – **Repas** *(60)* - 70 (déj.)/136 ♀.
◆ Comme son nom le laisse deviner, petit restaurant entièrement dédié au Tibet : tissus colorés, objets artisanaux, photos du dalaï-lama et plats typiques du pays.

Les Délices d'Aphrodite CZ 12
4 r. Candolle (5e) ✆ 01 43 31 40 39, *Fax 01 43 36 13 08*
▤. GB.
fermé dim. – **Repas** *(92)* - carte 170 à 220.
◆ Bistrot de poche à l'atmosphère "vacances" : photos de paysages helléniques, plafond tapissé de lierre et cuisine grecque embaumant l'huile d'olive.

Table de Fès BY 12
5 r. Ste-Beuve (6e) ✆ 01 45 48 07 22
GB
fermé 22 juil. au 31 août et dim. – **Repas** (dîner seul.) carte 200 à 300.
◆ Derrière la discrète devanture, deux petites salles de restaurant au cadre soigné, agrémenté d'objets provenant du Maroc. Authentique cuisine du pays.

Petit Pontoise CY 40
9 r. Pontoise (5e) ✆ 01 43 29 25 20, *Fax 01 43 25 35 93*
AE GB
fermé dim. soir et lundi – **Repas** 100 (déj.), 150/200 et carte 190 à 280 ♀.
◆ À deux pas des quais de la Seine et de Notre-Dame, bistrot de quartier décoré dans le style des années 1950. Plats présentés sur ardoise. Clientèle d'habitués.

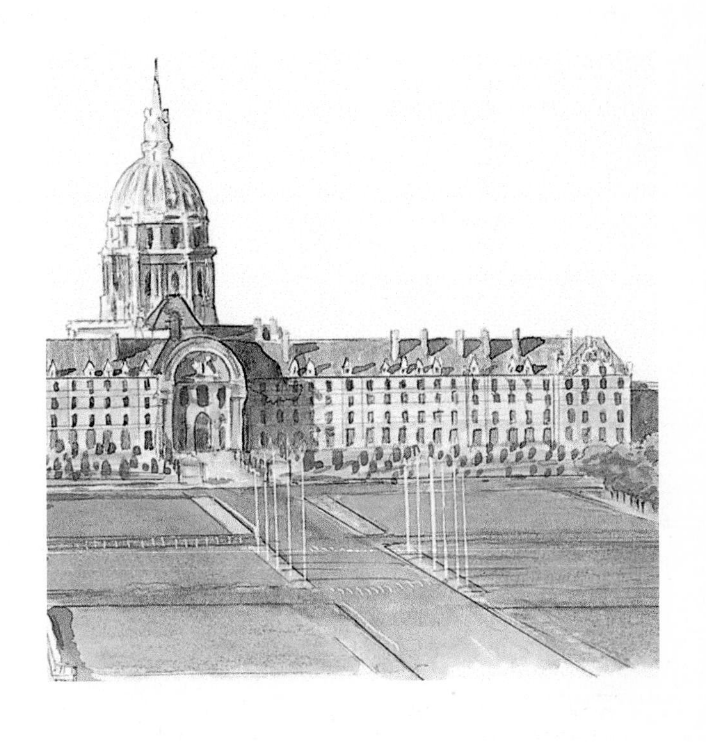

Tour Eiffel
École Militaire
Invalides

7ᵉ arrondissement

7ᵉ : ✉ 75007

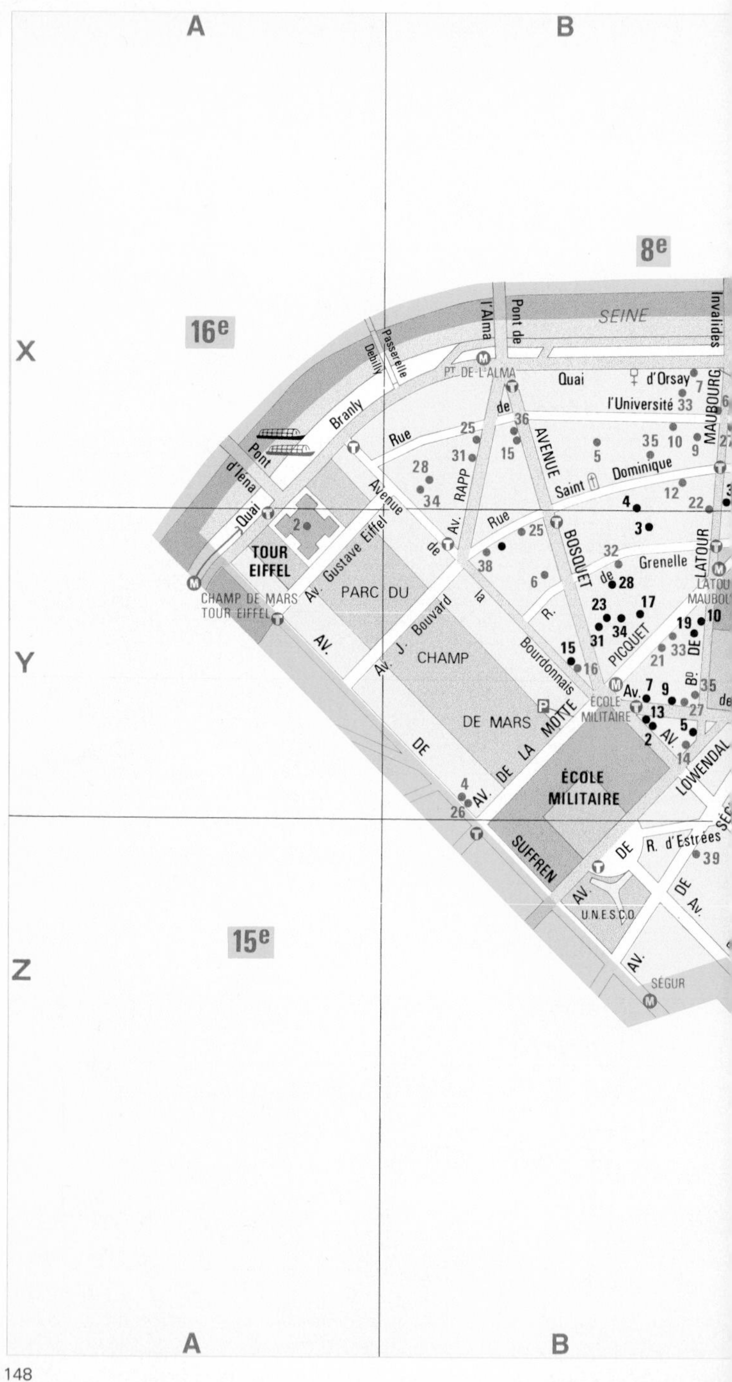
A
B
X
Y
Z
16e
8e
15e
SEINE
Invalides
Pont de
l'Alma
Passerelle
Debilly
PT DE L'ALMA
Quai
d'Orsay
l'Université
MAUBOURG
Branly
Pont
d'Iéna
Quai
Rue
de
AVENUE
RAPP
Av.
Saint
Dominique
Avenue
de
Rue
BOSQUET
Grenelle
de
LATOUR
LATOUR MAUBOURG
TOUR EIFFEL
Av. Gustave Eiffel
PARC DU
CHAMP
DE MARS
CHAMP DE MARS TOUR EIFFEL
AV.
DE
Av. J. Bouvard
la
Bourdonnais
R.
PICQUET
Bd
DE
Av.
ÉCOLE MILITAIRE
AV. DE LA MOTTE
LOWENDAL
SUFFREN
R. d'Estrées
DE
Av.
AV.
U.N.E.S.C.O.
SÉGUR

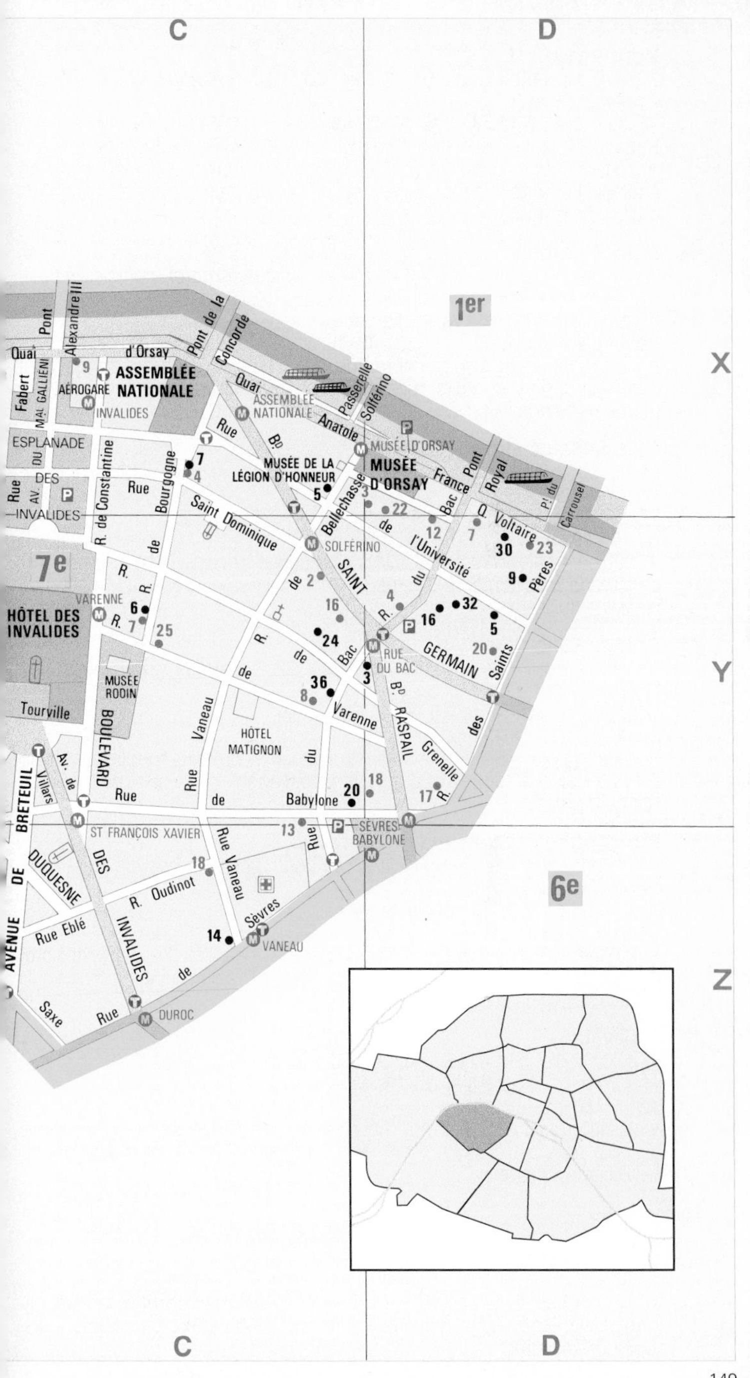
C
D
X
Y
Z
1er
7e
6e
ASSEMBLÉE NATIONALE
HÔTEL DES INVALIDES
MUSÉE D'ORSAY
MUSÉE DE LA LÉGION D'HONNEUR
MUSÉE RODIN
HÔTEL MATIGNON
ESPLANADE DES INVALIDES
Quai d'Orsay
Quai Anatole France
Pont Alexandre III
Pont de la Concorde
Passerelle Solférino
Pont Royal
Rue Saint Dominique
Rue de l'Université
Bd Saint Germain
Rue du Bac
Rue de Varenne
Rue de Babylone
Rue de Grenelle
Bd Raspail
Rue des Saints Pères
Rue de Sèvres
Rue Vaneau
Boulevard des Invalides
Avenue de Breteuil
Avenue de Villars
Avenue de Tourville
Avenue de Saxe
Rue Oudinot
Rue Eblé
Duquesne
SOLFÉRINO
VARENNE
RUE DU BAC
SÈVRES BABYLONE
VANEAU
DUROC
ST FRANÇOIS XAVIER
AÉROGARE
INVALIDES
149

Pont Royal DY 32

7 r. Montalembert ☎ 01 42 84 70 00, *hpr@hotel-pont-royal.com, Fax 01 42 84 71 00*

M, – | – 40. AE GB JCB. rest

Repas (déj. seul.) *(165)* - carte 230 à 310 – ☕ 150 – **75 ch** 2300/3200.

◆ Tons audacieux et bois acajou tant dans les chambres qu'au restaurant : on peut vouloir vivre la bohème germanopratine tout en appréciant le confort d'un hôtel rénové !

Montalembert DY 16

3 r. Montalembert ☎ 01 45 49 68 68, *welcome@hotel-montalembert.fr, Fax 01 45 49 69 49*

M, – | – 25. AE GB

Repas carte 240 à 350 – ☕ 120 – **48 ch** 2200/2600, 8 appart.

◆ Sobres et élégantes chambres de deux types : contemporaines avec meubles design et cuirs moelleux ou Louis-Philippe avec mobilier en marqueterie fine.

Duc de Saint-Simon CY 24

14 r. St-Simon ☎ 01 44 39 20 20, *duc.de.saint.simon@wanadoo.fr, Fax 01 45 48 68 25*

sans rest – | . AE GB.

☕ 75 – **29 ch** 1400/1650, 5 appart.

◆ Couleurs gaies, boiseries, objets et meubles anciens : l'atmosphère est celle d'une belle demeure d'autrefois. Accueil courtois et quiétude ajoutent à la qualité du lieu.

Golden Tulip Cayré DY 3

4 bd Raspail ☎ 01 45 44 38 88, *reservations@kkhotels.com, Fax 01 45 44 98 13*

M sans rest – | . AE GB JCB

☕ 80 – **120 ch** 1650/1850.

◆ Espace, bonne insonorisation et équipements complets sont les atouts de cet hôtel situé sur une avenue passante. Confortable salon garni de profonds fauteuils grèges.

Bourgogne et Montana CX 7

3 r. Bourgogne ☎ 01 45 51 20 22, *bmontana@bourgogne-montana.com, Fax 01 45 56 11 98*

sans rest – | . AE GB JCB

28 ch ☕ 900/1350, 4 appart.

◆ Raffinement et esthétisme imprègnent chaque pièce de ce discret hôtel daté du 18e s. Les chambres du dernier étage ménagent une superbe perspective sur le Palais-Bourbon.

Tourville BY 9

16 av. Tourville ☎ 01 47 05 62 62, *hotel@tourville.com, Fax 01 47 05 43 90*

M sans rest – | . AE GB JCB

☕ 70 – **30 ch** 890/1990.

◆ Couleurs acidulées, heureux mélange de mobilier moderne et de style et tableaux dans des chambres raffinées. Salon décoré par l'atelier David Hicks. Service attentionné.

Verneuil DY 9

8 r. Verneuil ☎ 01 42 60 82 14, *verneuil@cybercable.fr, Fax 01 42 61 40 38*

sans rest – | . AE GB.

☕ 60 – **26 ch** 730/1100.

◆ Vieil immeuble du "carré rive gauche" aménagé dans l'esprit d'une maison particulière. Ravissantes gravures dans les chambres, parfois petites, mais toujours élégantes.

Lenox Saint-Germain DY 5
9 r. Université ✆ 01 42 96 10 95, *hotel@lenoxsaintgermain.com*, *Fax 01 42 61 52 83*
sans rest – |ǂ| ▤ TV ✆. AE ⓓ GB JCB. ✄
☕ 55 – **34 ch** 750/1700.
◆ Un luxe discret s'est glissé dans ces chambres, pas très grandes mais joliment aménagées. Fresques "égyptiennes" dans la salle des petits-déjeuners. Bar de style Art déco.

Bellechasse CX 5
8 r. Bellechasse ✆ 01 45 50 22 31, *Fax 01 45 51 52 36*
M sans rest – |ǂ| ⇔ TV ✆ ♿. AE ⓓ GB
☕ 82 – **41 ch** 1020/1085.
◆ L'élégant décor de cet hôtel fait largement référence à l'époque Empire : le palais de la Légion d'honneur n'est pas loin. Les chambres ont vue sur les jardins environnants.

Eiffel Park Hôtel BY 3
17 bis r. Amélie ✆ 01 45 55 10 01, *eiffelpk@club-internet.fr*, *Fax 01 47 05 28 68*
M sans rest – |ǂ| ▤ TV. AE ⓓ GB JCB. ✄
☕ 55 – **36 ch** 1000/1200.
◆ Les meubles peints "à l'ancienne" et les objets chinois et indiens vous plongeront dans une atmosphère exotique. Terrasse au dernier étage, très agréable l'été.

Cadran BY 23
10 r. Champ-de-Mars ✆ 01 40 62 67 00, *lecadran@worldnet.fr*, *Fax 01 40 62 67 13*
M sans rest – |ǂ| ⇔ ▤ TV ✆. AE ⓓ GB. ✄
☕ 60 – **42 ch** 950/1040.
◆ À deux pas du marché animé de la rue Clerc. Chambres modernes rehaussées de quelques touches d'inspiration Louis XVI. Salon en cuir agrémenté d'une cheminée du 17e s.

Muguet BY 19
11 r. Chevert ✆ 01 47 05 05 93, *muguet@wanadoo.fr*, *Fax 01 45 50 25 37*
M sans rest – |ǂ| ⇔ ▤ TV ✆. AE GB
☕ 47 – **48 ch** 520/620.
◆ Adresse nichée dans une rue tranquille. Teintes pastel et mobilier de style rustique. Chambres mansardées au dernier étage ; trois ont vue sur la tour Eiffel ou les Invalides.

Les Jardins d'Eiffel BX 4
8 r. Amélie ✆ 01 47 05 46 21, *paris@jardinseiffel.fr*, *Fax 01 45 55 28 08*
M sans rest – |ǂ| ⇔ ▤ TV ✆ 🚗. AE ⓓ GB JCB
☕ 70 – **80 ch** 720/980.
◆ Dans une rue calme, établissement récemment agrandi où l'on choisira plutôt les chambres de l'annexe, gaiement colorées et donnant parfois sur le jardin intérieur.

Relais Bosquet BY 31
19 r. Champ-de-Mars ✆ 01 47 05 25 45, *hotel@relaisbosquet.com*, *Fax 01 45 55 08 24*
M sans rest – |ǂ| TV ✆. AE ⓓ GB JCB
☕ 60 – **40 ch** 950/1150.
◆ Cet hôtel discret dissimule un intérieur joliment meublé dans le style Directoire. Chambres rénovées, toutes décorées avec le même souci du détail, et délicates attentions.

Timhôtel Invalides BX 30

35 bd La Tour Maubourg ✆ 01 45 56 10 78, *invalides@timhotel.fr, Fax 01 47 05 65 08*
M sans rest – AE GB JCB
60 – **30 ch** 1150/1350.
◆ Dominante de rouge brique et de blanc, meubles de style Louis XVI et reproductions de tableaux impressionnistes caractérisent les chambres, récemment rafraîchies.

Londres Eiffel BY 18

1 r. Augereau ✆ 01 45 51 63 02, *info@londres-eiffel.com, Fax 01 47 05 28 96*
sans rest – AE GB JCB.
40 – **30 ch** 575/675.
◆ Près des allées du Champ-de-Mars, hôtel aux couleurs ensoleillées et à l'ambiance "cosy". À l'annexe, les chambres sont plus simples mais plus calmes.

St-Germain CY 36

88 r. Bac ✆ 01 49 54 70 00, *info@hotel-saint-germain.fr, Fax 01 45 48 26 89*
sans rest – AE GB.
65 – **29 ch** 850/950.
◆ Empire, Louis-Philippe, design, objets anciens, peintures contemporaines : le charme de la diversité. Confortable bibliothèque, patio agréable en été.

Splendid BY 13

29 av. Tourville ✆ 01 45 51 29 29, *splendid@club-internet.fr, Fax 01 44 18 94 60*
M sans rest – AE GB
55 – **48 ch** 690/930.
◆ Immeuble haussmannien abritant d'élégantes chambres garnies d'un sobre mobilier contemporain. Certaines ont vue sur la tour Eiffel.

Sèvres Vaneau CZ 14

86 r. Vaneau ✆ 01 45 48 73 11, *Fax 01 45 49 27 74*
sans rest – AE GB JCB
82 – **39 ch** 970/1045.
◆ Chambres décorées avec goût : cheminées, gravures anciennes, tons roses, motifs cachemire et médaillons ; les autres viennent d'être rénovées dans un esprit contemporain.

La Bourdonnais BY 15

111 av. La Bourdonnais ✆ 01 47 05 45 42, *otlourd@club-internet.fr, Fax 01 45 55 75 54*
sans rest – AE GB JCB
50 – **57 ch** 620/850, 3 appart.
◆ Il règne une atmosphère "vieille France" dans cet hôtel bourgeoisement aménagé. Chambres de tailles variées, insonorisées et bien tenues. Accueil familial.

Derby Eiffel Hôtel BY 2

5 av. Duquesne ✆ 01 47 05 12 05, *info@derbyeiffelhotel.com, Fax 01 47 05 43 43*
sans rest – AE GB.
65 – **43 ch** 750/1200.
◆ L'enseigne et le décor soigné évoquent le cheval : le matin vous verrez, côté place, les cavaliers s'entraîner dans la somptueuse cour d'honneur de l'École Militaire.

Varenne CY 6

44 r. Bourgogne ✆ 01 45 51 45 55, *hotel.varenne@wanadoo.fr, Fax 01 45 51 86 63*
sans rest – AE GB
56 – **24 ch** 660/780.
◆ Situation tranquille pour ces chambres sobres et confortables. En été, les petits-déjeuners sont servis dans la courette tapissée de vigne vierge.

Beaugency BY 17
21 r. Duvivier ☎ 01 47 05 01 63, *Fax 01 45 51 04 96*
sans rest – |‡| TV ☎. AE ① GB. ⚡
☕ 45 – **30 ch** 680/730.
◆ Dans une rue paisible, hôtel dont les chambres aux tons pastel sont meublées en bois cérusé. Salle des petits-déjeuners ornée d'une fresque marine.

Champ-de-Mars BY 34
7 r. Champ-de-Mars ☎ 01 45 51 52 30, *stg@club-internet.fr, Fax 01 45 51 64 36*
sans rest – |‡| TV ☎. GB. ⚡
☕ 38 – **25 ch** 400/470.
◆ Entre Champ-de-Mars et Invalides, petite adresse à l'atmosphère anglaise : façade vert sapin, chambres "cosy", décoration soignée style "Liberty". Un véritable "cocoon" !

Bersoly's DY 30
28 r. Lille ☎ 01 42 60 73 79, *bersolys@wanadoo.fr, Fax 01 49 27 05 55*
sans rest – |‡| ▤ TV ☎. AE ① GB
fermé août
☕ 55 – **16 ch** 630/780.
◆ Nuits impressionnistes dans un immeuble du 17e s. : chaque chambre rend hommage à un peintre dont les oeuvres sont exposées au musée d'Orsay voisin (Renoir, Gauguin...).

France BY 5
102 bd La Tour Maubourg ☎ 01 47 05 40 49, *hoteldefrance@wanadoo.fr, Fax 01 45 56 96 78*
sans rest – |‡| TV ☎. AE ① GB JCB. ⚡
☕ 40 – **60 ch** 410/510.
◆ À côté de l'École Militaire, hôtel composé de deux bâtiments abritant des chambres progressivement revues et bien tenues. Côté rue, elles donnent sur l'Hôtel des Invalides.

L'Empereur BY 10
2 r. Chevert ☎ 01 45 55 88 02, *contact@hotelempereur.com, Fax 01 45 51 88 54*
sans rest, ⋲ – |‡| TV. AE ① GB JCB
☕ 37 – **38 ch** 465/535.
◆ Oublié, Waterloo ! La postérité a choisi : face au Dôme qui abrite le tombeau de Napoléon, chambres peu à peu rénovées dans le style Empire.

Lévêque BY 28
29 r. Clerc ☎ 01 47 05 49 15, *info@hotelleveque.com, Fax 01 45 50 49 36*
sans rest – |‡| TV ☎. AE GB. ⚡
☕ 40 – **50 ch** 300/500.
◆ Située dans une pittoresque rue piétonne, petite affaire récemment rajeunie, idéale pour découvrir le Paris traditionnel. Salle des petits-déjeuners de style bistrot.

Chomel CY 20
15 r. Chomel ☎ 01 45 48 55 52, *chomel@cybercable.fr, Fax 01 45 48 89 76*
sans rest – |‡| TV ☎. AE ① GB JCB. ⚡
☕ 70 – **23 ch** 990/1590.
◆ Derrière le Bon Marché, dans le quartier des grands couturiers, chambres douillettes et tranquilles, idéales pour un séjour "très mode" version rive gauche.

XXXX ✿✿✿ **Arpège** (Passard) CY 25

84 r. Varenne ✆ 01 45 51 47 33, *arpege.passard@wanadoo.fr*, *Fax 01 44 18 98 39*

▤. AE ⓓ GB JCB

fermé dim. et lundi – **Repas** 1400 et carte 1 000 à 1 500 ♀.

◆ Élégance contemporaine : bois précieux et décor de verre signé Lalique, assortie à l'éblouissante cuisine "légumière" d'un chef poète du terroir. Le triomphe du potager !

Spéc. Saveurs de harissa et légumes en léger couscous. Homard de la baie de Granville au curry. Tomate confite farcie aux douze saveurs (dessert).

XXXX ✿✿ **Le Divellec** BX 3

107 r. Université ✆ 01 45 51 91 96, *Fax 01 45 51 31 75*

▤. AE ⓓ GB JCB. ✗

fermé Noël au Jour de l'An, sam. et dim. – **Repas** 300/400 (déj.) et carte 470 à 950.

◆ Cadre nautique chic : décor d'ondes sur verre dépoli, vivier à homards, tonalité bleu-blanc. Belle cuisine de la mer à base de produits venus directement de l'Atlantique.

Spéc. Homard à la presse avec son corail. Pibales pochées à l'huile d'olive et piment (janv. à mars). Turbot braisé aux truffes.

XXX ✿ **Jules Verne** AY 2

2e étage Tour Eiffel, ascenseur privé pilier sud ✆ 01 45 55 61 44, *Fax 01 47 05 29 41*

⩽ Paris – ▤. AE ⓓ GB JCB. ✗

Repas 320 (déj.)/720 et carte 590 à 710 ♀.

◆ Le décor de Slavik s'efface humblement devant le spectacle de la Ville lumière. Pour que le voyage soit vraiment extraordinaire, réservez une table près des baies.

Spéc. Fricassée de supions à l'escalope de foie gras de canard poêlé. Tagine de bar de ligne aux dattes et petits oignons. Palet au chocolat.

XXX ✿ **Violon d'Ingres** (Constant) BY 38

135 r. St-Dominique ✆ 01 45 55 15 05, *violondingres@wanadoo.fr*, *Fax 01 45 55 48 42*

▤. AE GB

fermé dim. et le midi sauf jeudi – **Repas** 590 et carte 480 à 580 ♀.

◆ Des boiseries réchauffent l'atmosphère de cette salle devenue le rendez-vous élégant de gourmets attirés par la cuisine très personnelle du virtuose qui officie au "piano".

Spéc. Suprême de bar en croûte d'amandes. Tatin de pieds de porc, moelleux de pommes rattes et foie gras. Pommes soufflées, crème légère à la réglisse.

XXX ✿ **Cantine des Gourmets** BY 16

113 av. La Bourdonnais ✆ 01 47 05 47 96, *la.cantine@wanadoo.fr*, *Fax 01 45 51 09 29*

▤. AE GB

Repas 280 (déj.), 380/480 et carte 450 à 630 ♀.

◆ Tons paille, fleurs blanches et jeux de miroirs : décor cossu et ambiance feutrée dans deux agréables salles à manger. Accueil charmant. Cuisine au goût du jour.

Spéc. "Lou Cappou" de blettes, lard fumé aux cèpes. Saint-Jacques et royale de foie gras aux noix (oct. à mars). Dacquoise aux pistaches.

XXX **Pétrossian** BX 6
✿ 144 r. Université ✆ 01 44 11 32 32, *Fax 01 44 11 32 35*
AE ⓓ GB JCB
fermé 12 août au 3 sept., dim. et lundi – **Repas** 350/600 et carte 390 à 640.
◆ Les Pétrossian régalent les Parisiens du caviar de la Caspienne depuis 1920. À l'étage de la boutique, l'élégant restaurant et sa cuisine inventive ont acquis leur propre identité.
Spéc. Assiette de zakouskis. Blin-soufflé de cabillaud croustillant. Bouchées feuilletées au chocolat fondant.

XXX **Maison des Polytechniciens** DX 3
12 r. Poitiers ✆ 01 49 54 74 54, *info@maison-des-x.com, Fax 01 49 54 74 84*
AE ⓓ GB
fermé 1er août au 3 sept., 23 déc. au 2 janv., sam. et dim. – **Repas** 210 et carte 280 à 350.
◆ Même si les "corpsards" l'apprécient, nul besoin de sortir de la botte pour fréquenter la salle à manger du bel hôtel de Poulpry (1703), à deux pas du musée d'Orsay.

XXX **Petit Laurent** CY 8
38 r. Varenne ✆ 01 45 48 79 64, *Fax 01 45 44 15 95*
AE ⓓ GB JCB
fermé août, lundi midi, sam. midi et dim. – **Repas** 190/260 et carte 270 à 420 ♀.
◆ Ce restaurant feutré et discret est situé dans une rue bordée de magnifiques hôtels particuliers abritant ministères et ambassades. Cuisine au goût du jour.

XX **Bellecour** (Goutagny) BX 9
✿ 22 r. Surcouf ✆ 01 45 51 46 93, *Fax 01 45 50 30 11*
▤. AE ⓓ GB
fermé août, sam. midi et dim. – **Repas** 240.
◆ On se croirait presque place Bellecour avec les "lyonnaiseries" revisitées d'une carte par ailleurs très au goût du jour, mais le décor ensoleillé évoque davantage la Provence.
Spéc. Quenelles de brochet. Truffière de Saint-Jacques (janv. à avril). Lièvre à la cuillère (15 oct. au 15 déc.).

XX **Récamier** DY 17
✿ 4 r. Récamier ✆ 01 45 48 86 58, *Fax 01 42 22 84 76*
☂ – ▤. AE ⓓ GB JCB
fermé dim. – **Repas** carte 300 à 500 ♀.
◆ Adresse "littéraire" où se retrouvent auteurs et éditeurs. La terrasse, au calme d'une impasse sans voitures, est très agréable. Cuisine classique à l'accent bourguignon.
Spéc. Oeufs en meurette. Mousse de brochet sauce Nantua. Boeuf bourguignon.

XX **Maison de l'Amérique Latine** CY 2
217 bd St-Germain ✆ 01 49 54 75 10, *commercial@mal217.org, Fax 01 40 49 03 94*
☂, 🌳 – AE GB. ✂
fermé août, 23 déc. au 1er janv., sam., dim. et le soir d'oct. à avril – **Repas** 230 et carte environ 370.
◆ Cet hôtel particulier du 18e s. est réputé pour son idyllique terrasse ouverte sur un beau jardin. Cuisine au goût du jour et petit choix de vins sud-américains.

XX **Beato** BX 5

8 r. Malar ✆ 01 47 05 94 27, *beato.rest@wanadoo.fr, Fax 01 45 55 64 41*

▤. AE GB JCB

fermé 22 juil. au 20 août, 23 déc. au 1er janv. et dim. – **Repas** *(130)* - 160 (déj.) et carte 260 à 380 ♀.

◆ Fresques, colonnes pompéiennes et sièges néo-classiques : décor italien version bourgeoise pour un restaurant chic. Plats de Milan, de Rome et d'ailleurs.

XX **Tante Marguerite** CX 4

5 r. Bourgogne ✆ 01 45 51 79 42, *tante.marguerite@wanadoo.fr, Fax 01 47 53 79 56*

▤. AE ⓓ GB

fermé août, sam. et dim. – **Repas** 195 (déj.)/230 et carte 260 à 350 ♀.

◆ Du même cru que le Tante Louise du 8e arrondissement, la deuxième "antenne" parisienne de Bernard Loiseau : cadre feutré, plats bourgeois et déjà beaucoup de succès.

XX **Ferme St-Simon** CY 16

6 r. St-Simon ✆ 01 45 48 35 74, *fermestsimon@wanadoo.fr, Fax 01 40 49 07 31*

▤. AE ⓓ GB

fermé 4 au 20 août, sam. midi et dim. – **Repas** 180 (déj.)/195 et carte 270 à 360.

◆ Poutres, boiseries et miroirs forment le cadre de caractère de ce restaurant décoré de "têtes composées" d'Arcimboldo. Ambiance gaie. Cuisine au goût du jour.

XX **Vin sur Vin** BX 34

20 r. Monttessuy ✆ 01 47 05 14 20

▤. GB

fermé 1er au 21 août, 23 déc. au 3 janv., sam. midi, lundi midi et dim. – **Repas** carte 270 à 420.

◆ Lorsque le patron parle de ses "crus" comme d'une femme aimée, allez, on lui donnerait presque vingt sur vingt ! Ambiance intime, service amical et complice.

XX **Bamboche** CY 13

15 r. Babylone ✆ 01 45 49 14 40, *ccolliot@club-internet.fr, Fax 01 45 49 14 44*

▤. GB

fermé sam. midi et dim. – **Repas** *(150)* - 190/320 et carte 310 à 420 ♀.

◆ Sympathique petite adresse à deux pas du Bon Marché. Décor original d'inspiration méditerranéenne, agrémenté de tableaux contemporains. Cuisine savoureusement créative.

XX **Les Glénan** CY 7

54 r. Bourgogne ✆ 01 47 05 96 65, *Fax 01 45 51 27 34*

▤. AE GB

fermé 27 juil. au 27 août, sam., dim. et fériés – **Repas** 210/260 et carte 290 à 380 ♀.

◆ Deux agréables petites salles à manger aux murs orangés ; celle qui n'ouvre pas directement sur la rue est plus intime. Recettes iodées.

XX **Gildo** BY 32

153 r. Grenelle ✆ 01 45 51 54 12, *Fax 01 45 51 54 12*

▤. AE GB JCB

fermé 25 juil. au 25 août et vacances de Noël – **Repas** *(149)* - carte 260 à 410.

◆ Cette façade discrète renferme toutes les saveurs de l'Italie - avec une spécialité "maison" : les scampi - arrosées de vins transalpins. Sans oublier "l'espresso".

XX **Thiou** BX 33
3 r. Surcouf ✆ 01 40 62 96 50, *Fax 01 40 62 96 70*
AE GB
fermé août, sam. midi et dim. – **Repas** *(155)* - carte 230 à 310 ♀
◆ Thiou est le surnom de la patronne de ce restaurant tout juste ouvert et déjà fort prisé des célébrités. Petites salles aux tons vifs et à l'ambiance "cosy". Cuisine thaïlandaise.

XX **Télégraphe** DY 12
41 r. de Lille ✆ 01 42 92 03 04, *leblancala@aol.com, Fax 01 42 92 02 77*
– ▤. AE ⓓ GB
fermé 1er au 23 août et sam. midi – **Repas** 150 (déj.)/195 ♀.
◆ Maison des dames des PTT de 1905 rénovée dans le style viennois de la Belle Époque. Bar apprécié à l'heure de l'apéritif. Jardin de charme pris d'assaut en été.

XX **Gaya Rive Gauche** DY 4
44 r. Bac ✆ 01 45 44 73 73, *Fax 01 45 44 73 73*
AE GB
fermé 28 juil. au 27 août, dim. et lundi – **Repas** carte 325 à 585 ♀.
◆ Une clientèle très "rive gauche" fréquente ce restaurant de frais produits de la mer. Décoration marine de bon ton et sur la table, vaisselle signée Jean Cocteau.

XX **New Jawad** BX 25
12 av. Rapp ✆ 01 47 05 91 37, *Fax 01 45 50 31 27*
▤. AE ⓓ GB
Repas 99/140 et carte 250 à 300 ♁.
◆ Ces murs, jadis "étoilés", offrent toujours un cadre cossu et un service attentif. La cuisine, elle, a changé de continent : direction l'Inde et le Pakistan.

XX **L'Esplanade** BY 27
52 r. Fabert ✆ 01 47 05 38 80, *Fax 01 47 05 23 70*
AE GB
Repas carte 210 à 380 ♀.
◆ Belle situation face aux Invalides pour le dernier-né des frères Costes. Chaudes tonalités corail, or et noir, et décor de boulets et canons inspiré par l'illustre voisinage.

XX **D'Chez Eux** BY 14
2 av. Lowendal ✆ 01 47 05 52 55, *Fax 01 45 55 60 74*
▤. AE ⓓ GB
fermé 28 juil. au 22 août et dim. – **Repas** *(180)* - 220/600 bc et carte 290 à 400.
◆ Les fidèles adorent ces copieuses assiettes inspirées de l'Auvergne ou du Sud-Ouest, et l'ambiance "auberge provinciale", avec nappes à carreaux et serveurs en blouse !

XX **Bar au Sel** BX 7
49 quai d'Orsay ✆ 01 45 51 58 58, *Fax 01 40 62 97 30*
AE ⓓ GB
Repas 195 et carte 230 à 400 ♀.
◆ Avec son plafond bas et ses multiples recoins, la salle à manger évoque un pont inférieur de navire. Décor résolument marin, accueil "sympa", spécialités de poissons.

Tan Dinh
DX 22

60 r. Verneuil ☎ 01 45 44 04 84, *Fax 01 45 44 36 93*
fermé 29 juil. au 28 août et dim. – **Repas** carte 250 à 300.
◆ Rencontre surprenante à deux pas du musée d'Orsay : une cuisine vietnamienne au goût du jour alliée à une riche carte de vins français. Hommage à Marguerite Duras ?

Chez Françoise
CX 9

Aérogare des Invalides ☎ 01 47 05 49 03, *pm@chezfrançoise.com, Fax 01 45 51 96 20*
– AE (D) GB JCB
Repas *(120)* - 179 et carte 210 à 260 ♀.
◆ Le chef et son équipage vous souhaitent la bienvenue à bord de la "cantine" des parlementaires du Palais-Bourbon. Cuisine de brasserie, cadre des années 1950.

Champ de Mars
BY 33

17 av. La Motte-Picquet ☎ 01 47 05 57 99, *Fax 01 44 18 94 69*
AE (D) GB JCB
fermé 15 juil. au 17 août et lundi – **Repas** 165/198 et carte 200 à 280.
◆ Le cadre provincial pieusement conservé, le service sans folâtrerie et la carte traditionnelle : un îlot au charme très "vieille France"... à deux pas des Invalides.

Cigale
DY 18

11 bis r. Chomel ☎ 01 45 48 87 87, *Fax 01 45 48 87 87*
GB.
fermé sam. midi et dim. – **Repas** carte 220 à 260 ♀.
◆ Ce discret petit bistrot de quartier, tout juste rénové, propose un impressionnant choix de soufflés salés et sucrés. Les autres plats s'élaborent en fonction du marché.

Les Olivades
BZ 39

41 av. Ségur ☎ 01 47 83 70 09, *Fax 01 42 73 04 75*
AE GB
fermé 13 au 16 août, sam. midi, lundi midi et dim. – **Repas** 135 (déj.)/189 et carte 250 à 370.
◆ Un lieu qui fleure bon l'huile d'olive, avec son appétissante cuisine d'inspiration méridionale. La salle à manger, fraîche, est ensoleillée de motifs provençaux.

Bistrot de Paris
DY 7

33 r. Lille ☎ 01 42 61 15 84, *Fax 01 49 27 06 09*
AE GB
Repas 189 et carte 230 à 300 ♀.
◆ Cet ancien "bouillon" eut André Gide pour pensionnaire. Le décor 1900 revu par Slavik scintille de cuivres et miroirs. Tables serrées, cuisine "bistrotière".

Nabuchodonosor
BX 36

6 av. Bosquet ☎ 01 45 56 97 26, *Fax 01 45 56 98 44*
. AE GB
fermé 28 juil. au 19 août, sam. midi, dim. et fériés – **Repas** *(120)* - carte 200 à 300 ♀.
◆ L'enseigne célèbre la plus grosse bouteille de champagne existante. Murs terre de Sienne, panneaux de chêne et nabuchodonosors à titre de décor. Cuisine du marché.

P'tit Troquet
BY 6

28 r. Exposition ✆ 01 47 05 80 39, *Fax 01 47 05 80 39*
GB
fermé 1er au 23 août, 23 déc. au 2 fév., sam. midi, lundi midi et dim. – **Repas** (nombre de couverts limité, prévenir) 165 ♀.
◆ Pour sûr, il est p'tit, ce bistrot ! Mais que d'atouts il renferme : cadre coquet agrémenté de vieilles "réclames", ambiance sympathique, goûteuse cuisine du marché.

Vin et Marée
BY 26

71 av. Suffren ✆ 01 42 83 27 12, *vin.maree@wanadoo.fr, Fax 01 43 06 62 35*
AE GB
Repas carte 190 à 255.
◆ Cadre moderne d'inspiration brasserie (banquettes, miroirs et cuivres) aux couleurs marines. La carte, présentée sur ardoise, propose uniquement des produits de la mer.

Thoumieux
BX 12

79 r. St-Dominique ✆ 01 47 05 49 75, *Fax 01 47 05 36 96*
avec ch – ▤ rest, TV. AE GB
Repas 150/190 bc et carte 180 à 240 ♀ – ☕ 50 – **10 ch** 750/950.
◆ Authentique brasserie parisienne : vaste salle à manger aux tables alignées, avec banquettes rouges et miroirs. Côté cuisine, les préparations "en pincent" pour le Sud-Ouest.

Clos des Gourmets
BX 31

16 av. Rapp ✆ 01 45 51 75 61, *Fax 01 47 05 74 20*
GB
fermé 1er au 20 août, dim. et lundi – **Repas** *(135)* - 175 (déj.)/185
◆ Nombre d'habitués apprécient cette adresse discrète, tout juste redécorée dans des tons ensoleillés. La carte, appétissante, varie en fonction du marché.

Maupertu
BY 35

94 bd La Tour Maubourg ✆ 01 45 51 37 96
GB
fermé 8 au 28 août, vacances de fév., sam. et dim. – **Repas** *(135)* - 179 ♀.
◆ Ce petit restaurant de quartier vous installera face aux Invalides, dans une salle-véranda ou à l'une des tables disposées sur le trottoir. Cuisine d'inspiration provençale.

Fontaine de Mars
BY 25

129 r. St-Dominique ✆ 01 47 05 46 44, *Fax 01 47 05 11 13*
– AE GB
Repas carte 180 à 270 ♀.
◆ L'enseigne de ce plaisant bistrot des années 1930 agrémenté d'arcades évoque la jolie fontaine voisine dédiée au dieu guerrier. Copieuse cuisine traditionnelle.

Chez Collinot
CZ 18

1 r. P. Leroux ✆ 01 45 67 66 42
GB
fermé août, sam. sauf le soir d'oct. à juin et dim. – **Repas** 135/175 ♀.
◆ Accueil tout sourire et atmosphère conviviale en cette petite adresse à allure de bistrot, où vous attend une cuisine de ménage "bien de chez nous".

Au Bon Accueil
BX 28

14 r. Monttessuy ✆ 01 47 05 46 11

▤. CB

fermé 10 au 25 août, sam. et dim. – **Repas** 155 (déj.)/175 (dîner) et carte 280 à 380 ♀.

◆ À l'ombre de la tour Eiffel, on sert une appétissante cuisine au goût du jour, sensible au rythme des saisons. Deux salles à manger, de style bar à vins ou "à la romaine".

Florimond
BY 21

19 av. La Motte-Picquet ✆ 01 45 55 40 38, *Fax 01 45 55 40 38*

CB

fermé 4 au 27 août, 22 déc. au 2 janv., sam. midi et dim. – **Repas** 112 (déj.)/172 et carte 190 à 280.

◆ Baptisée du nom du jardinier de Monet à Giverny, une adresse placée sous le signe de la simplicité et du naturel. Poutres, zinc et cuisine du marché en font foi.

Perron
DY 20

6 r. Perronet ✆ 01 45 44 71 51, *Fax 01 45 44 71 51*

AE CB

fermé 6 au 23 août et dim. – **Repas** carte 170 à 250

◆ Discrète trattoria au cœur de Saint-Germain-des-Prés. Cadre rustique avec pierres et poutres apparentes. Cuisine italienne à dominante sarde et vénitienne.

Miyako
BX 10

121 r. Université ✆ 01 47 05 41 83, *Fax 01 45 55 13 18*

▤. AE CB

fermé 5 au 27 août et dim. – **Repas** *(68)* - 100/150 et carte 120 à 200 ♀.

◆ Dans le quartier du Gros-Caillou, un petit voyage culinaire au pays du Soleil Levant, avec des brochettes au charbon de bois et les inévitables - et très prisés - sushis.

Calèche
DY 23

8 r. Lille ✆ 01 42 60 24 76, *lacaleche@yahoo.fr, Fax 01 47 03 31 10*

▤. AE ⓓ CB JCB

fermé 13 au 31 août, 26 déc. au 1er janv., sam et dim. – **Repas** 100/175 et carte 180 à 230 ♀.

◆ Proche du musée d'Orsay, maison du 18e s. à l'atmosphère agréablement surannée, que fréquentent éditeurs et antiquaires du quartier, adeptes de sa cuisine de grand-mère.

Apollon
BX 35

24 r. J. Nicot ✆ 01 45 55 68 47, *Fax 01 47 05 13 60*

fermé dim. – **Repas** *(79)* - 138 et carte 180 à 210 ♀.

◆ L'enseigne ne vous convainc pas de l'hellénisme de ce restaurant ? Voyez la salle à manger, sobrement décorée dans les tons bleus, et goûtez donc à sa cuisine si typique !

Bistrot du 7e
BY 22

56 bd La Tour-Maubourg ✆ 01 45 51 93 08, *Fax 01 45 50 33 24*

AE CB

fermé sam. midi et dim. midi – **Repas** 78 (déj.)/98 et carte 140 à 170 ♀.

◆ Bistrot "à la bonne franquette" : service sans tralala, cadre rustique, cuisine simple à prix "mini". La recette fonctionne à merveille, à portée de canon des Invalides.

Champs-Élysées - Concorde
Madeleine
St-Lazare - Monceau

8e arrondissement

8e : ✉ 75008

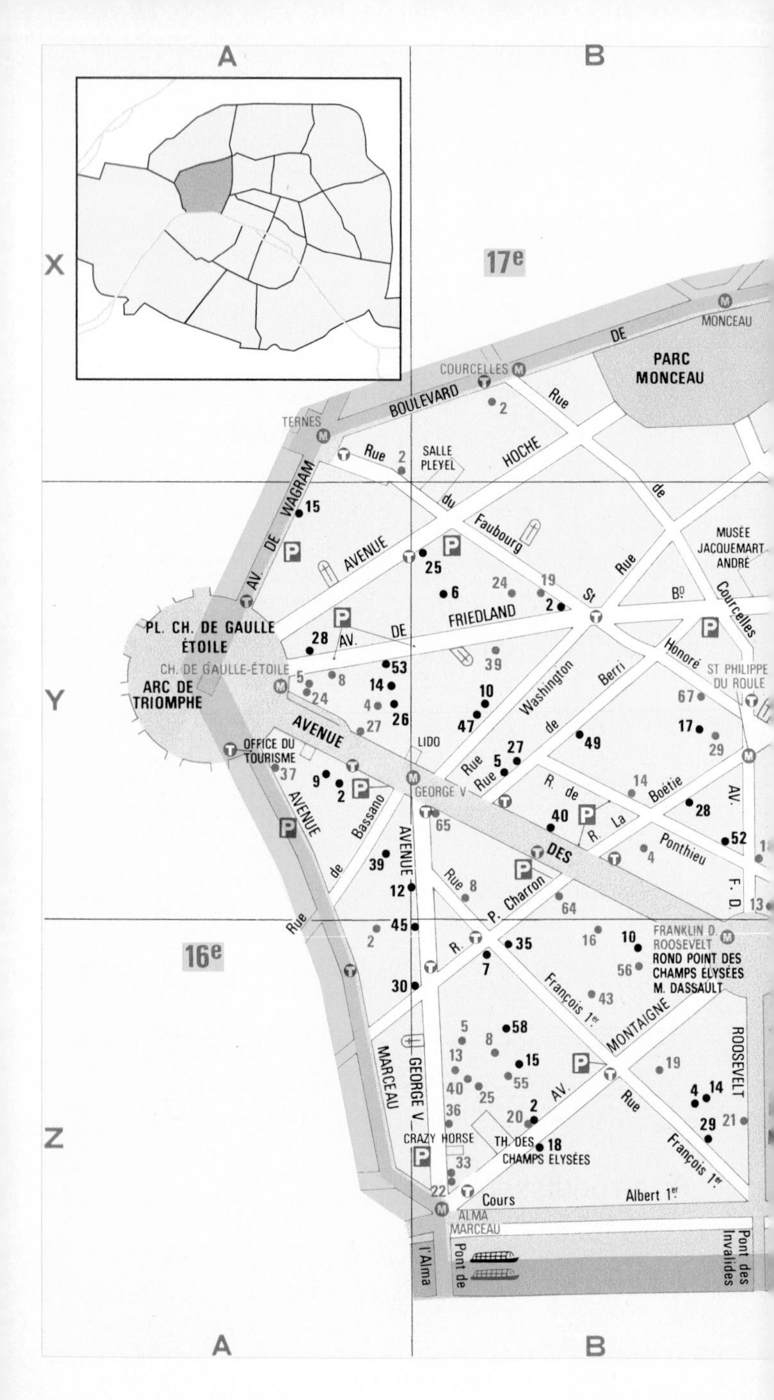

A
B
X
Y
Z
17e
16e
MONCEAU
PARC MONCEAU
COURCELLES
BOULEVARD DE
TERNES
Rue
SALLE PLEYEL
HOCHE
AV. DE WAGRAM
AVENUE
du
Faubourg
de
Rue
MUSÉE JACQUEMART ANDRÉ
St
Bd
Courcelles
Honoré
ST PHILIPPE DU ROULE
PL. CH. DE GAULLE ÉTOILE
CH. DE GAULLE-ÉTOILE
ARC DE TRIOMPHE
AV. DE FRIEDLAND
Washington
Berri
OFFICE DU TOURISME
AVENUE
LIDO
GEORGE V
Rue de
R. de La Boétie
Ponthieu
AV. F. D.
AVENUE de Bassano
DES
Rue P. Charron
AVENUE GEORGE V
FRANKLIN D. ROOSEVELT
ROND POINT DES CHAMPS ÉLYSÉES M. DASSAULT
R. François 1er
AV. MONTAIGNE
ROOSEVELT
MARCEAU
Rue
Rue François 1er
CRAZY HORSE
TH. DES CHAMPS ÉLYSÉES
Cours Albert 1er
ALMA MARCEAU
Pont de l'Alma
Pont des Invalides

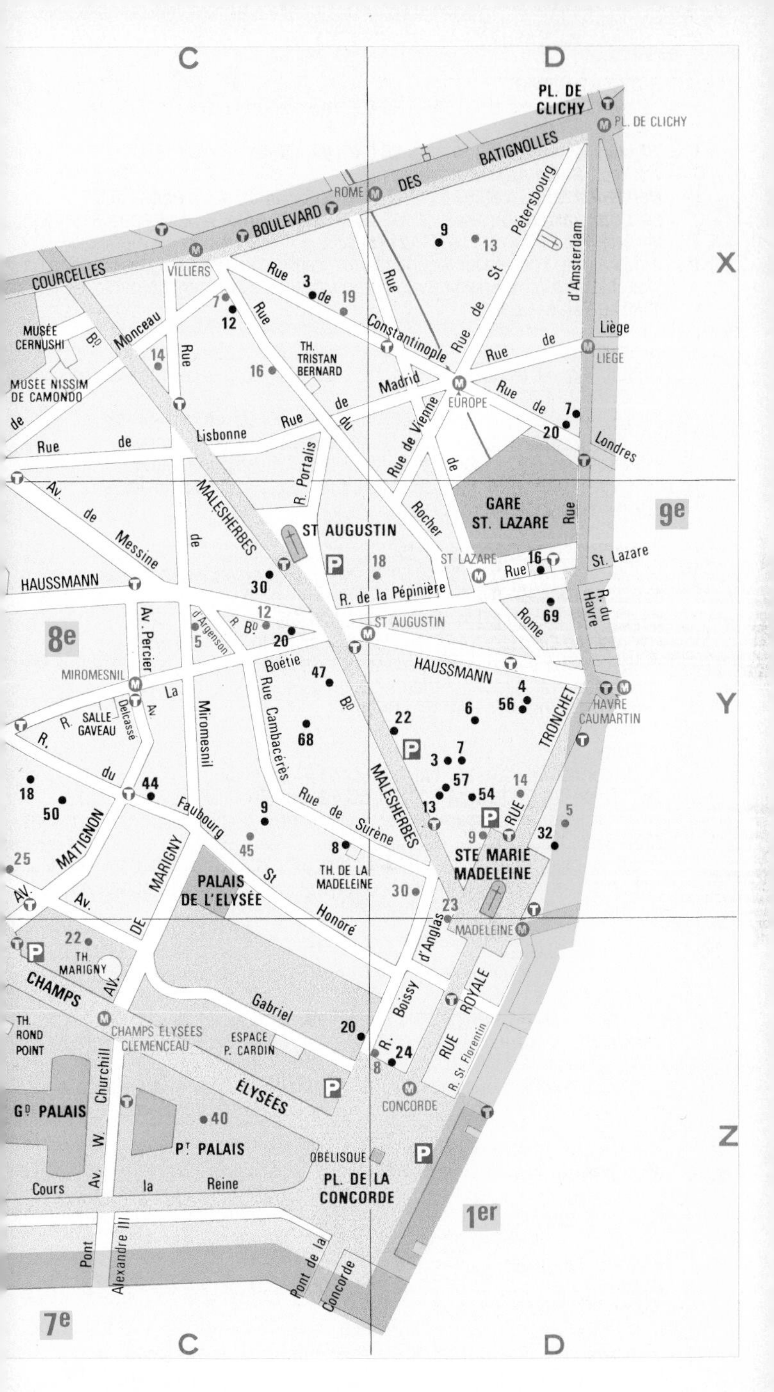
C
D
PL. DE CLICHY
PL. DE CLICHY
BOULEVARD DES BATIGNOLLES
ROME
COURCELLES
VILLIERS
X
Y
Z
MUSÉE CERNUSHI
MUSÉE NISSIM DE CAMONDO
Bd Monceau
TH. TRISTAN BERNARD
Rue de Constantinople
Rue de Madrid
Rue de St Pétersbourg
Rue d'Amsterdam
Rue de Liège
LIÈGE
EUROPE
Rue de Londres
Rue de Lisbonne
Rue de Vienne
Rue du Rocher
R. Portalis
Av. de Messine
MALESHERBES
GARE ST. LAZARE
9e
ST AUGUSTIN
ST LAZARE
Rue St. Lazare
HAUSSMANN
R. de la Pépinière
R. du Havre
Rome
8e
R. Bd d'Argenson
ST AUGUSTIN
Av. Percier
MIROMESNIL
Boétie
Rue Cambacérès
HAUSSMANN
TRONCHET
HAVRE CAUMARTIN
R. SALLE GAVEAU
Delcassé
Miromesnil
R. du Faubourg St Honoré
MATIGNON
MARIGNY
Rue de Surène
TH. DE LA MADELEINE
STE MARIE MADELEINE
PALAIS DE L'ELYSÉE
RUE
Av.
d'Anglas
MADELEINE
TH MARIGNY
CHAMPS ÉLYSÉES
Av. Gabriel
Boissy
RUE ROYALE
TH. ROND POINT
CHAMPS ÉLYSÉES CLEMENCEAU
ESPACE P. CARDIN
R. St. Florentin
CONCORDE
Gd PALAIS
Av. W. Churchill
Pt PALAIS
Cours la Reine
OBÉLISQUE
PL. DE LA CONCORDE
1er
Pont Alexandre III
Pont de la Concorde
7e

Plaza Athénée — BZ 2

25 av. Montaigne ✆ 01 53 67 66 65, *reservation@plaza-athenee-paris.com*, *Fax 01 53 67 66 66*

, – 20 à 60. AE GB JCB. rest

voir rest. ***Plaza Athénée*** ci-après

Relais-Plaza ✆ 01 53 67 64 00 *(fermé 30 juil. au 28 août)* **Repas** 263

La Cour Jardin (terrasse) ✆ 01 53 67 66 02 *(mai-sept.)* **Repas** 315 (déj.) et carte 490 à 600 – 197 – **121 ch** 3202/5104, 66 appart.

♦ Mata Hari, Rockefeller, A. Briand... Le "cardex" du Plaza fut dès l'origine un véritable bottin mondain ! Patio verdoyant, luxueux aménagements, et style 1930 au Relais Plaza.

Bristol — CY 44

112 r. Fg St-Honoré ✆ 01 53 43 43 00, *resa@hotel-bristol.com*, *Fax 01 53 43 43 01*

, , – , ch, – 30 à 60. AE GB JCB.

voir rest. ***Bristol*** ci-après – 190 – **152 ch** 3350/6900, 26 appart.

♦ Palace de 1925 agencé autour d'un magnifique jardin. Luxueuses chambres, principalement de style Louis XV ou Louis XVI, et exceptionnelle piscine "bateau" au dernier étage.

Four Seasons George V — AY 12

31 av. George V ✆ 01 49 52 70 00, *par.reservations@fourseasons.com*, *Fax 01 49 52 70 20*

, – – 30 à 400. AE GB JCB.

voir rest. ***Le Cinq*** ci-après – 230 – **184 ch** 3740/5575, 61 appart.

♦ Le célèbre palace a rouvert ses portes après d'immenses travaux de rénovation. Le décor intérieur, superbe, se réfère désormais au 18e s. Chambres luxueuses. Belle oeuvres d'art.

Crillon — DZ 24

10 pl. Concorde ✆ 01 44 71 15 00, *Fax 01 44 71 15 02*

– – 30 à 60. AE GB JCB

voir rest. ***Les Ambassadeurs*** et ***L'Obélisque*** ci-après – 119 – **114 ch** 3500/6800, 43 appart.

♦ Les salons de cet ancien hôtel particulier du 18e s. ont conservé leur fastueuse ornementation. Les chambres, habillées de boiseries, sont magnifiques. Le palace à la française !

Prince de Galles — BZ 45

33 av. George-V ✆ 01 53 23 77 77, *hotel_prince_de_galles@sheraton.com*, *Fax 01 53 23 78 78*

– – 25 à 100. AE GB JCB. ch

Jardin des Cygnes : **Repas** 280(déj.), 320/670 – 160 – **139 ch** 2800/4400, 29 appart.

♦ C'est à l'intérieur que ce luxueux hôtel de l'entre-deux-guerres dévoile son style Art déco, à l'image du patio en mosaïque. Chambres décorées avec un goût sûr.

Royal Monceau — BY 25

37 av. Hoche ✆ 01 42 99 88 00, *royalmonceau@jetmultimedia.fr*, *Fax 01 42 99 89 90*

, , – – 25 à 100. AE GB JCB.

voir rest. ***Le Jardin*** ci-après

Carpaccio ✆ 01 42 99 98 90 *(fermé août)* **Repas** carte 330 à 490 – 170 – **166 ch** 2600/3800, 34 appart.

♦ Marbre, cristal, escalier monumental... Le spacieux hall-salon est le joyau de ce palace des années 1920. Centre de remise en forme complet. Cuisine italienne au Carpaccio.

Lancaster BY **27**
7 r. Berri ✆ 01 40 76 40 76, *reservations@hotel-lancaster.fr*, *Fax 01 40 76 40 00*
Repas (résidents seul.) carte 280 à 430 – 164 – **48 ch** 2558/3509, 10 appart.
◆ B. Pastoukhoff payait ses séjours en peignant des tableaux, contribuant à enrichir l'élégant décor de cet ancien hôtel particulier qu'appréciait aussi Marlène Dietrich.

Vernet AY **9**
25 r. Vernet ✆ 01 44 31 98 00, *hotelvernet@jetmultimedia.fr*, *Fax 01 44 31 85 69*
AE GB JCB. rest
voir rest. ***Les Élysées*** ci-après – 140 – **42 ch** 2350/3300, 9 appart.
◆ Belle façade en pierres de taille, agrémentée de balcons en fer forgé, d'un immeuble des années folles. Chambres de style Empire ou Louis XVI. Grill-bar "branché".

Astor CY **68**
11 r. d'Astorg ✆ 01 53 05 05 05, *hotelastor@aol.com*, *Fax 01 53 05 05 30*
M, – ch, AE GB JCB. rest
voir rest. ***L'Astor*** ci-après – 155 – **129 ch** 1950/3400, 5 appart.
◆ Styles Regency et Art déco revisités : un mariage pour le meilleur seulement, qui a donné naissance à un hôtel "cosy" apprécié d'une clientèle sélecte.

San Régis BZ **4**
12 r. J. Goujon ✆ 01 44 95 16 16, *message@hotel-sanregis.fr*, *Fax 01 45 61 05 48*
AE GB JCB.
Repas *(fermé août)* 210 et carte 290 à 430 – 120 – **33 ch** 1850/3300, 11 appart.
◆ Hôtel particulier de 1857 fraîchement remanié : jolies chambres garnies de meubles chinés ici et là ; petite salle à manger habillée de boiseries en chêne "au naturel".

Sofitel Le Faubourg CZ **20**
15 r. Boissy d'Anglas ✆ 01 44 94 14 14, *h1295@accor-hotel.com*, *Fax 01 44 94 14 28*
M, – AE GB JCB
Café Faubourg ✆01 44 94 14 24 **Repas** carte 250 à 330 – 140 – **153 ch** 2800/4050, 7 appart, 3 duplex.
◆ Ce Sofitel du "faubourg" occupe deux demeures des 18e s. et 19e s. Chambres équipées "high-tech", salle à manger élégante, bar d'esprit années folles et salon sous verrière.

Sofitel Arc de Triomphe BY **6**
14 r. Beaujon ✆ 01 53 89 50 50, *h1296@accor-hotels.com*, *Fax 01 53 89 50 51*
– 40. AE GB
voir rest. ***Clovis*** ci-après – 160 – **135 ch** 3100/5200.
◆ L'hôtel a récemment fait peau neuve. L'immeuble est haussmannien, la décoration s'inspire du 18e s. et les aménagements sont du 21e s. (réservez l'étonnant "concept room").

Hyatt Regency DY 22
24 bd Malhesherbes ✆ 01 55 27 12 34, *madeleine.concierge@paris.hyatt.com, Fax 01 55 27 12 35*
M, – – 20. AE GB JCB. rest
Café M : **Repas** carte 250 à 350 – 160 – **81 ch** 3300/3900, 5 appart.
◆ Près de la Madeleine, façade discrète dissimulant un intérieur résolument contemporain, à la fois sobre et chaleureux. Le chic Café M a séduit la clientèle du quartier.

de Vigny AY 14
9 r. Balzac ✆ 01 42 99 80 80, *de-vigny@wanadoo.fr, Fax 01 42 99 80 40*
, ch, . AE GB JCB
Repas carte 300 à 400 – 130 – **29 ch** 2500/2950, 8 appart.
◆ Cet hôtel discret et raffiné, situé près des Champs-Élysées, propose des chambres "cosy" personnalisées. Bureau ancien en guise de réception : on a ici le souci du détail.

Concorde St-Lazare DY 16
108 r. St-Lazare ✆ 01 40 08 44 44, *Fax 01 42 93 01 20*
– 25 à 150. AE GB JCB
Café Terminus : **Repas** 178/240bc, enf. 45 – 135 – **257 ch** 1800/3500, 11 appart.
◆ Ce "palace ferroviaire" (il jouxte la gare St-Lazare) inauguré en 1889 vient de faire peau neuve. Son hall majestueux - un joyau de l'école Eiffel - est joliment relooké.

Marriott BY 40
70 av. Champs-Élysées ✆ 01 53 93 55 00, *Fax 01 53 93 55 01*
M, , – – 15 à 165. AE GB JCB.
Pavillon *(fermé sam. midi et dim. soir)* **Repas** 270(déj.)/380, enf. 90 – 140 – **174 ch** 2395/6002, 18 appart.
◆ Un Américain à Paris : efficacité d'outre-Atlantique et confort ouaté de chambres donnant pour partie sur les Champs. Le Pavillon ? Un restaurant français façon Oncle Sam.

Balzac AY 26
6 r. Balzac ✆ 01 44 35 18 00, *hbalzac@cybercable.fr, Fax 01 44 35 18 05*
M – , ch, . AE GB JCB
voir rest. ***Pierre Gagnaire*** ci-après – 130 – **56 ch** 2000/2600, 14 appart.
◆ L'écrivain s'éteignit au n° 22 de la rue. Élégantes chambres, salon sous verrière. Posez vos valises et, comme Eugène de Rastignac, partez à la conquête de Paris !

Warwick BY 5
5 r. Berri ✆ 01 45 63 14 11, *cesa.whparis@warwickhotels.com, Fax 01 45 63 75 81*
M – – 30 à 110. AE GB JCB. rest
voir rest. ***Le W*** ci-après – 155 – **147 ch** 2750/3500.
◆ L'hôtel a ouvert ses portes en 1981. Ses chambres, fonctionnelles et dotées de balcons, ont séduit une clientèle d'affaires internationale. Spacieux salon.

Napoléon AY 28
40 av. Friedland ✆ 01 56 68 43 21, *napoleon@hotelnapoleonparis.com, Fax 01 47 66 82 33*
sans rest – – 15 à 80. AE GB JCB
160 – **102 ch** 1800/2950.
◆ À deux pas de l'Étoile chère à l'Empereur, autographes, figurines et tableaux évoquent sans fausse note l'épopée napoléonienne. Chambres de style Directoire ou Empire.

California BY 49
16 r. Berri ✆ 01 43 59 93 00, *Fax 01 45 61 03 62*
– 20 à 100. AE GB JCB. rest
Repas *(fermé août, sam. et dim.)* (déj. seul.) *(165)* - 250/300 – 140 – **161 ch** 2900, 13 duplex.
◆ Les esthètes seront comblés : plusieurs milliers de tableaux ornent les murs de cet ancien palace des années 1920. Autre collection : les 200 whiskies du piano-bar !

Château Frontenac BZ 7
54 r. P. Charron ✆ 01 53 23 13 13, *reservation@hotelchateaufontenac.com, Fax 01 53 23 13 01*
sans rest – – 25. AE GB
95 – **98 ch** 1300/1850, 6 appart.
◆ Bel immeuble au coeur du Triangle d'Or. Chambres de style Louis XV, salles de bains en marbre ou en travertin. Salle des petits-déjeuners revêtue de boiseries claires.

Bedford DY 7
17 r. de l'Arcade ✆ 01 44 94 77 77, *contact@hotel-bedford.com, Fax 01 44 94 77 97*
– 15 à 50. AE GB. rest
Repas *(fermé août, sam. et dim.)* (déj. seul.) *(170)* - 200 – 80 – **134 ch** 920/1320, 11 appart.
◆ Demandez une chambre rénovée. Au réveil, vous petit-déjeunerez dans une salle 1900 ornée d'une profusion de motifs décoratifs en stuc et d'une belle verrière.

Queen Elizabeth BZ 30
41 av. Pierre-1er-de-Serbie ✆ 01 53 57 25 25, *contact@hotel-queen.fr, Fax 01 53 57 25 26*
– 30. AE GB JCB. rest
Repas *(fermé août, sam. et dim.)* (déj. seul.) 170 – 105 – **48 ch** 1800/2800, 12 appart.
◆ Hall et salon habillés de boiseries et agrémentés de tableaux anciens. Quelques chambres rénovées dans le style classique, plus calmes côté jardin.

Montaigne BZ 18
6 av. Montaigne ✆ 01 47 20 30 50, *contact@hotel-montaigne.com, Fax 01 47 20 94 12*
M sans rest – . AE GB JCB
105 – **29 ch** 1500/2200.
◆ Grilles en fer forgé, belle façade fleurie et gracieux décor "cosy" font la séduction de cet hôtel. L'avenue est conquise par les boutiques des grands couturiers.

Élysées Star AY 2
19 r. Vernet ✆ 01 47 20 41 73, *Fax 01 47 23 32 15*
M sans rest – – 30. AE GB JCB
90 – **38 ch** 2125/4225, 4 appart.
◆ Une jolie marquise agrémente la pimpante façade de cet édifice en angle de rue. Meubles de style dans les chambres. Salon feutré, avec piano-bar et cheminée d'ambiance.

François 1er AY 39
7 r. Magellan ✆ 01 47 23 44 04, *Fax 01 47 23 93 43*
M sans rest – – 15. AE GB JCB
110 – **40 ch** 1950/2700.
◆ Marbre mexicain, moulures, bibelots chinés, meubles anciens et tableaux à foison : un nouveau décor - luxueux et très réussi - signé Rochon. Copieux petit-déjeuner (buffet).

Bradford Élysées BY 17
10 r. St-Philippe-du-Roule ☏ 01 45 63 20 20, *hotel.bradford@astotel.com, Fax 01 45 63 20 07*
sans rest – AE GB JCB.
120 – **50 ch** 1690/1990.
◆ Cheminées en marbre, moulures, lits en laiton, décor "rétro" et cage d'ascenseur centenaire mariant acajou et fer forgé : un conservatoire de l'irrésistible charme parisien.

Royal AY 53
33 av. Friedland ☏ 01 43 59 08 14, *rh@royal-hotel.com, Fax 01 45 63 69 92*
M sans rest – AE GB JCB
110 – **58 ch** 2000/2800.
◆ Les chambres rénovées bénéficient d'une excellente insonorisation et d'un joli décor actuel ; certaines ménagent une perspective sur l'Arc de Triomphe.

Sofitel Champs-Élysées BZ 14
8 r. J. Goujon ☏ 01 40 74 64 64, *h1184-gm@accor-hotels.com, Fax 01 40 74 64 99*
M, – – 15 à 150. AE GB JCB
Les Signatures ☏01 40 74 64 94 *(fermé 1er au 20 août, sam. et dim.)* Repas *(210)*-255 et carte 280 à 330 – 140 – **40 ch** 2900/3400.
◆ Hôtel particulier Second Empire partagé avec la Maison des Centraliens. Chambres revues dans le style contemporain ; équipements "dernier cri". Centre d'affaires.

Élysées-Ponthieu et Résidence BY 52
24 r. Ponthieu ☏ 01 53 89 58 58, *Fax 01 53 89 59 59*
sans rest – cuisinette . AE GB JCB
82 – **91 ch** 1165/1920, 6 appart.
◆ Les chambres, plus spacieuses dans la partie "Résidence", offrent différents niveaux de confort, mais toutes disposent du même équipement pratique. Bar anglais.

Powers BZ 35
52 r. François 1er ☏ 01 47 23 91 05, *Fax 01 49 52 04 63*
sans rest – . AE GB JCB
110 – **55 ch** 620/1950.
◆ L'homme aux "Clefs d'Or" - le concierge - est un peu l'âme de la maison : il a réponse à tout et c'est lui qui vous conduira jusqu'à de spacieuses chambres bourgeoises.

Résidence du Roy BZ 29
8 r. François 1er ☏ 01 42 89 59 59, *rdr@residence-du-roy.com, Fax 01 40 74 07 92*
M sans rest – cuisinette – 25. AE GB JCB
105, 28 appart 2300/4000, 4 studios, 3 duplex.
◆ Toutes les chambres, actuelles et plutôt spacieuses, sont équipées de cuisinettes permettant de séjourner à Paris tout en continuant à faire "comme à la maison".

Chateaubriand BY 10
6 r. Chateaubriand ☏ 01 40 76 00 50, *chateaubriand@copatel.com, Fax 01 40 76 09 22*
sans rest – . AE GB JCB
80 – **28 ch** 1750/1950.
◆ Près des Champs-Élysées, à deux pas du Lido, cet hôtel abrite des chambres au décor feutré, dotées de salles de bains en marbre. "Tea time" vers 17 heures.

New Roblin DY 54
6 r. Chauveau-Lagarde ✆ 01 44 71 20 80, *parisroblin@newhotel.com, Fax 01 42 65 19 49*
AE GB JCB
Mazagran *(fermé sam., dim. et fériés)* **Repas** *(98)*- 185 – 80 – **78 ch** 1000/1800.
◆ L'hôtel vient d'être rénové : tons chauds et mobilier de style dans les chambres bien dimensionnées. Fer forgé, laiton, acajou : l'ascenseur Belle Époque est un petit bijou !

Résidence Monceau CX 12
85 r. Rocher ✆ 01 45 22 75 11, *residencemonceau@wanadoo.fr, Fax 01 45 22 30 88*
sans rest – AE GB JCB.
55 – **51 ch** 780.
◆ Entre parc Monceau et gare St-Lazare, établissement moderne aux chambres peu spacieuses mais fonctionnelles. Bar design ouvrant sur un agréable petit patio.

L'Arcade DY 13
7 r. de l'Arcade ✆ 01 53 30 60 00, *contact@hotel-arcade.fr, Fax 01 40 07 03 07*
M sans rest – 25. AE GB JCB
60 – **37 ch** 850/1080, 4 duplex.
◆ Marbre et boiseries dans le hall et les salons, coloris tendres et mobilier choisi dans les chambres font le charme de cet hôtel élégant et discret, proche de la Madeleine.

Monna Lisa BY 28
97 r. La Boétie ✆ 01 56 43 38 38, *Fax 01 45 62 39 90*
M – AE GB JCB
Caffe Ristretto - cuisine italienne - *(fermé 5 au 26 août et dim.)* **Repas** 200(déj.)/250 et carte 250 à 420 – 150 – **22 ch** 1250/1450.
◆ Récemment ouvert, ce bel hôtel aménagé dans un immeuble de 1860 est une véritable vitrine du design transalpin. Le gracieux Caffe Ristretto propose ses spécialités italiennes.

Lavoisier CY 47
21 r. Lavoisier ✆ 01 53 30 06 06, *info@hotellavoisier.com, Fax 01 53 30 23 00*
M sans rest – AE GB JCB.
70 – **30 ch** 1290/1890.
◆ Chambres contemporaines, petit salon-bibliothèque "cosy" faisant office de bar, salle voûtée pour les petits-déjeuners : l'hôtel vient de faire peau neuve.

Marignan BZ 10
12 r. Marignan ✆ 01 40 76 34 56, *Fax 01 40 76 34 34*
sans rest – 15 à 50. AE GB JCB
160 – **57 ch** 2200/2950, 16 duplex.
◆ Chambres très "cosy" et soigneusement décorées ; certaines sont en duplex, d'autres offrent une terrasse avec vue sur les toits de Paris et la Tour Eiffel.

Élysées Mermoz CY 50
30 r. J. Mermoz ✆ 01 42 25 75 30, *elymermoz@worldnet.fr, Fax 01 45 62 87 10*
M sans rest – 15. AE GB JCB
60 – **22 ch** 780/960, 5 appart.
◆ Couleurs ensoleillées ou camaïeu de gris dans les chambres, boiseries sombres et lave bleue dans les salles de bains, salon en rotin sous verrière : un hôtel "cosy".

Franklin Roosevelt BZ 58

18 r. Clément-Marot ✆ 01 53 57 49 50, *franklin@iway.fr, Fax 01 47 20 44 30*
sans rest – AE GB.
90 – **48 ch** 1200/2200.
◆ Bois précieux et marbre utilisés à profusion pour les rénovations des chambres des 5e et 6e étages et des espaces communs : un hôtel au charme victorien. Agréable bar.

Queen Mary DY 4

9 r. Greffulhe ✆ 01 42 66 40 50, *hotelqueenmary@wanadoo.fr, Fax 01 42 66 94 92*
M sans rest – . AE GB JCB.
85 – **36 ch** 795/1015.
◆ Établissement raffiné à l'esprit "british", où vous bénéficierez d'un accueil personnalisé : une carafe de Xérès est offerte en cadeau de bienvenue. Agréable patio.

Vignon DY 32

23 r. Vignon ✆ 01 47 42 93 00, *h-vignon@club-67internet.fr, Fax 01 47 42 04 60*
M sans rest – . AE GB.
55 – **30 ch** 850/1200.
◆ À deux pas de la place de la Madeleine et de ses luxueuses épiceries fines. Établissement entièrement refait : chambres actuelles et élégante salle des petits-déjeuners.

Relais Mercure Opéra Garnier DY 69

4 r. de l'Isly ✆ 01 43 87 35 50, *Fax 01 43 87 03 29*
M sans rest – . AE GB JCB
80 – **140 ch** 790/850.
◆ Pratique Relais Mercure situé entre la gare St-Lazare et les grands magasins. Chambres fonctionnelles et petits-déjeuners sous forme de buffet. Jardinet intérieur.

Étoile Friedland BY 2

177 r. Fg St-Honoré ✆ 01 45 63 64 65, *Fax 01 45 63 88 96*
sans rest – . AE GB JCB.
110 – **40 ch** 1500/1700.
◆ Près de la salle Pleyel, petites chambres pratiques et correctement insonorisées, dotées de lits en laiton et de salles de bains en marbre ; hall et salon vivement colorés.

Élysées Céramic AY 15

34 av. Wagram ✆ 01 42 27 20 30, *cerotel@aol.com, Fax 01 46 22 95 83*
sans rest – . AE GB
50 – **57 ch** 980/1260.
◆ La façade Art nouveau en grès cérame (1904) est une merveille d'architecture. L'intérieur n'est pas en reste, avec des meubles et un décor inspirés du même style.

Atlantic DX 20

44 r. Londres ✆ 01 43 87 45 40, *Fax 01 42 93 06 26*
sans rest – . AE GB JCB.
55 – **86 ch** 790/930.
◆ Ondulations, tableaux et maquettes de bateaux... Quelques discrètes touches marines animent le décor contemporain de cet hôtel. Salon et bar sous une vaste verrière.

L'Élysée
CY 9

12 r. Saussaies ✆ 01 42 65 29 25, *hotel-de-l-elysee@wanadoo.fr, Fax 01 42 65 64 28*
sans rest – AE GB JCB.
75 – **32 ch** 820/1380.
♦ La décoration de cet établissement qui jouxte le ministère de l'Intérieur décline toute une gamme de styles des 18e et 19e s. Chambres bien tenues.

Astoria
DX 9

42 r. Moscou ✆ 01 42 93 63 53, *hotel.astoria@astotel.com, Fax 01 42 93 30 30*
sans rest – AE GB JCB.
80 – **86 ch** 990/1190.
♦ Cet hôtel du quartier de l'Europe semble plaire à la clientèle d'affaires. Salon agrémenté de tableaux modernes. Salle des petits-déjeuners sous verrière.

Flèche d'or
DX 7

29 rue d'Amsterdam ✆ 01 48 74 06 86, *Fax 01 48 74 06 04*
sans rest – AE GB
40 – **61 ch** 850/950.
♦ L'enseigne de cet hôtel proche de la gare St-Lazare évoque un célèbre train de luxe. Chambres bien tenues et salon aussi confortable qu'une voiture Pullman de la Flèche d'Or !

Mayflower
BY 47

3 r. Chateaubriand ✆ 01 45 62 57 46, *Fax 01 42 56 32 38*
sans rest – AE GB
60 – **24 ch** 695/995.
♦ Chambres aux harmonieux tons pastel et salles de bains en marbre. La salle des petits-déjeuners est égayée d'une fresque évoquant la destinée des Pilgrim Fathers.

West-End
BZ 15

7 r. Clément-Marot ✆ 01 47 20 30 78, *contact@hotel-west-end.com, Fax 01 47 20 34 42*
sans rest – AE GB JCB
85 – **50 ch** 1050/1600.
♦ Au coeur du Triangle d'Or, loin du "smog" du West End, hôtel garni de meubles provenant d'un palace de la capitale. Hall et salon habillés de boiseries et de marbre.

Cordélia
DY 56

11 r. Greffulhe ✆ 01 42 65 42 40, *hotelcordelia@wanadoo.fr, Fax 01 42 65 11 81*
sans rest – AE GB.
70 – **30 ch** 780/950.
♦ Les petites chambres de cet hôtel proche de la Madeleine ont été récemment refaites dans des tons chaleureux (rouge et jaune). Salon intime avec cheminée et boiseries.

Comfort St-Augustin
CY 30

9 r. Roy ✆ 01 42 93 32 17, *hotelsa@gofornet.com, Fax 01 42 93 19 34*
sans rest – AE GB JCB.
55 – **62 ch** 590/910.
♦ Immeuble haussmannien à proximité de l'église St-Augustin. Les chambres, aux tons pastel, sont peu à peu rénovées. Bar d'inspiration Art déco.

Fortuny DY 6

35 r. de l'Arcade ✆ 01 42 66 42 08, *info@hotel-fortuny.com*, *Fax 01 42 66 00 32*

sans rest – TV. AE GB JCB.

60 – **30 ch** 900/950.

◆ Chambres fonctionnelles équipées de salle de bains en marbre. Petits-déjeuners sous forme de buffet dans une salle égayée d'une fresque à sujet bucolique.

Pavillon Montaigne CY 18

34 r. J. Mermoz ✆ 01 53 89 95 00, *Fax 01 42 89 33 00*

M sans rest – TV. AE GB JCB.

50 – **18 ch** 850/1050.

◆ Salle des petits-déjeuners et réception ne sont pas très spacieuses mais les chambres - récemment rénovées - sont ravissantes et très actuelles. Une bonne petite adresse.

New Orient CX 3

16 r. Constantinople ✆ 01 45 22 21 64, *new.orient.hotel@wanadoo.fr*, *Fax 01 42 93 83 23*

sans rest – TV. AE GB.

40 – **30 ch** 415/630.

◆ Façade fleurie, meubles chinés, décor "cosy" des petites chambres et charmant accueil franco-allemand font l'attrait de cette délicieuse maison de poupée.

Alison CY 8

21 r. de Surène ✆ 01 42 65 54 00, *hotel.alison@wanadoo.fr*, *Fax 01 42 65 08 17*

sans rest – TV. AE GB JCB.

45 – **35 ch** 490/880.

◆ Hôtel familial dans une rue calme proche du théâtre de la Madeleine. Hall agrémenté de tableaux contemporains et chambres fonctionnelles tapissées de papier japonais.

Newton Opéra DY 57

11 bis r. de l'Arcade ✆ 01 42 65 32 13, *newtonopera@easynet.fr*, *Fax 01 42 65 30 90*

sans rest – TV. AE GB JCB.

60 – **31 ch** 980/1060.

◆ Petites chambres égayées de tons vifs, plaisant salon de lecture et accueil personnalisé : une carafe de Mandarine impériale vous attend en cadeau de bienvenue.

Madeleine Haussmann DY 3

10 r. Pasquier ✆ 01 42 65 90 11, *3hotels@hotels.com*, *Fax 01 42 68 07 93*

sans rest – TV. AE GB JCB

40 – **36 ch** 630/680.

◆ Chambres pas très spacieuses, mais rigoureusement entretenues et garnies d'un mobilier de bonne facture. Salle voûtée pour les petits-déjeuners.

Comfort Malesherbes CY 20

11 pl. St-Augustin ✆ 01 42 93 27 66, *hotelmalesherbes@gofornet.com*, *Fax 01 42 93 27 51*

sans rest – TV. AE GB JCB.

65 – **24 ch** 740/1010.

◆ Chambres douillettes aux tons jaune et bleu ou jaune et rouille, pour la plupart tournées vers le dôme de l'église Saint-Augustin construite par Victor Baltard.

XXXXX ✿✿✿ **Taillevent** (Vrinat) BY 39
15 r. Lamennais ✆ 01 44 95 15 01, *mail@taillevent.com, Fax 01 42 25 95 18*
▤. AE ⓓ GB JCB. ✈
fermé 28 juil. au 28 août, sam., dim. et fériés – **Repas** (nombre de couverts limité, prévenir) 850 et carte 580 à 800.
◆ Le célèbre maître queux médiéval a prêté son nom à ce restaurant élégant. La très anglaise salle aux boiseries a la faveur des clients. Cuisine exquise, cave somptueuse.
Spéc. Ravioles de champignons aux truffes. Pigeonneau de Vendée rôti à la broche. Crème glacée au caramel demi-sel.

XXXXX ✿✿ **Les Ambassadeurs** - Hôtel Crillon DZ 24
10 pl. Concorde ✆ 01 44 71 16 16, *Fax 01 44 71 15 02*
▤. AE ⓓ GB JCB. ✈
Repas 400 (déj.)/850 et carte 800 à 910.
◆ Cette splendide salle à manger dont les ors et les marbres se reflètent dans d'immenses glaces est l'ancienne salle de bal d'un hôtel particulier du 18e s. Cuisine raffinée.
Spéc. Charlotte de crabe et crémeux au jus de carapaces. Gigot d'agneau de sept heures et pomme purée. Millefeuille caramélisé à la vanille de Tahiti.

XXXXX ✿✿ **Lasserre** BZ 21
17 av. F.-D.-Roosevelt ✆ 01 43 59 53 43, *Fax 01 45 63 72 23*
▤. AE GB JCB. ✈
fermé août, dim. et lundi – **Repas** 340 (déj.)/800 et carte 610 à 830.
◆ Ce pavillon édifié en 1945 est une institution du Paris gourmand. Dans la salle à manger néo-classique, étonnant toit ouvrant décoré d'une sarabande de danseuses.
Spéc. Homard breton en salade. Sole au plat braisée au Noilly Prat. Rosettes d'agneau en écrin de champignons sauvages.

XXXXX ✿✿✿ **Lucas Carton** (Senderens) DZ 23
9 pl. Madeleine ✆ 01 42 65 22 90, *Fax 01 42 65 06 23*
▤. AE ⓓ GB JCB. ✈
fermé 28 juil. au 27 août, 23 déc. au 2 janv., lundi midi, sam. midi et dim. – **Repas** 395 (déj.)/850 et carte 740 à 1 490.
◆ De magnifiques boiseries Art nouveau habillent les deux salles à manger égayées de miroirs et d'appliques en forme de fleurs. Superbe cuisine brillamment personnalisée.
Spéc. Homard à la vanille "Bourbon de Madagascar". Foie gras des Landes au chou à la vapeur. Canard Apicius rôti au miel et aux épices.

XXXXX ✿✿ **Le "Cinq"** - Hôtel Four Seasons George V AY 12
31 av. George V ✆ 01 49 52 70 00, *Fax 01 49 52 70 10*
♿ – ▤. AE ⓓ GB JCB. ✈
Repas 393 (déj.), 983/1100 bc et carte 560 à 1 200.
◆ Nouvelle salle de restaurant - majestueuse évocation du Grand Trianon - ouverte sur un ravissant jardin intérieur. Ambiance raffinée et talentueuse cuisine classique.
Spéc. Tarte d'artichaut et de truffe du Périgord. Côte de veau de lait au jus, gratin de macaroni. Fantaisie au café de Colombie, nougatine croustillante.

XXXXX ✿✿ **Bristol** - Hôtel Bristol CY 44
112 r. Fg St-Honoré ✆ 01 53 43 43 40, *resa@hotel-bristol.com, Fax 01 53 43 43 01*
– . AE ⓓ GB JCB.
Repas 370/720 et carte 650 à 810.
◆ Avec sa forme ovale et ses splendides boiseries, la salle à manger d'hiver ressemble à un petit théâtre. Celle d'été s'ouvre largement sur le magnifique jardin de l'hôtel.
Spéc. Gaufre de caviar, crème acidulée en mimosa. Poitrine de canard au sang, purée de navets caramélisée à l'orange. Biscuit mi-cuit au chocolat.

XXXXX ✿✿✿ **Plaza Athénée** - Hôtel Plaza Athénée BZ 2
25 av. Montaigne ✆ 01 53 67 65 00, *Fax 01 53 67 66 66*
. AE ⓓ GB JCB.
fermé 14 juil. au 20 août, 22 au 30 déc.,lundi midi, mardi midi, merc. midi, sam., dim. et fériés – **Repas** 1250/1700 et carte 1 100 à 1 400.
◆ Le somptueux décor Régence cher aux habitués du "Plaza" vient d'être relooké par P. Jouin dans un esprit "design et organza" : insolite mariage de styles, et cuisine... de grand chef !
Spéc. Langoustines rafraîchies, nage réduite, caviar osciètre. Volaille de Bresse, sauce albufera. Baba au rhum.

XXXXX ✿✿ **Ledoyen** CZ 40
carré Champs-Élysées (1er étage) ✆ 01 53 05 10 01, *Fax 01 47 42 55 01*
 P. AE ⓓ GB JCB.
fermé 28 juil. au 2 sept., sam., dim. et fériés – **Repas** 360 (déj.)/720 et carte 730 à 950 ♀.
◆ Ce pavillon néo-classique entouré d'arbres et de pelouses remplaça vers 1850 une célèbre guinguette des Champs où serait née la "carte" de restaurant. Cuisine soignée.
Spéc. Grosses langoustines bretonnes croustillantes. Blanc de turbot braisé, pommes rattes au beurre de truffe. Millefeuille de fines ''krampouz'' craquantes au citron.

XXXXX ✿✿ **Laurent** CZ 22
41 av. Gabriel ✆ 01 42 25 00 39, *info@le-laurent.com, Fax 01 45 62 45 21*
 – AE GB.
fermé dim. (sauf le soir du 10 juin au 28 oct.), sam. midi et fériés – **Repas** 390/790 et carte 630 à 980.
◆ Le pavillon à l'antique bâti par Hittorff, d'élégantes terrasses ombragées et une cuisine de grande tradition : un petit coin de paradis dans les Jardins des Champs-Élysées.
Spéc. Foie gras de canard aux haricots noirs pimentés. Turbot rôti au beurre salé. Macaron au citron et fraises des bois (saison).

XXXX ✿✿ **Les Élysées** - Hôtel Vernet AY 9
25 r. Vernet ✆ 01 44 31 98 98, *hotelvernet@jetmultimedia.fr, Fax 01 44 31 85 69*
. AE ⓓ GB JCB.
fermé 23 juil. au 24 août, 17 au 28 déc., sam., dim. et fériés – **Repas** 340 (déj.), 520/850 et carte 670 à 850 ♀.
◆ Cuisine inventive et maîtrisée, aux saveurs subtiles, à déguster sous la splendide verrière Belle Époque signée Eiffel, qui baigne la salle à manger d'une douce lumière.
Spéc. Epeautre ''comme un risotto'' aux produits du marché. Pigeon doré au speck, pommes grenailles. Chausson feuilleté au chocolat amer.

XXXX ✿✿✿ **Pierre Gagnaire** - Hôtel Balzac AY 26

6 r. Balzac ✆ 01 44 35 18 25, *pierre.gagnaire@bigfoot.com, Fax 01 44 35 18 37*

AE ⓓ GB

fermé vacances de Pâques, 15 au 31 juil., vacances de Toussaint, dim. midi, sam. et fériés – **Repas** 520 (déj.), 1100/2400 et carte 860 à 1 210.

◆ La fantaisie n'est pas dans le décor, sobrement contemporain, mais dans l'assiette. Magie des saveurs, surprises gustatives, géniales inspirations... La poésie aux fourneaux !

Spéc. Langoustines bretonnes en tempura. Pavé de turbot rôti à l'arête, agria croustillante et morue. Coffre de canard frotté d'épices, crumble de mangue verte , cassis et pamplemousse.

XXXX ✿✿ **L'Astor** - Hôtel Astor CY 68

11 rue d'Astorg ✆ 01 53 05 05 20, *hotelastor@aol.com, Fax 01 53 05 05 30*

AE ⓓ GB JCB

fermé 30 juil. au 27 août, sam. et dim. – **Repas** 298/540 et carte 510 à 690 ♀.

◆ Décor contrasté : salons et élégante salle ovale aux tons clairs, mobilier en bois foncé de style Directoire. Héritière et créative, la savoureuse cuisine a conquis son public.

Spéc. Tourteau et araignée de mer à la crème de chou fleur et caviar. Lièvre à la royale (oct. à déc.). Arlettes croustillantes au café.

XXXX ✿ **La Marée** AX 2

1 r. Daru ✆ 01 43 80 20 00, *Fax 01 48 88 04 04*

AE ⓓ GB

fermé 1er au 15 août, sam. midi et dim. – **Repas** carte 550 à 630 ♀.

◆ Jolie façade à colombage, vitraux, tableaux flamands et boiseries chaleureuses composent le décor raffiné et luxueux de ce restaurant où l'on sert une belle cuisine de la mer.

Spéc. Langoustines poêlées aux carottes fondantes. Bar "Marie-Do". Millefeuille chaud caramélisé.

XXXX ✿ **Chiberta** AY 24

3 r. Arsène-Houssaye ✆ 01 53 53 42 00, *chiberta@noos.fr, Fax 01 45 62 85 08*

AE ⓓ GB

fermé août, sam. midi et dim. – **Repas** 290 (déj.), 590/990 et carte 440 à 600 ♀.

◆ L'esprit des années 1970, conservé, a été rajeuni par un décor japonisant préservant l'intimité : le restaurant idéal pour un repas d'affaires. Cuisine au goût du jour.

Spéc. Langoustines rôties aux piquillos. Selle d'agneau de pré-salé rôtie au sel de Guérande. Variations sur le cacao.

XXXX ✿ **Clovis** - Hôtel Sofitel Arc de Triomphe BY 6

14 r. Beaujon ✆ 01 53 89 50 53, *h1296@accor-hotels.com, Fax 01 53 89 50 51*

AE ⓓ GB

fermé 24 juil. au 25 août, 24 déc. au 2 janv., sam., dim. et fériés – **Repas** 298/520 et carte 390 à 450 ♀.

◆ Une jolie salle feutrée au décor inspiré du 18e s., un service attentif et souriant, une cuisine raffinée : les gourmets du quartier en ont fait leur "cantine".

Spéc. Compote de lapin du Poitou. Bar rôti à la purée de pois cassés. Filet de boeuf aux ravioles de pommes de terre.

XXX **Jardin** - Hôtel Royal Monceau BY 25
37 av. Hoche ✆ 01 42 99 98 70, *Fax 01 42 99 89 94*
– ▤. AE ⓓ GB JCB.
fermé sam. et dim. sauf août – **Repas** 320 (déj.)/490 et carte 500 à 730.
◆ Entourée d'un joli jardin fleuri, la moderne coupole de verre abrite une élégante salle à manger où l'on déguste une subtile cuisine méditerranéenne.
Spéc. Salade de grosses langoustines rôties, légumes croquants et foie gras grillé. Pavé de bar poêlé aux citrons mentonnais. Carré d'agneau rôti en cocotte, petits farcis niçois.

XXX **Fouquet's** BY 65
99 av. Champs Élysées ✆ 01 47 23 50 00, *fouquets@lucienbarriere.com, Fax 01 47 23 50 55*
– AE ⓓ GB JCB
Repas 320 et carte 310 à 670 ♀.
◆ Ce célébrissime établissement qui vient de fêter son 100e anniversaire fut le Q.G. des as en biplan avant de devenir celui de stars du 7e art tels Raimu, Guitry et Pagnol.

XXX **Le W** - Hôtel Warwick BY 5
5 r. Berri ✆ 01 45 61 82 08, *lerestaurantw@warwickhotel.com, Fax 01 45 63 75 81*
▤. AE ⓓ GB JCB
fermé 28 juil. au 3 sept., 22 au 30 déc., 1er au 6 janv. sam. et dim. – **Repas** 250 (déj.)/350 et carte 370 à 550 ♀.
◆ "W" pour Warwick : dans le chaleureux décor contemporain du restaurant, discrètement installé au sein de l'hôtel, vous dégusterez une belle cuisine ensoleillée.
Spéc. Saint-Jacques dorées au lomo et pissenlits (oct. à avril). Selle d'agneau de Lozère, pois chiche au chorizo. Palet de chocolat et glace au café.

XXX **L'Obélisque** - Hôtel Crillon DZ 8
6 r. Boissy d'Anglas ✆ 01 44 71 15 15, *restaurants@crillon.com, Fax 01 44 71 15 02*
▤. AE ⓓ GB JCB
fermé 28 juil. au 26 août – **Repas** 310 ♀.
◆ Salle agrémentée de boiseries, glaces et verre gravé, où les mètres carrés seraient presque moins nombreux que les convives : normal, la cuisine est goûteuse et soignée !

XXX **Marcande** CY 5
52 r. Miromesnil ✆ 01 42 65 19 14, *info@marcande.com, Fax 01 40 76 03 27*
– ⓓ GB
fermé 6 au 27 août, sam. et dim. – **Repas** 240 et carte 280 à 450.
◆ Discret restaurant fréquenté par une clientèle d'affaires. Salle à manger contemporaine tournée vers l'agréable patio-terrasse, qui marche fort aux beaux jours.

XXX **Copenhague** AY 27
142 av. Champs-Élysées (1er étage) ✆ 01 44 13 86 26, *floricadanica@wanadoo.fr, Fax 01 42 25 83 10*
(réouverture prévue en juin après travaux), – ▤. AE ⓓ GB JCB.
fermé sam. midi et dim. – **Repas** 280 et carte 340 à 520
Flora Danica : **Repas** 185 et carte 220 à 390 ♀.
◆ La Maison du Danemark abrite "la" table scandinave de Paris. Salles à manger cossues et très agréable terrasse miraculeusement épargnée par la fièvre des Champs-Élysées.
Spéc. Assiette gourmande de poissons fumés et marinés. Cabillaud rôti aux crevettes du Groenland. Croustillant de pain d'épice aux mûres jaunes.

XXX **El Mansour** BZ 8

7 r. Trémoille ✆ 01 47 23 88 18

▤. AE ⓓ GB

fermé 5 au 19 août, lundi midi, dim. et fériés – **Repas** carte 270 à 390 ♀.

◆ Salle à manger revêtue de chaleureuses boiseries et égayée de petites notes orientales : un restaurant marocain feutré au coeur du Triangle d'Or.

XXX **Yvan** BY 13

1bis r. J. Mermoz ✆ 01 43 59 18 40, *Fax 01 42 89 30 95*

▤. AE ⓓ GB JCB

Repas *(148)* - 188 (déj.)/198 et carte 290 à 350 ♀.

◆ Cadre raffiné égayé de belles compositions florales, lumière tamisée et clientèle "B.C.B.G." : un restaurant très "in" à côté du Rond-Point des Champs-Élysées.

XXX **Bath's** BZ 5

✿ 9 r. La Trémoille ✆ 01 40 70 01 09, *restaurantbath@wanadoo.fr, Fax 01 40 70 01 22*

▤. AE GB

fermé 1er au 27 août, 22 au 30 déc., sam. et dim. – **Repas** 190 et carte 350 à 450 ♀.

◆ Un décor chic et discret, une belle collection de vieux bordeaux rouges, une appétissante carte aux accents auvergnats : c'est "bath" quand un "bougnat" monte à Paris !

Spéc. Crème de lentilles au bouillon de canard. Tatin de pied de porc. Côte de veau du limousin au jus, fenouil confit.

XXX **Indra** BY 29

10 r. Cdt-Rivière ✆ 01 43 59 46 40, *Fax 01 42 25 00 32*

▤. AE ⓓ GB

fermé sam. midi et dim. – **Repas** 195 (déj.), 220/300 et carte 230 à 280.

◆ Murs en patchwork, boiseries finement ouvragées, belle mise en place... Un lieu ravissant et une carte explorant le patrimoine culinaire de l'Union indienne.

XX **Spoon** BZ 56

14 r. Marignan ✆ 01 40 76 34 44, *spoonfood@aol.com, Fax 01 40 76 34 37*

▤. AE ⓓ GB JCB

fermé 23 juil. au 23 août, 23 déc. au 2 janv., sam. et dim. – **Repas** carte 270 à 380.

◆ Élégant décor contemporain, largement ouvert sur les cuisines. Découvrez sans hâte la carte et sa ribambelle de plats venus des quatre coins du monde. Planétaire !

XX **Rue Balzac** AY 4

3 r. Balzac ✆ 01 53 89 90 91, *rostang@relaischateaux.fr, Fax 01 53 89 90 94*

▤. AE GB

fermé 13 au 19 août, sam. midi et dim. midi – **Repas** carte 250 à 360 ♀

◆ Une des adresses "tendance" du moment puisque promue par Johnny en personne. Immense salle à manger style appartement bourgeois. Cuisine au goût du jour.

XX **Luna** CX 16

✿ 69 r. Rocher ✆ 01 42 93 77 61, *Fax 01 40 08 02 44*

▤. AE GB

fermé en août et dim. – **Repas** carte 330 à 450 ♀.

◆ Sobre cadre Art déco et fine cuisine aux saveurs iodées, nourries des arrivages quotidiens de belles marées du littoral atlantique. Le baba ? Il vous laissera... "baba" !

Spéc. Galette de langoustines aux poireaux. Homard en cassolette et lard fumé. Daurade royale au gingembre.

XX **Tante Louise** DY 30
41 r. Boissy-d'Anglas ✆ 01 42 65 06 85, *tante.louise@wanadoo.fr, Fax 01 42 65 28 19*
▤. AE ⓓ GB JCB
fermé août, sam. et dim. – **Repas** 195 (déj.)/230 et carte 240 à 350 ♀.
◆ L'enseigne évoque la "Mère" parisienne qui tenait naguère ce restaurant au discret cadre Art déco. Carte traditionnelle agrémentée de spécialités bourguignonnes.

XX **Shozan** BZ 40
11 r. de la Trémoille ✆ 01 47 23 37 32, *Fax 01 47 23 67 30*
▤. AE ⓓ GB JCB
fermé 6 au 21 août, sam. midi et dim. – **Repas** 195 (déj.)/395 et carte 330 à 420 ♀.
◆ Côté décor : lumière tamisée, boiseries exotiques, cadre contemporain épuré. Côté cuisine : la tradition française alliée aux dernières tendances nipponnes.

XX **Korova** BZ 16
33 r. Marbeuf ✆ 01 53 89 93 93, *info@korova.fr, Fax 01 53 89 93 94*
▤. AE ⓓ GB JCB
fermé 1er au 15 août – **Repas** carte 270 à 410 ♀
◆ La nouvelle cantine du showbiz est un clin d'œil au Korova Milkbar du film Orange mécanique. Intérieur design "rythmé" par un variateur d'éclairage chromatique. Plats du monde.

XX **Grenadin** CX 14
46 r. Naples ✆ 01 45 63 28 92, *Fax 01 45 61 24 76*
▤. AE GB
fermé sam. midi, lundi soir et dim. – **Repas** 200/330 et carte 340 à 410 ♀.
◆ Près du parc Monceau, deux intimes petites salles égayées de tableaux modernes. Cuisine au goût du jour, avec une mention spéciale pour le "mille-feuille minute" !

XX **Hédiard** DY 9
21 pl. Madeleine ✆ 01 43 12 88 99, *Fax 01 43 12 88 98*
▤. AE ⓓ GB. ✂
fermé dim. – **Repas** carte 235 à 285 ♀.
◆ Décor colonial et cuisine du monde aux mille épices : vous êtes conviés à un "safari" culinaire... au 1er étage de cette épicerie de luxe, sur la place de la Madeleine.

XX **Sarladais** DY 18
2 r. Vienne ✆ 01 45 22 23 62, *Fax 01 45 22 23 62*
▤. AE GB JCB
fermé 28 avril au 8 mai, 4 août au 3 sept., sam. sauf le soir de sept. à avril, dim. et fériés – **Repas** 175 (dîner)/215 et carte 270 à 400 ♀.
◆ Entre l'église St-Augustin et la gare St-Lazare, quelques solides spécialités périgourdines servies "à la bonne franquette" dans une sympathique ambiance provinciale.

XX **Fermette Marbeuf 1900** BZ 13
5 r. Marbeuf ✆ 01 53 23 08 00, *Fax 01 53 23 08 09*
▤. AE ⓓ GB
Repas 178 et carte 240 à 420 ♀.
◆ Le sidérant décor Art nouveau de la salle à manger-verrière, où vous réserverez votre table, a été retrouvé par hasard lors de travaux de rénovation.

XX **Marius et Janette** BZ 33

4 av. George-V ✆ 01 47 23 41 88, *Fax 01 47 23 07 19*

– . AE ⓓ GB JCB

Repas 300 et carte 350 à 550.

◆ L'enseigne évoque l'Estaque et les films de Robert Guédiguian. Élégant décor façon "yacht", agréable terrasse sur l'avenue, et la "grande bleue" dans vos assiettes.

Spéc. Poissons crus. Merlan frit sauce tartare (juin à oct.). Saint-Jacques rôties aux champignons des bois (oct.-nov.).

XX **Stella Maris** AY 5

4 r. Arsène Houssaye ✆ 01 42 89 16 22, *stella.maris.paris@wanadoo.fr, Fax 01 42 89 16 01*

. AE ⓓ GB JCB

fermé 10 au 22 août, sam. midi, lundi midi et dim. – **Repas** 280 (déj.)/ 460 et carte 310 à 450.

◆ Une cuisine classique à base de produits "bio", accommodés façon Soleil Levant, dans un cadre Art déco très sobre : ce cocktail curieux – et séduisant – a le vent en poupe.

XX **Les Bouchons de François Clerc "Étoile"** AY 8

6 r. Arsène Houssaye ✆ 01 42 89 15 51, *Fax 01 42 89 28 67*

. AE GB JCB

fermé sam. midi et dim. – **Repas** 234 et carte environ 230 ♀

◆ Le dernier-né des "Bouchons" de François Clerc met en vedette les produits de la mer, servis dans un décor évoquant le monde marin. Bon choix de vins à prix coûtant.

XX **Stresa** BZ 55

7 r. Chambiges ✆ 01 47 23 51 62

. AE ⓓ GB.

fermé août, 20 déc. au 3 janv., sam. et dim. – **Repas** (prévenir) carte 260 à 370.

◆ Trattoria du Triangle d'Or fréquentée par une clientèle très "jet-set". Tableaux de Buffet, compressions de César... les artistes aussi apprécient cette cuisine italienne.

XX **Les Persiennes** BZ 43

28 r. Marbeuf ✆ 01 56 69 26 90, *Fax 01 53 75 39 89*

. AE GB

fermé août, sam. midi et dim. – **Repas** *(118)* - 195/325 bc et carte 200 à 310 ♀.

◆ Derrière les persiennes ? Le soleil de la Provence ! Salle à manger égayée de vives couleurs, et décor méridional. Cuisine méditerranéenne.

XX **Bistrot du Sommelier** CY 12

97 bd Haussmann ✆ 01 42 65 24 85, *bistrot-du-sommelier@noos.fr, Fax 01 53 75 23 23*

. AE GB

fermé 28 juil. au 26 août, 22 déc. au 1er janv., sam. et dim – **Repas** 390 bc/650 bc (dîner)et carte 290 à 390.

◆ Le bistrot de P. Faure-Brac, honoré du titre de meilleur sommelier du monde en 1992, compose un hymne à Bacchus, nourri du feu roulant de dives bouteilles.

XX **Kinugawa** BY 67

4 r. St-Philippe du Roule ✆ 01 45 63 08 07, *Fax 01 42 60 45 21*

. AE ⓓ GB JCB.

fermé 23 déc. au 5 janv. et dim. – **Repas** 165 (déj.), 510/700 et carte 250 à 450 ♀.

◆ Cette discrète façade proche de l'église St-Philippe-du-Roule dissimule un intérieur japonisant où l'on vous soumettra une longue carte de spécialités nipponnes.

XX **Les Bouchons de François Clerc** BZ 25

7 r. Boccador ✆ 01 47 23 57 80, *Fax 01 47 23 74 54*

AE GB JCB

fermé sam. midi et dim. – **Repas** *(139)* - 234.

◆ Le succès de ces fameux "bouchons" ? Les vins à prix coûtant, permettant d'accompagner son repas de grands crus sans trop bourse délier. Bistrot chic d'esprit Belle Époque.

XX **Al Ajami** BY 8

58 av. François 1er ✆ 01 42 25 38 44, *Fax 01 42 25 38 39*

▤. AE ⓓ GB

Repas *(105)* - 139/169 et carte 150 à 260 ♀

◆ L'ambassade de la cuisine traditionnelle libanaise. Plats mitonnés de père en fils depuis 1920. Décor orientalisant, ambiance familiale et clientèle d'habitués.

XX **Village d'Ung et Li Lam** CY 25

10 r. J. Mermoz ✆ 01 42 25 99 79, *Fax 01 42 25 12 06*

▤. AE ⓓ GB JCB

fermé sam. midi et dim. midi – **Repas** *(118)* - 138/188 et carte 170 à 220 ♀, enf. 75.

◆ Ung et Li vous accueillent dans un cadre asiatique original : aquariums suspendus et sol en pâte de verre avec inclusions de sable. Cuisine sino-thaïlandaise.

XX **Pichet** BY 64

68 r. P. Charron ✆ 01 43 59 50 34, *Fax 01 42 89 68 91*

▤. AE ⓓ GB

fermé sam. sauf le soir de sept. à avril et dim. – **Repas** carte 290 à 530 ♀.

◆ Hommes politiques et vedettes du spectacle se retrouvent dans l'arrière-salle de cette pseudo-brasserie où poissons, coquillages et crustacés se taillent la part du lion.

XX **Bistro de l'Olivier** AZ 2

13 r. Quentin Bauchart ✆ 01 47 20 17 00, *Fax 01 47 20 17 04*

▤. GB JCB

fermé sam. midi et dim. – **Repas** (nombre de couverts limité, prévenir) *(140)* - 190 ♀.

◆ Carrés provençaux et vieilles affiches évoquant le Sud égayent la salle à manger très actuelle de ce restaurant situé près de l'avenue George-V. Cuisine méditerranéenne.

X **Cap Vernet** AY 37

82 av. Marceau ✆ 01 47 20 20 40, *savoy@calvacom.fr, Fax 01 47 20 95 36*

☂ – ▤. AE ⓓ GB JCB

Repas *(215)* - carte 250 à 330.

◆ Salle à manger "transatlantique" en bleu-blanc-chrome, parcourue de coursives et bastingages, et ambiance feutrée autour d'une cuisine tournée vers l'océan.

X **L'Appart'** BY 4

9 r. Colisée ✆ 01 53 75 16 34, *restapart@aolcom, Fax 01 53 76 15 39*

▤. AE GB JCB

Repas 185 et carte 220 à 310 ♀.

◆ Salon, bibliothèque ou cuisine ? Choisissez une des pièces de cet "appartement" reconstitué pour déguster une cuisine au goût du jour. Brunch dominical.

Spicy BY 18

8 av. Franklin Roosevelt ✆ 01 56 59 62 59, *restspicy@aolcom*, *Fax 01 56 59 62 50*

▤. AE GB JCB

Repas *(120 bc)* - 180 bc et carte 190 à 220, enf. 69.

◆ Cuisine aux quatre épices dans ce "comptoir" coloré et chaleureux évoquant davantage la Provence que la malle des Indes. Les "girls" donnent du piquant au service.

Saveurs et Salon DY 14

3 r. Castellane ✆ 01 40 06 97 97, *Fax 01 40 06 98 06*

▤. AE GB

fermé sam. et dim. – **Repas** *(105)* - 190 et carte 210 à 260 ♀.

◆ Minisalle au cadre contemporain ou coquet caveau en pierres apparentes au sous-sol : une ancienne boutique de prêt-à-porter élégamment transformée en restaurant.

Cô Ba Saigon BY 19

181 r. Fg St-Honoré ✆ 01 45 63 70 37, *Fax 01 45 70 94 74*

▤. AE GB

fermé 28 juil. au 19 août, 25 déc. au 1er janv. et dim. – **Repas** 80 (déj.)/130 et carte 140 à 170 ♀.

◆ La belle Cô Ba fut représentée sur un timbre-poste émis en Indochine coloniale. Intérieur en noir et rouge agrémenté de photos du pays et cuisine vietnamienne.

Zo CY 45

13 r. Montalivet ✆ 01 42 65 18 18, *restzo@club-internet.fr, Fax 01 42 65 10 91*

▤. AE GB

fermé sam. midi et dim. midi – **Repas** *(98)* - carte 190 à 240 ♀.

◆ Zoom sur ce Zo pour drôles de zèbres : décor entre le zist et le zest, carte zappant d'une cuisine à l'autre et clientèle de zouaves certainement pas zombies. Et zou !

Xu BZ 19

19 r. Bayard ✆ 01 47 20 82 24, *Fax 01 47 20 20 21*

▤. AE ⓓ GB

Repas carte 200 à 320

◆ Ce lieu singulier dont le nom vietnamen signifie printemps, est une des adresses "in" du moment. Étonnante décoration pop'art imaginée par le sculpteur Pira. Cuisine du monde.

Bistrot de Marius BZ 22

6 av. George V ✆ 01 40 70 11 76

☂ – AE ⓓ GB

Repas carte 210 à 310 ♀.

◆ Cette sympathique "annexe" de "Marius et Janette" offre un cadre provençal vivement coloré. Petites tables serrées, dressées simplement. Cuisine de la mer.

Rocher Gourmand CX 7

89 r. Rocher ✆ 01 40 08 00 36, *Fax 01 40 08 05 29*

GB

fermé 29 juil. au 26 août, sam. midi et dim. – **Repas** *(145)* - 180/270.

◆ Rendez-vous des gourmands de la rue du Rocher, ce sympathique petit restaurant au cadre pimpant propose une cuisine au goût du jour relevée de mille épices.

Daru
BX 2

19 r. Daru 01 42 27 23 60, *Fax 01 47 54 08 14*

AE GB

fermé août, dim. et fériés – **Repas** 130/170 et carte 170 à 230

◆ Fondée en 1918, la maison Daru fut la première épicerie russe de Paris. Elle continue de régaler ses hôtes de zakouskis, blinis et caviars, dans un décor rouge et noir.

Ferme des Mathurins
DY 5

17 r. Vignon 01 42 66 46 39, *Fax 01 42 66 00 27*

GB JCB

fermé août, dim. et fériés – **Repas** 170/230 et carte 290 à 320 ♀.

◆ Une atmosphère très "vieille France"... à côté de la Madeleine. L'avant-salle, avec son antique zinc, est réservée aux non-fumeurs. Plats "bistrotiers" fleurant bon le terroir.

Maline
BY 14

40 r. Ponthieu 01 45 63 14 14

GB

fermé sam. et dim. – **Repas** *(150)* - 175 ♀

◆ L'enseigne rend hommage à un poème de Rimbaud chanté par Léo Ferré. Deux petites salles toutes blanches, avec sièges en fer forgé. Cuisine classique.

Version Sud
BY 24

3 r. Berryer 01 40 76 01 40, *Fax 01 40 76 03 96*

AE GB JCB

fermé 5 au 19 août, sam. midi et dim. – **Repas** (prévenir) carte 230 à 300 ♀.

◆ Le patio sous une verrière, la "bodega" andalouse ou l'intérieur mauresque : trois atmosphères ensoleillées pour une cuisine venue du bassin méditerranéen.

Café Indigo
BZ 36

12 av. George V 01 47 20 89 56, *Fax 01 47 20 76 16*

AE GB

Repas carte 210 à 330.

◆ Près du Lido, un café-restaurant jeune et actuel, mariant boiseries sombres et coloris vifs. Courte carte façon "bistrot" et propositions du jour sur ardoise.

Boucoléon
CX 19

10 r. Constantinople 01 42 93 73 33, *jeremy.claval@fnac.net, Fax 01 42 93 17 44*

GB

fermé 28 juil. au 19 août, sam. et dim. – **Repas** (nombre de couverts limité, prévenir) carte 140 à 180 ♀.

◆ Ce plaisant petit bistrot de quartier connaît un franc succès grâce à une cuisine du marché bien troussée et à prix doux. C'est l'ardoise qui annonce les festivités.

Shin Jung
DX 13

7 r. Clapeyron 01 45 22 21 06

fermé sam. midi, dim. midi et fériés – **Repas** *(74)* - 124/190 et carte 130 à 210

◆ Salle de restaurant un rien zen, dont les murs sont agrémentés de calligraphies. Cuisine sud-coréenne et spécialités de poissons crus. Accueil sympathique.

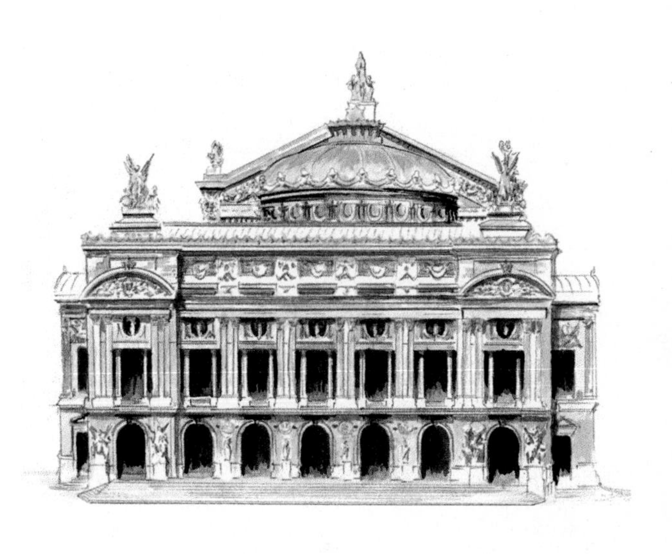

Opéra - Grands Boulevards
Gare de l'Est - Gare du Nord
République - Pigalle

9e et 10e arrondissements

9e : ✉ 75009 - 10e : ✉ 75010

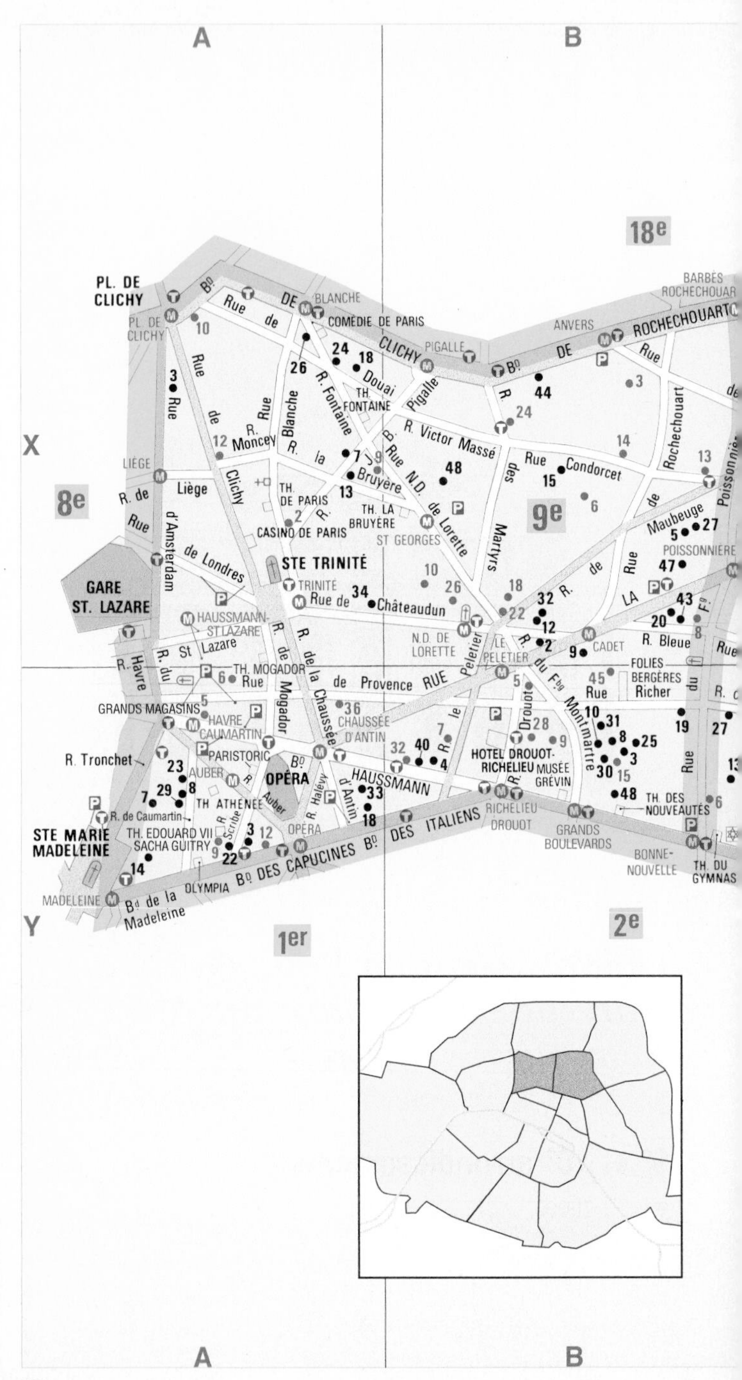
A
B
18e
PL. DE CLICHY
BLANCHE
COMÉDIE DE PARIS
CLICHY
PIGALLE
ANVERS
ROCHECHOUART
BARBÈS ROCHECHOUART
Rue de Douai
R. Fontaine
TH. FONTAINE
Pigalle
R. Victor Massé
Rue Condorcet
Rue des Martyrs
Rue Rochechouart
Rue Blanche
Rue de Clichy
R. Moncey
R. la Bruyère
R. N.D. de Lorette
X
8e
9e
LIÈGE
R. de Liège
Rue d'Amsterdam
Rue de Londres
TH. DE PARIS
TH. LA BRUYÈRE
CASINO DE PARIS
ST GEORGES
STE TRINITÉ
TRINITÉ
Rue de Châteaudun
GARE ST. LAZARE
HAUSSMANN-ST LAZARE
R. St Lazare
R. du Havre
TH. MOGADOR
Rue de Provence
R. de Mogador
R. de la Chaussée d'Antin
N.D. DE LORETTE
LE PELETIER
R. le Peletier
CADET
R. Bleue
R. du Fbg Montmartre
FOLIES BERGÈRES
Rue Richer
Maubeuge
POISSONNIÈRE
R. de LA Fg
GRANDS MAGASINS
HAVRE CAUMARTIN
CHAUSSÉE D'ANTIN
PARISTORIC
R. Tronchet
AUBER
OPÉRA
TH ATHÉNÉE
R. Halévy
HAUSSMANN
HOTEL DROUOT-RICHELIEU
MUSÉE GRÉVIN
R. Drouot
TH. DES NOUVEAUTÉS
R. de Caumartin
STE MARIE MADELEINE
TH. EDOUARD VII SACHA GUITRY
R. Scribe
Bd DES ITALIENS
RICHELIEU DROUOT
GRANDS BOULEVARDS
BONNE-NOUVELLE
TH. DU GYMNAS
Bd DES CAPUCINES
OLYMPIA
MADELEINE
Bd de la Madeleine
Y
1er
2e

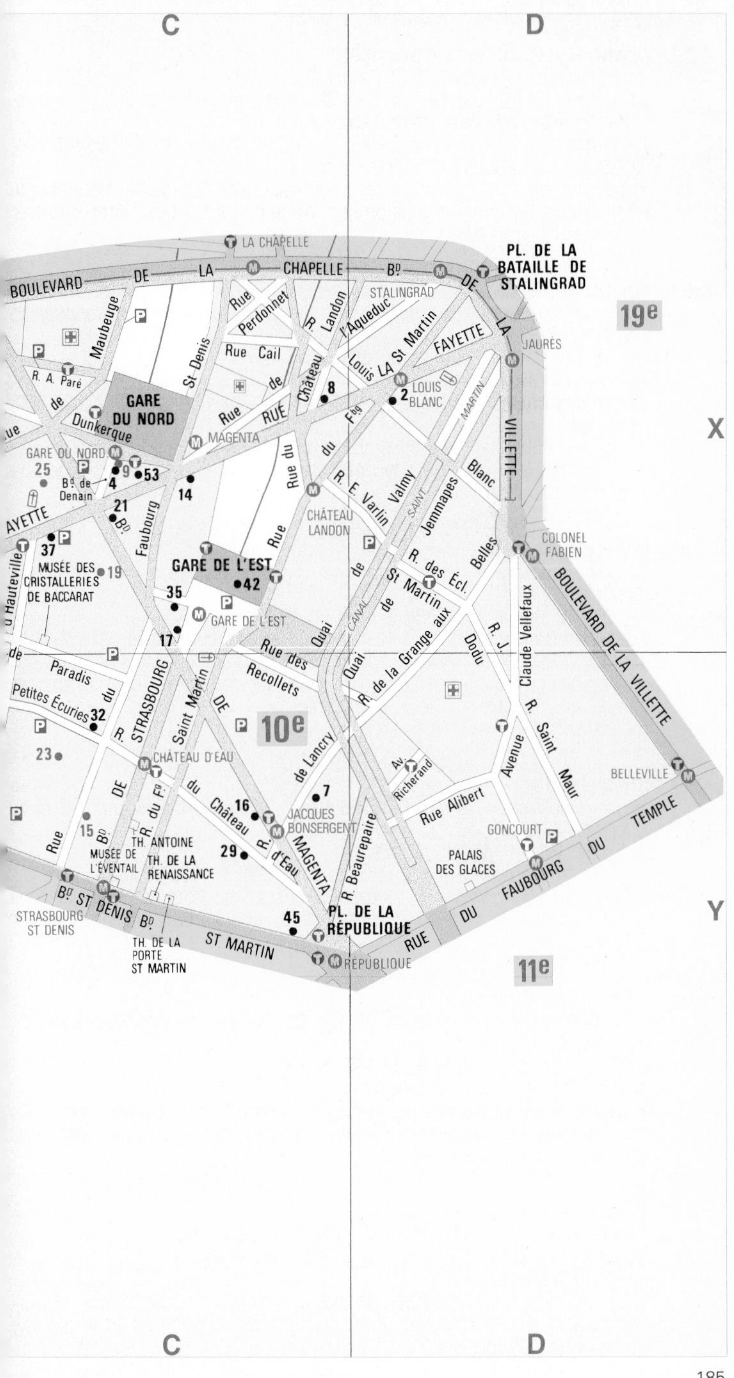

C
D
LA CHAPELLE
BOULEVARD DE LA CHAPELLE
Bd DE LA
PL. DE LA BATAILLE DE STALINGRAD
STALINGRAD
19e
JAURÈS
Maubeuge
Rue Perdonnet
R. Landon
l'Aqueduc
Rue Cail
Rue de Château
Louis LA St Martin
FAYETTE
LOUIS BLANC
R. A. Paré
GARE DU NORD
St Denis
8
2
de Dunkerque
Rue RUE
MAGENTA
du Fbg
MARTIN
VILLETTE
X
GARE DU NORD
25
Bd de Denain
4
9
53
14
Rue du
Blanc
R. E. Varlin
Valmy
SAINT
Jemmapes
AYETTE
21
Bd
Faubourg
CHÂTEAU LANDON
Rue
37
MUSÉE DES CRISTALLERIES DE BACCARAT
19
GARE DE L'EST
42
de
Belles
COLONEL FABIEN
R. des Écl.
St Martin
35
GARE DE L'EST
CANAL
Quai
de
BOULEVARD DE LA VILLETTE
Hauteville
17
Rue des Recollets
R. de la Grange aux
Dodu
R. J.
Claude Vellefaux
Paradis
Petites Écuries
du
32
STRASBOURG
Saint Martin
DE
10e
Quai
23
R.
CHÂTEAU D'EAU
de Lancry
R. Saint Maur
Avenue
Av. Richerand
BELLEVILLE
DE
R. du Fg
du Château
16
7
JACQUES BONSERGENT
Rue Alibert
15
Bd
Rue
TH. ANTOINE
R. d'Eau
MAGENTA
R. Beaurepaire
GONCOURT
TEMPLE
DU
MUSÉE DE L'ÉVENTAIL
TH. DE LA RENAISSANCE
29
PALAIS DES GLACES
FAUBOURG
Bd ST DENIS
Bd
45
PL. DE LA RÉPUBLIQUE
DU
Y
STRASBOURG ST DENIS
ST MARTIN
RUE
TH. DE LA PORTE ST MARTIN
RÉPUBLIQUE
11e
C
D

Grand Hôtel Inter-Continental AY 3

2 r. Scribe (9e) 01 40 07 32 32, *Fax 01 40 07 33 86*
– 300. AE GB. rest
voir rest. ***Brasserie Café de la Paix*** ci-après
La Verrière (déj. seul.) *(fermé août, vacances de Noël et sam.)* **Repas** 200/275 – 85 – **492 ch** 3411/4002, 22 appart.
♦ Décor hérité du Second Empire, prestigieux salon Opéra et verrière unique en son genre perpétuent la renommée de ce palace baptisé "hôtel monstre" à son ouverture en 1855.

Scribe AY 22

1 r. Scribe (9e) 01 44 71 24 24, *scribe.reservation@wanadoo.fr, Fax 01 42 65 39 97*
M – – 50. AE GB JCB
voir rest. ***Les Muses*** ci-après
Jardin des Muses : **Repas** *(130)*-160, enf. 80 – 110 – **206 ch** 2700/3600, 11 appart.
♦ Cet immeuble haussmannien abrite un hôtel apprécié pour son luxe discret. En 1895, le public y découvrait en première mondiale le cinématographe des Frères Lumière.

Millennium Opéra BY 4

12 bd Haussmann (9e) 01 49 49 16 00, *opera@mill-cop.com, Fax 01 49 49 17 00*
M, – , ch, – 80. AE GB JCB
Brasserie Haussmann 01 49 49 16 64 **Repas** *(130)*- et carte 250 à 300 – 150 – **150 ch** 2800/4300, 13 appart.
♦ Cet hôtel de 1927 n'a rien perdu de son lustre des années folles. Chambres garnies de meubles Art déco et décorées avec un goût sûr. Équipements modernes.

Ambassador BY 40

16 bd Haussmann (9e) 01 44 83 40 40, *ambass@concorde-hotels.com, Fax 01 42 46 20 83*
– 110. AE GB
voir rest. ***16 Haussmann*** ci-après – 145 – **294 ch** 1900/2800, 4 appart.
♦ Panneaux de bois peint, lustres en cristal, meubles et objets anciens décorent cet élégant hôtel des années 1920. Les chambres offrent espace et confort.

Villa Opéra Drouot BY 8

2 r. Geoffroy Marie (9e) 01 48 00 08 08, *drouot@hotelsparis.fr, Fax 01 48 00 80 60*
M sans rest – . AE GB JCB
125 – **27 ch** 1600/2100, 3 duplex.
♦ Laissez-vous surprendre par le subtil mélange d'un décor baroque et du confort "dernière tendance" en ces chambres agrémentées de tentures, velours, soieries et boiseries.

Terminus Nord CX 4

12 bd Denain (10e) 01 42 80 20 00, *Fax 01 42 80 63 89*
M sans rest – – 70. AE GB JCB
82 – **236 ch** 1100/1165.
♦ Rénové depuis peu, cet hôtel de 1865 a retrouvé son éclat d'antan. Vitraux Art nouveau, décor "british" et atmosphère "cosy" lui donnent un air de belle demeure victorienne.

Holiday Inn Paris Opéra BY 13
38 r. Échiquier (10e) ☎ 01 42 46 92 75, *information@hi-parisopera.com*, *Fax 01 42 47 03 97*
– 60. AE GB JCB
Repas 195 bc, enf. 60 – 110 – **92 ch** 1490/1790.
◆ Grandes chambres sobres, meublées dans le style Art nouveau. Boiseries, verrières colorées et fresques égayent les salles à manger.

Pavillon de Paris AX 3
7 r. Parme (9th) ☎ 01 55 31 60 00, *mail@pavillondeparis.com*, *Fax 01 55 31 60 01*
M sans rest – TV . AE GB
90 – **30 ch** 1300/1600.
◆ Décor contemporain d'esprit "zen" et technologie de pointe (accès à Internet par la TV, fax et boîte vocale) caractérisent les chambres de cet hôtel sobrement luxueux.

Lafayette BX 2
49 r. Lafayette (9e) ☎ 01 42 85 05 44, *h2802-gm@accor-hotels.com*, *Fax 01 49 95 06 60*
M sans rest – cuisinette TV . AE GB JCB
82 – **96 ch** 1075/1140, 7 appart.
◆ Élégance du beige et du bois dans le hall, esprit "rustique 18e s." dans les chambres tendues de toile de Jouy, cadre de jardin d'hiver pour les petits-déjeuners.

St-Pétersbourg AY 23
33 r. Caumartin (9e) ☎ 01 42 66 60 38, *hotel.st-petersbourg@wanadoo.fr*, *Fax 01 42 66 53 54*
TV – 25. AE GB JCB. rest
Relais ☎ 01 42 66 85 90 *(fermé août, sam. et dim.)* **Repas** *(98)*-148 et carte 210 à 260 – 70 – **100 ch** 1010/1280.
◆ Les chambres, meublées dans le style Louis XVI, sont souvent spacieuses et orientées côté cour. Salon assez cossu, éclairé par une verrière colorée.

Astra AY 29
29 r. Caumartin (9e) ☎ 01 42 66 15 15, *Fax 01 42 66 98 05*
sans rest – TV . AE GB JCB.
120 – **82 ch** 1690/1990.
◆ Immeuble haussmannien abritant des chambres assez amples et confortables. Le joli salon sous verrière reçoit régulièrement des expositions d'art contemporain.

Richmond Opéra AY 33
11 r. Helder (9e) ☎ 01 47 70 53 20, *paris@richmond-hotel.com*, *Fax 01 48 00 02 10*
sans rest – TV . AE GB JCB.
60 – **59 ch** 860/990.
◆ Les chambres, spacieuses et élégantes, donnent presque toutes sur la cour. Le salon est bourgeoisement décoré dans le style Empire.

Carlton's Hôtel BX 44
55 bd Rochechouart (9e) ☎ 01 42 81 91 00, *carltonsclub-internet.fr*, *Fax 01 42 81 97 04*
sans rest – TV . AE GB JCB
55 – **108 ch** 800/850.
◆ Le point fort de cet établissement est sa position dominante offrant un panorama sur tout Paris. Chambres confortables, bien insonorisées côté boulevard.

Albert 1er CX 14
162 r. Lafayette (10e) ✆ 01 40 36 82 40, *Fax 01 40 35 72 52*
M sans rest – AE GB JCB
55 – **55 ch** 540/780.
◆ Hôtel dont les chambres, modernes et bien aménagées, sont équipées d'un double vitrage et bénéficient d'efforts constants de rénovation. Atmosphère conviviale.

Opéra Cadet BX 9
24 r. Cadet (9e) ✆ 01 53 34 50 50, *infos@hotel-opera-cadet.fr, Fax 01 53 34 50 60*
M sans rest – – 50. AE GB JCB
70 – **85 ch** 890/960, 3 appart.
◆ Laissez votre voiture dans le garage, installez-vous dans cet hôtel contemporain et vivez la capitale à pied. Pour plus de tranquillité, préférez les chambres côté jardin.

Bergère Opéra BY 30
34 r. Bergère (9e) ✆ 01 47 70 34 34, *hotel.bergere@astotel.com, Fax 01 47 70 36 36*
sans rest – – 40. AE GB JCB.
90 – **134 ch** 1090/1190.
◆ Immeuble du 19e s. doté depuis peu d'un ascenseur panoramique. Les chambres, rénovées par étapes, adoptent un décor plaisant ; certaines donnent sur une cour-jardin.

Franklin BX 12
19 r. Buffault (9e) ✆ 01 42 80 27 27, *Fax 01 48 78 13 04*
sans rest – AE GB JCB
82 – **68 ch** 918/1235.
◆ Dans une rue paisible, chambres garnies d'un élégant mobilier inspiré des campagnes militaires de l'époque napoléonienne. Insolite trompe-l'oeil naïf à l'accueil.

Caumartin AY 8
27 r. Caumartin (9e) ✆ 01 47 42 95 95, *h2811@accor-hotels.com, Fax 01 47 42 88 19*
sans rest – AE GB JCB
82 – **40 ch** 1075/1275.
◆ Chambres contemporaines meublées en bois blond et joliment décorées. Agréable salle des petits-déjeuners ornée de peintures hautes en couleur.

Grand Hôtel Haussmann AY 18
6 r. Helder (9e) ✆ 01 48 24 76 10, *ghh@club-internet.fr, Fax 01 48 00 97 18*
sans rest – AE GB JCB.
55 – **59 ch** 730/930.
◆ Cette façade discrète dissimule un hôtel au décor chaleureux. Les chambres, de tailles variées, douillettes et personnalisées, donnent presque toutes sur l'arrière.

Blanche Fontaine AX 24
34 r. Fontaine (9e) ✆ 01 44 63 54 95, *Fax 01 42 81 05 52*
sans rest – AE GB JCB.
95 – **62 ch** 990/1290, 4 appart.
◆ À l'écart de l'animation citadine, hôtel dont les chambres, spacieuses, sont régulièrement rafraîchies. Agréable salle des petits-déjeuners.

Anjou-Lafayette BX 43
4 r. Riboutté (9e) ✆ 01 42 46 83 44, *hotel.anjou.lafayette@wanadoo.fr*, *Fax 01 48 00 08 97*
sans rest – TV. AE GB JCB
55 – **39 ch** 550/750.
◆ Près du verdoyant square Montholon orné de grilles du Second Empire, chambres de bon confort, meublées dans le goût des années 1980, bien tenues et insonorisées.

Touraine Opéra AX 34
73 r. Taitbout (9e) ✆ 01 48 74 50 49, *Fax 01 42 81 26 09*
sans rest – TV. AE GB JCB
82 – **39 ch** 970/1280.
◆ Chambres élégantes aux tons ocre et vert pastel, décorées de gravures du Paris d'hier et garnies de meubles en bois cérusé. Petits-déjeuners servis dans une cave voûtée.

Paris-Est CX 42
4 r. 8 Mai 1945 (cour d'Honneur gare de l'Est)(10e) ✆ 01 44 89 27 00, *hotel-parisest@autogrill.fr*, *Fax 01 44 89 27 49*
sans rest – TV. AE GB
55 – **45 ch** 555/1080.
◆ Bien que jouxtant la gare, cet établissement propose des chambres calmes, car tournées vers une arrière-cour ; elles sont anciennes, mais vont être rénovées.

Français CX 35
13 r. 8-Mai 1945 (10e) ✆ 01 40 35 94 14, *hotelfrancais@wanadoo.fr*, *Fax 01 40 35 55 40*
sans rest – TV – 20. AE GB JCB
45 – **71 ch** 460/505.
◆ Hôtel disposant de chambres très bien équipées et peu à peu remises à neuf, plus spacieuses en façade, mais plus tranquilles à l'arrière.

Moulin AX 26
39 r. Fontaine (9e) ✆ 01 42 81 93 25, *h2765-gm@accor-hotels.com*, *Fax 01 40 16 09 90*
M sans rest – TV. AE GB JCB
82 – **52 ch** 920/990.
◆ À deux pas du Moulin-Rouge, chaleureux établissement où règne une atmosphère un tantinet "british". Coquettes chambres soignées, lumineuses côté rue, calmes côté cour.

Trois Poussins BX 48
15 r. Clauzel (9e) ✆ 01 53 32 81 81, *h3p@les3poussins.com*, *Fax 01 53 32 81 82*
M sans rest – cuisinette TV. AE GB JCB.
60 – **40 ch** 750/1250.
◆ Élégantes chambres offrant plusieurs niveaux de confort. Vue sur Paris depuis les derniers étages. Salle des petits-déjeuners joliment voûtée. Petite cour-terrasse.

Celte La Fayette BX 32
25 r. Buffault (9e) ✆ 01 49 95 09 49, *inforesa@hotel-celte-lafayette.com*, *Fax 01 49 95 01 88*
sans rest – TV. AE GB JCB
60 – **50 ch** 650/850.
◆ Dans une rue calme, au coeur du quartier des banques et des assurances. Les chambres, régulièrement rénovées, sobres et modernes, donnent presque toutes sur une cour.

Printania CY 29
19 r. Château d'Eau (10e) 01 42 01 84 20, *printania@hotelprintania.fr, Fax 01 42 39 55 12*
sans rest – TV. AE GB JCB.
50 – **51 ch** 610/740.
◆ Hôtel situé dans une rue commerçante. La plupart des chambres, pas très grandes mais confortables, s'ouvrent sur un patio ; quelques terrasses au dernier étage.

République Les Halles CY 16
9 r. Pierre Chausson (10e) 01 40 18 11 00, *republique@hotelsparis.fr, Fax 01 40 18 11 06*
sans rest – TV. AE GB JCB
60 – **58 ch** 950/1100.
◆ Au gré de vos envies, choisissez les chambres de style Art déco ou celles offrant une ambiance romantique ; presque toutes donnent sur une arrière-cour.

Monterosa AX 13
30 r. La Bruyère (9e) 01 48 74 87 90, *Fax 01 42 81 01 12*
M sans rest – TV. AE GB
40 – **36 ch** 470/670.
◆ Dans une rue paisible de la Nouvelle Athènes, chambres de différentes tailles, fonctionnelles et bien insonorisées. Décoration simple, mais ensemble bien tenu.

Mercure Monty BY 3
5 r. Montyon (9e) 01 47 70 26 10, *Fax 01 42 46 55 10*
sans rest – TV – 50. AE GB JCB
68 – **70 ch** 950/990.
◆ Belle façade des années 1930, cadre Art déco à l'accueil et équipements standard de la chaîne caractérisent ce Mercure situé dans la perspective des Folies Bergère.

Pré BX 47
10 r. P. Sémard (9e) 01 42 81 37 11, *Fax 01 40 23 98 28*
sans rest – TV. AE GB
60 – **40 ch** 495/650.
◆ Chambres modernes joliment colorées, salon garni de canapés Chesterfield, salle des petits-déjeuners et bar de style bistrot.

Résidence du Pré BX 27
15 r. P. Sémard (9e) 01 48 78 26 72, *Fax 01 42 80 64 83*
sans rest – TV. AE GB JCB
50 – **40 ch** 445/530.
◆ Non loin de son frère jumeau, cet hôtel propose des chambres de même confort que celui-ci. Salon, salle des petits-déjeuners et coin bar au cadre contemporain.

Sudotel Grands Boulevards BY 27
42 r. Petites-Écuries (10e) 01 42 46 91 86, *info@sudotel.com, Fax 01 40 22 90 85*
sans rest – TV. AE GB JCB
60 – **49 ch** 620/960.
◆ Comme l'indique l'enseigne, les Grands Boulevards sont proches, mais la plupart des chambres donnent sur une cour. Joli mobilier et tonalités harmonieuses.

Gotty BY 25
11 r. Trévise (9e) ✆ 01 47 70 12 90, *hotelgotty@hotelgottyopera.fr*, *Fax 01 47 70 21 26*
sans rest – |‡| TV ✆. AE ⓓ GB JCB
☕ 45 – **44 ch** 650/750.
♦ Chambres de style rustique, insonorisées ; quelques-unes sont tournées côté cour. Tons chauds et poutres dans la salle des petits-déjeuners.

Acadia BY 31
4 r. Geoffroy Marie (9e) ✆ 01 40 22 99 99, *astotel@astotel.com*, *Fax 01 40 22 01 82*
M sans rest – |‡| ▤ TV ✆ ♿. AE ⓓ GB JCB. ✗
☕ 90 – **36 ch** 990/1190.
♦ Dans un quartier animé - de nuit comme de jour - ce petit immeuble abrite des chambres bien équipées et bénéficiant d'un double vitrage. Tenue sans reproche.

Axel BY 10
15 r. Montyon (9e) ✆ 01 47 70 92 70, *h2954-gn@accor-hotels.com*, *Fax 01 47 70 43 37*
sans rest – |‡| ⇆ ▤ TV. AE ⓓ GB JCB
☕ 60 – **38 ch** 820/950.
♦ Dans cet hôtel situé au coeur d'un quartier très animé le soir, demandez l'une des nombreuses chambres donnant côté cour. Aménagements fonctionnels.

Paix République CY 45
2 bis bd St-Martin (10e) ✆ 01 42 08 96 95, *hotelpaix@wanadoo.fr*, *Fax 01 42 06 36 30*
sans rest – |‡| TV. AE ⓓ GB JCB. ✗
☕ 45 – **45 ch** 690/1290.
♦ Plus calmes côté rue que côté boulevard, chambres aux tons pastel garnies de meubles rustiques ou en bois stratifié. Profonds sièges en cuir dans le coin salon.

Trinité Plaza AX 7
41 r. Pigalle (9e) ✆ 01 42 85 57 00, *trinite.plaza@wanadoo.fr*, *Fax 01 45 26 41 20*
sans rest – |‡| TV ✆. AE ⓓ GB JCB
☕ 30 – **42 ch** 670/760.
♦ À l'angle d'une impasse et de la rue Pigalle. Les chambres, insonorisées mais déjà anciennes, devraient prochainement bénéficier d'une rénovation.

Corona BY 48
8 cité Bergère (9e) ✆ 01 47 70 52 96, *hotelcoronaopera@regetel.com*, *Fax 01 42 46 83 49*
🐎 sans rest – |‡| TV ✆ ♿. AE ⓓ GB JCB
☕ 50 – **56 ch** 740/1250, 4 appart.
♦ Dans un calme et pittoresque passage, petit immeuble à la façade ornée d'une élégante marquise. Chambres dotées d'un mobilier en loupe d'orme. Accueillant salon.

Montréal AY 7
23 r. Godot-de-Mauroy (9e) ✆ 01 42 65 99 54, *hmontreal@magic.fr.*, *Fax 01 49 24 07 33*
sans rest – |‡| ⇆ TV ✆. AE ⓓ GB JCB. ✗
☕ 40 – **12 ch** 640/690, 6 appart.
♦ Bien situé entre Madeleine et Opéra, établissement progressivement rénové, dont les chambres sont meublées et décorées avec soin. Isolation phonique correcte.

Alba BX **15**
34 ter r. La Tour d'Auvergne (9e) ✆ 01 48 78 80 22, *Fax 01 42 85 23 13*
sans rest – cuisinette TV. AE GB JCB.
45 – **24 ch** 650/1500.
◆ Au fond d'une impasse, hôtel où vécut, dans les années 1930, le trompettiste L. Armstrong. Chambres offrant plusieurs niveaux de confort.

Peyris BY **19**
10 r. Conservatoire (9e) ✆ 01 47 70 50 83, *peyris@club-internet.fr, Fax 01 40 22 95 91*
TV. AE GB JCB. rest
Repas *(fermé 1er au 20 août, sam. midi et dim.)* 95/155 – 50 – **50 ch** 600/700.
◆ Les chambres se dotent peu à peu d'aménagements fonctionnels et de décors aux tons jaune et bleu Salon garni d'un mobilier Napoléon III. Accueil aimable.

Comfort Gare du Nord CX **53**
33 r. St-Quentin (10e) ✆ 01 48 78 02 92, *hgn-nordotel@wanadoo.fr, Fax 01 45 26 88 31*
sans rest – TV. AE GB.
60 – **47 ch** 550/750.
◆ Établissement proposant des chambres meublées simplement mais spacieuses, très bien tenues et insonorisées. Agréables salles de bains. Coquette salle des petits-déjeuners.

Amiral Duperré AX **18**
32 r. Duperré (9e) ✆ 01 42 81 55 33, *h2765-GH@accor-hotels.com, Fax 01 44 63 04 73*
M sans rest – TV. AE GB JCB
50 – **52 ch** 615/685.
◆ Batailles navales peintes en trompe-l'oeil et reproductions de gravures marines dans le hall. Mobilier de style Art déco dans des chambres pas très grandes.

Riboutté-Lafayette BX **20**
5 r. Riboutté (9e) ✆ 01 47 70 62 36, *Fax 01 48 00 91 50*
sans rest – TV. AE GB JCB
35 – **24 ch** 490.
◆ Il règne une atmosphère provinciale dans ces salons décorés de bibelots, de plantes vertes et de fleurs. Chambres simples, agrémentées de meubles chinés dans les brocantes.

Relais du Pré BX **5**
16 r. P. Sémard (9e) ✆ 01 42 85 19 59, *relaisdupre@wanadoo.fr, Fax 01 42 85 70 59*
sans rest – TV. AE GB
50 – **34 ch** 465/560.
◆ Proche de ses deux grands frères, cet hôtel propose les mêmes chambres - modernes et pimpantes - que ses aînés. Bar et salon contemporains, assez "cosy".

Ibis Gare de l'Est CX **8**
197 r. Lafayette (10e) ✆ 01 44 65 70 00, *Fax 01 44 65 70 07*
M – , ch, TV . AE GB. rest
Repas carte environ 150 – 39 – **165 ch** 445/495.
◆ Espace et équipements modernes sont les atouts de cet Ibis. Les chambres du dernier étage, côté rue, offrent une vue sur le Sacré-Coeur. À table, plats alsaciens.

Aulivia Opéra CY **32**
4 r. Petites Écuries (10th) ✆ 01 45 23 88 88, *hotel.aulivia@astotel.com, Fax 01 45 23 88 89*
sans rest – |♦| ▤ TV ✆. AE ⓓ GB JCB. ✂
☕ 60 – **31 ch** 690/990.
◆ Chambres fonctionnelles, bien équipées et toutes identiques dans un quartier animé fleurant bon les épices ; préférez celles sur l'arrière, plus au calme.

Strasbourg-Mulhouse CX **17**
87 bd Strasbourg (10e) ✆ 01 42 09 12 28, *h2754-gm@accor-hotels.com, Fax 01 42 09 48 12*
sans rest – |♦| ⇆ TV. AE ⓓ GB JCB. ✂
☕ 50 – **31 ch** 700/800.
◆ Cet hôtel joliment meublé offre peu d'espace, mais bénéficie d'agencements astucieux. Les chambres, à l'atmosphère "cosy", sont plus calmes sur l'arrière.

Ibis Lafayette CX **37**
122 r. Lafayette (10e) ✆ 01 45 23 27 27, *Fax 01 42 46 73 79*
sans rest – |♦| ⇆ ▤ TV ✆ ♿. AE ⓓ GB
☕ 39 – **70 ch** 480/530.
◆ Établissement où vous séjournerez dans des chambres équipées de meubles standard et correctement insonorisées ; les plus plaisantes ouvrent sur un petit jardin.

Campanile Gare du Nord DX **2**
232 r. Fg St-Martin (10e) ✆ 01 40 34 38 38, *Fax 01 40 34 38 50*
sans rest – |♦| ⇆ TV ✆. AE ⓓ GB
☕ 39 – **91 ch** 495.
◆ Immeuble moderne abritant des chambres fonctionnelles pourvues d'un double vitrage. Cour verdoyante où l'on sert les petits-déjeuners à la belle saison. Agréable coin bar.

Suède CX **21**
106 bd Magenta (10e) ✆ 01 40 36 10 12, *h2754-gm@accor-hotels.com, Fax 01 40 36 11 98*
sans rest – |♦| ⇆ TV ✆. AE ⓓ GB JCB. ✂
☕ 50 – **51 ch** 700/800.
◆ Sur un boulevard à forte circulation, hôtel dont les petites chambres aux tons pastel, égayées d'un mobilier peint, sont correctement insonorisées.

Capucines AY **14**
6 r. Godot de Mauroy (9e) ✆ 01 47 42 25 05, *capucines@pariscityhotel.com, Fax 01 42 68 05 05*
sans rest – |♦| TV. AE ⓓ GB. ✂
☕ 40 – **45 ch** 610/735.
◆ Ambiance Art déco dans le hall. Chambres joliment colorées, offrant différents niveaux de confort ; la moitié d'entre elles donnent sur une cour. Accueil aimable.

Gilden Magenta CY **7**
35 r. Yves Toudic (10e) ✆ 01 42 40 17 72, *hotel.gilden.magenta@multi-micro.com, Fax 01 42 02 59 66*
sans rest – |♦| TV. AE ⓓ GB
☕ 40 – **32 ch** 345/420.
◆ À deux pas, l'Hôtel du Nord veille toujours sur le canal-St-Martin. Chambres simples et bien tenues ; certaines ouvrent de plain-pied sur un patio. Accueil chaleureux.

XXXX **Les Muses** - Hôtel Scribe AY 22
✿ 1 r. Scribe (9e) ✆ 01 44 71 24 26, *Fax 01 44 71 24 64*
▤. AE ⓓ GB JCB
fermé août, sam. et dim. – **Repas** 270/350 et carte 330 à 390 ♀.
◆ Au sous-sol de l'hôtel, salle de restaurant agrémentée d'une fresque et de quelques toiles évoquant le quartier de l'Opéra au 19e s. Séduisante table traditionnelle.
Spéc. Gelée d'étrilles et crémeux de tourteau. Gibier (saison). Feuilleté aux amandes à la crème pralinée.

XXX **Table d'Anvers** (Conticini) BX 3
✿ 2 pl. d'Anvers (9e) ✆ 01 48 78 35 21, *conticini@latabled'anvers.fr, Fax 01 45 26 66 67*
▤. AE GB JCB
fermé sam. midi et dim. – **Repas** 270 (déj.)/350 (dîner)et carte 630 à 770 ♀.
◆ À quelques volées d'escalier du Sacré-Coeur, ce restaurant contemporain propose une cuisine inventive dans un décor égayé de boiseries claires et de toiles modernes.
Spéc. Salade de langoustines en nage, piment et avocat. Filet de veau dans une crème de girolles. Khéops au caramel.

XXX **Charlot "Roi des Coquillages"** AX 10
12 pl. Clichy (9e) ✆ 01 53 20 48 00, *charlot-paris.com, Fax 01 53 20 48 09*
▤. AE ⓓ GB
Repas *(148)* - 178 (sauf dim.)et carte 250 à 440 ♀.
◆ Une pléiade de célébrités ont laissé un souvenir de leur visite à ce restaurant dont la salle à manger d'inspiration Art déco surplombe la place Clichy. Produits de la mer.

XX **Au Chateaubriant** CX 19
23 r. Chabrol (10e) ✆ 01 48 24 58 94, *Fax 01 42 47 09 75*
▤. AE GB JCB
fermé août, dim. et lundi – **Repas** *(135)* - 165 ♀.
◆ Ambiance feutrée, tables joliment dressées, collection de tableaux contemporains et cuisine d'inspiration italienne font la personnalité de ce restaurant.

XX **16 Haussmann** - Hôtel Ambassador BY 32
16 bd Haussmann (9e) ✆ 01 44 83 40 40, *Fax 01 42 46 19 84*
▤. AE ⓓ GB
fermé dim. – **Repas** *(175)* - 220/290 ♀.
◆ Bleu "parisien", jaune doré, bois blond-roux, sièges rouges signés Starck et larges baies vitrées donnant sur le boulevard, dont l'animation fait partie du décor.

XX **Au Petit Riche** BY 7
25 r. Le Peletier (9e) ✆ 01 47 70 68 68, *Fax 01 48 24 10 79*
▤. AE ⓓ GB JCB
fermé dim. – **Repas** 140 (déj.), 165/180 et carte 180 à 250 ♀.
◆ Gracieux salons-salles à manger de la fin du 19e s., agrémentés de miroirs et chapelières. Peut-être serez-vous assis à la place favorite de Chevalier ou de Mistinguett ?

XX **Brasserie Café de la Paix** - Grand Hôtel Inter-Continental AY 12
12 bd Capucines (9e) ✆ 01 40 07 30 20, *Fax 01 40 07 33 86*
▤. AE ⓓ GB
Repas 188 et carte 270 à 360 ♀, enf. 95.
◆ À l'extérieur, la trépidation du quartier de l'Opéra. À l'intérieur, l'intimité de ravissants salons vert et or évoquant le Grand Trianon. Savoureuse cuisine de brasserie.

XX **Bistrot Papillon** BX 8

6 r. Papillon (9e) ✆ 01 47 70 90 03, *Fax 01 48 24 05 59*

▤. AE ⓓ GB JCB

fermé 4 au 26 août, 14 au 22 avril, sam. sauf le soir d'oct. à avril et dim. – **Repas** 160 et carte 230 à 290 ♀.

◆ Il règne une atmosphère provinciale dans ce restaurant aux murs habillés de boiseries ou tendus de tissu. Carte classique complétée de plats choisis selon le marché.

XX **Julien** CY 15

16 r. Fg St-Denis (10e) ✆ 01 47 70 12 06, *Fax 01 42 47 00 65*

▤. AE ⓓ GB

Repas 189 bc et carte 200 à 250.

◆ Cet ancien "bouillon" datant de 1903 présente un éblouissant décor Art nouveau associant courbes, contre-courbes, motifs floraux et figures allégoriques en pâte de verre.

XX **Grand Café** AY 4

4 bd Capucines (9e) ✆ 01 43 12 19 00, *Fax 01 43 12 19 09*

(ouvert jour et nuit) – ▤. AE ⓓ GB

Repas 178 et carte 190 à 360 ♀.

◆ L'héritier du Grand Café où naquit, à quelques pas de là, le cinéma des frères Lumière, s'est offert un chatoyant décor Art nouveau tout coloré de verre et de céramique.

XX **Quercy** BX 14

36 r. Condorcet (9e) ✆ 01 48 78 30 61, *Fax 01 48 78 16 29*

AE ⓓ GB JCB

fermé août, dim. et fériés – **Repas** 152 et carte 210 à 320.

◆ Accueil jovial, ambiance chaleureuse et cuisine roborative font le succès de cette "fermette". Des tableaux de peintres du Lot agrémenteront votre repas quercinois.

XX **Grange Batelière** BY 28

16 r. Grange Batelière (9e) ✆ 01 47 70 85 15, *Fax 01 47 70 85 15*

▤. AE GB

fermé 6 au 26 août, sam. midi, et dim. – **Repas** 165/190 ♀.

◆ À deux pas de Drouot, petit bistrot datant de 1876. Le cadre, rénové, a gardé son cachet d'origine, l'ambiance est "sympa" et la carte des vins fournie : adjugé ! Vendu !

XX **Bubbles** AY 9

6 r. Édouard VII (9e) ✆ 01 47 42 77 95, *Fax 01 47 42 31 32*

⛱ – ▤. AE ⓓ GB. ✂

fermé lundi de nov. à mars et dim. – **Repas** 250 bc/300 bc et carte 250 à 350.

◆ Dans un passage luxueux et calme où l'on dresse une vaste terrasse, bar à champagne (200 références) au décor design original et coloré. Cuisine goûteuse. Pétillant !

XX **Brasserie Flo** CY 23

7 cour Petites-Écuries (10e) ✆ 01 47 70 13 59, *Fax 01 42 47 00 80*

▤. AE ⓓ GB JCB

Repas 189 et carte 200 à 330.

◆ Au sein de la pittoresque cour des Petites-Écuries. Le beau décor de boiseries sombres, vitres colorées et panneaux peints évoquant l'Alsace date du début du 20e s.

XX **Terminus Nord** CX 9

23 r. Dunkerque (10e) ✆ 01 42 85 05 15, *Fax 01 40 16 13 98*

▤. AE ⓓ GB

Repas 189 bc et carte 165 à 260, enf. 62.

◆ Haut plafond, fresques, affiches et sculptures se reflètent dans les miroirs de cette brasserie où Art déco et Art nouveau s'unissent pour le meilleur. Clientèle cosmopolite.

XX **Brasserie Flo** AY 5

Magasin du Printemps (6e étage)(9e) ✆ 01 42 82 58 81, *morel@groupeflo.fr, Fax 01 42 82 51 88*

▤. AE GB

fermé dim. – **Repas** *(138)* - 230 bc et carte 150 à 260 ♀.

◆ Après le shopping, offrez-vous un déjeuner dans un cadre chaleureux et confortable. À l'heure du café, poussez la porte d'à côté et admirez la belle coupole.

XX **Paprika** BX 24

28 av. Trudaine (9e) ✆ 01 44 63 02 91, *Fax 01 44 63 09 62*

AE GB JCB

fermé mardi soir et dim. soir – **Repas** 80 (déj.), 180/250 et carte 280 à 370 ♀.

◆ L'Âne Rouge, ex-célèbre cabaret, se consacre désormais à la cuisine hongroise. Le soir, la musique tzigane pourrait vous entraîner à veiller très tard !

XX **Wally Le Saharien** BX 6

36 r. Rodier (9e) ✆ 01 42 85 51 90, *Fax 01 45 86 08 35*

▤. GB. ✂

fermé lundi midi et dim. – **Repas** 250 et carte 170 à 230 ♀.

◆ Cette rue sans charme particulier dissimule une oasis au décor de "Mille et une nuits". Cuisine nord-africaine, dont l'authentique couscous saharien.

X **Cotriade** BX 22

62 r. Fg Montmartre (9e) ✆ 01 42 80 39 92, *Fax 01 42 80 53 38*

AE GB JCB

fermé 5 au 26 août, sam. midi et dim. – **Repas** 165/180 ♀.

◆ Ce restaurant fait souffler une petite brise de mer sur ce quartier d'affaires animé : cadre sobre et frais et spécialités de poissons dont la fameuse cotriade bretonne.

X **Chez Jean** BX 26

8 r. St-Lazare (9e) ✆ 01 48 78 62 73, *Fax 01 48 78 35 30*

GB

fermé 6 au 12 août, sam. midi et dim. – **Repas** 195/310 ♀.

◆ Rénové depuis peu, ce restaurant-bistrot qui a gardé sa porte-"revolver", son comptoir, ses banquettes et ses cuivres, présente un nouveau décor de brasserie chic.

X **Petite Sirène de Copenhague** AX 9

47 r. N.-D. de Lorette (9e) ✆ 01 45 26 66 66

GB

fermé 29 juil. au 20 août, 3 au 10 fév., dim. et lundi – **Repas** (prévenir) 125/165 et carte 190 à 260 ♀.

◆ Une sobre salle à manger - murs chaulés, éclairage tamisé à la mode danoise - pour des recettes originaires de la patrie d'Andersen.

Pré Cadet BY 45

10 r. Saulnier (9e) 01 48 24 99 64

AE GB JCB

fermé 1er au 8 mai, 3 au 24 août, Noël au Jour de l'An, sam. midi et dim. – Repas (nombre de couverts limité, prévenir) 160 et carte 250 à 300.

♦ Sympathie, convivialité et plats canailles dont la tête de veau, orgueil de la maison, font le succès de cette petite adresse voisine des "Folies". Belle carte de cafés.

L'Oenothèque BX 10

20 r. St-Lazare (9e) 01 48 78 08 76, *loenotheque@free.fr, Fax 01 40 16 10 27*

AE GB JCB

fermé 13 au 31 août, sam. et dim. – **Repas** 180 et carte 220 à 350 ♀.

♦ Une fois sélectionnés le ou les crus sur l'intarissable carte des vins, choisissez les plats qui les accompagneront le mieux. Cuisine du marché proposée sur ardoise.

I Golosi BY 9

6 r. Grange Batelière (9e) 01 48 24 18 63, *i.golosi@wanadoo.fr, Fax 01 45 23 18 96*

GB

fermé août, sam. soir et dim. – **Repas** carte 180 à 250 ♀.

♦ Au 1er étage, design italien dont le "minimalisme" est compensée par la jovialité du service. Au rez-de-chaussée, café, boutique et coin dégustation. Cuisine transalpine.

Bistro de Gala BY 5

45 r. Fg Montmartre (9e) 01 40 22 90 50, *Fax 01 40 22 98 30*

AE GB

fermé 13 au 19 août, sam. midi et dim. – **Repas** 180 ♀.

♦ Fou de "cinoche", le patron a décoré sa salle d'affiches de films sur le thème de la "bouffe". La cuisine, qui tient le premier rôle, varie au gré du marché.

Bistro des Deux Théâtres AX 2

18 r. Blanche (9e) 01 45 26 41 43, *Fax 01 48 74 08 92*

AE GB

Repas 179.

♦ Un cadre typiquement parisien, une ambiance sympathique et animée, et avec un peu de chance, une célébrité du monde du théâtre à la table voisine : on s'y presse !

Aux Deux Canards BY 6

8 r. Fg Poissonnière (10e) 01 47 70 03 23, *Fax 01 47 70 18 85*

AE GB

fermé 30 juil. au 20 août, sam. midi, lundi midi et dim. – **Repas** carte 170 à 260.

♦ Il faut sonner pour entrer dans ce "resto" qui cultive le style bistrot. La cuisine suit les caprices du marché, mais le canard à l'orange est toujours de la partie.

Chez Catherine AY 36

65 r. Provence (9e) 01 45 26 72 88, *Fax 01 45 80 96 88*

GB

fermé lundi soir, sam. et dim. – **Repas** carte 220 à 330.

♦ Ce sympathique bistrot de quartier proche de l'opéra Garnier est apprécié pour son plaisant cadre "rétro" et pour les goûteuses préparations de Catherine.

X Petit Batailley BY 15
26 r. Bergère (9e) ✆ 01 47 70 85 81
AE (D) GB JCB
fermé 1er au 15 août, 20 au 27 déc., sam. midi et dim. – **Repas** 150/280 ♀.
◆ Ici, point de "Folies" - elles se trouvent dans une rue parallèle -, mais la quiétude d'un restaurant à l'accueil souriant et à la cuisine traditionnelle simple.

X Relais Beaujolais BX 18
3 r. Milton (9e) ✆ 01 48 78 77 91
GB
fermé août, sam., dim. et fériés – **Repas** carte 160 à 220.
◆ Cet authentique bistrot propose spécialités lyonnaises et vins choisis du Beaujolais dans une ambiance conviviale. Rue Milton, le Paradis perdu... retrouvé.

X Chez Michel CX 25
10 r. Belzunce (10e) ✆ 01 44 53 06 20, *Fax 01 44 53 61 31*
GB
fermé juil., dim. et lundi – **Repas** 185 ♀.
◆ Accueil aimable, charmante atmosphère provinciale et cuisine du marché largement influencée par la Bretagne : petite adresse de quartier où seule la place coûte cher.

X L'Alsaco Winstub BX 13
10 r. Condorcet (9e) ✆ 01 45 26 44 31, *Fax 01 42 85 11 05*
AE GB
fermé août, sam. midi et dim. – **Repas** 95 (déj.), 105/190 bc et carte 160 à 240 ♀.
◆ Une plongée dans le terroir alsacien. Cuisine, carte des vins, boiseries peintes, mobilier rustique, vaisselle : tout ici, jusqu'aux nappes, évoque l'univers de L'Ami Fritz.

X L'Excuse Mogador AY 6
21 r. Joubert (9e) ✆ 01 42 81 98 19
GB
fermé août, sam. et dim. – **Repas** (déj. seul.) 90/110 et carte 110 à 160 ♀.
◆ Le shopping boulevard Haussmann, ça creuse ! Les plats traditionnels servis dans cette salle à manger agrémentée d'un zinc du 19e s. sauront vous requinquer.

X Il Sardo AX 12
46 bis r. Clichy (9e) ✆ 01 48 78 25 38, *Fax 01 48 78 25 38*
AE GB
fermé 9 au 16 avril, août, sam. midi et dim. – **Repas** *(90)* - carte 200 à 300 ♀.
◆ Ce n'est certes pas le cadre de cette minuscule trattoria qui attire tout ce monde : sûr que fabuleux anti-pasti, divines charcuteries, fregole... y sont pour quelque chose !

Bastille - Nation
Gare de Lyon - Bercy
Gare d'Austerlitz
Place d'Italie

12e et 13e arrondissements

12e : ✉ 75012 - 13e : ✉ 75013

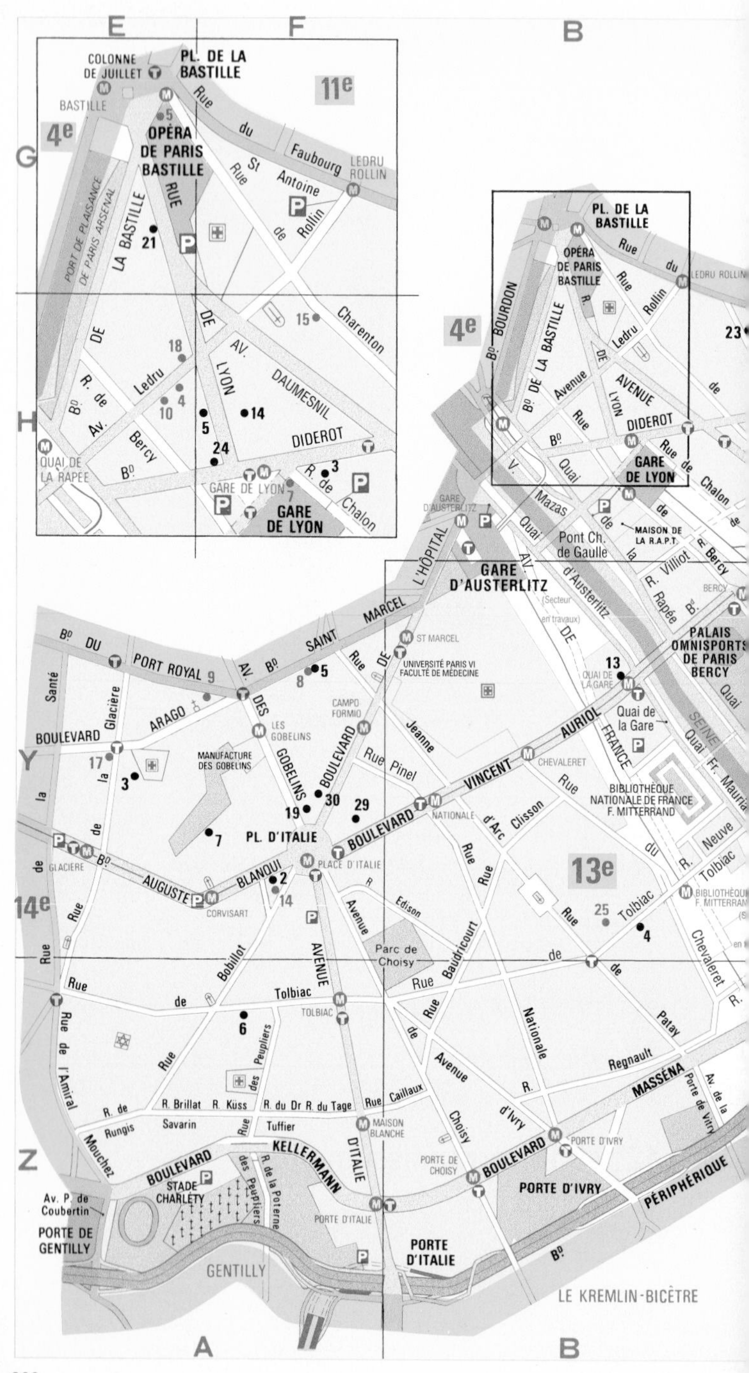
PL. DE LA BASTILLE
COLONNE DE JUILLET
OPÉRA DE PARIS BASTILLE
11e
4e
Rue du Faubourg St Antoine
LEDRU ROLLIN
Rue de Charenton
AV. DAUMESNIL
DIDEROT
GARE DE LYON
QUAI DE LA RAPÉE
GARE D'AUSTERLITZ
Pont Ch. de Gaulle
MAISON DE LA R.A.P.T.
PALAIS OMNISPORTS DE PARIS BERCY
UNIVERSITÉ PARIS VI FACULTÉ DE MÉDECINE
MANUFACTURE DES GOBELINS
PL. D'ITALIE
BOULEVARD VINCENT AURIOL
BIBLIOTHÈQUE NATIONALE DE FRANCE F. MITTERRAND
13e
14e
Parc de Choisy
Rue de Tolbiac
BOULEVARD KELLERMANN
BOULEVARD MASSÉNA
STADE CHARLÉTY
PORTE DE GENTILLY
PORTE D'ITALIE
PORTE D'IVRY
PÉRIPHÉRIQUE
GENTILLY
LE KREMLIN-BICÊTRE

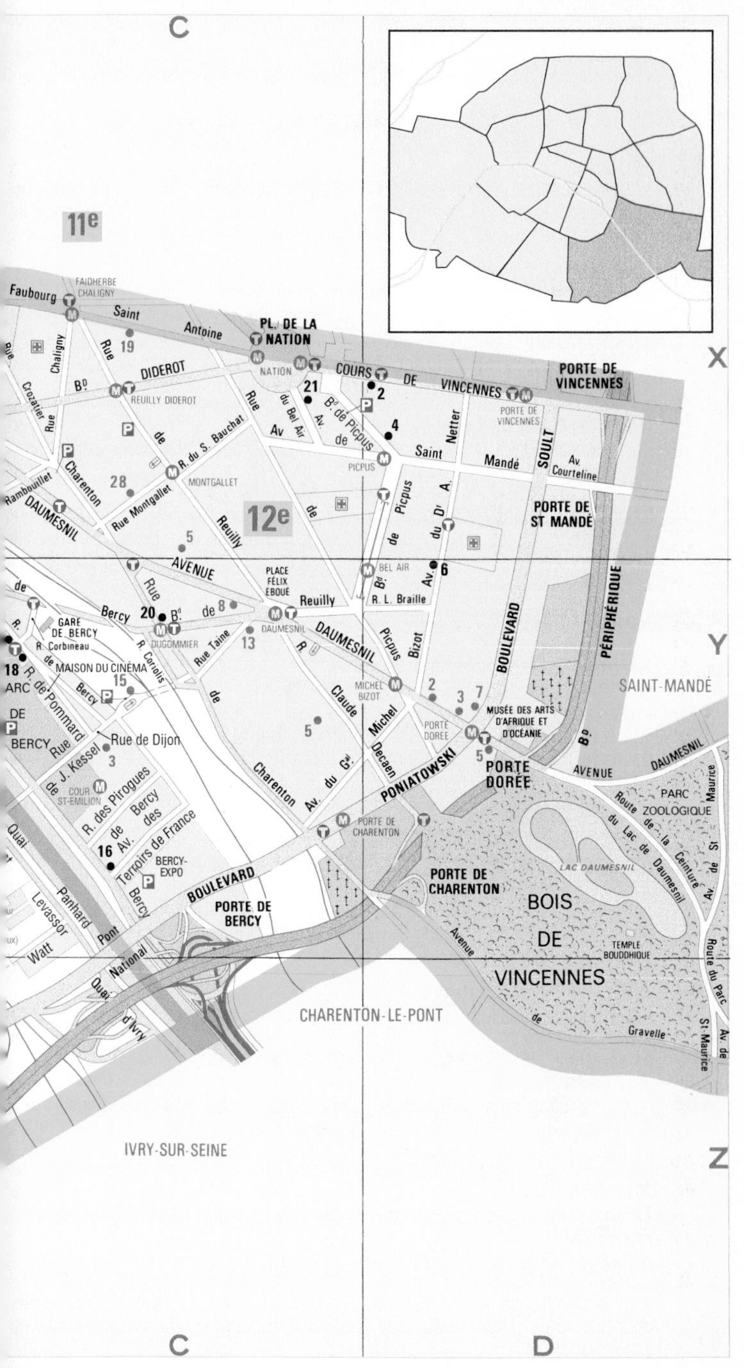

C
D
X
Y
Z
11e
12e
PL. DE LA NATION
NATION
COURS DE VINCENNES
PORTE DE VINCENNES
Faubourg Saint Antoine
FAIDHERBE CHALIGNY
Bd DIDEROT
REUILLY DIDEROT
Rue de Reuilly
AVENUE DAUMESNIL
MONTGALLET
Rue Montgallet
R. du S. Bauchat
Rue de Charenton
Bd de Picpus
PICPUS
Av. de Saint Mandé
Rue Netter
Av. du Bel Air
BEL AIR
Av. du Dr A. Netter
Av. Courteline
BOULEVARD SOULT
PORTE DE ST MANDÉ
PÉRIPHÉRIQUE
PLACE FÉLIX ÉBOUÉ
DAUMESNIL
R. L. Braille
Rue Taine
MICHEL BIZOT
Rue Claude Decaen
Av. Michel Bizot
Av. du Gal Michel Bizot
BOULEVARD PONIATOWSKI
PORTE DORÉE
MUSÉE DES ARTS D'AFRIQUE ET D'OCÉANIE
SAINT-MANDÉ
GARE DE BERCY
R. Corbineau
MAISON DU CINÉMA
R. Coriolis
DUGOMMIER
Bd de Bercy
R. de Pommard
Rue de Dijon
Rue J. Kessel
COUR ST-ÉMILION
R. des Pirogues de Bercy
Av. des Terroirs de France
BERCY-EXPO
BERCY
Quai
Levassor
Panhard
Watt
Pont National
Quai d'Ivry
BOULEVARD
PORTE DE BERCY
PORTE DE CHARENTON
BOIS DE VINCENNES
LAC DAUMESNIL
PARC ZOOLOGIQUE
Route de la Ceinture du Lac de Daumesnil
TEMPLE BOUDDHIQUE
Avenue de Gravelle
Route du Parc
Av. de St Maurice
CHARENTON-LE-PONT
IVRY-SUR-SEINE

Sofitel Paris Bercy CY 16
1 av. Terroirs de France (12e) ✆ 01 44 67 34 00, *h2192@accor-hotel.com*, *Fax 01 44 67 34 01*
M – ⇅ ⇏ ▤ TV ✆ ♿ – 🏢 250. AE ⓓ GB JCB. ✂ rest
Repas *(140)* - carte 180 à 300 ♀ – ☕ 120 – **376 ch** 1600/1900, 20 appart, 10 duplex.
◆ Belle façade en verre, intérieur contemporain dans les tons brun, beige et bleu, équipements "dernier cri" et quelques chambres offrant une vue sur la Seine.

Holiday Inn Bastille FH 5
11 r. Lyon (12e) ✆ 01 53 02 20 00, *Fax 01 53 02 20 01*
M sans rest – ⇅ ⇏ ▤ TV ✆ ♿ – 🏢 75. AE ⓓ GB JCB. ✂
☕ 90 – **125 ch** 1295.
◆ Hôtel datant de 1913 et rénové depuis peu. Dans les chambres habillées de boiseries et de belles tentures cohabitent meubles de style et modernes.

Novotel Gare de Lyon FH 3
2 r. Hector Malot (12e) ✆ 01 44 67 60 00, *h1735@accor-hotels.com*, *Fax 01 44 67 60 60*
M, ☂, 🏊 – ⇅ ⇏ ▤ TV ✆ ♿ 🚗 – 🏢 75. AE ⓓ GB JCB
Repas carte environ 180 ♀, enf. 50 – ☕ 77 – **253 ch** 950.
◆ Bâtiment récent en arc de cercle, donnant sur une place calme. Hall résolument moderne couplant béton brut et acier. Chambres fonctionnelles, parfois avec terrasse.

Novotel Bercy CY 2
85 r. Bercy (12e) ✆ 01 43 42 30 00, *h0935@accor-hotels.com*, *Fax 01 43 45 30 60*
M, ☂ – ⇅ ⇏ ▤ TV ✆ ♿ – 🏢 80. AE ⓓ GB
Repas *(99)* - carte environ 180 ♀, enf. 50 – ☕ 75 – **129 ch** 850/890.
◆ Les chambres de ce Novotel ont adopté depuis peu les nouvelles normes de la chaîne. Agréable salle à manger dont les baies vitrées s'ouvrent sur le parc de Bercy.

Holiday Inn Tolbiac BY 4
21 r. Tolbiac (13e) ✆ 01 45 84 61 61, *Fax 01 45 84 43 38*
M sans rest – ⇅ ⇏ ▤ TV ✆ ♿ – 🏢 25. AE ⓓ GB JCB
☕ 70 – **71 ch** 990/1400.
◆ Dans une rue passante, à 20 m de la station de métro, immeuble abritant des chambres confortables, meublées en stratifié et équipées d'un double vitrage.

Mercure Pont de Bercy BY 13
6 bd Vincent Auriol (13e) ✆ 01 45 82 48 00, *h0934@accor-hotels.com*, *Fax 01 45 82 19 16*
M sans rest – ⇅ ▤ TV ✆ – 🏢 35. AE ⓓ GB JCB
☕ 65 – **89 ch** 810/850.
◆ Belles chambres aménagées dans l'esprit des cabines de bateau ; quelques-unes ont une terrasse, d'autres ont vue... sur le métro aérien ! Toutes sont très bien insonorisées.

Mercure Blanqui AY 2
25 bd Blanqui (13e) ✆ 01 45 80 82 23, *mercure.blanqui@wanadoo.fr*, *Fax 01 45 81 45 84*
M sans rest – ⇅ ⇏ ▤ TV ♿ – 🏢 20. AE ⓓ GB JCB
☕ 65 – **50 ch** 950/1070.
◆ À proximité de la Manufacture des Gobelins, cet établissement propose des chambres progressivement rénovées, fonctionnelles, chaleureuses et isolées du bruit.

Pavillon Bastille EG 21
65 r. Lyon (12e) ☎ 01 43 43 65 65, *hotel-pavillon@akamail.com*, *Fax 01 43 43 96 52*
M sans rest – AE GB JCB
☕ 75 – **25 ch** 840/1375.
◆ Ancien hôtel particulier abritant des chambres modernes aux couleurs ensoleillées. Cour fleurie agrémentée d'une fontaine du 17e s.

Nation DY 6
33 av. Dr A. Netter (12e) ☎ 01 40 04 90 90, *Fax 01 40 04 99 20*
M sans rest – AE GB
☕ 82 – **49 ch** 890/990.
◆ Hall orné d'oeuvres cubistes rendant hommage au jazz et à diverses musiques du monde. Dominante jaune pâle et bleue dans des chambres parées de brocarts à ramages.

Paris Bastille EG 27
67 r. Lyon (12e) ☎ 01 40 01 07 17, *infos@hotelparisbastille.com*, *Fax 01 40 01 07 27*
M sans rest – – 25. AE GB
☕ 78 – **37 ch** 840/1200.
◆ Confort actuel, camaïeux de gris et meubles en bois clair caractérisent les chambres de cet hôtel situé face à l'Opéra. Vous dormirez plus tranquille côté cour.

Relais Mercure Bercy CY 18
77 r. Bercy (12e) ☎ 01 53 46 50 50, *h0941@accor-hotels.com*, *Fax 01 53 46 50 99*
M, – – 40. AE GB JCB
Repas 129 , enf. 50 – ☕ 60 – **364 ch** 700/730.
◆ Hôtel où vous trouverez des chambres bien équipées. Aux beaux jours, profitez de la terrasse offrant une vue sur le parc de Bercy et sur la bibliothèque F.-Mitterrand.

Relais de Lyon BX 23
64 r. Crozatier (12e) ☎ 01 43 44 22 50, *Fax 01 43 41 55 12*
sans rest – . AE GB JCB.
☕ 40 – **34 ch** 380/540.
◆ Il règne une charmante atmosphère désuète dans cet hôtel établi dans le quartier des ébénistes d'art. Chambres de styles Directoire ou Louis XVI. Accueil aimable.

Résidence Vert Galant AY 7
43 r. Croulebarbe (13e) ☎ 01 44 08 83 50, *Fax 01 44 08 83 69*
sans rest – . AE GB JCB.
☕ 45 – **15 ch** 450/550.
◆ Dans un environnement calme, accueillante résidence aux chambres coquettes, donnant toutes sur un jardin bordé de ceps de vignes où l'on petit-déjeune en été.

Slavia AY 5
51 bd St-Marcel (13e) ☎ 01 43 37 81 25, *Fax 01 45 87 05 03*
sans rest – . AE GB JCB.
☕ 45 – **37 ch** 400/430, 6 appart.
◆ Sur un boulevard passant, immeuble abritant des chambres assez grandes, meublées simplement et déjà anciennes, mais propres et correctement insonorisées.

Terminus-Lyon FH 24

19 bd Diderot (12e) ✆ 01 56 95 00 00, *terminuslyon@free.fr, Fax 01 43 44 09 00*
sans rest – |♦| TV. AE ⓓ GB JCB. ✻
☕ 48 – **60 ch** 450/580.
♦ Face à la gare de Lyon, hôtel bien tenu dont les chambres, de taille moyenne et meublées sobrement, sont chaleureusement colorées et pourvues d'un double vitrage.

Manufacture AY 19

8 r. Philippe de Champagne (13e) ✆ 01 45 35 45 25, *lamanufacturehot@aol.com, Fax 01 45 35 45 40*
M sans rest – |♦| ▤ TV ✆. AE ⓓ GB JCB
☕ 42 – **57 ch** 640/1250.
♦ Accueil cordial, élégant décor et bonne tenue sont les atouts de cet hôtel dont les chambres manquent d'ampleur. Ambiance provençale dans la salle des petits-déjeuners.

Bercy Gare de Lyon CY 20

209 r. Charenton (12e) ✆ 01 43 40 80 30, *bercy@hotelsparis.fr, Fax 01 43 40 81 30*
M sans rest – |♦| TV ✆ ♿ – 🏛 20. AE ⓓ GB JCB. ✻
☕ 60 – **48 ch** 690/780.
♦ Cet immeuble d'angle construit en 1997 se trouve juste à côté de l'original viaduc des Arts et de sa promenade plantée. Chambres neuves aux salles de bains bien équipées.

Agate DX 2

8 cours Vincennes (12e) ✆ 01 43 45 13 53, *agate-hotel@wanadoo.fr, Fax 01 43 42 09 39*
sans rest – |♦| TV. AE GB. ✻
☕ 35 – **43 ch** 340/420.
♦ Sur un cours fréquenté, établissement disposant de chambres simples, plaisantes et bien insonorisées. Minicour intérieure où l'on sert les petits-déjeuners en été.

Ibis Place d'Italie AY 29

25 av. Stephen Pichon (13e) ✆ 01 44 24 94 85, *Fax 01 44 24 20 70*
M sans rest – |♦| ⚡ TV ♿ 🚗. AE ⓓ GB
☕ 40 – **58 ch** 460/500.
♦ Dans une rue assez calme, hôtel dont les chambres, meublées selon l'ancien concept de la chaîne, sont bien tenues et équipées d'un double vitrage.

Ibis Italie Tolbiac AZ 6

177 r. Tolbiac (13e) ✆ 01 45 80 16 60, *h0923@accor-hotels.com, Fax 01 45 80 95 80*
M sans rest – |♦| ⚡ TV ✆ ♿. AE ⓓ GB
☕ 39 – **60 ch** 440/470.
♦ Cet Ibis entièrement relooké dans le style actuel de la chaîne propose des petites chambres pratiques bénéficiant d'une bonne insonorisation.

Lux Hôtel Picpus DX 4

74 bd Picpus (12e) ✆ 01 43 43 08 46, *lux-hotel@wanadoo.fr, Fax 01 43 43 05 22*
sans rest – |♦| ▤ TV. GB
☕ 35 – **38 ch** 280/395.
♦ Immeuble en pierres de taille, tout juste rénové, dont les chambres, pas très grandes, sont personnalisées par de beaux habillages de tissus.

Touring Hôtel Magendie AY 3
6 r. Corvisart (13e) ✆ 01 43 36 13 61, *magendie@vvf-vacances.fr*, *Fax 01 43 36 47 48*
M sans rest – ▯ TV ♿ – 30. GB
☕ 32 – **112 ch** 350/410.
◆ Dans une rue tranquille, hôtel aux petites chambres meublées en bois stratifié, bien insonorisées. Un effort particulier est fait pour les personnes à mobilité réduite.

Nouvel H. CX 21
24 av. Bel Air (12e) ✆ 01 43 43 01 81, *nouvelhotel@wanadoo.fr*, *Fax 01 43 44 64 13*
sans rest – TV. AE ⓓ GB
☕ 43 – **28 ch** 375/585.
◆ Établissement dont les chambres, simples mais correctement aménagées, sont décorées dans différentes tonalités. Agréable patio où prendre le petit-déjeuner en été.

Arts AY 30
8 r. Coypel (13e) ✆ 01 47 07 76 32, *arts@escapade-paris.com*, *Fax 01 43 31 18 09*
sans rest – ▯ TV. AE GB.
☕ 32 – **37 ch** 295/380.
◆ À deux pas de la place d'Italie, cet hôtel fréquenté par une clientèle d'habitués propose des chambres rénovées par étapes et offrant divers niveaux de confort.

Au Pressoir (Seguin) DY 2
257 av. Daumesnil (12e) ✆ 01 43 44 38 21, *Fax 01 43 43 81 77*
▤. AE GB JCB
fermé août, sam. et dim. – **Repas** 420 et carte 440 à 610 ♀.
◆ Ambiance feutrée, service ouaté et cuisine classique : une adresse séduisante pour les nostalgiques des restaurants cossus de province. Terrasse vitrée, agréable le midi.
Spéc. Assiette de fruits de mer tièdes (oct. à mai). Millefeuille de champignons aux truffes (déc. à avril). Lièvre à la royale (oct.-nov.).

Train Bleu FH 7
Gare de Lyon (12e) ✆ 01 43 43 09 06, *isabelle.car@compass-group.fr*, *Fax 01 43 43 97 96*
AE ⓓ GB JCB
Repas (1er étage) 255 bc et carte 270 à 440 ♀, enf. 75.
◆ À voir absolument, ce somptueux et exceptionnel buffet de gare qui fête cette année ses 100 ans. Profusion de dorures, de stucs et de fresques évoquant la mythique ligne PLM.

L'Oulette CY 15
15 pl. Lachambeaudie (12e) ✆ 01 40 02 02 12, *info@l-oulette.com*, *Fax 01 40 02 04 77*
– AE ⓓ GB JCB
fermé sam. et dim. – **Repas** 170 (déj.)/280 bc et carte 290 à 340 ♀.
◆ Dans le quartier du nouveau Bercy, ce restaurant résolument contemporain propose une cuisine inventive aux accents du Sud. Terrasse abritée derrière des thuyas.

XX Au Trou Gascon — CY 13
40 r. Taine (12e) ✆ 01 43 44 34 26, *Fax 01 43 07 80 55*
▤. AE ⓓ GB JCB
fermé août, Noël au Jour de l'An, sam. midi et dim. – **Repas** (nombre de couverts limité, prévenir) 200 (déj.)et carte 290 à 370.
◆ Ce vrai bistrot 1900 décoré de moulures et de fresques est apprécié pour sa cuisine du Sud-Ouest et de la Chalosse, et réputé pour son cassoulet aux haricots tarbais.
Spéc. Gâteau landais de pommes de terre au foie gras. Agneau de lait des Pyrénées rôti sur l'os (déc. à mai). Tourtière landaise, glace aux pruneaux.

XX Les Grandes Marches — EG 5
6 pl. Bastille (12e) ✆ 01 43 42 90 32, *Fax 01 43 44 80 02*
AE ⓓ GB
Repas *(138)* - 198 et carte 220 à 340 ♀
◆ Zinc brossé, mobilier design, chauds velours et éclairage étudié : voici la brasserie du nouveau millénaire, signée par la couple Portzamparc. Fruits de mer à l'honneur.

XX Frégate — EH 4
30 av. Ledru-Rollin (12e) ✆ 01 43 43 90 32
▤. GB
fermé août, dim. et lundi – **Repas** 190 ♀.
◆ Ce restaurant vous accueille dans une élégante salle à manger contemporaine réchauffée de belles boiseries blondes. Cuisine vouée aux produits de la mer.

XX Gourmandise — DY 3
271 av. Daumesnil (12e) ✆ 01 43 43 94 41, *Fax 01 43 45 59 78*
▤. AE GB JCB
fermé août, dim. soir et lundi – **Repas** 180/250 et carte 250 à 320.
◆ Murs "blanc cassé", rideaux saumon, lustres d'inspiration Art déco et sièges Restauration : décor apprêté en ce restaurant où le service est d'une rare gentillesse.

XX Petit Marguery — AY 9
9 bd. Port-Royal (13e) ✆ 01 43 31 58 59
AE ⓓ GB JCB
fermé août, 23 déc. au 3 janv., dim. et lundi – **Repas** 165/215 ♀.
◆ Véranda, première salle ou salle du fond ? Chaque espace possède son charme. Amabilité et copieuse cuisine "anti-mode" confortent le succès de ce bistrot décontracté.

XX Traversière — FH 15
40 r. Traversière (12e) ✆ 01 43 44 02 10, *Fax 01 43 44 64 20*
AE ⓓ GB JCB
fermé 28 juil. au 20 août, dim. soir et lundi – **Repas** *(110)* - 130 (déj.), 175/245 ♀, enf. 80.
◆ Ce restaurant de quartier vous accueille dans une aimable atmosphère d'auberge provinciale : décor agreste, tables serrées et chaises paillées. Cuisine traditionnelle.

XX Les Marronniers — AY 17
53 bis bd Arago (13e) ✆ 01 47 07 58 57, *Fax 01 47 07 46 09*
▤. AE GB
fermé août – **Repas** *(130)* - 180.
◆ Confiez votre automobile au voiturier et attablez-vous dans la chaleureuse salle à manger rustique ou sur la terrasse-trottoir abritée du trafic par une haie de troènes.

XX **Sologne** CY 8

164 av. Daumesnil (12e) ✆ 01 43 07 68 97, *Fax 01 43 44 66 23*

▤. AE GB

fermé sam. midi et dim. – **Repas** 175 ♀.

◆ Accueil prévenant, sage décor contemporain et cuisine du marché complétée de gibiers en saison : ce petit restaurant de quartier ne manque pas d'atouts pour séduire.

XX **Janissaire** CX 5

22 allée Vivaldi (12e) ✆ 01 43 40 37 37, *Fax 01 43 40 38 39*

– AE ① GB

fermé sam. midi et dim. – **Repas** 62/130 et carte 110 à 180 ♀.

◆ Ambiance et cuisine placées sous le signe de la Turquie, comme l'indique l'enseigne désignant un soldat d'élite de l'infanterie ottomane, qui faisait partie de la garde du sultan.

X **L'Avant Goût** AY 14

26 r. Bobillot (13e) ✆ 01 53 80 24 00, *Fax 01 53 80 00 77*

▤. GB

fermé 1er au 7 mai, 7 au 27 août, 1er au 7 janv., dim. et lundi – **Repas** (nombre de couverts limité, prévenir) 150/190 ♀.

◆ Cuisine du marché et bonne humeur sont au rendez-vous dans ce bistrot moderne au cadre d'inspiration Art déco tout juste rénové.

X **Jean-Pierre Frelet** CX 28

25 r. Montgallet (12e) ✆ 01 43 43 76 65

▤. GB

fermé août, vacances de fév., sam. midi et dim. – **Repas** *(105)* - 150 (dîner) et carte 180 à 260 ♀.

◆ Un décor volontairement dépouillé, des tables serrées invitant à la convivialité et une généreuse cuisine du marché font le charme de ce restaurant de quartier.

X **Bistrot de la Porte Dorée** DY 7

5 bd Soult (12e) ✆ 01 43 43 80 07, *Fax 01 43 43 80 07*

▤. GB

Repas 195 bc.

◆ Cadre et atmosphère d'un petit restaurant de province "monté" dans la capitale. Miroirs, trombines de vedettes du showbiz et fresque à thème culinaire égayent les murs.

X **Quincy** EH 10

28 av. Ledru-Rollin (12e) ✆ 01 46 28 46 76, *Fax 01 46 28 46 76*

▤

fermé 15 août au 15 sept., vacances de fév., sam., dim. et lundi – **Repas** carte 300 à 450.

◆ Une ambiance chaleureuse règne dans ce bistrot rustique où vous est servie une cuisine roborative qui, comme "Bobosse", le jovial patron, ne manque pas de caractère.

X **Anacréon** AY 8

53 bd St-Marcel (13e) ✆ 01 43 31 71 18, *Fax 01 43 31 94 94*

▤. AE ① GB JCB.

fermé 14 au 23 avril, août, dim. et lundi – **Repas** 120/190.

◆ Enseigne à la gloire du poète bachique grec. Salle à manger confortable, service bon enfant et cuisine traditionnelle où pointe une touche d'originalité.

Chez Jacky
BY 25

109 r. du Dessous-des-Berges (13e) ✆ 01 45 83 71 55, *Fax 01 45 86 57 73*

GB

fermé 27 juil. au 26 août, 21 au 28 déc., sam. et dim. – **Repas** 188 et carte 250 à 370.

◆ Égaré dans le "chinatown" parisien, ce restaurant affirme son statut d'auberge provinciale bien française. Cuisine traditionnelle servie avec une grande gentillesse.

Potinière du Lac
DY 5

4 pl. E. Renard (12e) ✆ 01 43 43 39 98, *Fax 01 43 43 32 43*

GB

fermé dim. soir et lundi – **Repas** *(108)* - 138 et carte 200 à 300 ♀

◆ L'atout principal de cette adresse est sa véranda grande ouverte sur le bois de Vincennes. Atmosphère "bistrot". Spécialités de poisson. Salon de thé.

Biche au Bois
EH 18

45 av. Ledru-Rollin (12e) ✆ 01 43 43 34 38

AE GB

fermé 14 juil. au 14 août, sam. et dim. – Repas 132 et carte 130 à 190.

◆ Salle de restaurant au décor simple et à l'atmosphère bruyante et enfumée, mais service attentionné et copieuse cuisine traditionnelle privilégiant le gibier en saison.

Temps des Cerises
CX 19

216 r. Fg St-Antoine (12e) ✆ 01 43 67 52 08, *Fax 01 43 67 60 91*

AE GB JCB

fermé 12 au 21 août et lundi – **Repas** 110/250 et carte 190 à 290 ♀.

◆ Restaurant de quartier dont la salle à manger, intime, accueille régulièrement des expositions de tableaux. À l'étage, deux petits salons traités dans le même esprit.

L'Auberge Aveyronnaise
CY 3

40 r. Lamé (12e) ✆ 01 43 40 12 24, *Fax 01 43 40 12 15*

AE GB

fermé 15 juil. au 15 août, dim. soir et lundi – **Repas** *(92)* - 125 ♀.

◆ Nappes à carreaux rouges et blancs et tables dressées sans chichi dans ce bistrot-brasserie moderne. Comme l'indique l'enseigne, on y sert des spécialités aveyronnaises.

Les Zygomates
CY 5

7 r. Capri (12e) ✆ 01 40 19 93 04, *Fax 01 44 73 46 63*

GB.

fermé août, lundi midi, sam. midi et dim. – **Repas** 80/140 et carte 170 à 220 ♀.

◆ Cette ancienne boucherie des années 1900 a conservé son décor d'origine. Ambiance rieuse et cuisine ménagère sauront l'une et l'autre solliciter vos muscles zygomatiques.

Montparnasse
Denfert-Rochereau - Alésia
Porte de Versailles
Vaugirard - Beaugrenelle

14e et 15e arrondissements

14e : ✉ 75014 - 15e : ✉ 75015

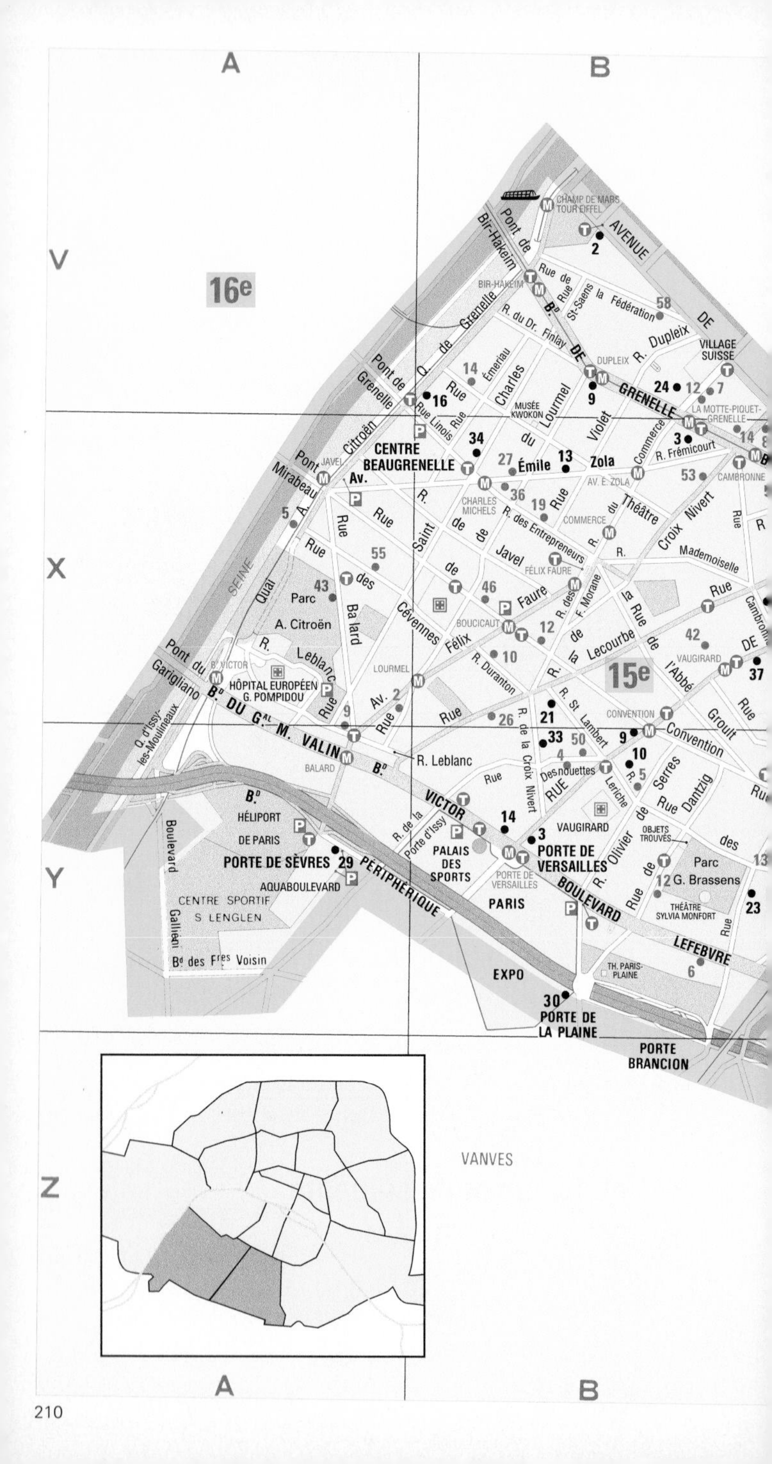

A
B
V
X
Y
Z
16e
15e
CHAMP DE MARS TOUR EIFFEL
AVENUE DE
Pont de Bir-Hakeim
BIR-HAKEIM
Rue de la Fédération
Rue St-Saëns
Bd DE GRENELLE
R. du Dr. Finlay
R. Dupleix
DUPLEIX
VILLAGE SUISSE
LA MOTTE-PIQUET-GRENELLE
Q. de Grenelle
Pont de Grenelle
Rue Émeriau
Rue Linois
Rue Charles Lourmel
MUSÉE KWOKON
Violet
Commerce
R. Frémicourt
CAMBRONNE
CENTRE BEAUGRENELLE
Pont Mirabeau
JAVEL
Av. Émile Zola
AV. E. ZOLA
CHARLES MICHELS
R. des Entrepreneurs
COMMERCE
R. du Théâtre
Croix Nivert
Mademoiselle
Rue de Javel
FÉLIX FAURE
R. Saint Charles
Rue des Cévennes
Rue Balard
Rue de Javel
SEINE
Quai A. Citroën
Parc A. Citroën
R. Leblanc
Rue Félix Faure
BOUCICAUT
R. des F. Morane
Rue de la Lecourbe
Rue de l'Abbé Groult
VAUGIRARD
Rue de Cambronne
R. Duranton
LOURMEL
Pont du Garigliano
B. VICTOR
HÔPITAL EUROPÉEN G. POMPIDOU
Rue Leblanc
Q. d'Issy-les-Moulineaux
Bd DU Gal M. VALIN
Av. 2
Rue
R. de la Croix Nivert
R. St Lambert
CONVENTION
Rue Convention
BALARD
R. Leblanc
Bd VICTOR
Rue Desnouettes
RUE
Leriche
R. de Serres
Rue Dantzig
Rue des
Bd.
HÉLIPORT DE PARIS
R. de la Porte d'Issy
VAUGIRARD
OBJETS TROUVÉS
Boulevard Galliéni
PORTE DE SÈVRES
PÉRIPHÉRIQUE
PALAIS DES SPORTS
PORTE DE VERSAILLES
R. Olivier de Serres
Parc G. Brassens
AQUABOULEVARD
CENTRE SPORTIF S LENGLEN
PARIS
BOULEVARD LEFEBVRE
THÉÂTRE SYLVIA MONFORT
Bd des Fres Voisin
EXPO
TH. PARIS-PLAINE
PORTE DE LA PLAINE
PORTE BRANCION
VANVES

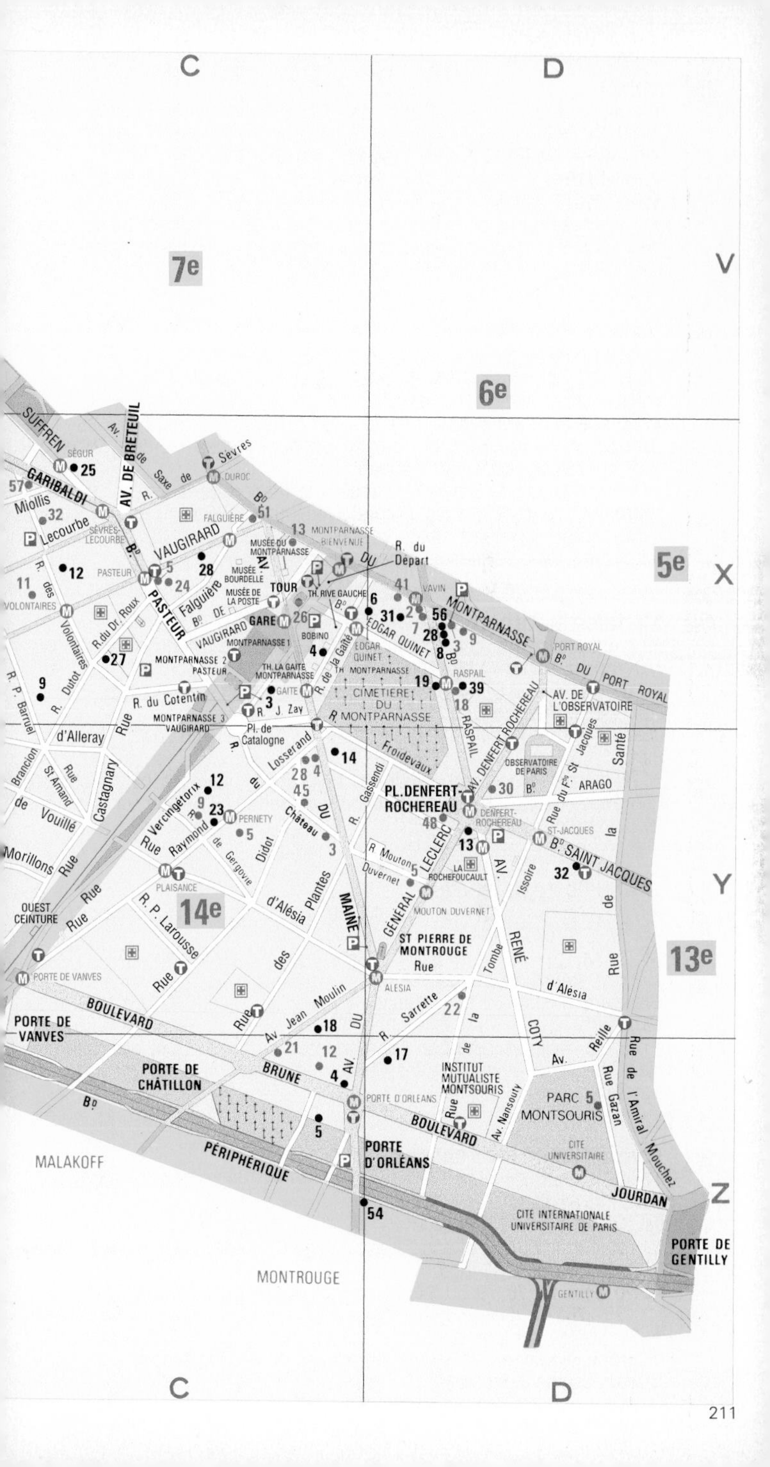
C
D
7e
6e
5e
14e
13e
V
X
Y
Z
SUFFREN
AV. DE BRETEUIL
GARIBALDI
SÉGUR
DUROC
Sèvres
FALGUIÈRE
VAUGIRARD
PASTEUR
MONTPARNASSE
BIENVENUE
MUSÉE DU MONTPARNASSE
MUSÉE BOURDELLE
MUSÉE DE LA POSTE
TOUR
GARE
TH. RIVE GAUCHE
BOBINO
EDGAR QUINET
TH. LA GAITE MONTPARNASSE
TH MONTPARNASSE
GAITE
CIMETIÈRE DU MONTPARNASSE
R. du Départ
VAVIN
RASPAIL
PORT ROYAL
AV. DE L'OBSERVATOIRE
OBSERVATOIRE DE PARIS
PL. DENFERT-ROCHEREAU
DENFERT-ROCHEREAU
ST-JACQUES
B^D SAINT JACQUES
ARAGO
Santé
PERNETY
PLAISANCE
OUEST CEINTURE
PORTE DE VANVES
MOUTON DUVERNET
LA ROCHEFOUCAULT
ST PIERRE DE MONTROUGE
ALESIA
d'Alésia
INSTITUT MUTUALISTE MONTSOURIS
PARC MONTSOURIS
CITE UNIVERSITAIRE
CITE INTERNATIONALE UNIVERSITAIRE DE PARIS
PORTE D'ORLÉANS
PORTE DE CHÂTILLON
PORTE DE VANVES
PORTE DE GENTILLY
GENTILLY
MALAKOFF
MONTROUGE
BOULEVARD
BRUNE
PÉRIPHÉRIQUE
JOURDAN
Rue de l'Amiral Mouchez
Rue Gazan
Av. Reille
Av. RENÉ COTY
Rue de la Tombe Issoire
AV. DENFERT ROCHEREAU
AV. DU GÉNÉRAL LECLERC
AV. DU MAINE
Av. Jean Moulin
R. Sarrette
Rue des Plantes
Rue d'Alésia
R. Didot
Rue Raymond Losserand
Rue Vercingétorix
R. de Gergovie
R. P. Larousse
Rue Castagnary
R. Brancion
Rue St Amand
Rue de Vouillé
Rue Morillons
R. d'Alleray
R. P. Barruel
R. Dutot
R. des Volontaires
R. du Dr. Roux
R. du Cotentin
R. J. Zay
Pl. de Catalogne
MONTPARNASSE 1
MONTPARNASSE 2 PASTEUR
MONTPARNASSE 3 VAUGIRARD
Miollis
Lecourbe
SÈVRES-LECOURBE
Av. de Saxe
R. Froidevaux
R. Gassendi
R. de la Gaîté
R. Mouton Duvernet
Av. Nansouty
211

Hilton BV **2**

18 av. Suffren (15e) 01 44 38 56 00, *parhitnfb@hilton.com, Fax 01 44 38 56 10*

– – 20 à 400. AE GB JCB

Pacific Eiffel 01 44 38 57 77 **Repas** *(138)*-180, enf. 85 – 160 – **434 ch** 3500/3800, 27 appart.

◆ Certaines façades offrent une vue sur la tour Eiffel. Grandes chambres très bien équipées. Cuisine californienne servie dans un original cadre design au Pacific Eiffel.

Nikko BV **16**

61 quai Grenelle (15e) 01 40 58 20 00, *Fax 01 40 58 24 44*

, , – – 600. AE GB JCB

voir rest. ***Les Célébrités*** ci-après

Brasserie Pont Mirabeau 01 40 58 20 75 **Repas** *(140)*-180, enf. 85

Benkay 01 40 58 21 26 - cuisine japonaise **Repas** 145(déj.), 340/650 – 120 – **758 ch** 2000/2550, 6 appart.

◆ Cette tour de 31 étages fait face à la maison de la Radio. Chambres sobrement contemporaines, progressivement rénovées. Au Benkay, cuisine traditionnelle japonaise préparée sous vos yeux par les virtuoses du teppanyaki (table de cuisson) : spectaculaire !

Méridien Montparnasse CX **3**

19 r. Cdt Mouchotte (14e) 01 44 36 44 36, *meridien.montparnasse@forte-hotels.com, Fax 01 44 36 49 00*

, – – 25 à 500. AE GB JCB. rest

voir rest. ***Montparnasse 25*** ci-après

Justine 01 44 36 44 00 **Repas** 208 – 125 – **916 ch** 2000/2300, 37 appart.

◆ La plupart des chambres de ce building en verre et béton ont été relookées ; elles sont spacieuses et très modernes. Belle vue sur la capitale depuis les derniers étages.

Sofitel Porte de Sèvres AY **29**

8 r. L. Armand (15e) 01 40 60 30 30, *h0572@accor-hotels.com, Fax 01 45 57 04 22*

M, , , – – 450. AE GB JCB

voir rest. ***Relais de Sèvres*** ci-après

Brasserie 01 40 60 33 77 **Repas** *(110)*- 140, – 100 – **579 ch** 1600/1800, 15 appart.

◆ Face à l'héliport, cet hôtel à la silhouette élancée propose des chambres bien aménagées et insonorisées. Les derniers étages offrent un joli panorama sur l'Ouest parisien.

Sofitel Forum Rive Gauche DY **32**

17 bd St-Jacques (14e) 01 40 78 79 80, *h1297@accor-hotels.com, Fax 01 45 88 43 93*

M, – – 25 à 1 200. AE GB JCB

La Table et la Forme (menu basse calorie) 01 40 78 79 60 *(fermé 23 juil. au 19 août)* **Repas** *(88)*-184bc

Patio 01 40 78 79 50 **Repas** *(82)*-139(déj.) et carte 130 à 290, enf. 51 – 125 – **766 ch** 1600/2400, 16 appart.

◆ Ce Sofitel comprend le plus grand centre de conférences hôtelier d'Europe (équipements vidéo de pointe) et un cyberespace. Chambres chaleureusement décorées.

Novotel Porte d'Orléans DZ **54**
15-19 bd R. Rolland (14e) ✆ 01 41 17 26 00, *Fax 01 41 17 26 26*
M – 100. AE GB JCB
Repas 125 ♀, enf. 50 – 80 – **150 ch** 930/1725.
◆ La sécurité de l'accès et les salles de bains "dernier cri" sont les "plus" de ce Novotel dominant le boulevard périphérique. Quelques chambres ont vue sur la capitale.

Novotel Vaugirard BX **37**
257 r. Vaugirard (15e) ✆ 01 40 45 10 00, *h1978@accor-hotels.com, Fax 01 40 45 10 10*
M, – 300. AE GB
- Transatlantique : **Repas** carte environ 160 – 80 – **184 ch** 980/1050, 3 appart.
◆ Au coeur du 15e arrondissement, ce vaste établissement propose de grandes chambres modernes, équipées d'un double vitrage. Agréable terrasse entourée de verdure.

Mercure Montparnasse CX **4**
20 r. Gaîté (14e) ✆ 01 43 35 28 28, *h0905@accor-hotels.com, Fax 01 43 35 78 00*
M – 50. AE GB JCB
Bistrot de la Gaîté : **Repas** *(99)*-170 ♀, enf. 55 – 62 – **185 ch** 1280, 5 appart.
◆ Dans la rue des théâtres, immeuble abritant des chambres bien insonorisées, meublées dans le style Art déco ; leur confort correspond aux normes de la chaîne.

L'Aiglon DX **19**
232 bd Raspail (14e) ✆ 01 43 20 82 42, *hotelaiglon@wanadoo.fr, Fax 01 43 20 98 72*
sans rest – . AE GB JCB
40 – **34 ch** 650/870, 4 appart.
◆ La façade discrète cache un bel intérieur de style Empire. Les chambres, plaisantes et pourvues d'un double vitrage efficace, sont parfois assez petites.

Mercure Porte de Versailles BY **14**
69 bd Victor (15e) ✆ 01 44 19 03 03, *h1131@accor-hotels.com, Fax 01 48 28 22 11*
M sans rest – 250. AE GB
90 – **91 ch** 1600/1710.
◆ Face au parc des Expositions, immeuble des années 1970 proposant des chambres fonctionnelles ; bien tenues, elles vont prochaînement être rénovées.

Mercure Tour Eiffel BV **9**
64 bd Grenelle (15e) ✆ 01 45 78 90 90, *hotel@mercuretoureiffel.com, Fax 01 45 78 95 55*
M sans rest, – 25. AE GB JCB
80 – **76 ch** 1350/1550.
◆ Le bâtiment principal abrite des chambres aménagées selon les standards de la chaîne ; dans l'aile récente, elles offrent un confort supérieur et de nombreux petits "plus".

Holiday Inn Garden Court CX 9
10 r. Gager Gabillot (15e) 01 44 19 29 29, *reservations@holidayinn-paris.com, Fax 01 44 19 29 39*
sans rest – AE GB JCB
80 – **60 ch** 1200/1400.
◆ Bâtisse moderne située dans une rue calme. Préférez les chambres rénovées, joliment décorées ; les autres, moins grandes, vous conviendront également.

Raspail Montparnasse DX 56
203 bd Raspail (14e) 01 43 20 62 86, *raspailm@aol.com, Fax 01 43 20 50 79*
sans rest – AE GB JCB.
50 – **38 ch** 690/1500.
◆ À l'angle "Raspail-Montparnasse". Les chambres, aux tons différents selon les étages, sont insonorisées et bien aménagées. Expositions d'art contemporain dans le hall.

Lenox Montparnasse DX 31
15 r. Delambre (14e) 01 43 35 34 50, *Fax 01 43 20 46 64*
sans rest – AE GB JCB
50 – **52 ch** 620/760.
◆ Établissement fréquenté par le milieu de la mode et de l'élégance. Chambres de style, mignonnes salles de bains, agréables suites au 6e étage. Bar et salons plaisants.

Bailli de Suffren CX 25
149 av. Suffren (15e) 01 56 58 64 64, *hotel@wanadoo.fr, Fax 01 45 67 75 82*
sans rest – AE GB JCB.
70 – **25 ch** 685/935.
◆ Mobilier et décoration raffinée rendent hommage au bailli de Suffren : la mer, le retour des Indes. Chambres personnalisées, rénovées par étapes, calmes côté cour.

Delambre DX 6
35 r. Delambre (14e) 01 43 20 66 31, *Fax 01 45 38 91 76*
M sans rest – AE GB.
48 – **30 ch** 510/590.
◆ Dans une rue tranquille, cet établissement entièrement meublé dans un esprit contemporain propose des chambres sobres et gaies, pour la plupart spacieuses.

Alizé Grenelle BX 13
87 av. É. Zola (15e) 01 45 78 08 22, *alizegre@micronet.fr, Fax 01 40 59 03 06*
sans rest – AE GB JCB
52 – **50 ch** 550/590.
◆ En face du centre Beaugrenelle. Chambres bien équipées et insonorisées. Salon et salle des petits-déjeuners modernes, décorés dans des tons chauds et lumineux.

Mercure Paris XV BX 21
6 r. St-Lambert (15e) 01 45 58 61 00, *h0903@accor-hotels.com, Fax 01 45 54 10 43*
M sans rest – 30. AE GB
70 – **56 ch** 850/895.
◆ Accueil et salons sont aménagés dans le style contemporain, de même que les chambres ; confortables et bien tenues, elles ont toutes été récemment rénovées.

Apollinaire CX 8
39 r. Delambre (14e) ☎ 01 43 35 18 40, *infos@hotel.apollinaire.com, Fax 01 43 35 30 71*
sans rest – |‡| TV. AE ⓓ GB
☕ 45 – **36 ch** 585/790.
◆ Immeuble situé au coeur du quartier Montparnasse. Les chambres, parfois colorées, sont assez grandes et fonctionnelles. Salon un peu austère mais confortable.

Relais Mercure Raspail Montparnasse DX 28
207 bd Raspail (14e) ☎ 01 43 20 62 94, *h0351@accor-hotels.com, Fax 01 43 27 39 69*
sans rest – |‡| ⊁ ▤ TV ☏ ♿. AE ⓓ GB
☕ 70 – **63 ch** 690/870.
◆ Rêvez à la vie de bohème des artistes de Montparnasse en faisant étape dans cet immeuble haussmannien aux chambres actuelles garnies de meubles design.

Park Plaza Orléans Palace CZ 5
185 bd Brune (14e) ☎ 01 45 39 68 50, *orléans.palace@wanadoo.fr, Fax 01 45 43 65 64*
sans rest – |‡| ⊁ ▤ TV ☏ – 🏛 30. AE ⓓ GB
☕ 60 – **92 ch** 695/850.
◆ Sur un boulevard fréquenté, hôtel aux chambres garnies de meubles d'inspiration Art déco ou en stratifié, bien insonorisées et joliment redécorées par étapes.

Alésia Montparnasse CY 23
84 r. R. Losserand (14e) ☎ 01 45 42 16 03, *Fax 01 45 42 11 60*
sans rest – |‡| ⊁ TV. AE ⓓ GB JCB
☕ 50 – **45 ch** 580/650.
◆ Affaire familiale dont les chambres, meublées à l'identique, sont parées de mille coloris de tissus ; celles qui occupent le petit bâtiment sont particulièrement calmes.

Beaugrenelle St-Charles BX 34
82 r. St-Charles (15e) ☎ 01 45 78 61 63, *beaugre@francenet.fr, Fax 01 45 79 04 38*
sans rest – |‡| TV ☏. AE ⓓ GB JCB
☕ 52 – **51 ch** 520/590.
◆ Les chambres, déjà anciennes, sont bien tenues et vont être rénovées ; elles sont insonorisées dans le bâtiment principal et tranquilles à l'annexe.

Arès BV 24
7 r. Gén. de Larminat (15e) ☎ 01 47 34 74 04, *aresotel@easynet.fr, Fax 01 47 34 48 56*
sans rest – |‡| TV ☏. AE ⓓ GB JCB
☕ 47 – **42 ch** 590/1200.
◆ Les amateurs d'antiquités choisiront cet hôtel situé près du Village Suisse. Chambres claires et spacieuses. Salons avec meubles de style, miroirs et dessins anciens.

Versailles BY 33
213 r. Croix-Nivert (15e) ☎ 01 48 28 48 66, *Fax 01 45 30 16 22*
sans rest – |‡| TV. AE ⓓ GB
☕ 60 – **41 ch** 500/750.
◆ Hôtel dont les chambres, meublées dans l'esprit des années 1970, sont bien tenues et régulièrement rafraîchies. Coin salon garni de confortables fauteuils en cuir blanc.

Terminus Vaugirard
BY 3

403 r. Vaugirard (15e) ✆ 01 48 28 18 72, *terminus-vaugirard@wanadoo.fr*, *Fax 01 48 28 56 34*
sans rest – |‡| – 25. GB.
fermé 15 au 27 déc.
☕ 50 – **89 ch** 600/700.
◆ Établissement proposant des chambres assez spacieuses et fonctionnelles. Du rez-de-chaussée au sous-sol, nombreux espaces de détente : bar, salon, salle de jacuzzi.

Abaca Messidor
BY 9

330 r. Vaugirard (15e) ✆ 01 48 28 03 74, *info@abacahotel.com*, *Fax 01 48 28 75 17*
sans rest, – |‡| TV – 20. AE GB
☕ 70 – **72 ch** 790/1100.
◆ Dans la rue la plus longue de Paris ! Les chambres les plus agréables sont dans l'annexe ; certaines donnent sur le jardin. Côté rue, elles sont simples et insonorisées.

Daguerre
CY 14

94 r. Daguerre (14e) ✆ 01 43 22 43 54, *hotel.daguerre.paris14@gofornet.com*, *Fax 01 43 20 66 84*
M sans rest – |‡| TV. AE GB JCB.
☕ 45 – **30 ch** 450/680.
◆ Immeuble du début du 20e s. et sa jolie fontaine d'époque dans le hall. Chambres assez petites mais bien meublées. Salle des petits-déjeuners aménagée dans l'ancienne cave.

Ibis Brancion
BY 23

105 r. Brancion (15e) ✆ 01 56 56 62 30, *Fax 01 56 56 62 31*
M sans rest – |‡| TV. AE GB.
☕ 39 – **71 ch** 500/550.
◆ Ibis récent disposant de chambres agencées selon les normes de la dernière génération de la chaîne ; quelques-unes ont vue sur le parc Georges-Brassens et sa roseraie.

Lilas Blanc
BX 3

5 r. Avre (15e) ✆ 01 45 75 30 07, *hotellilasblanc@minitel.net*, *Fax 01 45 78 66 65*
M sans rest – |‡| TV. AE GB
☕ 38 – **32 ch** 390/465.
◆ Dans une rue calme le soir, hôtel proposant des petites chambres colorées, sobrement meublées en stratifié ; celles du rez-de-chaussée sont moins lumineuses.

Acropole
CZ 4

199 bd Brune (14e) ✆ 01 45 39 64 17, *Fax 01 45 42 18 21*
sans rest – |‡| TV. AE GB.
☕ 35 – **43 ch** 336/432.
◆ Cet établissement qui borde un boulevard à forte circulation est bien insonorisé. Chambres fonctionnelles, progressivement rénovées, grandes et mansardées au 7e étage.

Sèvres-Montparnasse
CX 28

153 r. Vaugirard (15e) ✆ 01 47 34 56 75, *Fax 01 40 65 01 86*
sans rest – |‡| TV. AE GB.
☕ 40 – **35 ch** 450/570.
◆ Hôtel où vous choisirez des chambres rustiques ou contemporaines. Aménagés avec soin, coin salon et salle des petits-déjeuners partagent le même espace.

Istria DX **39**
29 r. Campagne Première (14e) ✆ 01 43 20 91 82, *Fax 01 43 22 48 45*
sans rest – |♦| TV ✆. AE ⓓ GB JCB. ✗
☕ 46 – **26 ch** 590/700.
♦ Aragon immortalisa cet hôtel dans "Il ne m'est Paris que d'Elsa". Petites chambres simples, agréable salon, salle des petits-déjeuners dans une jolie cave voûtée.

Lion DY **13**
1 av. Gén. Leclerc (14e) ✆ 01 40 47 04 00, *hotel.du.lion@wanadoo.fr*, *Fax 01 43 20 38 18*
sans rest – |♦| ⇆ TV ✆. AE ⓓ GB JCB. ✗
☕ 50 – **33 ch** 420/580.
♦ Face au modèle réduit du Lion de Belfort, établissement aux chambres correctement équipées, bien tenues et munies d'un double vitrage.

Apollon Montparnasse CY **12**
91 r. Ouest (14e) ✆ 01 43 95 62 00, *apdlonm@club-internet.fr*, *Fax 01 43 95 62 10*
sans rest – |♦| TV ✆. AE ⓓ GB JCB
☕ 35 – **33 ch** 405/480.
♦ Proximité de la gare Montparnasse et des navettes Air France, accueil courtois et chambres coquettes sont les atouts de cet hôtel bordant une rue assez calme.

Résidence St-Lambert BY **10**
5 r. E. Gibez (15e) ✆ 01 48 28 63 14, *hotel.st-lambert@easynet.fr*, *Fax 01 45 33 45 50*
sans rest – |♦| TV. AE ⓓ GB JCB
☕ 42 – **48 ch** 520/650.
♦ Immeuble abritant de petites chambres pimpantes et insonorisées. Salles de bains étroites mais bien agencées. Minicour intérieure où l'on sert les petits-déjeuners en été.

Carladez Cambronne BX **7**
3 pl. Gén. Beuret (15e) ✆ 01 47 34 07 12, *carladez@club-internet.fr*, *Fax 01 40 65 95 68*
sans rest – |♦| TV ✆. AE ⓓ GB JCB
☕ 45 – **28 ch** 435/475.
♦ Hôtel dont les chambres, meublées dans le goût des années 1980, sont nettes et lumineuses. Au sous-sol, salle des petits-déjeuners ornée d'une fresque en trompe-l'oeil.

Parc DZ **17**
60 r. Beaunier (14e) ✆ 01 45 40 77 02, *Fax 01 45 40 81 99*
sans rest – |♦| TV. AE GB JCB
☕ 42 – **24 ch** 395/490.
♦ Dans une rue tranquille, établissement proposant des petites chambres simples, propres, garnies d'un mobilier standard et bien insonorisées. Accueil tout sourire.

Châtillon Hôtel. CY **18**
11 square Châtillon (14e) ✆ 01 45 42 31 17, *chatillon.hotel@wanadoo.fr*, *Fax 01 45 42 72 09*
sans rest – |♦| TV. GB. ✗
☕ 45 – **31 ch** 350/450.
♦ Adresse fréquentée par des habitués, sensibles au calme du lieu : les chambres, assez spacieuses et bien tenues, donnent sur un square au bout d'une impasse.

Aberotel CX **12**
24 r. Blomet (15e) ✆ 01 40 61 70 50, *aberotel@aol.com, Fax 01 40 61 08 31*
sans rest – ♿. AE GB JCB
☕ 50 – **28 ch** 560/770.
◆ Ambiance "zen" dans le salon orné de peintures sur bois évoquant les cartes à jouer. Chambres coquettes. Cour intérieure où l'on prend les petits-déjeuners en été.

Paix DX **8**
225 bd Raspail (14e) ✆ 01 43 20 35 82, *resa@hoteldelapaix.com, Fax 01 43 35 32 63*
sans rest – TV. AE GB.
☕ 37 – **39 ch** 430/590.
◆ Hôtel meublé dans le goût des années 1970, où vous trouverez des chambres fonctionnelles, bien tenues et correctement insonorisées. Accueil charmant.

Pasteur CX **27**
33 r. Dr Roux (15e) ✆ 01 47 83 53 17, *Fax 01 45 66 62 39*
sans rest – TV. GB
fermé août
☕ 50 – **19 ch** 380/590.
◆ Petites chambres très simples, aux douces tonalités automnales. Aux beaux jours, vous prendrez vos petits-déjeuners dans l'agréable cour intérieure.

XXXX **Les Célébrités** - Hôtel Nikko BV 16
✿ 61 quai Grenelle (15e) ✆ 01 40 58 21 29, *restaurant@hotel-nikko.fr, Fax 01 40 58 21 50*
AE GB JCB
fermé août – **Repas** 250 (déj.), 290/440 et carte 410 à 670.
◆ Au 3e étage de l'hôtel, vaste salle à manger panoramique avec vue plongeante sur la Seine. Cadre confortable agrémenté de claustras et plantes vertes.
Spéc. Tronçon de turbot rôti aux pommes. Saint-Jacques au jus de cresson (oct. à mars). Rognon de veau en fricassée aux champignons, gratin de macaroni.

XXXX **Montparnasse 25** - Hôtel Méridien Montparnasse CX 3
✿ 19 r. Cdt Mouchotte (14e) ✆ 01 44 36 44 25, *meridien.montparnasse@forte-hotels.com, Fax 01 44 36 49 03*
P. AE GB JCB.
fermé août, sam. dim. et fériés – **Repas** 270 (déj.), 330/420 (dîner) et carte 360 à 450 ♀.
◆ Le cadre contemporain sur fond de laque noire peut surprendre, mais ce restaurant s'avère confortable et chaleureux. Cuisine au goût du jour, superbes chariots de fromages.
Spéc. Compression de légumes (printemps-été). Sole de ligne en croûte d'herbes (printemps-été). Lièvre de Sologne à la royale (oct. à déc.).

XXXX **Relais de Sèvres** - Hôtel Sofitel Porte de Sèvres AY 29
8 r. L. Armand (15e) 01 40 60 33 66, *h0572@accor-hotels.com, Fax 01 45 57 04 22*
P. AE GB JCB
fermé 30 juil. au 26 août, sam., dim. et fériés – **Repas** 245/385 bc et carte 350 à 500.
◆ À côté de l'héliport, vous serez accueilli dans un plaisant décor bourgeois contemporain. Sur la table, service en porcelaine de Limoges et assiette traditionnelle.
Spéc. Ravioli de homard au saté et basilic pourpre. Epaule d'agneau de sept heures servie à la cuiller (oct. à avril). Fondant au chocolat.

XXX **Ciel de Paris** CX 26
Tour Maine Montparnasse, au 56e étage (15e) 01 40 64 77 64, *ciel-de-paris.rv@elior.com, Fax 01 40 64 59 71*
Paris – . AE GB JCB
Repas 198 (déj.)/295 et carte 280 à 480.
◆ Pour un repas en plein "ciel de Paris". Confortable salle à manger contemporaine tournée vers les Invalides et la tour Eiffel : vue inoubliable par temps clair !

XXX **Le Duc** DX 18
243 bd Raspail (14e) 01 43 20 96 30, *Fax 01 43 20 46 73*
. AE GB JCB
fermé 28 juil. au 20 août, 23 déc. au 2 janv., sam. midi, dim. et lundi – **Repas** 280 (déj.)et carte 310 à 590.
◆ L'atmosphère et le décor d'une confortable cabine de yacht avec lambris d'acajou, appliques à thème marin et cuivres rutilants. Cuisine de la mer alliant qualité et simplicité.
Spéc. Poissons crus. Saint-Jacques au naturel (oct. à mai). Homard sauce piquante.

XXX **Dôme** DX 2
108 bd Montparnasse (14e) 01 43 35 25 81, *Fax 01 42 79 01 19*
. AE GB JCB
Repas carte 310 à 510.
◆ L'un des temples de la bohème littéraire et artistique des années folles, devenu un restaurant chic tendance "rive gauche", au cadre Art déco préservé. Produits de la mer.

XXX **Chen-Soleil d'Est** BV 14
15 r. Théâtre (15e) 01 45 79 34 34, *Fax 01 45 79 07 53*
. AE GB JCB
fermé 13 au 31 août et dim. – **Repas** 250 (déj.), 450/950 et carte 400 à 530.
◆ Glissez-vous sous les immeubles du front de Seine pour y découvrir un authentique petit coin d'Asie : cuisine chinoise au "wok", meubles et boiseries importés de Chine.
Spéc. Cuisses de grenouilles sautées au sel et poivre de Se Tchuang. Mijotée d'ailerons de requin à la Mandarin. Pigeonneau aux cinq parfums.

XXX **Pavillon Montsouris** DZ 5
20 r. Gazan (14e) 01 45 88 38 52, *Fax 01 45 88 63 40*
, – P. GB.
Repas 268.
◆ Créé à la Belle Époque dans le parc Montsouris, ce restaurant vous offre, derrière sa belle verrière ou sur son agréable terrasse, le calme de la campagne en plein Paris.

XXX **Maison Courtine** CY 25

157 av. Maine (14e) ✆ 01 45 43 08 04, *Fax 01 45 45 91 35*

▤. GB. ✂

fermé 8 au 25 août, sam. midi, lundi midi et dim. – **Repas** 185 ♀.

◆ L'établissement a profité de son changement d'enseigne pour faire peau neuve. Décor actuel, mobilier de style Louis-Philippe et mise en place soignée.

XX **Yves Quintard** BX 42

99 r. Blomet (15e) ✆ 01 42 50 22 27, *Fax 01 42 50 22 27*

▤. AE GB. ✂

fermé 4 au 31 août, sam. midi et dim. – **Repas** 198/320.

◆ Un accueil chaleureux et un service attentionné vous attendent dans cette salle à manger contemporaine prisée par la clientèle d'affaires. Cuisine au goût du jour.

XX **La Coupole** DX 41

102 bd Montparnasse (14e) ✆ 01 43 20 14 20, *Fax 01 43 35 46 14*

▤. AE ⓪ GB JCB

Repas *(138)* - 189 bc et carte 190 à 300.

◆ Le coeur de Montparnasse bat encore dans cette grande brasserie à l'atmosphère typiquement parisienne. Les piliers sont décorés d'oeuvres d'artistes des années folles.

XX **Vin et Marée** CY 4

108 av. Maine (14e) ✆ 01 43 20 29 50, *vin.maree@wanadoo.fr, Fax 01 43 27 84 11*

▤. AE GB JCB

Repas carte 190 à 255 ♀.

◆ Les produits de la mer, spécialité de la maison, sont présentés sur ardoise. Salles à manger décorées dans le style marin. Fresque exotique des années 1930.

XX **Caroubier** BY 6

82 bd Lefebvre (15e) ✆ 01 40 43 16 12

▤. GB

fermé août et lundi – **Repas** *(95)* - 145 et carte 210 à 230 ♀.

◆ Ambiance feutrée, chaleureuse atmosphère familiale et service prévenant vont de pair avec la cuisine nord-africaine gorgée de soleil que l'on savoure dans ce restaurant.

XX **Monsieur Lapin** CY 28

11 r. R. Losserand (14e) ✆ 01 43 20 21 39, *Fax 01 43 21 84 86*

▤. GB

fermé août, mardi midi et lundi – **Repas** (nombre de couverts limité, prévenir) 185/300 et carte 220 à 320 ♀.

◆ Tel le personnage d'Alice au pays des merveilles, il est partout : dans la décoration de la salle à manger comme sur la carte qui l'accommode à moult sauces.

XX **Clos Morillons** BY 13

50 r. Morillons (15e) ✆ 01 48 28 04 37, *Fax 01 48 28 70 77*

AE GB JCB

fermé 23 déc. au 2 janv., sam. midi, lundi midi et dim. – **Repas** *(150)* - 175/250 ♀.

◆ Les épices sont ici à l'honneur : cuisine soignée travaillant le mélange des saveurs, salle à manger safranée, présentation d'aromates. Accueil d'une grande gentillesse.

XX **La Dînée** AY 9
85 r. Leblanc (15e) ✆ 01 45 54 20 49, *Fax 01 40 60 73 76*
AE GB JCB
fermé sam. et dim. – **Repas** *(155)* - 185 ♀.
◆ Moins futuriste que le parc André-Citroën voisin, cette salle à manger actuelle agrémentée de tableaux et d'un comptoir de bar propose une cuisine au goût du jour.

XX **Chaumière des Gourmets** DY 48
22 pl. Denfert-Rochereau (14e) ✆ 01 43 21 22 59, *Fax 01 43 21 26 08*
AE GB
fermé août, sam. midi et dim. – **Repas** 170/255 ♀.
◆ Chaleureuse auberge à l'ambiance "cosy" égayée de touches "rétros" : caisse enregistreuse, téléphone et phonographe anciens. Clientèle d'habitués. Cuisine traditionnelle.

XX **Gauloise** BV 12
59 av. La Motte-Picquet (15e) ✆ 01 47 34 11 64, *Fax 01 40 61 09 70*
– AE GB JCB
Repas *(130)* - 160 et carte 190 à 300 ♀, enf. 75.
◆ Cette brasserie des années 1900 a dû voir passer bon nombre de personnalités, à en juger par les photos dédicacées tapissant les murs. Plaisante terrasse sur le trottoir.

XX **Moniage Guillaume** DY 22
88 r. Tombe-Issoire (14e) ✆ 01 43 22 96 15, *Fax 01 43 27 11 79*
AE ⓓ GB
fermé 8 au 20 août et dim. – **Repas** *(185)* - 245 et carte 320 à 410 ♀.
◆ Poutres, vaste cheminée et cuisine traditionnelle privilégiant poissons et fruits de mer : une auberge provinciale... en plein Paris ! Végétation luxuriante sous la véranda.

XX **Erawan** BV 58
76 r. Fédération (15e) ✆ 01 47 83 55 67, *Fax 01 47 34 85 98*
. AE GB.
fermé août et dim. – **Repas** 122/250 et carte 150 à 250.
◆ Ne vous fiez pas à l'anonymat de cette devanture, elle abrite une plaisante salle à manger au sobre décor asiatique. Goûteuse cuisine thaïlandaise et service souriant.

XX **Philippe Detourbe** CX 24
8 r. Nicolas Charlet (15e) ✆ 01 42 19 08 59, *Fax 01 45 67 09 13*
. AE GB JCB
fermé lundi midi, sam. midi et dim. – **Repas** *(150)* - 180 (déj.)/240.
◆ Cadre feutré et original, alliant le rouge sombre à l'or mat. Cuisine inventive renouvelée chaque jour. Menu présenté sur ardoise et théâtralement énoncé : amusant !

XX **Chez les Frères Gaudet** BX 10
19 r. Duranton (15e) ✆ 01 45 58 43 17, *Fax 01 45 58 42 65*
AE ⓓ GB
fermé 1er au 15 sept., sam. midi et dim. – **Repas** *(130)* - 170 ♀.
◆ Stores, beaux luminaires en cuivre et pâte de verre, banquettes en similicuir : l'ambiance 1950 - plutôt chic - est digne d'un roman de Simenon ! Plats traditionnels.

XX **La Créole** DX 3
122 bd Montparnasse (14e) ✆ 01 43 20 62 12, *Fax 01 42 79 94 39*
▤. AE ⓓ GB
Repas 130/250 bc et carte 230 à 260.
◆ Végétation tropicale, décor colonial, service en costume créole et cuisine des Antilles : vous serez comme par miracle transportés vers les "Îsles" le temps d'un repas !

XX **Filoche** BX 14
34 r. Laos (15e) ✆ 01 45 66 44 60
▤. GB. ✈
fermé 20 juil. au 4 sept., 23 déc. au 5 janv., sam. et dim. – **Repas** *(146)* - 169.
◆ Cet ancien "bougnat" n'a guère changé depuis sa création il y a bientôt un siècle : les mêmes gravures évoquant l'Aveyron agrémentent ses murs. Cuisine traditionnelle.

XX **L'Étape** BX 46
89 r. Convention (15e) ✆ 01 45 54 73 49, *Fax 01 45 58 20 91*
▤. AE GB
fermé 6 au 19 août, sam. midi et dim. – **Repas** 130/170.
◆ Une "étape" tout à fait classique dans sa cuisine et son décor constitué d'un mobilier de style Louis XIII, de boiseries et de confortables banquettes.

XX **Aux Senteurs de Provence** BX 26
295 r. Lecourbe (15e) ✆ 01 45 57 11 98, *Fax 01 45 58 66 84*
AE ⓓ GB JCB
fermé 6 au 21 août, sam. midi et dim. – **Repas** *(130)* - 160 et carte 220 à 300 ♀.
◆ Dans un quartier plutôt calme le soir. Cuisine provençale, dont l'incontournable bouillabaisse, servie dans une sobre salle à manger en longueur.

XX **Copreaux** CX 11
15 r. Copreaux (15e) ✆ 01 43 06 83 35
▤. GB
fermé août, dim. et lundi – **Repas** 129 et carte 160 à 240 ♀.
◆ Petite adresse à la charmante atmosphère provinciale, servant une cuisine familiale dans un cadre rustique et chaleureux. Exposition de tableaux et lithographies.

X **L'O à la Bouche** DX 9
124 bd Montparnasse (14e) ✆ 01 56 54 01 55, *Fax 01 43 21 07 87*
▤. AE GB JCB
fermé 15 au 23 avril, 5 au 27 août, 1er au 9 janv., dim. et lundi – **Repas** *(105)* - 140 (déj.), 195/290 ♀.
◆ Il règne un esprit "bistrot" dans ce restaurant discrètement méditerranéen. Ambiance sympathique, service charmant et cuisine si alléchante qu'on en a... l'eau à la bouche !

X **Bistro d'Hubert** CX 5
41 bd Pasteur (15e) ✆ 01 47 34 15 50, *message@bistrodhubert.com, Fax 01 45 67 03 09*
AE ⓓ GB JCB
fermé dim. du 20 juin au 15 sept. et sam. midi – **Repas** *(120)* - 210.
◆ Terrasse sur le trottoir et sympathique salle à manger rustique tendance "décor de théâtre", offrant une vue directe sur les fourneaux. Cuisine au goût du jour.

Fontanarosa CX 57
28 bd Garibaldi (15e) ✆ 01 45 66 97 84, *Fax 01 47 83 96 30*
– AE GB JCB
fermé 24 déc. au 2 janv. – **Repas** *(89)* - 120 (déj.) et carte 200 à 340 ♀.
◆ Sur le boulevard portant le nom du célèbre homme politique italien, la présence de cette trattoria à la façade "rosa" s'impose comme une évidence. Cuisine sarde.

Pascal Champ DY 5
5 r. Mouton-Duvernet (14e) ✆ 01 45 39 39 61, *Fax 01 45 39 39 61*
GB
fermé août, dim. et lundi – **Repas** 119 (déj.), 129/169 ♀.
◆ Rue commerçante animée où vous apprécierez l'intimité d'un dîner aux chandelles dans une salle à manger aux murs en pierres de taille. Cuisine au goût du jour.

A La Bonne Table CZ 12
42 r. Friant (14e) ✆ 01 45 39 74 91, *Fax 01 45 43 66 92*
AE GB
fermé 14 au 29 juil., 24 fév. au 3 mars, sam. midi et dim. – Repas 146 et carte 180 à 300 ♀.
◆ Le chef, d'origine japonaise, prépare une cuisine française traditionnelle relevée de son savoir-faire nippon. Confortable salle à manger en longueur, d'esprit "rétro".

Contre-Allée DY 30
83 av. Denfert-Rochereau (14e) ✆ 01 43 54 99 86, *Fax 01 43 25 08 11*
AE GB
fermé sam. midi – **Repas** *(169)* - 199/210.
◆ Sur une contre-allée proche de la place Denfert - honorant le défenseur de Belfort - adresse vivante où l'on déguste un menu-carte variant au rythme des saisons.

Père Claude BV 7
51 av. La Motte-Picquet (15e) ✆ 01 47 34 03 05, *Fax 01 40 56 97 84*
. AE GB
Repas 120 (déj.)/170 et carte 230 à 360 ♀.
◆ Têtes connues et militaires de l'École se côtoient chez le "Père Claude", truculent patron de cette institution : un restaurant-rôtisserie à l'atmosphère décontractée.

Gastroquet BY 50
10 r. Desnouettes (15e) ✆ 01 48 28 60 91, *Fax 01 45 33 23 70*
AE GB
fermé août, lundi midi, sam. et dim. – **Repas** *(135)* - 169 et carte 240 à 310 ♀.
◆ À deux pas du parc des Expositions de la porte de Versailles, bistrot de quartier où l'on se sent un peu comme chez soi. Cuisine traditionnelle, accueil chaleureux.

Stéphane Martin BX 19
67 r. Entrepreneurs (15e) ✆ 01 45 79 03 31, *resto.stephanemartin@free.fr, Fax 01 45 79 44 69*
. AE GB.
fermé 13 au 31 août, vacances de fév., dim. et lundi – **Repas** 150 bc (déj.)/185 et carte 210 à 260.
◆ Sobre salle à manger récemment rénovée au voisinage de la place Violet (nom de l'entrepreneur de l'ancien village de Grenelle). Le menu du marché est très prisé.

Les Cévennes
AX 55

55 r. Cévennes (15e) ✆ 01 45 54 33 76

AE GB

fermé 13 juil. au 15 août, sam. midi et dim. – **Repas** 180 (déj.) et carte 190 à 240.

◆ Discrète "auberge" retirée dans une rue calme, proche du nouveau quartier André-Citroën. Petite salle à manger rustique. Cuisine du marché.

Au Soleil de Minuit
BY 4

15 r. Desnouettes (15e) ✆ 01 48 28 15 15, *Fax 01 48 28 17 17*

AE GB

fermé 1er au 20 août, 25 au 30 déc., dim. soir et lundi – **Repas** *(90)* - 125/180 et carte 190 à 260.

◆ L'ambassade de la cuisine finnoise à Paris. Décor aux couleurs du drapeau finlandais, en bleu et blanc, et spécialités importées du pays arrosées d'un verre d'aquavit.

L'Épopée
BX 27

89 av. É. Zola (15e) ✆ 01 45 77 71 37, *Fax 01 45 77 71 37*

AE GB JCB

fermé 15 au 22 avril, 29 juil. au 27 août, sam. midi et dim. – **Repas** *(165)* - 195.

◆ Loin de prétendre à des développements épiques, ce petit restaurant favorise la convivialité. La clientèle d'habitués est ravie de ses sympathiques plats du marché.

Les P'tits Bouchons de François Clerc
CX 51

32 bd Montparnasse (15e) ✆ 01 45 48 52 03, *Fax 01 45 48 52 17*

AE GB

fermé sam. midi et dim. – **Repas** 179 ♀.

◆ Bistrot d'esprit bar à vins, où vous pourrez accompagner vos plats d'un choix étendu de rouges et de blancs servis au verre. Aux murs, de vieilles affiches de publicité.

Petit Mâchon
BX 12

123 r. Convention (15e) ✆ 01 45 54 08 62

GB

fermé août, vacances de fév. dim. et lundi – **Repas** *(75)* - 110 (déj.)/145 et carte 190 à 270 ♀.

◆ Typique petit "bouchon" des années 1900 : comptoir imposant, miroirs gravés, lustres Art nouveau... Erreur ! C'est un "faux", oeuvre de l'ingénieux Slavik. Spécialités lyonnaises.

St-Vincent
BX 53

26 r. Croix-Nivert (15e) ✆ 01 47 34 14 94, *Fax 01 45 66 02 80*

AE GB

fermé 1er au 19 août, sam. midi et dim. – **Repas** carte 190 à 300 ♀.

◆ Bistrot à l'atmosphère conviviale. La salle à manger, tout en longueur, est ornée d'objets ayant trait à la vigne : hommage à St-Vincent, patron des vignerons.

Régalade
CZ 21

49 av. J. Moulin (14e) ✆ 01 45 45 68 58, *Fax 01 45 40 96 74*

GB

fermé août, sam. midi, dim. et lundi – **Repas** (prévenir) 195 ♀.

◆ Un accueil tout sourire, une savoureuse cuisine du terroir, un cadre sobre : voici les atouts de ce petit bistrot voisin de la porte de Châtillon. Tout le monde y court !

L'Agape BX 8
281 r. Lecourbe (15e) ✆ 01 45 58 19 29
GB
fermé 6 au 27 août, sam. midi et dim. – **Repas** 120 et carte environ 140.
◆ Petit restaurant au décor sobre, fraîchement rénové dans un style actuel. La cuisine y est goûteuse et généreuse, le service aimable et efficace.

du Marché BY 12
59 r. Dantzig (15e) ✆ 01 48 28 31 55, *restaurant.du.marché@wanadoo.fr, Fax 01 48 28 18 31*
AE GB
fermé 15 juil. au 15 août, sam. midi, lundi midi et dim. – Repas *(120)* - 168 et carte 290 à 400.
◆ Près du parc Georges-Brassens, ce sympathique bistrot au cadre années 1950 propose ses petits plats du Sud-Ouest "à la bonne franquette". Boutique de produits régionaux.

Château Poivre CY 45
145 r. Château (14e) ✆ 01 43 22 03 68, *chateaupoivre@noos.fr*
AE D GB JCB
fermé 10 au 22 août, 23 déc. au 3 janv., dim. et fériés – **Repas** 100 et carte 140 à 250 ♀.
◆ Luminaire design et chaudes teintes jaune ou orangée rajeunissent depuis peu cette salle à manger de style "rétro". Copieuse cuisine d'inspiration méridionale.

Troquet CX 32
21 r. F. Bonvin (15e) ✆ 01 45 66 89 00, *Fax 01 45 66 89 83*
GB.
fermé août, 24 déc. au 2 janv., dim. et lundi – Repas 140 (déj.), 170/185 ♀.
◆ Authentique "troquet" parisien : menu unique proposé sur ardoise, salle à manger de style "rétro", goûteuse cuisine du marché. Pour les titis... et les autres !

L'Os à Moelle AX 2
3 r. Vasco de Gama (15e) ✆ 01 45 57 27 27, *Fax 01 45 57 27 27*
AE GB
fermé août, dim. et lundi – **Repas** 175 (déj.)/190.
◆ Murs patinés et savoureux menu du marché côté bistrot, ou casse-croûte autour d'une table d'hôte conviviale dans le cadre campagnard de la "Cave" située en face.

Bistrot du Dôme DX 7
1 r. Delambre (14e) ✆ 01 43 35 32 00
AE GB
Repas carte environ 220 ♀.
◆ "L'annexe" du Dôme, spécialisée elle aussi dans les produits de la mer. Ambiance décontractée dans la grande salle à manger au plafond orné de feuilles de vignes.

Mûrier BY 5
42 r. Olivier de Serres (15e) ✆ 01 45 32 81 88
GB
fermé 6 au 26 août, sam. midi et dim. – Repas *(82)* - 98/125 ♀.
◆ À deux pas des boutiques de la rue de la Convention, une adresse bien sympathique avec son appétissante cuisine traditionnelle et sa salle à manger ornée de vieilles affiches.

Sept/Quinze BX 8
29 av. Lowendal (15e) ✆ 01 43 06 23 06, *Fax 01 45 67 14 11*
GB
fermé 8 au 22 août et dim. – **Repas** *(100)* - 140 (déj.)/150 et carte 160 à 200 ♀.
◆ Ce bistrot "à cheval" sur les 7e et 15e arrondissements offre couleurs vives, œuvres d'art moderne et cuisine au goût du jour sous influence californienne.

Petit Bofinger CX 13
46 bd Montparnasse (15e) ✆ 01 45 48 49 16, *Fax 01 45 44 92 05*
AE GB
Repas *(98)* - 149 ♀.
◆ Une création bienvenue dans le secteur si animé de la place du 18-Juin-1940, que ce bistrot à la carte étoffée. Résultat : il ne désemplit pas, de jour comme de nuit.

L'Amuse Bouche CY 3
186 r. Château (14e) ✆ 01 43 35 31 61, *Fax 01 45 38 96 60*
GB
fermé août, lundi midi et dim. – **Repas** (nombre de couverts limité, prévenir) *(145)* - 178 ♀.
◆ À l'angle de l'avenue du Maine, établissement discret proposant une cuisine traditionnelle. Vous y mangerez au calme dans une sobre salle à manger rustique.

Les Gourmands CY 9
101 r. Ouest (14e) ✆ 01 45 41 40 70, *Fax 01 45 41 17 66*
AE GB
fermé mi-juil. à mi-août, dim. et lundi – **Repas** *(112)* - 152/192.
◆ Salle décorée d'outils agricoles et cuisine catalane de caractère : les gourmands ne seront pas déçus par ce restaurant qui est aussi le siège des Catalans de Paris.

Flamboyant CY 5
11 r. Boyer-Barret (14e) ✆ 01 45 41 00 22
AE GB
fermé août, dim. soir, mardi midi et lundi – **Repas** 70 (déj.), 180 bc/300 bc et carte 160 à 250.
◆ Cette modeste mais non moins sympathique petite adresse de quartier propose une cuisine martiniquaise dans une salle de style bistrot. Accueil tout en gentillesse.

Les Coteaux BX 5
26 bd Garibaldi (15e) ✆ 01 47 34 83 48
GB.
fermé août, sam., dim. et lundi – **Repas** 140.
◆ Le vin - surtout le beaujolais - est à l'honneur dans ce bistrot tout simple proche de l'UNESCO. Il accompagne des petits plats du terroir.

Trocadéro - Passy
Bois de Boulogne
Auteuil - Étoile

16e arrondissement

16e : ⊠ 75016 ou 75116

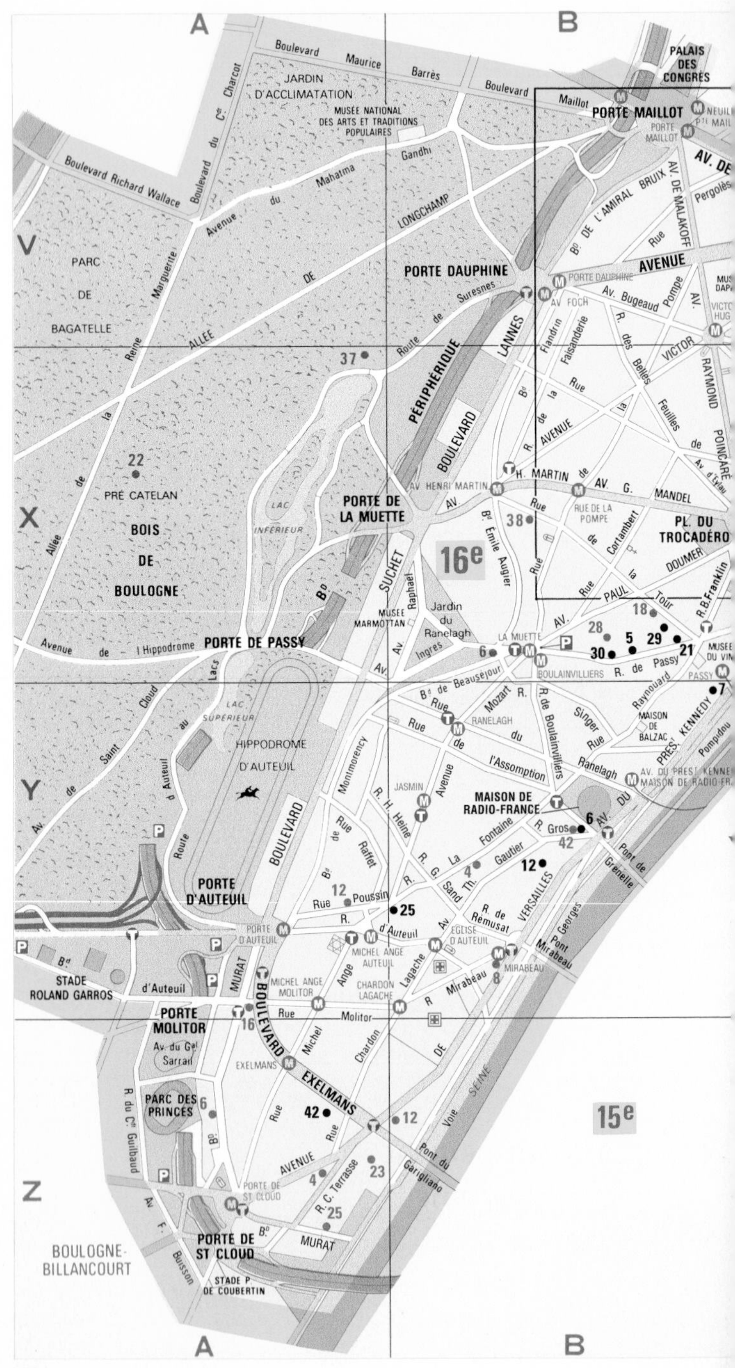
A
B
V
X
Y
Z
Boulevard Maurice Barrès
Boulevard Maillot
JARDIN D'ACCLIMATATION
MUSÉE NATIONAL DES ARTS ET TRADITIONS POPULAIRES
PALAIS DES CONGRÈS
PORTE MAILLOT
Boulevard Richard Wallace
Boulevard du Cdt Charcot
Avenue du Mahatma Gandhi
ALLÉE DE LONGCHAMP
PARC DE BAGATELLE
Allée de la Reine Marguerite
PORTE DAUPHINE
Route de Suresnes
AV. FOCH
AVENUE
Bd DE L'AMIRAL BRUIX
AV. DE MALAKOFF
PÉRIPHÉRIQUE
BOULEVARD
LANNES
37
22
PRÉ CATELAN
BOIS DE BOULOGNE
LAC INFÉRIEUR
PORTE DE LA MUETTE
SUCHET
16e
AV. HENRI MARTIN
AV. G. MANDEL
PL. DU TROCADÉRO
38
Bd Émile Augier
MUSÉE MARMOTTAN
Jardin du Ranelagh
Av. Ingres
Av. Raphaël
LA MUETTE
Avenue de l'Hippodrome
PORTE DE PASSY
LAC SUPÉRIEUR
HIPPODROME D'AUTEUIL
Route d'Auteuil aux Lacs
Av. de Saint Cloud
18
28
5
29
21
30
6
R. de Passy
BOULAINVILLIERS
7
MAISON DE BALZAC
MAISON DE RADIO-FRANCE
RANELAGH
R. de Boulainvilliers
Rue de l'Assomption
JASMIN
6
42
12
4
PORTE D'AUTEUIL
25
12
Rue Poussin
R. d'Auteuil
ÉGLISE D'AUTEUIL
MICHEL ANGE AUTEUIL
MIRABEAU
8
Pont Mirabeau
Pont de Grenelle
STADE ROLAND GARROS
Bd d'Auteuil
MURAT
PORTE MOLITOR
MICHEL ANGE MOLITOR
CHARDON LAGACHE
Rue Molitor
16
Av. du Gal Sarrail
BOULEVARD EXELMANS
EXELMANS
PARC DES PRINCES
6
42
12
R. du Cdt Guilbaud
Voie SEINE
15e
Pont du Garigliano
AVENUE
4
23
R. C. Terrasse
25
PORTE DE ST CLOUD
Bd MURAT
BOULOGNE-BILLANCOURT
Av. F. Buisson
STADE P. DE COUBERTIN

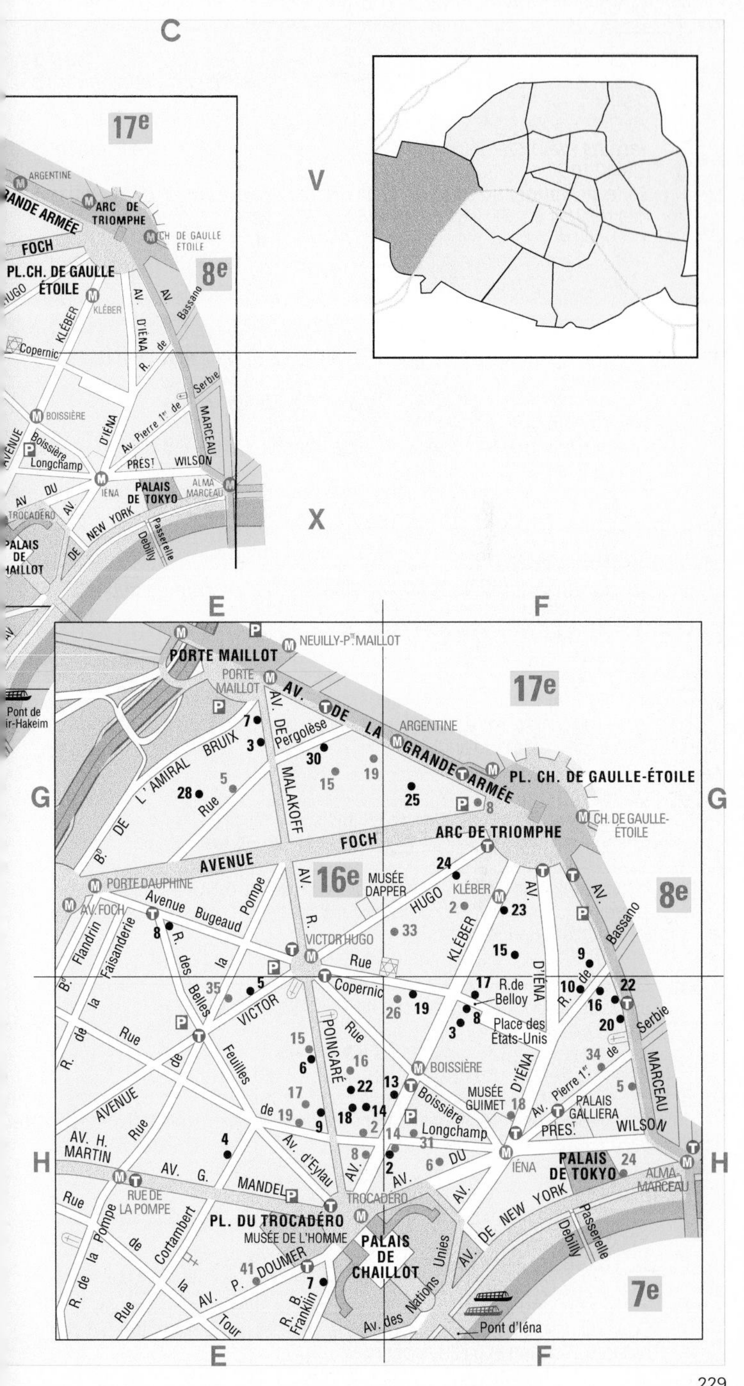
C
V
X
17e
8e
ARGENTINE
ARC DE TRIOMPHE
GRANDE ARMÉE
CH. DE GAULLE ÉTOILE
FOCH
PL.CH. DE GAULLE ÉTOILE
KLÉBER
AV. D'IÉNA
AV. Bassano
R. de
Copernic
Serbie
MARCEAU
BOISSIÈRE
Boissière
Longchamp
Av. Pierre 1er de
PRÉST
WILSON
IÉNA
PALAIS DE TOKYO
ALMA MARCEAU
TROCADÉRO
NEW YORK
Passerelle
Debilly
PALAIS DE CHAILLOT
Pont de
ir-Hakeim
E
F
G
H
PORTE MAILLOT
NEUILLY-PTE MAILLOT
AV. DE LA GRANDE ARMÉE
AV. DE Pergolèse
MALAKOFF
Bd DE L'AMIRAL BRUIX
Rue
PL. CH. DE GAULLE-ÉTOILE
CH. DE GAULLE-ÉTOILE
ARC DE TRIOMPHE
AVENUE FOCH
16e
MUSÉE DAPPER
HUGO
PORTE DAUPHINE
AV. FOCH
Avenue Bugeaud
Pompe
Flandrin
Faisanderie
R. des Belles
VICTOR HUGO
Rue Copernic
R.de Belloy
Place des États-Unis
D'IÉNA
POINCARÉ
Feuilles
MUSÉE GUIMET
PALAIS GALLIERA
AVENUE
AV. H. MARTIN
AV. G. MANDEL
d'Eylau
RUE DE LA POMPE
PL. DU TROCADÉRO
MUSÉE DE L'HOMME
Cortambert
AV. P. DOUMER
R. B. Franklin
Av. des Nations Unies
Pont d'Iéna
Tour
7e

Raphaël FG 23
17 av. Kléber ✉ 75116 ☎ 01 53 64 32 00, *management@raphael-hotel.com, Fax 01 53 64 32 01*
– 50. AE GB JCB
Jardins Plein Ciel ☎ 01 53 64 32 30 (7e étage)-buffet *(mai-oct.)* **Repas** 320 (déj.)/370
Salle à Manger ☎ 01 53 64 32 11 *(fermé août, sam. et dim.)* **Repas** 315 (déj)/480 – 190 – **62 ch** 2500/3010, 25 appart.
◆ Superbe galerie habillée de boiseries, chambres raffinées, toit-terrasse avec vue panoramique sur Paris et bar anglais "mondain" sont les trésors du Raphaël, construit en 1925.

Parc EH 6
55 av. R. Poincaré ✉ 75116 ☎ 01 44 05 66 66, *le-parc@compuserve.com, Fax 01 44 05 66 00*
, – – 30 à 250. AE GB JCB
voir ***59 Poincaré*** ci-après
Les Jardins du 59 *(15 mai-15 sept.)* **Repas** carte 300 à 500 – 165 – **113 ch** 2400/4650, 3 duplex.
◆ Chambres élégantes et délicieusement "british" réparties autour d'une terrasse-jardin très prisée du Tout-Paris. Restaurant d'été.

St-James Paris EG 8
43 av. Bugeaud ✉ 75116 ☎ 01 44 05 81 81, *stjames@club-internet.fr, Fax 01 44 05 81 82*
, , , – – 25. AE GB JCB
Repas *(fermé week-ends et fériés)* (résidents seul.) 300 – 120 – **12 ch** 2100/2700, 28 appart 2950/4500, 8 duplex.
◆ Bel hôtel particulier élevé en 1892 par Mme Thiers au sein d'un jardin arboré. Escalier majestueux, chambres spacieuses et bar-bibliothèque à l'atmosphère de club anglais.

Costes K. FH 2
81 av. Kléber ✉ 75116 ☎ 01 44 05 75 75, *Fax 01 44 05 74 74*
M sans rest, – . AE GB
120 – **83 ch** 1750/3250.
◆ Signé Ricardo Bofill, cet hôtel ultra-moderne est une invite discrète à la sérénité avec ses vastes chambres aux lignes épurées ordonnées autour d'un joli patio japonisant.

Baltimore FH 13
88 bis av. Kléber ✉ 75116 ☎ 01 44 34 54 54, *welcome@hotelblatimore.com, Fax 01 44 34 54 44*
– – 50. AE GB JCB
Repas carte 200 à 350 – 150 – **105 ch** 3450.
◆ Boiseries blondes, photos de la famille royale, etc. : de ce bel immeuble bourgeois au luxe discret et raffiné émane un charme victorien. Chambres progressivement rénovées.

Square BY 6
3 r. Boulainvilliers ✉ 75016 ☎ 01 44 14 91 90, *hotel.square@wanadoo.fr, Fax 01 44 14 91 99*
M – , ch, . AE GB JCB. ch
Repas voir rest ***Zébra Square*** ci-après – 100 – **22 ch** 1500/2800.
◆ Fleuron de l'architecture contemporaine face à la Maison de la Radio. Courbes, couleurs, équipements high-tech et toiles abstraites en font un hymne au design et à l'art moderne.

Trocadero Dokhan's EH 22
117 r. Lauriston ✉ 75116 ☎ 01 53 65 66 99, *hotel.trocadero.dokhans@wanadoo.fr, Fax 01 53 65 66 88*
sans rest – TV. AE GB JCB
150 – **41 ch** 2500/2800, 4 appart.
◆ On ne peut qu'être séduit par cet élégant hôtel particulier (1910) à l'architecture palladienne et au décor intérieur néoclassique. Boiseries céladon du 18e s. au salon.

Villa Maillot EG 3
143 av. Malakoff ✉ 75116 ☎ 01 53 64 52 52, *resa@lavillamaillot.fr, Fax 01 45 00 60 61*
M sans rest – TV – 25. AE GB JCB
130 – **39 ch** 1800/2050, 3 appart.
◆ À deux pas de la porte Maillot. Couleurs douces, grand confort et bonne isolation phonique pour les chambres. Verrière ouverte sur la verdure pour les petits-déjeuners.

Élysées Régencia FH 22
41 av. Marceau ✉ 75116 ☎ 01 47 20 42 65, *info@regencia.com, Fax 01 49 52 03 42*
M sans rest – TV – 20. AE GB JCB.
80 – **43 ch** 1200/1800.
◆ Trois styles de chambres sont proposés derrière cette gracieuse façade : Louis XVI, Napoléon "retour d'Égypte" et contemporain. Salle des petits-déjeuners voûtée.

Auteuil BY 12
8 r. F. David ✉ 75016 ☎ 01 40 50 57 57, *Fax 01 40 50 57 50*
M sans rest – TV – 35. AE GB
82 – **94 ch** 1085/1595.
◆ La clientèle d'affaires apprécie ce bâtiment quasi neuf proche de la Maison de la Radio. Camaïeu de beige dans les chambres. Piano dans le salon moderne meublé de rotin.

Pergolèse EG 30
3 r. Pergolèse ✉ 75116 ☎ 01 53 64 04 04, *hotel@pergolese.com, Fax 01 53 64 04 40*
M sans rest – TV. AE GB JCB
85 – **40 ch** 1250/2000.
◆ Une sage façade du "beau 16e", mais une insolite porte bleue qui donne le ton : l'intérieur est design, mariant acajou, briques de verre, chromes et couleurs vives.

Argentine FG 25
1 r. Argentine ✉ 75116 ☎ 01 45 02 76 76, *Fax 01 45 02 76 00*
M sans rest – TV. AE GB JCB
82 – **40 ch** 1560/1790.
◆ Dans une rue tranquille, immeuble bourgeois orné d'un bas-relief offert par l'ambassadeur d'Argentine. Chambres coquettes et feutrées. Ambiance "cosy" au salon-bar.

Majestic FG 15
29 r. Dumont d'Urville ✉ 75116 ☎ 01 45 00 83 70, *management@majestic-hotel.com, Fax 01 45 00 29 48*
sans rest – TV. AE GB JCB
80 – **27 ch** 1530/1925, 3 appart.
◆ À deux pas des Champs-Élysées, ce discret immeuble des années 1960 abrite des chambres calmes, au confort bourgeois, bien dimensionnées et impeccablement tenues.

Régina de Passy AY 12
6 r. Tour ✉ 75116 ✆ 01 55 74 75 75, *pregina@566, Fax 01 45 25 23 78*
sans rest – |♦| TV ✆. AE ⓓ GB JCB
☕ 65 – **63 ch** 570/890.
◆ Immeuble des années 1930 à deux pas des boutiques de la rue de Passy. Chambres de style Art déco ou contemporaines ; certaines offrent une échappée sur la tour Eiffel.

Garden Élysée EH 14
12 r. St-Didier ✉ 75116 ✆ 01 47 55 01 11, *garden.elysee@wanadoo.fr, Fax 01 47 27 79 24*
M sans rest – |♦| TV ✆ ♿. AE ⓓ GB JCB.
☕ 120 – **48 ch** 1750/2300.
◆ En retrait de la rue, au calme d'une verdoyante cour intérieure où l'on sert le petit-déjeuner en été, chambres actuelles et joli salon habillé de boiseries.

Élysées Union FH 3
44 r. Hamelin, ✉ 75116 ✆ 01 45 53 14 95, *unionetoil@aol.com, Fax 01 47 55 94 79*
sans rest – |♦| cuisinette TV ✆ ♿. AE ⓓ GB.
☕ 50 – **47 ch** 950/1260, 12 appart.
◆ Le 18 novembre 1922, Proust s'éteignit au cinquième étage de cet immeuble. Chambres de style Directoire ou appartements pratiques pour longs séjours. Courette verdoyante.

Élysées Bassano FH 16
24 r. Bassano ✉ 75116 ✆ 01 47 20 49 03, *h2815-gm@accor-hotels.com, Fax 01 47 23 06 72*
sans rest – |♦| TV ✆. AE ⓓ GB JCB
☕ 82 – **40 ch** 1155/1500.
◆ Beaux tissus imprimés, gravures anciennes et meubles couleur acajou habillent les chambres "cosy". Toiles contemporaines dans la salle des petits-déjeuners.

Alexander EH 5
102 av. V. Hugo ✉ 75116 ✆ 01 45 53 64 65, *Fax 01 45 53 12 51*
sans rest – |♦| TV. AE ⓓ GB JCB.
☕ 125 – **61 ch** 1990/2390.
◆ Immeuble bourgeois sur une avenue chic. Très classiques, les chambres - plus tranquilles sur l'arrière - ont l'avantage d'être spacieuses. Salons revêtus de boiseries.

Frémiet BY 7
6 av. Frémiet ✉ 75016 ✆ 01 45 24 52 06, *hotel.fremiet@wanadoo.fr, Fax 01 53 92 06 46*
sans rest – TV ✆. AE ⓓ GB JCB
☕ 70 – **36 ch** 810/1250.
◆ Hauts plafonds moulurés, mobilier de style Louis XV ou Louis XVI, tapis... Tout le charme de l'hôtellerie traditionnelle au coeur de Passy. Chambres plus calmes sur l'arrière.

Résidence Bassano FH 10
15 r. Bassano ✉ 75116 ✆ 01 47 23 78 23, *info@hotel-bassano.com, Fax 01 47 20 41 22*
M sans rest – |♦| TV ✆. AE ⓓ GB.
☕ 80 – **28 ch** 1200/1800, 3 appart.
◆ Sol en tomettes, mobilier en fer forgé, tissus ensoleillés : cette "maison d'ami" évoque la Provence alors que les Champs-Élysées sont à quelques centaines de mètres.

Résidence Impériale
EG 7

155 av. Malakoff ✉ 75116 ☎ 01 45 00 23 45, *res.imperiale@wanadoo.fr*, *Fax 01 45 01 88 82*
sans rest – AE GB
60 – **37 ch** 850/980.
◆ Nombreuses rénovations dans ce bâtiment ancien voisin de la porte Maillot. Chambres insonorisées et bien agencées ; celles du dernier étage sont avec poutres apparentes.

Passy Eiffel
BX 21

10 r. Passy ✉ 75016 ☎ 01 45 25 55 66, *Fax 01 42 88 89 88*
sans rest – AE GB JCB
50 – **48 ch** 726/802.
◆ Dans une rue animée, hôtel familial peu à peu rénové où l'on choisira plutôt les chambres côté cour, donnant sur un joli patio fleuri ; d'autres regardent la tour Eiffel.

Élysées Sablons
EH 4

32 r. Greuze ✉ 75116 ☎ 01 47 27 10 00, *h2778-gm@accor-hotels.com*, *Fax 01 47 27 47 10*
M sans rest – AE GB JCB
82 – **41 ch** 1085/1360.
◆ Établissement récent où les chambres adoptent toutes le style Art déco ; quelques-unes ont un mini-balcon. Amusante salle des petits-déjeuners façon cabine de bateau.

Chambellan Morgane
FG 9

6 r. Keppler ✉ 75116 ☎ 01 47 20 35 72, *Fax 01 47 20 95 69*
sans rest – 20. AE GB JCB
60 – **20 ch** 800/1000.
◆ Petit hôtel de caractère dont les chambres portent les couleurs de la Provence et profitent toutes du calme ambiant. Agréable salon Louis XVI décoré de boiseries peintes.

Floride Étoile
EH 18

14 r. St-Didier ✉ 75116 ☎ 01 47 27 23 36, *floridetoi@aol.com*, *Fax 01 47 27 82 87*
sans rest – 30. AE GB JCB
70 – **63 ch** 850/1050.
◆ À quelques pas du Trocadéro. Demandez une chambre rénovée, moderne et spacieuse ; celles côté cour sont petites mais aussi plus calmes. Salon fleuri, meublé avec goût.

Résidence Marceau
FH 20

37 av. Marceau ✉ 75016 ☎ 01 47 20 43 37, *Fax 01 47 20 14 76*
sans rest – AE GB JCB
50 – **30 ch** 950/1050.
◆ Sur une avenue passante, façade classique abritant des chambres rénovées, équipées de salles de bains en marbre. Espace salon-petits-déjeuners au 1er étage.

Victor Hugo
FH 19

19 r. Copernic ✉ 75116 ☎ 01 45 53 76 01, *resa@hotel-victor-hugo.com*, *Fax 01 45 53 69 93*
sans rest – AE GB JCB
50 – **75 ch** 730/915.
◆ Face aux réservoirs de Passy, chambres à l'agencement classique, avec balcon et vue dégagée aux derniers étages. Salle des petits-déjeuners printanière.

Kléber FH 8
7 r. Belloy ✉ 75116 ☎ 01 47 23 80 22, *kleberhotel@aol.com*, *Fax 01 49 52 07 20*
sans rest – TV – 20. AE GB JCB
75 – **22 ch** 1190/1490.
◆ Les salons de cet hôtel proche de la sélecte place des États-Unis abritent meubles de style Louis XV et toiles anciennes. Murs de pierres apparentes dans les chambres.

Jardins du Trocadéro EH 7
35 r. Franklin ✉ 75116 ☎ 01 53 70 17 70, *jardintroc@ad.com*, *Fax 01 53 70 17 80*
M sans rest – TV. AE GB JCB.
75 – **17 ch** 1390/1800.
◆ Cet édifice bâti sous Napoléon III conserve un intérieur de caractère. "Turqueries" sur les portes, tissus choisis et meubles de style dans toutes les petites chambres.

Sévigné FH 17
6 r. Belloy ✉ 75116 ☎ 01 47 20 88 90, *hotel.de.sevigne@wanadoo.fr*, *Fax 01 40 70 98 73*
sans rest – TV. AE GB
55 – **30 ch** 880/1000.
◆ Les habitués apprécient l'ambiance familiale de l'établissement. Chambres standardisées spacieuses et bien tenues ; celles des 2e et 5e étages possèdent un balcon.

Résidence Foch EG 28
10 r. Marbeau ✉ 75116 ☎ 01 45 00 46 50, *reservation@residence-foch.com*, *Fax 01 45 01 98 68*
sans rest – TV. AE GB JCB.
55 – **25 ch** 800/1010.
◆ Voisin de l'aristocratique avenue Foch et du bois de Boulogne, ce petit hôtel familial héberge des chambres fonctionnelles. Un programme de rénovations est en cours.

Hameau de Passy BX 30
48 r. Passy ✉ 75016 ☎ 01 42 88 47 55, *hameau.passy@wanadoo.fr* *Fax 01 42 30 83 72*
M sans rest – TV. AE GB JCB
30 – **32 ch** 555/600.
◆ Une impasse mène à ce discret hameau et à sa charmante cour intérieure envahie de verdure. Nuits calmes assurées dans des chambres petites, mais actuelles et bien tenues.

Boileau AZ 42
81 r. Boileau ✉ 75016 ☎ 01 42 88 83 74, *Fax 01 45 27 62 98*
sans rest – TV – 15. AE GB
45 – **30 ch** 420/485.
◆ Patio fleuri, toiles et bibelots contant Bretagne et Maghreb, et joyeux accueil d'Oscar le perroquet : une adresse sympathique où l'on réservera une chambre rénovée.

Bois FG 24
11 r. Dôme ✉ 75116 ☎ 01 45 00 31 96, *hoteldubois@wanadoo.fr* *Fax 01 45 00 90 05*
sans rest – TV. AE GB JCB
58 – **41 ch** 690/790.
◆ Cet hôtel "cosy" a élu domicile dans la rue la plus montmartroise du 16e, où Baudelaire rendit son dernier soupir. Chambres coquettes et claires, salon de style géorgien.

Queen's Hôtel BY 25
4 r. Bastien Lepage ✉ 75016 ☎ 01 42 88 89 85, *contact@queens-hotel.fr*, *Fax 01 40 50 67 52*
sans rest – . AE GB JCB.
40 – **22 ch** 430/630.
♦ Des tableaux d'artistes contemporains égayent la plupart des chambres ainsi que le joli hall : ces heureuses rénovations font oublier la petitesse des surfaces.

Nicolo BX 5
3 r. Nicolo ✉ 75116 ☎ 01 42 88 83 40, *hotel.nicolo@wanadoo.fr*, *Fax 01 42 24 45 41*
sans rest – . AE GB JCB
35 – **28 ch** 445/660.
♦ On accède à ce vénérable établissement par une paisible arrière-cour. Atmosphère "rétro" dans les longs couloirs et les chambres desservis par un minuscule ascenseur.

Palais de Chaillot EH 9
35 av. R. Poincaré ✉ 75116 ☎ 01 53 70 09 09, *hapc@club-internet.fr*, *Fax 01 53 70 09 08*
sans rest – . AE GB JCB.
47 – **28 ch** 505/695.
♦ Bel emplacement près du Trocadéro pour cet hôtel rénové aux couleurs du Sud. Petites chambres fraîches et fonctionnelles. Salle des petits-déjeuners meublée en rotin.

Gavarni BX 29
5 r. Gavarni ✉ 75116 ☎ 01 45 24 52 82, *reservation@gavarni.com*, *Fax 01 40 50 16 95*
sans rest – . AE GB JCB.
40 – **25 ch** 420/540.
♦ Cet immeuble de briques rouges fraîchement rénové vous propose des chambres peu spacieuses mais coquettes et bien équipées. Accueil tout sourire.

Longchamp EH 19
68 r. Longchamp ✉ 75116 ☎ 01 44 34 24 14, *info@hotel-paris-hotels.com*, *Fax 01 44 34 24 24*
sans rest – . AE GB JCB
50 – **23 ch** 620/780.
♦ Dans une rue animée, façade toilettée et intérieur refait. Les chambres, qui manquent parfois d'ampleur, sont insonorisées. Salle des petits-déjeuners façon jardin d'hiver.

XXXX ✿✿ **Faugeron** EH 2
52 r. Longchamp ✉ 75116 ☎ 01 47 04 24 53, *faugeron@wanadoo.fr*, *Fax 01 47 55 62 90*
. AE GB JCB.
fermé août, 23 déc. au 3 janv., sam. et dim. – **Repas** *(290)* - 350 (déj.)/ 540 bc et carte 590 à 780 ♀.
♦ Tentures aux couleurs automnales, boiseries claires et niches fleuries composent l'élégant décor de ce restaurant. Cuisine classique soignée et accueil parfait.
Spéc. Oeufs coque à la purée de truffes. Truffes (janv. à mars). Gibier (15 oct. au 10 janv.)

XXX **59 Poincaré** EH 15
59 av. R. Poincaré ✉ 75116 ☎ 01 47 27 59 59, *59poincare@leparc-paris.com,*
Fax 01 47 27 59 00
▤. AE ⓓ GB JCB. ⚘
fermé dim. et lundi – **Repas** carte 300 à 500 ♀
◆ Séduisant hôtel particulier de la Belle Époque. Au rez-de-chaussée, touches design P. Jouin. Légumes, homard, agneau et fruits : une carte thématique à quatre temps.

XXX ✿✿ **Jamin** (Guichard) FH 31
32 r. Longchamp ✉ 75116 ☎ 01 45 53 00 07, *Fax 01 45 53 00 15*
▤. AE ⓓ GB
fermé 27 juil. au 21 août, sam. et dim. – **Repas** 310 (déj.)/495 et carte 520 à 730.
◆ Derrière la façade délicatement colorée, une maison de la capitale en pleine ascension, dont vous n'oublierez pas les saveurs ! Un cadeau à s'offrir, presque raisonnable...
Spéc. Fricassée de langoustines aux aromates. Tronçon de turbot rôti. Volaille de Bresse cuite à l'étouffée.

XXX ✿✿ **Relais d'Auteuil** (Pignol) AY 16
31 bd. Murat ✉ 75016 ☎ 01 46 51 09 54, *Fax 01 40 71 05 03*
▤. AE ⓓ GB JCB
fermé août, lundi midi, sam. midi et dim. – **Repas** 280 (déj.), 590/790 et carte 470 à 660.
◆ Élégant cadre inspiré des époques Restauration et Louis-Philippe, avec banquettes en satin et chaises gondoles. En cuisine, le raffinement le dispute à la virtuosité.
Spéc. Amandine de foie gras. Dos de bar à la croûte poivrée. Madeleines au miel de bruyère, glace miel et noix.

XXX ✿ **Pergolèse** (Corre) EG 5
40 r. Pergolèse ✉ 75116 ☎ 01 45 00 21 40, *Fax 01 45 00 81 31*
▤. AE GB JCB
fermé 3 août au 3 sept., sam. et dim. – **Repas** 235/395 et carte 230 à 360 ♀.
◆ Tentures jaunes, boiseries claires et sculptures insolites jouent avec les miroirs et forment un décor élégant à deux pas de la sélecte avenue Foch. Cuisine classique soignée.
Spéc. Ravioli de langoustines à la duxelles de champignons. Saint-Jacques rôties en robe des champs (oct. à mars). Côte de veau en casserole aux champignons.

XXX **Tsé-Yang** FH 34
25 av. Pierre 1er de Serbie ✉ 75116 ☎ 01 47 20 70 22, *Fax 01 49 52 03 68*
▤. AE ⓓ GB JCB. ⚘
Repas 265/285 et carte 260 à 360.
◆ Décor digne de la Cité Interdite : sculptures, fresques et objets artisanaux invitent à un voyage raffiné en Chine, près de l'avenue Marceau. Carte très étoffée.

XXX **Pavillon Noura** FH
21 av. Marceau ✉ 75116 ☎ 01 47 20 33 33, *Fax 01 47 20 60 31*
▤. AE ⓓ GB. ⚘
Repas 168 (déj.), 280/350 et carte 260 à 370.
◆ Élégante salle aux murs ornés de fresques levantines. Le Liban se laisse découvrir à travers ses mezzés, ses petits plats chauds ou froids et ses traditionnels verres d'arack.

XXX **Les Arts** FH 18

9 bis av. Iéna ✉ 75116 ✆ 01 40 69 27 53, *Fax 01 40 69 27 08*

– . AE D GB

fermé juil., août, sam. et dim. – **Repas** 220 et carte 280 à 380

◆ Hôtel particulier bâti en 1892 devenu maison des "gadzarts" depuis 1925. Salle à manger (colonnades, moulures, tableaux) et jardin-terrasse sont désormais ouverts au public.

XXX **L'Étoile** FG 8

12 r. Presbourg ✉ 75116 ✆ 01 45 00 78 70, *Fax 01 45 00 78 71*

. AE GB

fermé août, 23 déc. au 2 janv., sam. midi et dim. midi – **Repas** *(250 bc)* - 290 bc (déj.)et carte 310 à 450.

◆ On peut difficilement trouver plus belle vue sur l'Arc de Triomphe qu'en cet élégant restaurant. Cadre feutré avec larges fauteuils en cuir rouge et éclairage flatteur.

XXX **Port Alma** (Canal) FH 24

✿ 10 av. New York ✉ 75116 ✆ 01 47 23 75 11, *Fax 01 47 20 42 92*

. AE D GB JCB

fermé dim. et lundi – **Repas** 200 (déj.)et carte 320 à 400.

◆ Sur les quais de Seine, salle à manger-véranda aux poutres bleues, faisant la part belle aux saveurs de la mer. Fraîcheur des produits et accueil souriant.

Spéc. Langoustines rôties aux tomates confites. Fricassée de sole au foie gras de canard. Soufflé au chocolat.

XX **Astrance** CX 2

✿ 4 r. Beethoven ✉ 75016 ✆ 01 40 50 84 40, *Fax 01 40 50 11 45*

AE D GB

fermé 1er au 21 août, mardi midi et lundi – **Repas** 185 (déj.), 245/375 bc et carte 240 à 320 ♀.

◆ Décor contemporain gris souris et carte thématique : la cuisine inventive de l'Astrance (une fleur, du latin aster, étoile...) a conquis le quartier du Trocadéro.

Spéc. Crabe en fines ravioles d'avocat. Épaule d'agneau à la cuiller, rognon en brochette et côte grillée. Le lait "dans tous ses états".

XX **Giulio Rebellato** EH 35

136 r. Pompe ✉ 75116 ✆ 01 47 27 50 26

. AE GB.

fermé août – **Repas** 185 (déj.)et carte 270 à 430.

◆ Beaux tissus, gravures anciennes et scintillements des miroirs président à un chaleureux décor d'inspiration vénitienne signé Garcia. Pour une cuisine italienne, "ecco" !

XX **Fakhr el Dine** FH 6

30 r. Longchamp ✉ 75016 ✆ 01 47 27 90 00, *fakhr.el.dine@libertysurf.fr, Fax 01 53 70 01 81*

. AE D GB

Repas 150/168 et carte 160 à 250.

◆ Mezzé, kafta, grillades au feu de bois... Ce restaurant au cadre raffiné vous convie à un voyage culinaire digne de Fakhr el Dine, l'un des plus grands princes libanais.

XX **San Francisco** BY 8

1 r. Mirabeau ✉ 75016 ✆ 01 46 47 84 89, *Fax 01 46 47 75 45*

– AE D GB JCB

fermé dim. – **Repas** carte 240 à 340 ♀.

◆ Cuisine italienne servie dans un original décor de boiseries, moulures, frises et lampes en fer forgé. Dans l'arrière-salle, une fresque évoque le carnaval de Venise.

XX **Bellini** EG 19

28 r. Lesueur ✉ 75116 ✆ 01 45 00 54 20, *Fax 01 45 00 11 74*

▤. AE GB

fermé août, sam. et dim. – **Repas** *(150)* - 180 (déj.) et carte 220 à 300 ♀.

◆ Dans le "beau" 16e, cette petite façade discrète abrite un restaurant italien égayé de chatoyantes couleurs méditerranéennes. Belle carte des vins transalpine.

XX **Paul Chêne** EH 17

123 r. Lauriston ✉ 75116 ✆ 01 47 27 63 17, *Fax 01 47 27 53 18*

▤. AE ① GB

fermé août, 24 déc. au 2 janv., sam. midi et dim. – **Repas** 200/250 et carte 250 à 350.

◆ Cette adresse a gardé son âme des années 1950 : vieux zinc, confortables banquettes, tables serrées... et ambiance animée. Plats traditionnels dont le fameux merlan en colère.

XX **Tang** BX 38

✿ 125 r. de la Tour ✉ 75116 ✆ 01 45 04 35 35, *Fax 01 45 04 58 19*

▤. AE GB.

fermé 1er au 26 août, 23 déc. au 1er janv., lundi midi et dim. – **Repas** 200 (déj.)/250 et carte 300 à 450.

◆ Derrière les larges baies vitrées, une salle haute sous plafond, dont le décor classique est rehaussé de touches asiatiques. Spécialités chinoises et thaïlandaises.

Spéc. Dim sum vapeur. Croustillants de langoustines en sauce caramélisée. Pigeonneau laqué aux cinq parfums.

XX **Zébra Square** BY 42

3 pl. Clément Ader ✉ 75016 ✆ 01 44 14 91 91, *Fax 01 45 20 46 41*

▤. AE ① GB JCB

Repas *(120)* - carte 210 à 360 ♀.

◆ Décor zébré design et cuisine résolument au goût du jour pour ce restaurant "tendance" à la façade en marbre et verre tout en courbes située face à la Maison de Radio-France.

XX **Conti** FH 26

72 r. Lauriston ✉ 75116 ✆ 01 47 27 74 67, *Fax 01 47 27 37 66*

▤. AE ① GB

fermé 4 au 26 août, 24 déc. au 2 janv., sam., dim. et fériés – **Repas** 198 (déj.) et carte 310 à 470.

◆ Les deux couleurs fétiches de Stendhal se retrouvent dans le décor de ce restaurant où brillent miroirs et lustres de cristal. Cuisine italienne ; belle carte des vins.

XX **Vinci** FG 33

23 r. P. Valéry ✉ 75116 ✆ 01 45 01 68 18, *Fax 01 45 01 60 37*

▤. GB

fermé 1er au 19 août, sam. et dim. – **Repas** 180 et carte 250 à 330 ♀.

◆ Goûteuse cuisine italienne, sympathique intérieur coloré et service aimable : un petit établissement très prisé à deux pas de la commerçante et huppée avenue Victor-Hugo.

XX **Marius** AZ 6

82 bd Murat ✉ 75016 ✆ 01 46 51 67 80, *Fax 01 47 43 10 24*

– AE GB

fermé 1er au 19 août, sam. midi et dim. – **Repas** carte 220 à 350 ♀.

◆ Des chaises de velours rouge égayent le sobre cadre de ce restaurant de produits de la mer, souvent comble, situé près du parc des Princes. Ambiance animée. Vins choisis.

XX **El Malouf** BZ 8
1 bd Exelmans ✉ 75016 ☎ 01 45 25 53 25, *Fax 01 45 20 87 85*
AE ⓓ GB.
fermé août et sam. midi – **Repas** *(120)* - 150 et carte 200 à 300 ♀.
◆ La façade blanche et bleue rappelle celle des maisons de la Goulette. À l'intérieur, même tonalités typiques (mosaïques, fresques) et authentique cuisine tunisienne.

XX **Chez Géraud** BX 28
31 r. Vital ✉ 75016 ☎ 01 45 20 33 00, *Fax 01 45 20 46 60*
AE GB
fermé 28 juil. au 3 sept., sam. et dim. – **Repas** 180 et carte 230 à 330 ♀.
◆ La façade, puis la fresque intérieure, toutes deux en faïence de Longwy, attirent l'oeil. Cadre de bistrot chic assorti à une cuisine privilégiant le gibier en saison.

XX **Fontaine d'Auteuil** BY 4
35bis r. La Fontaine ✉ 75016 ☎ 01 42 88 04 47, *Fax 01 42 88 95 12*
AE ⓓ GB
fermé sam. midi et dim. – **Repas** *(150)* - 175 ♀.
◆ L'enseigne évoque la source thermale d'Auteuil. Habillage de boiseries sombres, murs patinés et plafonds discrètement nervurés : un intérieur victorien, distingué et austère.

XX **Petite Tour** BX 18
11 r. de la Tour ✉ 75116 ☎ 01 45 20 09 31, *Fax 01 45 20 09 31*
AE ⓓ GB JCB
fermé août et dim. – **Repas** carte 240 à 410 ♀.
◆ Adresse discrète à allure d'auberge. Salle à manger tout en longueur, garnie de banquettes ou fauteuils en velours rouge, et tables bien espacées. Carte classique.

XX **Detourbe Duret** EG 15
23 r. Duret ✉ 75016 ☎ 01 45 00 10 26, *Fax 01 45 00 10 16*
AE GB JCB
fermé sam. midi, lundi soir et dim. – **Repas** 168/240 ♀.
◆ Banquettes et petits fauteuils confortables dans un décor très coloré bénéficiant d'un éclairage tamisé : une table sympathique et une cuisine au goût du jour.

XX **Butte Chaillot** EH 8
110 bis av. Kléber ✉ 75116 ☎ 01 47 27 88 88, *Fax 01 47 04 85 70*
AE ⓓ GB JCB
Repas *(150)* - 195 et carte 210 à 290 ♀.
◆ Près du palais de Chaillot, restaurant de type bistrot version "new age" : salles à manger contemporaines de couleurs vives, cuisine au goût du jour.

X **A et M Le Bistrot** AZ 25
136 bd Murat ✉ 75016 ☎ 01 45 27 39 60, *Fax 01 45 27 69 71*
– AE ⓓ GB JCB
fermé 1er au 20 août, sam. midi et dim. – **Repas** *(145)* - 180.
◆ Bistrot contemporain très "tendance", situé à deux pas de la Seine : sobriété du décor aux tons crème et havane, éclairage design et cuisine au goût du jour soignée.

X **Les Ormes** BZ 12
8 r. Chapu ✉ 75016 ☎ 01 46 47 83 98, *Fax 01 46 47 83 98*
AE GB
fermé 6 au 31 août, 2 au 7 janv., dim. et lundi – **Repas** *(135)* - 170 (déj.)/190 et carte 210 à 270 ♀.
◆ Cette façade au vitrage coloré abrite une salle à manger récemment refaite, sobre et de petite taille, à l'atmosphère chaleureuse. Cuisine au goût du jour.

Vin et Marée
AZ 23

183 bd Murat ✉ 75016 ✆ 01 46 47 91 39, *vin.maree@wanadoo.fr, Fax 01 46 47 69 07*

AE GB

Repas carte 190 à 255.

◆ L'adresse est connue des gens du spectacle et de la télévision qui "bossent" dans le quartier. Décor sage, assiette séduisante : cuisine de la mer et desserts gourmands.

Les Bouchons de François Clerc
FH 14

79 av. Kléber ✉ 75016 ✆ 01 47 27 87 58, *Fax 01 47 04 60 97*

AE GB JCB

Repas 227 ♀.

◆ Cadre jeune et coloré, cuisine au goût du jour et bon choix de vins à petits prix : voici l'un des derniers "Bouchons" de François Clerc installé entre Étoile et Trocadéro.

Bistrot de l'Étoile Lauriston
FG 2

19 r. Lauriston ✉ 75116 ✆ 01 40 67 11 16, *Fax 01 45 00 99 87*

▤. AE ⓓ GB JCB

fermé 15 au 30 août, sam. midi et dim. – **Repas** *(135)* - 165 (déj.) et carte 210 à 260 ♀.

◆ Ambiance décontractée près de la place de l'Étoile. La cuisine, inventive, servie dans un cadre contemporain un brin spartiate, attire une clientèle d'inconditionnels.

Rosimar
AY 12

26 r. Poussin ✉ 75016 ✆ 01 45 27 74 91, *Fax 01 45 20 75 05*

▤. AE GB JCB

fermé 28 juil. au 27 août, 24 au 30 déc., sam., dim. et fériés – **Repas** *(100)* - 135 (déj.)/175 et carte 200 à 310 ♀.

◆ Cette salle à manger agrandie de miroirs contient toutes les saveurs de l'Espagne traditionnelle. "Hombre" ! Une sympathique petite affaire familiale !

Victor
EH 16

101 bis r. Lauriston ✉ 75116 ✆ 01 47 27 72 21, *Fax 01 47 27 72 22*

▤. AE GB

fermé sam. midi et dim. – **Repas** *(115)* - carte 200 à 250 ♀.

◆ Bistrot au cadre réactualisé - parquet brut au sol, oeuvres contemporaines accrochées aux murs - et à l'ambiance bon enfant. Petite collection de machines à écrire anciennes.

Gare
BX 6

19 chaussée de la Muette ✉ 75016 ✆ 01 42 15 15 31, *Fax 01 42 15 15 23*

☂ – AE GB

Repas *(99)* - carte 180 à 270 ♀.

◆ "Gare de La Muette ! Tout le monde descend !" Cette station de la Petite Ceinture datant de 1854 s'est convertie en restaurant au décor original : tables à même les quais.

Scheffer
EH 4

22 r. Scheffer ✉ 75116 ✆ 01 47 27 81 11

AE GB

fermé 23 déc. au 2 janv., dim. et fériés – **Repas** carte 180 à 200 ♀.

◆ L'enseigne est plutôt romantique, et le restaurant authentique : salle à manger "rétro" ornée d'affiches anciennes, toiles cirées à carreaux et produits du terroir.

au Bois de Boulogne :

XXXX ✿✿ **Pré Catelan** AX 22

rte Suresnes ✉ 75016 ✆ 01 44 14 41 14, *Fax 01 45 24 43 25*

fermé vacances de Toussaint, fév., dim. sauf le midi du 8 mai au 28 oct. et lundi – **Repas** 295 (déj.), 570/690 et carte 530 à 750.

◆ Cet élégant pavillon de style Napoléon III est situé au coeur d'un parc arboré... de 846 ha ! Pareil écrin nécessitait bien la félicité culinaire : c'est chose faite.

Spéc. Etrilles à la fine gelée d'aromates. Saint-Jacques au jus de cidre, noix écrasées et torréfiées (15 oct. au 15 avril). Carotte confite, caramel au pain d'épice.

XXXX ✿ **Grande Cascade**

allée de Longchamp (face hippodrome) ✉ 75016 ✆ 01 45 27 33 51, *contact @lagrandecascade.fr, Fax 01 42 88 99 06*

fermé 25 janv. au 25 fév. – **Repas** 355/790 et carte 680 à 930.

◆ Un des paradis de la capitale, au pied de la Grande Cascade (10 m !) du bois de Boulogne. Cuisine raffinée, servie dans l'élégant pavillon 1850 ou sur l'exquise terrasse.

Spéc. Langoustines, fleur de courgette et fenouil en tempura. Macaroni aux truffes et céleri. Selle et carré d'agneau en croûte d'herbes, ris et rognon aux fruits secs.

XXX **Terrasse du Lac** AX 37

Pavillon Royal - rte Suresnes ✉ 75116 ✆ 01 40 67 11 56, *Fax 01 45 00 31 24*

fermé 22 déc. au 2 janv., dim. soir de mai à sept., week-end et le soir d'oct. à avril – **Repas** 210/380 et carte 270 à 400 ♀.

◆ À l'étage d'un pavillon érigé sous le Second Empire au bord du Grand Lac, salle à manger éclairée par de grandes baies vitrées ouvrant sur une terrasse. Cuisine classique.

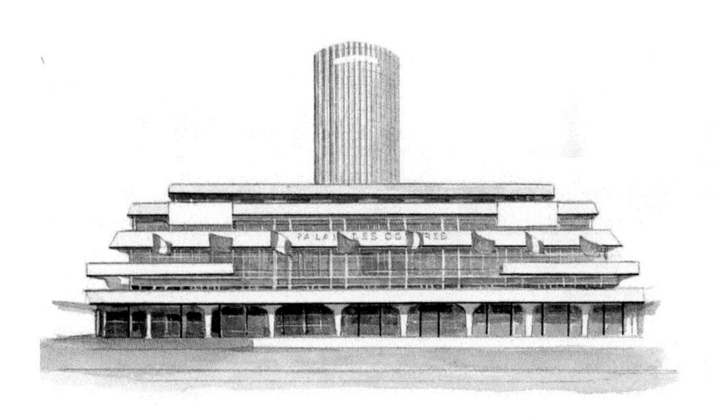

Palais des Congrès
Wagram - Ternes
Batignolles

17e arrondissement

17e : ✉ 75017

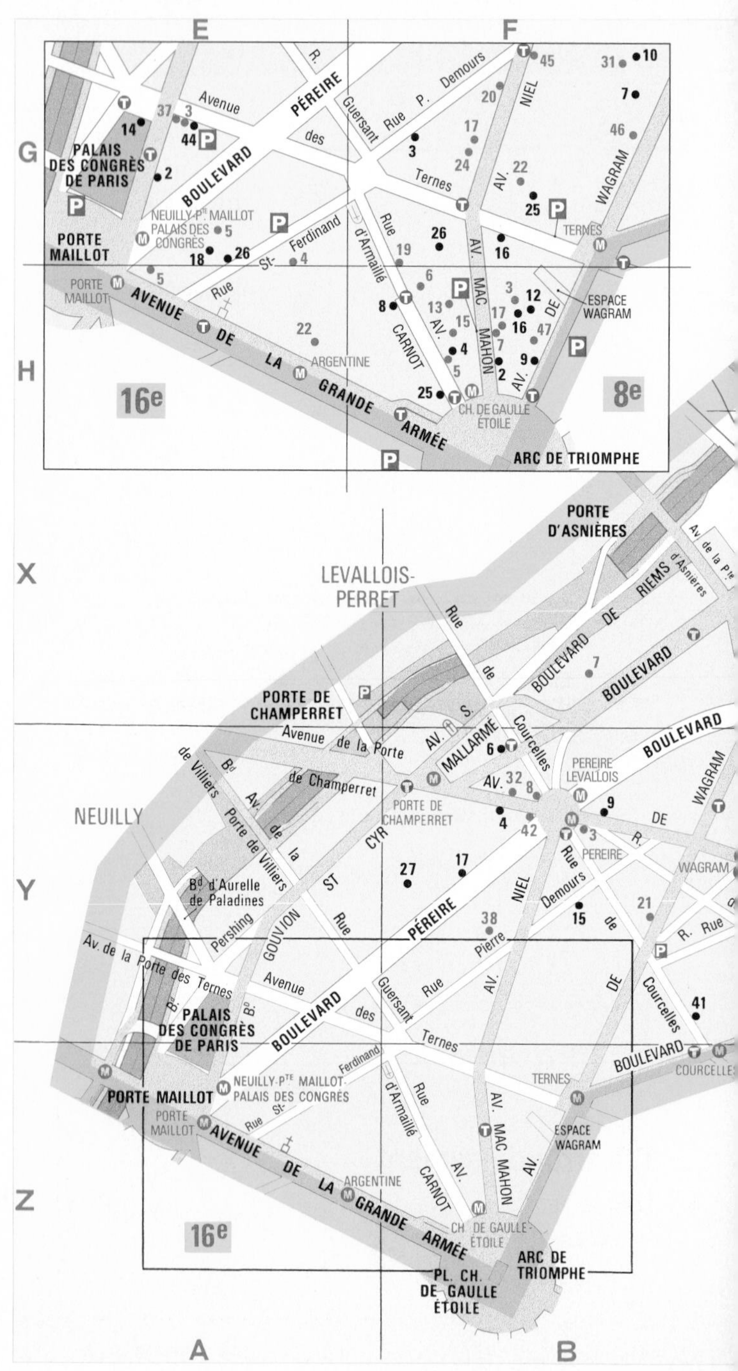

PALAIS DES CONGRÈS DE PARIS
PORTE MAILLOT
BOULEVARD PÉREIRE
AVENUE DE LA GRANDE ARMÉE
ARGENTINE
CH. DE GAULLE ÉTOILE
ARC DE TRIOMPHE
16e
8e
TERNES
ESPACE WAGRAM
AV. MAC MAHON
AV. NIEL
AV. CARNOT
Rue d'Armaillé
Rue St-Ferdinand
Avenue des Ternes
Rue Guersant
Rue P. Demours
AV. DE WAGRAM
NEUILLY-P^TE MAILLOT PALAIS DES CONGRÈS
PORTE D'ASNIÈRES
LEVALLOIS-PERRET
PORTE DE CHAMPERRET
NEUILLY
Avenue de la Porte de Champerret
Bd de Villiers
Av. de la Porte de Villiers
Bd d'Aurelle de Paladines
Pershing
Av. de la Porte des Ternes
BOULEVARD GOUVION ST CYR
AV. S. MALLARMÉ
Rue de Courcelles
PEREIRE LEVALLOIS
PEREIRE
BOULEVARD DE RIEMS
Av. de la Pte d'Asnières
Rue Pierre Demours
BOULEVARD DE COURCELLES
COURCELLES
PL. CH. DE GAULLE ÉTOILE

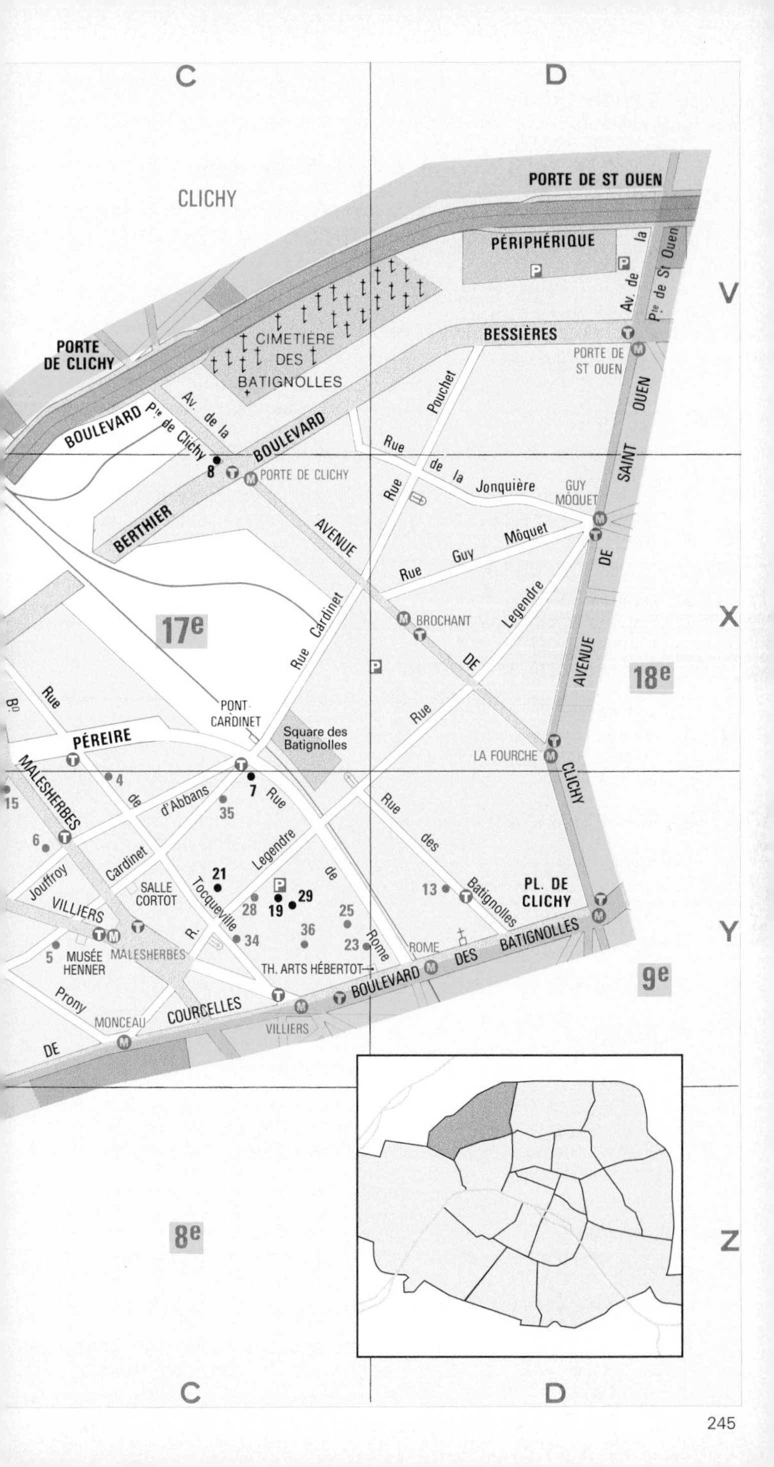

C
D
CLICHY
PORTE DE ST OUEN
PÉRIPHÉRIQUE
V
PORTE DE CLICHY
CIMETIERE DES BATIGNOLLES
BESSIÈRES
PORTE DE ST OUEN
Av. de la Pte de St Ouen
BOULEVARD
Pte de Clichy
Av. de la
BOULEVARD
Pouchet
SAINT OUEN
Rue de la Jonquière
PORTE DE CLICHY
GUY MÔQUET
BERTHIER
AVENUE
Rue
Rue Guy Môquet
DE
X
17e
Rue Cardinet
BROCHANT
Legendre
DE
AVENUE
18e
Bd
Rue
PONT CARDINET
Rue
PÉREIRE
Square des Batignolles
LA FOURCHE
CLICHY
MALESHERBES
de
d'Abbans
Rue
Rue des Batignolles
Legendre
Jouffroy
Cardinet
de
SALLE CORTOT
Tocqueville
PL. DE CLICHY
VILLIERS
R.
Y
MUSÉE HENNER
MALESHERBES
Rome
ROME
BATIGNOLLES
DES
TH. ARTS HÉBERTOT
BOULEVARD
9e
Prony
MONCEAU
COURCELLES
VILLIERS
DE
8e
Z

Meridien Étoile EG 2
81 bd Gouvion St-Cyr ☎ 01 40 68 34 34, *guest.etoile@forte-hotels.com, Fax 01 40 68 31 31*
M – 50 à 1 500. AE GB JCB
Repas 175/280 – 129 – **1 008 ch** 2200/2650, 17 appart.
◆ Face au palais des congrès, ce gigantesque hôtel est en rénovation. Granit noir et camaïeu de beiges dans les chambres. Club de jazz, bar, boutiques et restaurants animés.

Concorde La Fayette EG 14
3 pl. Gén. Koenig ☎ 01 40 68 50 68, *info@concorde-lafayette.com, Fax 01 40 68 50 43*
M, – 40 à 2 000. AE GB JCB
L'Arc-en-Ciel (buffet) ☎ 01 40 68 51 25 (déj. seul.) *(fermé août et dim.)* **Repas** 175/270
Les Saisons ☎ 01 40 68 51 19 **Repas** *(135)*-210/260, enf.75 – 152 – **966 ch** 1900/2600, 34 appart.
◆ Intégrée au palais des congrès, cette tour de 33 étages offre une vue imprenable sur Paris depuis la plupart des chambres, peu à peu rénovées, et le bar panoramique.

Splendid Étoile FH 25
1 bis av. Carnot ☎ 01 45 72 72 00, *reservation@hotel-splendid-etoile.com, Fax 01 45 72 72 01*
sans rest – AE GB
95 – **52 ch** 1300/1850, 5 appart.
◆ Belle façade d'immeuble classique agrémentée de balcons ouvragés. Chambres spacieuses et de caractère, meublées Louis XV ; certaines s'ouvrent sur l'Arc de Triomphe.

Regent's Garden FG 3
6 r. P. Demours ☎ 01 45 74 07 30, *hotel.regents.garden@wanadoo.fr, Fax 01 40 55 01 42*
sans rest, – . AE GB JCB.
60 – **39 ch** 786/1506.
◆ Hôtel particulier, commande de Napoléon III pour son médecin, séduisant par son raffinement. Vastes chambres de style, donnant parfois sur le jardin, très agréable l'été.

Balmoral FH 4
6 r. Gén. Lanrezac ☎ 01 43 80 30 50, *Fax 01 43 80 51 56*
sans rest – AE GB
60 – **57 ch** 710/960.
◆ Accueil personnalisé et calme ambiant caractérisent cet hôtel ancien (1911) situé à deux pas de l'Étoile. Chambres aux couleurs vives ; belles boiseries dans le salon.

Banville BY 6
166 bd Berthier ☎ 01 42 67 70 16, *hotelbanville@wanadoo.fr, Fax 01 44 40 42 77*
sans rest – AE GB JCB
70 – **38 ch** 810/1150.
◆ Immeuble de 1926 aménagé avec goût. Le charme agit dès l'entrée avec les élégants salons, et les chambres rénovées, personnalisées, sont raffinées.

Quality Inn Pierre
BY 15

25 r. Th.-de-Banville ✆ 01 47 63 76 69, *hotel@qualitypierre.com*, *Fax 01 43 80 63 96*
M sans rest – 30. AE GB JCB
☕ 50 – **50 ch** 1150/1350.
◆ Cet hôtel récent vous accueille dans des chambres de style Directoire récemment refaites et plébiscitées par la clientèle d'affaires ; certaines s'ouvrent sur le patio.

Ampère
BY 9

102 av. Villiers ✆ 01 44 29 17 17, *resa@hotelampere.com*, *Fax 01 44 29 16 50*
M, – – 40 à 100. AE GB. rest
Jardin d'Ampère *(fermé 30 juil. au 19 août et dim. soir)* **Repas** *(145)*-159 ♀, enf. 60 – ☕ 70 – **101 ch** 1150/1600.
◆ Les chambres, modernes et douillettes, sont parfois dotées d'un petit balcon. Optez pour celles qui, comme le salon et le restaurant, donnent sur le jardin intérieur.

Villa Alessandra
FG 25

9 pl. Boulnois ✆ 01 56 33 24 24, *alessandra@hotelsparis.fr*, *Fax 01 56 33 24 30*
M sans rest – . AE GB JCB
☕ 110 – **51 ch** 1750/2050.
◆ Cet hôtel des Ternes bordant une ravissante placette retirée est apprécié pour sa tranquillité. Chambres aux couleurs du Sud, avec lits en fer forgé et meubles en bois peint.

Villa Eugénie
CY 7

167 r. Rome ✆ 04 44 29 06 06, *eugenie@hotelsparis.fr*, *Fax 01 44 29 06 07*
sans rest – . AE GB JCB
☕ 105 – **41 ch** 1240/1790.
◆ Papier-peint et tissus façon toile de Jouy, mobilier Empire : l'atmosphère romantique des chambres n'empêche pas la modernité, l'accès Internet étant direct.

Champerret Élysées
BY 4

129 av. Villiers ✆ 01 47 64 44 00, *champerret-elysees@compuserve.com*, *Fax 01 47 63 10 58*
sans rest – . AE GB JCB.
☕ 70 – **45 ch** 590/790.
◆ Les internautes apprécieront ce "cyberhôtel" installé dans un étroit bâtiment de briques rouges. Chambres bien équipées ; préférez celles donnant sur la cour.

Mercure Wagram Arc de Triomphe
FH 9

3 r. Brey ✆ 01 56 68 00 01, *h2053@accor-hotels.com*, *Fax 01 56 68 00 02*
M sans rest – . AE GB JCB.
☕ 80 – **43 ch** 1050.
◆ Chaleureuse réception et petites chambres douillettes habillées de boiseries claires et de tissus chatoyants : un nouveau Mercure situé entre l'Étoile et les Ternes.

Ternes Arc de Triomphe
EG 44

97 av. Ternes ✆ 01 53 81 94 94, *hotel@hotelternes.com*, *Fax 01 53 81 94 95*
M sans rest – . AE GB JCB
☕ 75 – **39 ch** 920/1600.
◆ À côté du Palais des Congrès, hôtel quasi neuf convenant parfaitement à la clientèle d'affaires. Tons chaleureux dans les chambres, équipées de salles de bains modernes.

Magellan BY 27
17 r. J.B.-Dumas ☎ 01 45 72 44 51, *hotel.magellan@wanadoo.fr, Fax 01 40 68 90 36*
sans rest, – |‡| TV ☎. AE ⓓ GB. ✗
☕ 45 – **75 ch** 630/670.
◆ Chambres fonctionnelles et spacieuses aménagées dans un bel immeuble 1900 complété d'un petit pavillon niché au fond du jardin. Salon meublé dans le style Art déco.

Tilsitt Étoile FH 16
23 r. Brey ☎ 01 43 80 39 71, *info@tilsitt.com, Fax 01 47 66 37 63*
sans rest – |‡| ▤ TV ☎ – 🧑‍🏫 20. AE ⓓ GB JCB. ✗
☕ 65 – **38 ch** 650/890.
◆ Tissus choisis, harmonie de tons pastel et mobilier en rotin blanc caractérisent les chambres de cet hôtel situé dans une discrète rue du quartier de l'Étoile.

Mercure Étoile FG 16
27 av. Ternes ☎ 01 47 66 49 18, *h0372@-hotels.com, Fax 01 47 63 77 91*
M sans rest – |‡| ⇆ ▤ TV ☎. AE ⓓ GB JCB
☕ 80 – **56 ch** 1050.
◆ Dans un quartier animé, établissement de chaîne efficacement insonorisé. Chambres standardisées, donnant sur la cour ou sur la rue. Salon-bar éclairé par une verrière.

Étoile St-Ferdinand EG 26
36 r. St-Ferdinand ☎ 01 45 72 66 66, *ferdinand@paris-honotel.com, Fax 01 45 74 12 92*
sans rest – |‡| ▤ TV ☎. AE ⓓ GB JCB
☕ 75 – **42 ch** 980/1330.
◆ Près de la porte Maillot, immeuble classique donnant sur deux rues relativement calmes. Chambres régulièrement rénovées et égayées de coloris vifs.

Jardin de Villiers CY 19
18 r. C. Pouillet ☎ 01 42 67 15 60, *Fax 01 42 67 32 11*
sans rest – |‡| TV. AE ⓓ GB JCB. ✗
☕ 40 – **26 ch** 950.
◆ Près du pittoresque marché de la rue de Lévis, une maison appréciée pour sa petite terrasse d'été joliment fleurie ainsi que pour ses chambres chaleureuses et son calme.

Neva FH 12
14 r. Brey ☎ 01 43 80 28 26, *Fax 01 47 63 00 22*
M sans rest – |‡| ▤ TV ☎ ♿. AE ⓓ GB JCB. ✗
☕ 60 – **31 ch** 600/950.
◆ Chambres actuelles et pratiques, dotées de meubles modernes et agrémentées de tableaux anciens. Salon habillé de boiseries, avec fauteuils Louis-Philippe.

Étoile Park Hôtel FH 2
10 av. Mac Mahon ☎ 01 42 67 69 63, *ephot@easynet.fr, Fax 01 43 80 18 99*
sans rest – |‡| ▤ TV ☎. AE ⓓ GB JCB
☕ 45 – **28 ch** 750/820.
◆ Bel emplacement à deux pas de l'Étoile pour cet immeuble en pierres de taille. Meubles contemporains dans les chambres dont six donnent sur cour. Salon de style 1950.

Monceau
FG 7

7 r. Rennequin ✆ 01 47 63 07 52, *h2765-gm@accor-hotels.com, Fax 01 47 66 84 44*
sans rest – AE GB JCB
82 – **25 ch** 970/1045.
◆ Cet hôtel de la plaine Monceau allie confort moderne et décoration raffinée. Coquettes chambres bleues ou jaunes décorées de gravures anciennes. Ambiance "british" au bar.

Harvey
EG 18

7 bis r. Débarcadère ✆ 01 55 37 20 00, *info@hotel-harvey.com, Fax 01 40 68 03 56*
sans rest – AE GB JCB
40 – **32 ch** 650/800.
◆ Cet établissement familial datant de 1880 abrite des chambres d'esprit rustique ; côté cour elles sont petites mais aussi plus calmes. Salon de lecture pour la détente.

Étoile Péreire
BY 17

146 bd Péreire ✆ 01 42 67 60 00, *Fax 01 42 67 02 90*
sans rest – AE GB.
60 – **22 ch** 650/1150, 4 duplex.
◆ Africaine, tropicale, chinoise... Un thème par chambre ; toutes sont au calme. Célèbre petit-déjeuner aux 31 confitures dans une salle réhaussée d'oeuvres de Jean Marais.

Star Hôtel Étoile
FG 26

18 r. Arc de Triomphe ✆ 01 43 80 27 69, *ckouhana@cie.fr, Fax 01 40 54 94 84*
sans rest – AE GB JCB
45 – **62 ch** 600/1000.
◆ Un décor récent d'inspiration médiévale habille la réception, le salon et la salle des petits-déjeuners. Chambres à dominante jaune, peu spacieuses mais assez calmes.

Monceau Élysées
BY 41

108 r. Courcelles ✆ 01 47 63 33 08, *Fax 01 46 22 87 39*
sans rest – AE GB
55 – **29 ch** 650/900.
◆ Près de l'élégant parc Monceau, ce petit hôtel entièrement rénové propose des chambres couleur saumon, égayées de tissus imprimés. Salle des petits-déjeuners voûtée.

Astrid
FH 8

27 av. Carnot ✆ 01 44 09 26 00, *paris@hotel-astrid.com, Fax 01 44 09 26 01*
sans rest – AE GB JCB
50 – **41 ch** 580/815.
◆ À 100 m de l'Arc de Triomphe, un hôtel tenu par la même famille depuis 1936, où chaque chambre adopte un style différent : Directoire, tyrolien, provençal...

Villiers Étoile
CY 29

6 r. Lebouteux ✆ 01 40 53 05 05, *villiers@hotelsparis.fr, Fax 01 40 53 05 06*
M sans rest – AE GB JCB
65 – **55 ch** 900/1000.
◆ À deux pas du marché Lévis. Le mobilier moderne couleur acajou préside au frais décor des petites chambres ; celles côté cour sont d'une quiétude appréciable.

Flaubert FG 10
19 r. Rennequin ✆ 01 46 22 44 35, *Fax 01 43 80 32 34*
sans rest – |♦| TV ✆ ♿. AE ⓓ GB
☕ 48 – **40 ch** 550/700.
◆ L'atout maître de cet hôtel familial est son calme et verdoyant patio, sur lequel donnent certaines chambres. Salle des petits-déjeuners de style jardin d'hiver.

Monceau Étoile CY 21
64 r. de Levis ✆ 01 42 27 33 10, *hotelmonceauetoile@ansm.fr, Fax 01 42 27 59 58*
sans rest – |♦| TV. AE ⓓ GB
☕ 50 – **26 ch** 600/650.
◆ Dans une rue animée par les étals d'un pittoresque marché, ce bâtiment ancien aux airs de demeure familiale abrite des chambres meublées simplement.

Campanile CX 8
4 bd Berthier ✆ 01 46 27 10 00, *resa@campanile-berthier.com, Fax 01 46 27 00 57*
– |♦| ✕ ▤ TV ✆ ♿ – 15 à 40. AE ⓓ GB
Repas *(82)* - 90/116 , enf. 39 – ☕ 40 – **246 ch** 495.
◆ Près de la porte de Clichy, établissement fonctionnel de forte capacité dont les chambres se conforment aux standards de la chaîne. Vaste terrasse.

XXXX ✿✿ **Guy Savoy** FH 17
18 r. Troyon ✆ 01 43 80 40 61, *reserv@guysavoy.com, Fax 01 46 22 43 09*
▤. AE ⓓ GB JCB
fermé 22 juil. au 20 août, sam. midi et dim. – **Repas** 1 050 et carte 720 à 1 100 ♀.
◆ Verre, cuir et wengé, oeuvres signées des grands noms de l'art contemporain, sculptures africaines, cuisine raffinée et très personnelle : "l'auberge du 21e s." par excellence.
Spéc. Soupe d'artichaut à la truffe noire. Lieu jaune en pâte à sel, potée de légumes à la truffe blanche d'Alba (automne). Fondant chocolat au pralin feuilleté noisette.

XXXX ✿✿ **Michel Rostang** FG 31
20 r. Rennequin ✆ 01 47 63 40 77, *rostang@relaischateaux.fr, Fax 01 47 63 82 75*
▤. AE ⓓ GB JCB
fermé 1er au 15 août, sam. midi, dim. et lundi – **Repas** 365 (déj.)/ 750 et carte 550 à 760 ♀.
◆ Restaurant au cadre élégant et insolite où boiseries, figurines de Robj, oeuvres de Lalique et vitrail Art déco composent un luxueux décor. Belle cuisine maîtrisée.
Spéc. "Sandwich" à la truffe (15 déc. au 15 mars). Brochettes de langoustines au romarin. Volaille de Bresse aux morilles blondes (avril-mai).

XXX ✿✿ **Apicius** (Vigato) BY 32
122 av. Villiers ✆ 01 43 80 19 66, *Fax 01 44 40 09 57*
▤. AE ⓓ GB JCB
fermé août, sam. et dim. – **Repas** 620 et carte 460 à 600.
◆ Murs gris perle, boiseries sombres et tableaux composent le cadre raffiné de ce restaurant. Cuisine inventive que n'aurait pas renié Apicius, "le" gastronome romain.
Spéc. Foie gras de canard en aigre-doux. Homard bleu en tronçon et corail caramélisé (printemps-été). Grand dessert "tout chocolat".

XXX **Faucher** BY 21
✿ 123 av. Wagram ✆ 01 42 27 61 50, *Fax 01 46 22 25 72*
– ▤. AE GB
fermé sam. et dim. – **Repas** 250 (déj.)/500 et carte 340 à 490 ♀.
◆ Cuisine de saison personnalisée à déguster dans une salle à manger sobre et lumineuse, rehaussée de tableaux modernes. Les tables côté rotonde sont très agréables.
Spéc. Oeuf au plat, foie gras chaud et coppa grillée. Montgolfière de Saint-Jacques aux champignons (oct. à mars). Canette rôtie et ses filets laqués.

XXX **Sormani** (Fayet) FH 5
✿ 4 r. Gén. Lanrezac ✆ 01 43 80 13 91, *Fax 01 40 55 07 37*
▤. GB
fermé 28 juil. au 21 août, 22 déc. au 2 janv., sam., dim. et fériés – **Repas** 280 (déj.), 380/500 et carte 370 à 480 ♀.
◆ Ah, le charme latin ! Dans ce restaurant discrètement situé derrière la place de l'Étoile, il opère indiscutablement : cuisine italienne élaborée et ambiance "dolce vita".
Spéc. Vitello tonnato, céleri rémoulade à la truffe noire. Oeufs au plat à la truffe blanche et fontina (oct. à déc.). Ravioli de choux verts aux langoustines et mozzarella.

XXX **Pétrus** BY 8
12 pl. Mar. Juin ✆ 01 43 80 15 95, *Fax 01 47 66 49 86*
▤. AE ⓓ GB JCB
Repas 250 et carte 430 à 530 ♀.
◆ Dans un plaisant cadre marin, produits de la mer à profusion : véritable pêche miraculeuse qui, venant de l'apôtre Pierre, n'est pas pour surprendre !

XXX **Augusta** CY 4
98 r. Tocqueville ✆ 01 47 63 39 97, *Fax 01 47 63 39 97*
▤. GB
fermé 6 au 27 août, sam. et dim. – **Repas** carte 400 à 510.
◆ Confortable restaurant au décor bleuté, spécialisé dans les produits de la mer. Fleurs fraîches et belle vaisselle en Limoges ornent les tables.

XXX **Timgad** EG 4
✿ 21 r. Brunel ✆ 01 45 74 23 70, *Fax 01 40 68 76 46*
▤. AE ⓓ GB. ✂
Repas carte 260 à 350.
◆ La splendeur passée de la cité de Timgad revit ici : décor mauresque raffiné des salles à manger et cuisine parfumée du Maghreb.
Spéc. Couscous. Pastilla. Tajine d'agneau.

XX **Braisière** (Vaxelaire) CY 5
✿ 54 r. Cardinet ✆ 01 47 63 40 37, *Fax 01 47 63 04 76*
AE GB
fermé 28 avril au 8 mai, août, sam. et dim. – **Repas** 195 et carte 270 à 420 ♀.
◆ Avenante salle de restaurant aux tons pastel à dominante verte, ornée de fresques, tableaux et bouquets. Côté cuisine, classicisme soigné variant au gré des saisons.
Spéc. Tartare d'huîtres (oct. à avril). Salade de pintadeau aux légumes confits. Saint-Pierre rôti à la peau, ragoût d'artichauts.

XX **Petit Colombier** FH 6
42 r. Acacias ✆ 01 43 80 28 54, *Fax 01 44 40 04 29*
▤. AE GB
fermé 1er au 25 août, sam. (sauf le soir de sept. à avril) et dim. – **Repas** 200 (déj.)/360 et carte 310 à 470 ♀.
◆ Boiseries patinées, horloges anciennes et chaises Louis XV donnent un charme bien provincial à ce restaurant qui conserve le souvenir du passage de grands hommes d'État.

XX **Dessirier** BY 42
9 pl. Mar. Juin ✆ 01 42 27 82 14, *rostang@relaischateau.fr, Fax 01 47 66 82 07*
▤. AE ⓓ GB JCB
Repas 218 et carte 350 à 540.
◆ Établissement plein de vie, dont le style "brasserie", les fauteuils et banquettes capitonnés et la carte de produits de la mer génèrent une bonne humeur communicative.

XX **Les Béatilles** (Bochaton) FG 24
✿ 11 bis r. Villebois-Mareuil ✆ 01 45 74 43 80, *Fax 01 45 74 43 81*
▤. AE GB
fermé 30 juil. au 26 août, 24 au 30 déc. sam. et dim. – **Repas** 220/390 (dîner) et carte 330 à 470.
◆ Accueil attentionné, cuisine classique épurée, sobre et confortable salle à manger : décidément, cette enseigne flirte avec une douce béatitude !
Spéc. Nems d'escargots et champignons des bois. Pastilla de pigeon et foie gras. La"Saint-Cochon" (nov. à mars).

XX **Graindorge** FH 13
15 r. Arc de Triomphe ✆ 01 47 54 00 28, *Fax 01 47 54 00 28*
AE GB
fermé sam. midi et dim. – **Repas** 168 (déj.), 198/260 et carte 230 à 310 ♀.
◆ L'orge sert à fabriquer les bières qui accompagnent - outre les vins - cette généreuse cuisine flamande. Toutes les saveurs du Nord à découvrir dans un joli cadre Art déco.

XX **L'Atelier Gourmand** CY 34
20 r. Tocqueville ✆ 01 42 27 03 71, *Fax 01 42 27 03 71*
AE GB
fermé 5 au 20 août, sam. sauf le soir du 15 sept. au 15 juin et dim. – **Repas** *(150)* - 195 ♀.
◆ Cet atelier de peintre du 19e s. accueille désormais les amateurs d'art classique... culinaire, dans une salle à manger pimpante et colorée, complétée d'un salon-mezzanine.

XX **Beudant** CY 23
97 r. des Dames ✆ 01 43 87 11 20, *Fax 01 43 87 27 35*
▤. AE ⓓ GB JCB
fermé 6 au 26 août, sam. midi et dim. – **Repas** 175/300 et carte 200 à 330 ♀.
◆ Cette maison Second Empire voisine de la rue Beudant vous accueille dans deux chaleureuses salles à manger habillées de boiseries claires. Cuisine traditionnelle.

XX **Coco et sa Maison** FG 17
18 r. Bayen ✆ 01 45 74 73 73, *Fax 01 45 74 73 52*
AE GB
fermé 1er au 20 août, 24 déc. au 2 janv., sam. midi et dim. – **Repas** carte 250 à 350 ♀.
◆ Une des adresses "in" du moment, où le showbiz parisien aime se retrouver. Décor soigné, ambiance décontractée et accueil tout sourire. Cuisine du marché.

XX **Truite Vagabonde** DY 13
17 r. Batignolles ✆ 01 43 87 77 80, *Fax 01 43 87 31 50*
☂ – AE GB
fermé 1er août au 1er sept. – **Repas** 195/340 ♀.
◆ Suivez la musique : le célèbre lied de Schubert repris par les Frères Jacques insuffle à la carte ses harmonies classiques et à la salle à manger son élégance.

XX **Ballon des Ternes** EG 37
103 av. Ternes ☎ 01 45 74 17 98, *Fax 01 45 72 18 84*
AE GB JCB
fermé 28 juil. au 28 août – **Repas** carte 200 à 360 ♀.
◆ Non, vous n'avez pas trop bu de "ballons" ! La table dressée à l'envers au plafond fait partie du plaisant décor 1900 de cette brasserie voisine du Palais des Congrès.

XX **Paolo Petrini** EG 5
6 r. Débarcadère ☎ 01 45 74 25 95, *paolo.petrini@wanadoo.fr, Fax 01 45 74 12 95*
☰. AE ① GB JCB
fermé 1er au 21 août, sam. midi et dim. midi – **Repas** 130 (déj.)/190 et carte 210 à 310 ♀.
◆ Fi de pizzas, gondoles et macaroni ! À deux pas de la porte Maillot, ce restaurant au décor "minimaliste" attire une clientèle avertie, férue d'une cuisine italienne raffinée.

XX **Taïra** EH 22
10 r. Acacias ☎ 01 47 66 74 14, *Fax 01 47 66 74 14*
☰. AE ① GB
fermé sam. midi et dim. – **Repas** 170/380 et carte 300 à 400.
◆ Le chef, qui est d'origine nippone et se prénomme Taïra, prépare les produits de la mer avec finesse et simplicité : double héritage culinaire franco-japonais.

XX **Les Marines** FG 20
27 av. Niel ☎ 01 47 63 04 24, *Fax 01 44 15 92 20*
☰. AE ① GB
fermé août, dim. et lundi – **Repas** carte 190 à 280 ♀.
◆ Un cadre élégant et chaleureux mariant boiseries blondes et couleurs marines, un accueil tout sourire et une cuisine au goût du jour : les clients sont conquis !

XX **Chez Georges** EH 5
273 bd Péreire ☎ 01 45 74 31 00, *Fax 01 45 74 02 56*
GB JCB.
Repas carte 210 à 320 ♀.
◆ Créé en 1926, cet authentique bistrot parisien revu par Slavik est une des institutions du quartier de la porte Maillot. Service souriant, copieuse cuisine traditionnelle.

XX **Chez Léon** CY 28
32 r. Legendre ☎ 01 42 27 06 82, *Fax 01 46 22 63 67*
AE ① GB
fermé 30 juil. au 19 août, vacances de Noël, sam. et dim. – **Repas** (nombre de couverts limité, prévenir) 170 bc et carte 210 à 350 ♀.
◆ "Le" bistrot des Batignolles, plébiscité depuis nombre d'années par une cohorte de fidèles. Ses trois salles, dont une à l'étage, servent une cuisine traditionnelle soignée.

X **Rôtisserie d'Armaillé** FG 19
6 r. Armaillé ☎ 01 42 27 19 20, *Fax 01 40 55 00 93*
☰. AE ① GB JCB
fermé 6 au 19 août, sam. midi et dim. – **Repas** *(175)* - 240.
◆ Boiseries chaudes, banquettes et tableaux animaliers : l'atmosphère feutrée incite à ne pas se départir d'un flegme tout britannique. Table traditionnelle, assiette généreuse.

Soupière
CY 15

154 av. Wagram ✆ 01 42 27 00 73, *Fax 01 46 22 27 09*

▤. AE GB

fermé 6 au 26 août, sam. midi et dim. – Repas 145/320 et carte 200 à 340.

◆ L'accueil attentionné et la carte classique - avec menus "champignons" en saison - sur fond de trompe-l'oeil font de cette Soupière une aimable petite adresse de quartier.

Petite Auberge
BY 38

38 r. Laugier ✆ 01 47 63 85 51, *Fax 01 47 63 85 81*

AE GB

fermé août, sam. midi , lundi midi et dim. – Repas (nombre de couverts limité, prévenir) *(140)* - 170.

◆ Enseigne justifiée : la façade évoque une auberge rustique et on joue ici la carte de la convivialité. Cuisine d'inspiration bourguignonne et une spécialité : le millefeuille.

A et M le Bistrot
BY 3

105 r. Prony ✆ 01 44 40 05 88, *Fax 01 44 40 05 89*

– ▤. AE GB

fermé 16 au 24 août, sam. midi et dim. – Repas *(145)* - 180 ♀.

◆ Espace bistrot ou grande salle sous coupole de verre dans un camaïeux de gris et mauve très "tendance". Le petit frère de l'A et M du 16e propose aussi une cuisine soignée.

Troyon
FH 47

4 r. Troyon ✆ 01 40 68 99 40, *Fax 01 40 68 99 57*

AE GB.

fermé août, 23 déc. au 4 janv., sam. midi et dim. – **Repas** (prévenir) 198 ♀.

◆ Nouveau décor, ambiance décontractée et plaisante cuisine du marché : trois bonnes raisons pour fréquenter ce discret petit établissement des abords de l'Étoile.

Les Dolomites
FG 46

38 r. Poncelet ✆ 01 47 66 32 54, *Fax 01 42 27 39 57*

AE GB

fermé 13 au 30 août et dim. – **Repas** 140/190 ♀.

◆ Boiseries, banquettes en velours rose et appliques "rétro" agrémentent ce chaleureux établissement aux allures de chalet. Cuisine au goût du jour.

Café d'Angel
FH 15

16 r. Brey ✆ 01 47 54 03 33, *Fax 01 47 54 03 33*

GB

fermé août, Noël au Jour de l'An, sam. et dim. – Repas *(95)* - 115 (déj.)/200 et carte le midi ♀.

◆ Cette petite adresse a la nostalgie des bistrots parisiens d'antan : cadre "rétro" avec banquettes en skaï, faïences aux murs et plats traditionnels énoncés sur ardoise.

L'Impatient
CY 36

14 passage Geffroy Didelot ✆ 01 43 87 28 10, *Fax 01 43 87 28 10*

GB

fermé sam. midi, lundi soir et dim. – **Repas** 110 (déj.)/130 et carte 250 à 350.

◆ Dans une ruelle pavée, adresse confidentielle comprenant trois petites salles en enfilade dont le décor rappelle celui des bistrots des années 1930. Cuisine du marché.

Caves Petrissans FG 45
30 bis av. Niel ✆ 01 42 27 52 03, *Fax 01 40 54 87 56*
– AE GB
fermé 28 juil. au 26 août, 22 déc. au 2 janv., sam., dim. et fériés – **Repas** 170 et carte 200 à 300 ♀.
◆ Céline, Abel Gance, Roland Dorgelès aimaient fréquenter ces caves plus que centenaires, à la fois boutique de vins et spiritueux et restaurant. Cuisine "bistrotière".

Petit Gervex BX 7
2 r. Gervex ✆ 01 43 80 53 63
– GB
fermé 30 juil. au 27 août, dim. soir et sam. – **Repas** *(115)* - 150 et carte 190 à 250 ♀.
◆ Compositions florales, tons chaleureux et éclairage tamisé composent le cadre plaisant de ce restaurant spécialisé dans les poissons.

Le Clou CY 35
132 r. Cardinet ✆ 01 42 27 36 78, *Fax 01 42 27 89 96*
AE GB
fermé 6 au 19 août, sam. midi, dim. et fériés – **Repas** 108 et carte 180 à 220 ♀.
◆ Les amateurs de viandes et d'abats trouveront leur bonheur dans ce convivial bistrot de quartier. Tables simplement dressées. Produits du terroir.

Huîtrier et Presqu'île FG 22
16 r. Saussier-Leroy ✆ 01 40 54 83 44, *Fax 01 40 54 83 86*
. AE GB
fermé août, dim. de mai à août et lundi – **Repas** carte 200 à 300 ♀.
◆ L'atout maître de cette salle moderne décorée de photos de voiliers est sans conteste sa riche carte de produits de la mer et surtout d'huîtres. On mange au coude à coude.

L'Ampère CY 6
1 r. Ampère ✆ 01 47 63 72 05, *Fax 01 47 63 37 33*
. AE GB
fermé sam. midi et dim. – **Repas** carte 180 à 220.
◆ Vieilles affiches publicitaires, collection d'ampèremètres et miroirs sur lesquels sont inscrits les plats du jour illustrent bien l'esprit de ce bistrot très convivial.

Bellagio EG 3
101 av. Ternes ✆ 01 40 55 55 20, *Fax 01 45 74 96 16*
. AE GB
Repas carte 220 à 300.
◆ Couleurs méditerranéennes, ancienne machine à couper le jambon de Parme et irrésistible table d'antipasti : l'Italie à l'honneur, autant dans le décor que dans l'assiette !

Bistrot de Théo CY 25
90 r. Dames ✆ 01 43 87 08 08, *Fax 01 43 87 06 15*
AE GB – *fermé 13 au 26 août, dim. de janv. à août et lundi en juil.-août* – **Repas** *(80)* - 135/170 bc et carte 180 à 260 ♀.
◆ Avec ses murs en pierre, ses poutres patinées et sa collection d'ustensiles de cuisine, ce charmant bistrot a séduit la clientèle du quartier. Spécialités de foie gras.

Nagoya FH 3
16 r. Brey ✆ 01 45 72 61 68
GB – *fermé 15 au 31 août et dim.* – **Repas** 78/188 et carte 120 à 200.
◆ Côté salle, un cadre sobre rehaussé de quelques notes japonisantes. Côté cuisine, un bon choix de menus élaborés autour des traditionnels sushis, sashimis et yakitoris.

Montmartre - La Villette
Buttes Chaumont
Belleville - Père Lachaise

18e, 19e et 20e arrondissements

18e : ✉ 75018 - 19e : ✉ 75019 - 20e : ✉ 75020

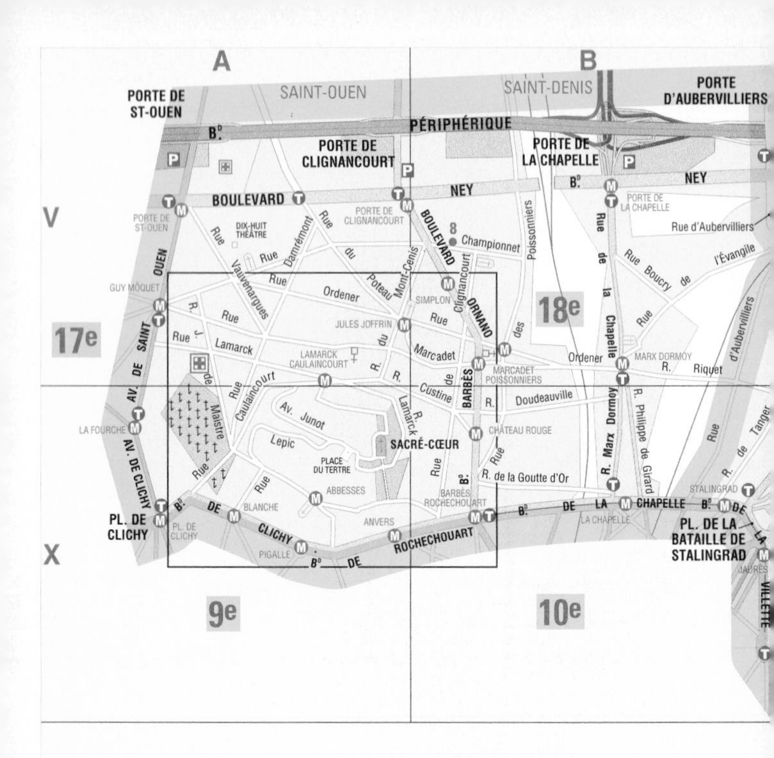

A
B
V
X
PORTE DE ST-OUEN
SAINT-OUEN
SAINT-DENIS
PORTE D'AUBERVILLIERS
PÉRIPHÉRIQUE
PORTE DE CLIGNANCOURT
PORTE DE LA CHAPELLE
BOULEVARD
NEY
Bd NEY
PORTE DE ST-OUEN
PORTE DE CLIGNANCOURT
PORTE DE LA CHAPELLE
DIX-HUIT THÉATRE
Rue Vauvenargues
Rue Damrémont
Rue du Poteau
Mont-Cenis
BOULEVARD ORNANO
Championnet
Clignancourt
Poissonniers
Rue de la Chapelle
Rue d'Aubervilliers
Rue Boucry
de l'Évangile
GUY MÔQUET
Rue Ordener
SIMPLON
18e
17e
JULES JOFFRIN
Rue Marcadet
R. J. de Maistre
Rue Lamarck
LAMARCK CAULAINCOURT
Rue Caulaincourt
R. du Mont-Cenis
R. Custine
Rue des Poissonniers
Ordener
MARX DORMOY
R. Riquet
MARCADET POISSONNIERS
Bd BARBÈS
R. Doudeauville
Av. Junot
R. Lamarck
Lepic
SACRÉ-CŒUR
CHÂTEAU ROUGE
R. Marx Dormoy
R. Philippe de Girard
Rue de Tanger
LA FOURCHE
AV. DE SAINT OUEN
AV. DE CLICHY
PLACE DU TERTRE
R. de la Goutte d'Or
ABBESSES
BARBÈS ROCHECHOUART
STALINGRAD
BLANCHE
Bd DE LA CHAPELLE
LA CHAPELLE
PL. DE CLICHY
PL. DE CLICHY
Bd DE CLICHY
ANVERS
ROCHECHOUART
PIGALLE
Bd DE
PL. DE LA BATAILLE DE STALINGRAD
JAURÈS
VILLETTE
9e
10e

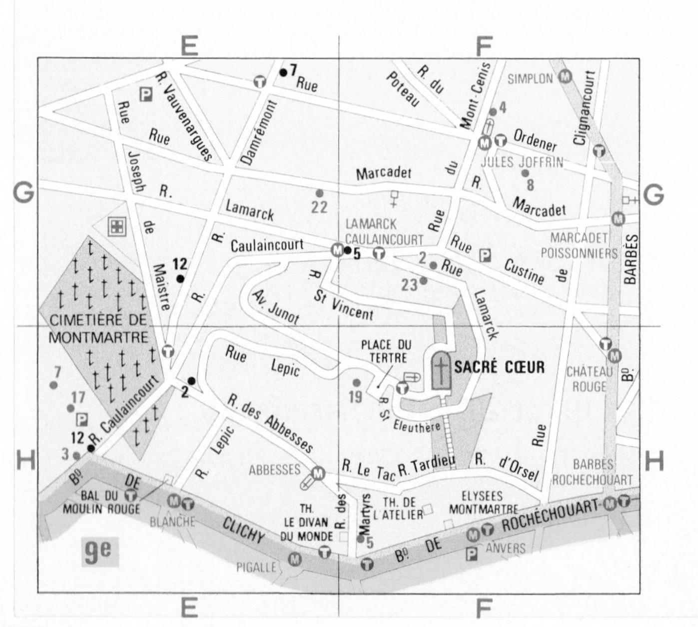

E
F
G
H
R. Vauvenargues
7 Rue
Damrémont
Poteau
R. du Mont-Cenis
SIMPLON
4
Clignancourt
Rue Joseph de Maistre
Rue Ordener
JULES JOFFRIN
Marcadet
8
R. du
R. Marcadet
R. Lamarck
22
LAMARCK CAULAINCOURT
R. Caulaincourt
5
Rue
Rue Custine
MARCADET POISSONNIERS
BARBÈS
12
2
Rue
23
R. St Vincent
Av. Junot
Lamarck
de
CIMETIÈRE DE MONTMARTRE
PLACE DU TERTRE
SACRÉ CŒUR
Rue Lepic
CHÂTEAU ROUGE
Bd
7
17
2
19
R. St Eleuthère
R. Caulaincourt
R. des Abbesses
12
3
R. Lepic
Rue
ABBESSES
R. Le Tac
R. Tardieu
R. d'Orsel
BARBÈS ROCHECHOUART
Bd DE
BAL DU MOULIN ROUGE
BLANCHE
TH. LE DIVAN DU MONDE
R. des Martyrs
TH. DE L'ATELIER
ELYSEES MONTMARTRE
CLICHY
ROCHECHOUART
Bd DE
5
ANVERS
9e
PIGALLE

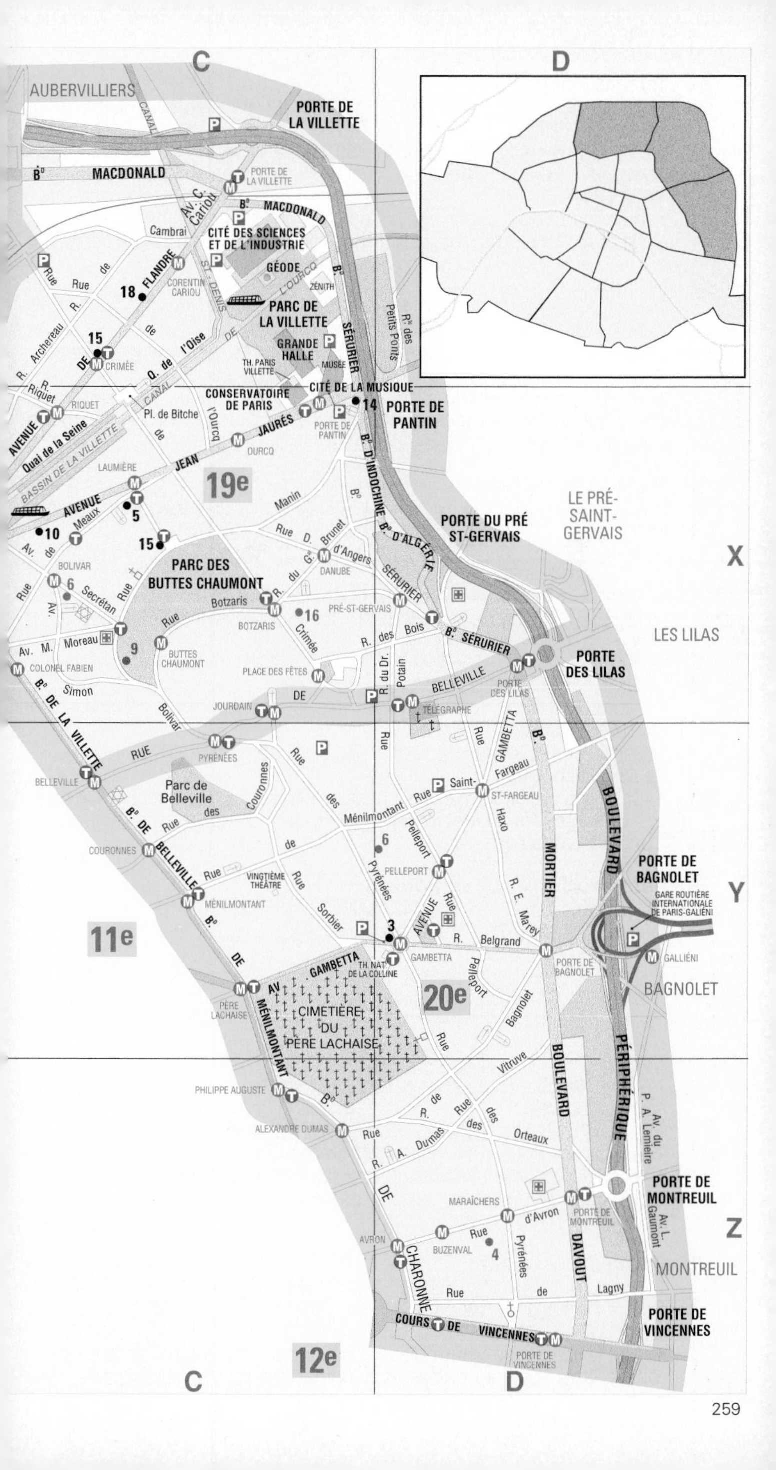

C
D
AUBERVILLIERS
PORTE DE LA VILLETTE
MACDONALD
CITÉ DES SCIENCES ET DE L'INDUSTRIE
GÉODE
ZÉNITH
PARC DE LA VILLETTE
GRANDE HALLE
CITÉ DE LA MUSIQUE
CONSERVATOIRE DE PARIS
PORTE DE PANTIN
19e
LE PRÉ-SAINT-GERVAIS
PORTE DU PRÉ ST-GERVAIS
X
PARC DES BUTTES CHAUMONT
LES LILAS
PORTE DES LILAS
Parc de Belleville
PORTE DE BAGNOLET
GARE ROUTIÈRE INTERNATIONALE DE PARIS-GALIÉNI
Y
11e
BAGNOLET
CIMETIÈRE DU PÈRE LACHAISE
20e
PORTE DE MONTREUIL
Z
MONTREUIL
PORTE DE VINCENNES
12e
BOULEVARD PÉRIPHÉRIQUE
BOULEVARD MORTIER
BOULEVARD DAVOUT

Terrass'Hôtel EH 2
12 r. J. de Maistre (18e) 01 46 06 72 85, *terrasse@francenet.fr*, *Fax 01 42 52 29 11*
M, – – 25 à 100. AE GB JCB
Terrasse : **Repas** 174, enf. 60 – 75 – **75 ch** 1195/1580, 13 appart – ½ P 850/925.
◆ Au pied du Sacré-Coeur. Vue imprenable sur Paris depuis les chambres des étages supérieurs, côté rue, et la terrasse du restaurant aménagée sur le toit.

Holiday Inn CX 14
216 av. J. Jaurès (19e) 01 44 84 18 18, *hilavillette@alliance-hostellerie.fr*, *Fax 01 44 84 18 20*
M, , – – 15 à 140. AE GB JCB. rest
Repas 120, enf. 45 – 95 – **174 ch** 1900/2100, 8 appart.
◆ Construction moderne face à la Cité de la Musique. Les chambres, spacieuses et insonorisées, offrent un confort actuel. Station de métro à quelques mètres.

Mercure Montmartre EH 12
3 r. Caulaincourt (18e) 01 44 69 70 70, *h0373@accor-hotels.com*, *Fax 01 44 69 70 71*
sans rest – – 20 à 70. AE GB JCB
75 – **308 ch** 1030/1100.
◆ Retrouvez toutes les prestations habituelles de la chaîne au coeur du Paris festif, à deux pas du célèbre bal du Moulin-Rouge. Plaisant bar feutré couleur acajou.

Holiday Inn Garden Court EG 12
23 r. Damrémont (18e) 01 44 92 33 40, *hiparmm@aol.com*, *Fax 01 44 92 09 30*
M sans rest – – 20. AE GB JCB
85 – **54 ch** 950.
◆ Dans une rue montmartroise pentue, hôtel de création récente abritant des chambres fraîches et fonctionnelles. Salle des petits-déjeuners ornée d'un joli trompe-l'oeil.

Parc des Buttes Chaumont CX 15
1 pl. Armand Carrel (19e) 01 42 08 08 37, *Fax 01 42 45 66 91*
sans rest – . AE GB
50 – **45 ch** 520/750.
◆ Cette façade ancienne est tournée vers l'entrée du parc créé par Napoléon III. Chambres douillettes et bien tenues ; lumineux salon-billard meublé de fauteuils "bridge".

Kyriad CV 18
147 av. Flandre (19e) 01 44 72 46 46, *clarine-paris-villette@wanadoo.fr*, *Fax 01 44 72 46 47*
M – , rest, – 70. AE GB JCB
Repas carte 100 à 150 – 40 – **207 ch** 400/445.
◆ Non loin de la Cité des Sciences, établissement moderne constituant un hébergement pratique car très bien desservi (métro, boulevard périphérique à proximité).

Roma Sacré Coeur FG 5
101 r. Caulaincourt (18e) 01 42 62 02 02, *@wanadoo.fr*, *Fax 01 42 54 34 92*
sans rest – . AE GB JCB
37 – **57 ch** 420/490.
◆ Tout le charme de Montmartre : un jardin sur le devant, des escaliers sur le côté, le Sacré-Coeur au-dessus, et en prime, un accueil sympathique !

Palma DY 3
77 av. Gambetta (20e) ✆ 01 46 36 13 65, *hotel.palma@wanadoo.fr*, *Fax 01 46 36 03 27*
sans rest – |‡| TV. AE ⓓ GB JCB
☕ 36 – **32 ch** 375/450.
◆ Après la visite rituelle au Père-Lachaise, venez vous reposer dans l'accueillant coin salon et dans les chambres de style années 1970-1980.

Crimée CV 15
188 r. Crimée (19e) ✆ 01 40 36 75 29, *hotel.crimee@free.fr*, *Fax 01 40 36 29 57*
sans rest – |‡| ☰ TV. AE GB JCB
☕ 35 – **31 ch** 290/360.
◆ Adresse "cosy" à 300 m du canal de l'Ourcq. Les chambres, bien insonorisées, sont équipées d'un mobilier fonctionnel gris ou jaune. Agréable salon en cuir. Métro proche.

Laumière CX 5
4 r. Petit (19e) ✆ 01 42 06 10 77, *Fax 01 42 06 72 50*
sans rest – |‡| TV. GB
☕ 36 – **54 ch** 295/395.
◆ En manque d'espaces verts ? Cet hôtel qui achève une cure de jouvence vous fera profiter de son riant jardinet et du parc des Buttes-Chaumont tout proche.

Abricôtel CX 10
15 r. Lally Tollendal (19e) ✆ 01 42 08 34 49, *abricotel@wanadoo.fr*, *Fax 01 42 40 83 95*
sans rest – |‡| TV ✆ ♿. AE ⓓ GB. ✂
☕ 36 – **39 ch** 310/420.
◆ Cette petite affaire familiale propose des chambres de faible ampleur, mais fonctionnelles et décorées avec soin. Salle des petits-déjeuners rénovée.

Damrémont EG 7
110 r. Damrémont (18e) ✆ 01 42 64 25 75, *hotel-damremont@easynet.fr*, *Fax 01 46 06 74 64*
sans rest – |‡| ✂ TV ✆. AE ⓓ GB JCB. ✂
☕ 40 – **35 ch** 490.
◆ Près de Montmartre, chambres actuelles, plus calmes côté cour, pas très spacieuses, mais équipées d'un plaisant mobilier couleur acajou. Salon tout juste revu.

Beauvilliers (Carlier) FG 2
52 r. Lamarck (18e) ✆ 01 42 54 54 42, *Fax 01 42 62 70 30*
☂ – ☰. AE ⓓ GB JCB
fermé lundi midi et dim. – **Repas** 185 (déj.)/400 et carte 440 à 620.
◆ Sur la Butte, ancienne boulangerie convertie en restaurant-bonbonnière. Magnifique décor Second Empire rehaussé de tableaux et belles compositions florales. C'est la fête !
Spéc. Filets de rougets grillés aux piments oiseaux. Rognonnade de veau aux truffes. Millefeuille aux deux chocolats.

Pavillon Puebla CX 9
Parc Buttes-Chaumont, entrée : av Bolivar, r. Botzaris (19e) ✆ 01 42 08 92 62, *Fax 01 42 39 83 16*
☂ – P. AE GB
fermé dim. et lundi – **Repas** 190/260 et carte 360 à 450.
◆ Pavillon de chasse d'époque Napoléon III et son exceptionnelle terrasse au coeur du parc des Buttes-Chaumont. Intérieur fleuri. Cuisine aux accents catalans.

XX **Cottage Marcadet** EG 22

151 bis r. Marcadet (18e) ✆ 01 42 57 71 22

▤, GB, ⚔

fermé 21 au 30 avril , 28 juil. au 28 août et dim. – **Repas** 170/230 et carte 230 à 340.

◆ Une ambiance intime vous attend dans cette salle à manger classique dotée d'un confortable mobilier Louis XVI. Cuisine traditionnelle soignée.

XX **Les Allobroges** DZ 4

71 r. Grands-Champs (20e) ✆ 01 43 73 40 00

AE GB

fermé 28 juil. au 28 août, dim. et lundi – **Repas** 99 (déj.)/181 et carte 260 à 350.

◆ Sortez des "quartiers battus" pour découvrir ce sympathique restaurant proche de la porte de Montreuil : joli décor contemporain, recettes "maison" au goût du jour.

XX **Relais des Buttes** CX 16

86 r. Compans (19e) ✆ 01 42 08 24 70, *Fax 01 42 03 20 44*

– GB

fermé août, sam. midi et dim. – **Repas** 185 et carte 220 à 330 ♀.

◆ À deux pas du parc des Buttes-Chaumont. L'hiver, on y apprécie la cheminée de la salle à manger actuelle ; l'été, la terrasse au calme d'une petite cour intérieure.

XX **Chaumière** CX 6

46 av. Secrétan (19e) ✆ 01 42 06 54 69, *Fax 01 42 06 28 12*

▤, AE ⓓ GB JCB

fermé 5 au 21 août, vend. soir, dim. soir et sam. – **Repas** 143/198 bc et carte 270 à 360 ♀.

◆ Pour déguster cette cuisine traditionnelle, deux salles à manger au choix : l'une classique, agrémentée de grands miroirs et d'un piano ; l'autre d'allure rustique.

XX **Au Clair de la Lune** FH 19

9 r. Poulbot (18e) ✆ 01 42 58 97 03, *Fax 01 42 55 64 74*

AE GB JCB

fermé 20 août au 15 sept., lundi midi et dim. – **Repas** 165 et carte 240 à 300.

◆ L'ami Pierrot vous ouvre la porte de son auberge située juste derrière la place du Tertre. Ambiance conviviale sur fond de fresques représentant le vieux Montmartre.

X **Poulbot Gourmet** FG 23

39 r. Lamarck (18e) ✆ 01 46 06 86 00, *Fax 01 46 06 86 00*

GB

fermé 12 au 19 août et dim. sauf le midi d'oct. à mai – **Repas** *(115)* - 190 et carte 220 à 300.

◆ De l'époque des poulbots qui peuplaient la Butte, demeure le style bistrot de cette salle à manger. Cuisine classique apte à réjouir les gourmets... quels qu'ils soient.

X **L'Oriental** FH 5

76 r. Martyrs (18e) ✆ 01 42 64 39 80, *Fax 01 42 64 39 80*

AE GB, ⚔

fermé 22 juil. au 28 août et dim. – **Repas** 220 bc et carte 160 à 210 ♀.

◆ Accueil tout sourire et joli cadre orientalisant (tables garnies de zelliges et moucharabiehs) en ce restaurant nord-africain au coeur de l'animation cosmopolite de Pigalle.

Marie-Louise BV 8

52 r. Championnet (18e) ✆ 01 46 06 86 55
GB
fermé 1er au 19 août, lundi soir et dim. – **Repas** 130 et carte 200 à 280 ♀.
◆ Bistrot des années 1950 vibrant d'une atmosphère typiquement parisienne, voire gouailleuse. Authentique et copieuse cuisine de ménage. Salle plus intime à l'étage.

Bouclard EH 17

1 r. Cavallotti (18e) ✆ 01 45 22 60 01, *michel.bonnemort@wanadoo.fr, Fax 01 45 22 60 01*
AE GB
fermé lundi midi, sam. midi et dim. – **Repas** 130 et carte 210 à 380.
◆ Ce bistrot de création récente, meublé de banquettes en skaï rouge et tapissé d'affiches publicitaires, offre une cuisine "de grand-mère" qui rassasiera les plus affamés !

Village Kabyle FG 4

4 r. Aimé Lavy (18e) ✆ 01 42 55 03 34, *Fax 01 45 86 08 35*
GB.
fermé lundi midi et dim. – **Repas** 160/300 et carte environ 180 ♀.
◆ Invitation au voyage... Dans une salle à manger ornée de meubles joliment ouvragés et d'objets originaires du Maghreb, goûteuse cuisine kabyle centrée sur le couscous.

Histoire de ... FG 8

14 r. Ferdinand Flocon (18e) ✆ 01 42 52 24 60
GB
fermé 15 au 23 avril, 5 au 20 août, 23 déc. au 2 janv., dim. et lundi – **Repas** 190.
◆ Petit restaurant de quartier situé derrière la mairie du 18e, où l'accueil est roi et la cuisine bien façonnée et personnalisée. Histoire de... passer un bon moment !

Perroquet Vert EH 7

7 r. Cavalotti (18e) ✆ 01 45 22 49 16, *Fax 01 42 93 70 29*
AE GB JCB
fermé 1er au 19 août, sam. midi et dim. – **Repas** 178 ♀.
◆ Cette auberge rustique autrefois fréquentée par Gabin, Piaf et autres célébrités continue de régaler ses hôtes d'une saine cuisine de tradition.

Bistrot des Soupirs "Chez Raymonde" DY 6

49 r. Chine (20e) ✆ 01 44 62 93 31, *Fax 01 44 62 77 83*
GB
fermé 15 au 30 août, dim. et lundi – **Repas** *(79)* - 89 et carte 180 à 300, enf. 45
◆ Jouxtant le passage des Soupirs, cette petite auberge de Ménilmontant met à l'honneur les plats auvergnats et lyonnais dans un cadre rustique. Bonne humeur garantie.

Environs

40 km autour de Paris

Hôtels
Restaurants

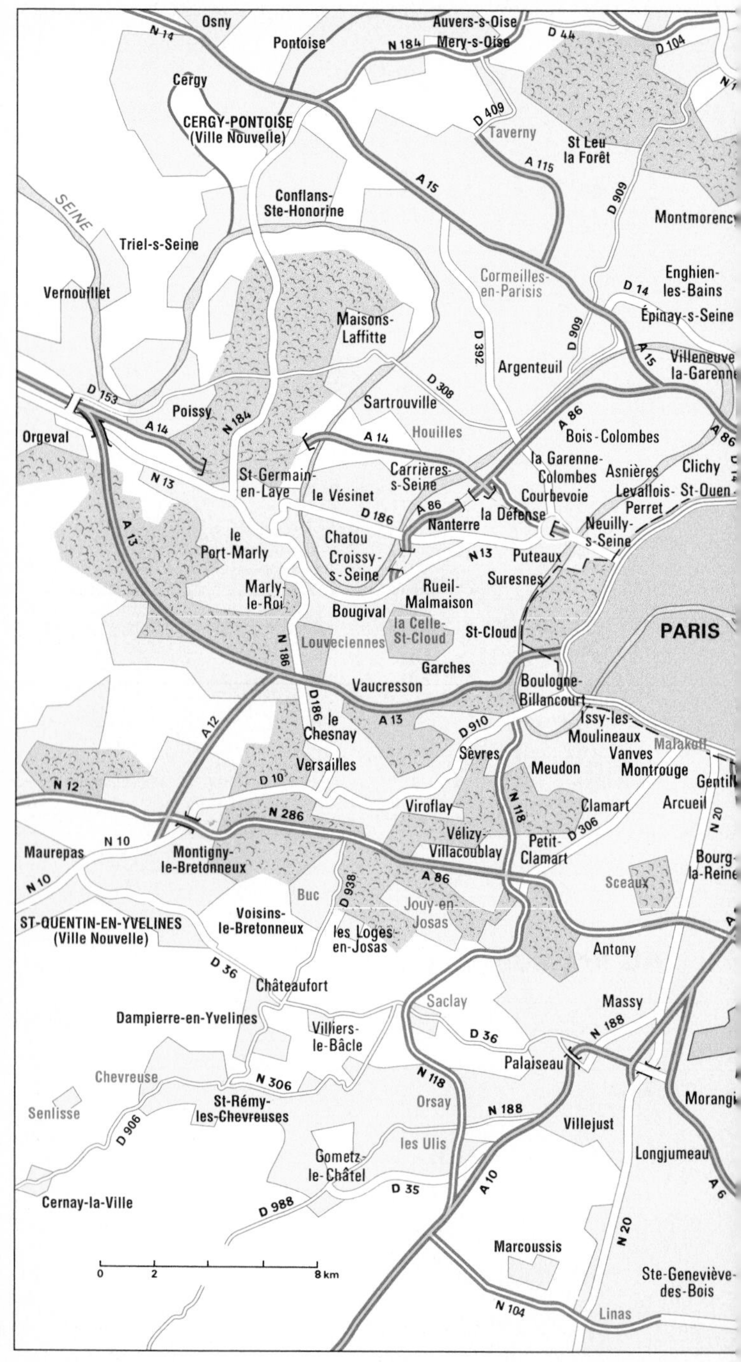
Osny
Auvers-s-Oise
Pontoise
Mery-s-Oise
Cergy
CERGY-PONTOISE
(Ville Nouvelle)
Taverny
St Leu
la Forêt
Montmorency
Conflans-
Ste-Honorine
SEINE
Triel-s-Seine
Vernouillet
Cormeilles-
en-Parisis
Enghien-
les-Bains
Épinay-s-Seine
Maisons-
Laffitte
Argenteuil
Villeneuve
la-Garenne
Sartrouville
Poissy
Orgeval
Houilles
Bois-Colombes
la Garenne-
Colombes
Asnières
Clichy
Levallois-
Perret
St-Ouen
St-Germain-
en-Laye
le Vésinet
Carrières-
s-Seine
Courbevoie
la Défense
Nanterre
Neuilly-
s-Seine
le
Port-Marly
Chatou
Croissy-
s-Seine
Puteaux
Suresnes
Marly-
le-Roi
Rueil-
Malmaison
Bougival
la Celle-
St-Cloud
St-Cloud
PARIS
Louveciennes
Garches
Vaucresson
Boulogne-
Billancourt
le
Chesnay
Issy-les-
Moulineaux
Malakoff
Vanves
Montrouge
Sèvres
Meudon
Versailles
Gentilly
Viroflay
Clamart
Arcueil
Vélizy-
Villacoublay
Petit-
Clamart
Maurepas
Montigny-
le-Bretonneux
Bourg-
la-Reine
Sceaux
Buc
Jouy-en-
Josas
Voisins-
le-Bretonneux
ST-QUENTIN-EN-YVELINES
(Ville Nouvelle)
les Loges-
en-Josas
Antony
Châteaufort
Saclay
Massy
Dampierre-en-Yvelines
Villiers-
le-Bâcle
Palaiseau
Chevreuse
Orsay
Morangis
Senlisse
St-Rémy-
les-Chevreuses
Villejust
les Ulis
Gometz-
le-Châtel
Longjumeau
Cernay-la-Ville
Marcoussis
Ste-Geneviève-
des-Bois
Linas
N 14
N 184
D 44
D 104
D 409
A 115
A 15
D 909
D 14
D 392
D 308
D 153
A 14
N 184
A 86
N 13
D 186
A 13
N 186
D186
A 12
D 910
N 12
D 10
N 286
N 118
D 306
N 10
D 938
N 20
D 36
N 188
N 306
D 906
D 35
D 988
A 10
N 104
A 6
0
2
8 km

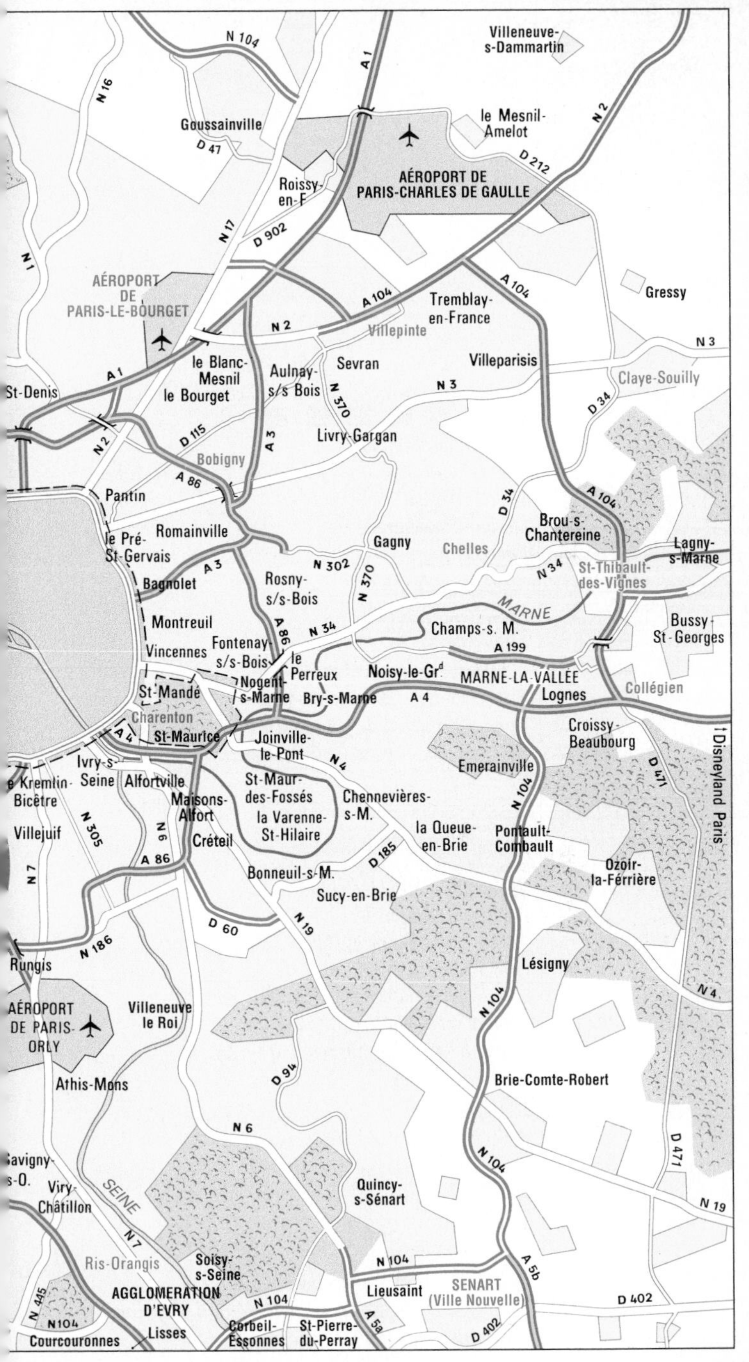
Villeneuve-s-Dammartin
N 104
A 1
N 16
Goussainville
le Mesnil-Amelot
N 2
D 47
D 212
AÉROPORT DE PARIS-CHARLES DE GAULLE
Roissy-en-F
N 17
D 902
N 1
AÉROPORT DE PARIS-LE-BOURGET
A 104
Tremblay-en-France
Gressy
N 2
Villepinte
N 3
A 1
le Blanc-Mesnil
le Bourget
Aulnay-s/s Bois
Sevran
Villeparisis
Claye-Souilly
St-Denis
N 370
N 3
D 34
N 2
D 115
A 3
Livry-Gargan
Bobigny
A 86
Pantin
D 34
A 104
Romainville
Brou-s-Chantereine
le Pré-St-Gervais
Gagny
Chelles
Lagny-s-Marne
A 3
N 302
N 370
N 34
St-Thibault-des-Vignes
Bagnolet
Rosny-s/s-Bois
MARNE
Montreuil
Bussy-St-Georges
A 86
N 34
Champs-s. M.
Vincennes
Fontenay-s/s-Bois
A 199
le Perreux
Noisy-le-Grd
MARNE-LA-VALLÉE
Nogent-s-Marne
St-Mandé
Bry-s-Marne
A 4
Lognes
Collégien
Charenton
A 4
St-Maurice
Joinville-le-Pont
Croissy-Beaubourg
Disneyland Paris
N 4
Ivry-s-Seine
Emerainville
D 471
le Kremlin-Bicêtre
Alfortville
St-Maur-des-Fossés
Maisons-Alfort
Chennevières-s-M.
N 104
la Varenne-St-Hilaire
Villejuif
N 305
N 6
la Queue-en-Brie
Pontault-Combault
Créteil
D 185
Ozoir-la-Ferrière
N 7
A 86
Bonneuil-s-M.
Sucy-en-Brie
D 60
N 19
N 186
Rungis
Lésigny
N 4
AÉROPORT DE PARIS-ORLY
Villeneuve le Roi
N 104
Athis-Mons
D 94
Brie-Comte-Robert
N 6
D 471
Savigny-s-O.
N 104
Viry-Châtillon
SEINE
Quincy-s-Sénart
N 19
N 7
Ris-Orangis
Soisy-s-Seine
N 104
A 5b
AGGLOMERATION D'EVRY
Lieusaint
SENART (Ville Nouvelle)
N 104
D 402
N 445
N104
A 5a
D 402
Courcouronnes
Lisses
Corbeil-Essonnes
St-Pierre-du-Perray

Légende

P SP	*Préfecture – Sous-préfecture*
93300	*Numéro de code postal*
101 (14)	*Numéro de la carte Michelin et numéro de pli*
AJ 27	*Repère du carroyage des plans Michelin Banlieue de Paris* **18**, **20**, **22**, **24**, **25**
36252 h. alt. 102	*Population et altitude*
Voir	*Curiosités décrites dans les Guides Verts Michelin*
★★★	*Vaut le voyage*
★★	*Mérite un détour*
★	*Intéressant*
	Plans des Environs
• •	*Hôtel-Restaurant*
	Autoroute
	Grande voie de circulation
Pasteur	*Rue piétonne – Rue commerçante*
	Bureau principal de poste restante et téléphone
H POL.	*Hôtel de ville – Police – Gendarmerie*

Key

P SP	*Prefecture – Sub-prefecture*
93300	*Local postal number*
101 (14)	*Number of appropriate Michelin map and fold*
AJ 27	*Grid reference on Michelin plans of Paris suburbs «Banlieue de Paris»* **18**, **20**, **22**, **24**, **25**
36252 h. alt. 102	*Population – Altitude (in metres)*
Voir	*Sights described in Michelin Green Guides:*
★★★	*Worth a journey*
★★	*Worth a detour*
★	*Interesting*
	Towns plans of the Environs
• •	*Hotel-Restaurant*
	Motorway
	Major through route
Pasteur	*Pedestrian street – Shopping street*
	Main post office with poste restante and telephone
H POL.	*Town Hall – Police – Gendarmerie*

Alfortville *94140 Val-de-Marne* 101 ㉗, 24 *25 – 36 119 h alt. 32.*

Paris 10 – Créteil 6 – Maisons-Alfort 1 – Melun 41.

Chinagora Hôtel **BE 55**
centre Chinagora, 1 pl. Confluent France-Chine ✆ 01 43 53 58 88, *hotel@chinagora.fr, Fax 01 49 77 57 17*
M sans rest, – ▯ – 15 à 200. GB
50 – **183 ch** 490/550, 4 appart.
◆ Où confluent la Chine et la France : complexe d'architecture "mandchoue" et chambres de style occidental, ouvrant presque toutes sur un jardin exotique.

Pour être inscrit au guide Michelin
– pas de piston,
– pas de pot de vin!

Antony *92160 Hauts-de-Seine* 101 ㉕, 22 *25 – 57 771 h alt. 80.*

Voir *Sceaux : parc★★ et musée de l'Île-de-France★ N : 4 km – Châtenay-Malabry : église St-Germain-l'Auxerrois★, Maison de Chateaubriand★ NO : 4 km,* **G. Île de France.**

Office de Tourisme pl. Auguste-Mounie ✆ 01 42 37 57 77, Fax 01 46 66 30 80.

Paris 13 – Bagneux 9 – Corbeil-Essonnes 26 – Nanterre 28 – Versailles 17.

Alixia **BM 46**
1 r. Providence ✆ 01 46 74 92 92, *hotel.alixia@wanadoo.fr, Fax 01 46 74 50 55*
M sans rest – TV P – 20. AE GB
55 – **40 ch** 500/650.
◆ Hôtel récent situé dans une rue tranquille. Les chambres sur l'arrière sont très calmes et bénéficient de la climatisation ; toutes sont aménagées avec soin.

Boucalot **BP 46**
157 av. Division Leclerc ✆ 01 46 66 19 32, *Fax 01 46 66 79 74*
– GB
fermé 1er au 15 août, sam. midi, dim. soir et lundi – **Repas** *(140)* - 175 ♀.
◆ Le décor de ce restaurant de quartier évoque le rugby (dessins, trophées), la passion du patron. Ambiance conviviale assurée et cuisine du marché présentée sur ardoise.

Les Philosophes **BN 46**
53 av. Division Leclerc ✆ 01 42 37 23 22
. GB
fermé août, dim. soir et lundi – **Repas** 78 (déj.), 95/135 .
◆ Ce restaurant bordant la nationale propose une cuisine au goût du jour et, de temps à autre, des dîners-débats philosophiques dans un cadre contemporain coloré.

Tour de Marrakech **BN 46**
72 av. Division Leclerc ✆ 01 46 66 00 54
. GB.
fermé août et lundi – **Repas** 140 et carte 170 à 240.
◆ Décor mauresque et plats nord-africains pour retrouver la magie du Maroc... au bord de la N 20 ! Restaurant sur deux étages ; la salle à manger du premier est plus claire.

Argenteuil
95100 Val-d'Oise 101 ⑭, 18 25 *G. Ile de France – 93 096 h alt. 33.*

Paris 20 – Chantilly 39 – Pontoise 19 – St-Germain-en-Laye 19.

Campanile — AR 41
1 r. Ary Scheffer ✆ 01 39 61 34 34, *Fax 01 39 61 44 20*

– 40. AE GB

Repas 90/120 ♀, enf. 39 – 41 – **100 ch** 400/420.

◆ Construction moderne située en léger retrait de la N 311. Les chambres, équipées selon les normes de la chaîne, sont bien tenues et correctement insonorisées.

XXX Ferme d'Argenteuil — AP 41
2 bis r. Verte ✆ 01 39 61 00 62, *lafermedargenteuil@wanadoo.fr, Fax 01 30 76 32 31*

AE GB JCB

fermé août, lundi soir, mardi soir et dim. – **Repas** 180/250 bc et carte 260 à 330 ♀.

◆ Le vin d'Argenteuil, le "picolo", a eu ses heures de gloire. Il souffle encore aujourd'hui un petit air de campagne dans ce restaurant. Accueil aimable, cuisine de tradition.

Asnières-sur-Seine
92600 Hauts-de-Seine 101 ⑮, 18 25 *G. Ile de France – 71 850 h alt. 37.*

Paris 9 – Argenteuil 8 – Nanterre 8 – Pontoise 26 – St-Denis 8 – St-Germain-en-Laye 20.

XXX Van Gogh — AT 46
2 quai Aulagnier ✆ 01 47 91 05 10, *accueil@levangogh.com, Fax 01 47 93 00 93*

– AE GB.

fermé 3 au 27 août, 22 déc. au 2 janv., sam. et dim. – **Repas** carte 300 à 400 ♀.

◆ En ce lieu où Van Gogh immortalisa la guinguette La Sirène, élégant restaurantdisposant d'une terrasse sur la Seine. Le poisson arrive en direct de l'Atlantique.

XX Petite Auberge — AT 44
118 r. Colombes ✆ 01 47 93 33 94, *Fax 01 47 93 33 94*

GB

fermé 29 juil. au 28 août, merc. soir, dim. soir et lundi – **Repas** 150.

◆ Petite auberge de bord de route à l'ambiance sympathique. Objets anciens, tableaux et collection d'assiettes décorent la salle à manger rustique. Cuisine traditionnelle.

Athis-Mons
91200 Essonne 101 ㊱, 25 *– 29 123 h alt. 85.*

Paris 18 – Créteil 14 – Évry 12 – Fontainebleau 48.

Rotonde — BU 52
25 bis r. H. Pinson ✆ 01 69 38 97 78, *Fax 01 69 38 48 02*

sans rest – GB.

32 – **22 ch** 310/350.

◆ Dans un quartier résidentiel, pavillon des années 1960 abritant des chambres petites et meublées simplement, mais bien tenues. Navettes pour l'aéroport d'Orly.

Restaurants serving a good but moderately priced meal are distinguished in the Guide by the symbol

Aulnay-sous-Bois *93600 Seine-St-Denis 101 ⑱, 20 25 – 82 314 h alt. 46.*

Paris 19 – Bobigny 9 – Lagny-sur-Marne 23 – Meaux 31 – St-Denis 15 – Senlis 38.

Novotel — AM 62

carrefour de l'Europe N 370 ☏ 01 58 03 90 90, *h0387@accor-hotels.com, Fax 01 58 03 90 99*

M, ☂, ≋, ⛱ – ⇕ ⊬ ▤ TV ☏ ♿ P – 🏂 200. AE ⓓ GB JCB

Repas 129 ♀, enf. 50 – ☕ 70 – **139 ch** 660/700.

◆ Hôtel dont les chambres spacieuses ont adopté depuis peu les nouvelles harmonies de la chaîne. Pour garder le contact : "cyberterrasse" et branchement Internet.

Auberge des Saints Pères — AS 62

212 av. Nonneville ☏ 01 48 66 62 11, *Fax 01 48 66 67 44*

▤. AE GB

fermé août, 1er au 10 janv., sam. midi, dim. soir et lundi – **Repas** 195/360 et carte 300 à 430 ♀.

◆ Maison massive au coeur d'un quartier résidentiel. Salon confortable doté de meubles de style et ouvrant sur une salle à manger cossue.

A l'Escargot — AR 62

40 rte Bondy ☏ 01 48 66 88 88, *Fax 01 48 68 26 91*

☂ – AE ⓓ GB

fermé août, 1er au 6 janv., dim. et lundi – **Repas** (dîner, prévenir) 130/180 et carte 200 à 360.

◆ Cadre d'inspiration rustique où bibelots et poèmes célèbrent l'escargot. À table, variations sur les thèmes de la Corse, du fromage et de la tradition.

Auvers-sur-Oise *95430 Val-d'Oise 101 ③, 106 ⑥ G. Ile de France – 6 129 h alt. 30.*

Voir *Maison de Van Gogh★ – Parcours-spectacle "voyage au temps des Impressionnistes"★ au château de Léry.*

ℹ *Office de Tourisme Manoir des Colombières r. de La Sansonne ☏ 01 30 36 10 06, Fax 01 34 48 08 47.*

Paris 34 – Compiègne 78 – Beauvais 54 – Chantilly 29 – L'Isle-Adam 8 – Pontoise 7.

Hostellerie du Nord

r. Gén. de Gaulle ☏ 01 30 36 70 74, *hostel.nord@magic.fr, Fax 01 30 36 72 75*

avec ch, ☂ – ▤ ch, TV P. AE GB JCB

hôtel : fermé dim. et lundi – **Repas** *(fermé 13 août au 13 sept., vacances de fév., sam. midi, dim. soir et lundi)* 260 (déj.), 280/380 ♀ – ☕ 70 – **8 ch** 650/1200.

◆ L'église a inspiré nombre d'impressionnistes. À deux pas, ce relais de poste du 17e s. a accueilli à sa table Daubigny, Cézanne et bien d'autres virtuoses du pinceau.

Auberge Ravoux

face Mairie ☏ 01 30 36 60 60, *aubergeravoux@maison-de-van-gogh.com, Fax 01 30 36 60 61*

AE ⓓ GB JCB. ✂

fermé 25 déc. au 24 janv., mardi soir et merc. soir hors saison, dim. soir et lundi soir – **Repas** (nombre de couverts limité, prévenir) *(155)* - 195 ♀.

◆ Dans cette auberge où Van Gogh logea au crépuscule de sa vie, on retrouve l'atmosphère chaleureuse des cafés d'artistes du 19e s. et la cuisine simple qu'aimait le peintre.

Bagnolet 93170 Seine-St-Denis 101 ⑰, 20 25 – 32 600 h alt. 96.

Paris 8 – Bobigny 10 – Lagny-sur-Marne 32 – Meaux 38.

Novotel Porte de Bagnolet AZ 56

av. République, échangeur porte de Bagnolet ✆ 01 49 93 63 00, *h0380-sb@accor-hotels.com, Fax 01 43 60 83 95*

M, – TV – 500. AE GB. rest

Repas *(98)* - carte environ 180, enf. 50 – 75 – **611 ch** 980/1030, 3 appart.

◆ À proximité de l'échangeur de l'autoroute, construction moderne abritant des chambres fonctionnelles équipées d'un double vitrage. Le soir, un piano anime le bar.

Campanile AZ 56

30 av. Gén. de Gaulle, échangeur Porte de Bagnolet ✆ 01 48 97 36 00, *Fax 01 48 97 95 60*

TV P – 15 à 200. AE GB

Repas *(82)* - 119/185 ♀, enf. 39 – 42 – **274 ch** 535.

◆ Entouré de supermarchés et de nombreux autres commerces, immeuble récent où vous trouverez de sobres petites chambres correctement insonorisées.

Pour être inscrit au guide Michelin
– pas de piston,
– pas de pot de vin !

Le Blanc-Mesnil 93150 Seine-St-Denis 101 ⑰, 20 25 – 46 956 h alt. 48.

Paris 19 – Bobigny 5 – Lagny-sur-Marne 30 – St-Denis 10 – Senlis 39.

Bleu Marine AN 60

219 av. Descartes ✆ 01 48 65 52 18, *Fax 01 45 91 07 75*

M, – TV P – 45. AE GB

Repas 165 ♀, enf. 49 – 65 – **118 ch** 700.

◆ À quelques minutes de l'aéroport Charles-de-Gaulle, cet hôtel dispose de grandes chambres joliment meublées et bien insonorisées. Clientèle d'affaires.

voir aussi ***Le Bourget***

Bois-Colombes 92270 Hauts-de-Seine 101 ⑮, 18 25 – 24 415 h alt. 37.

Paris 12 – Nanterre 9 – Pontoise 25 – St-Denis 11 – St-Germain-en-Laye 19.

XXX **Bouquet Garni** AT 44

7 r. Ch. Chefson ✆ 01 47 80 55 51, *Fax 01 47 60 15 55*

GB

fermé août, sam. et dim. – **Repas** 180/208 ♀.

◆ Dans un quartier résidentiel, restaurant comportant trois salles à manger en enfilade. Décor, confort et cuisine au goût du jour.

X **Chefson** AT 44

17 r. Ch. Chefson ✆ 01 42 42 12 05, *Fax 01 42 42 12 05*

GB

fermé août, vacances de fév., sam. et dim. – **Repas** (nombre de couverts limité, prévenir) 70 (déj.), 125/165 et carte 180 à 250 ♀.

◆ On se bouscule parfois dans ce restaurant dont la salle à manger, il est vrai, est de petite capacité. Ambiance "bistrot" et cuisine traditionnelle simple et copieuse.

Bougival *78380 Yvelines 101 ⑬, 18 25 G. Ile de France – 8 552 h alt. 40.*
Syndicat d'Initiative 7 r. du Gén.-Leclerc ☎ 01 39 69 21 23.
Paris 20 – Rueil-Malmaison 5 – St-Germain-en-Laye 6 – Versailles 8 – Le Vésinet 7.

Maréchaux AY 33-AZ 33
10 côte de la Jonchère ☎ 01 30 82 77 11, *Fax 01 30 82 78 40*
sans rest, , – |‡| TV P – 20 à 150. AE O GB
45 – **48 ch** 550/630.
◆ Vaste demeure offrant deux catégories de chambres : décor actuel dans les plus simples, mobilier de style dans les plus coquettes. Au sous-sol, belle salle de billard.

Camélia AZ 31
7 quai G. Clemenceau ☎ 01 39 18 36 06, *Fax 01 39 18 00 25*
. AE GB
fermé dim. et lundi – **Repas** 210 et carte 300 à 500.
◆ Restaurant donnant sur une petite place. La salle à manger, spacieuse et confortable, présente un cadre sagement contemporain. Cuisine classique.

Boulogne-Billancourt SP *92100 Hauts-de-Seine 101 ㉔, 22 25 G. Île de France – 101 743 h alt. 35 –* **Voir** *Musée départemental Albert-Kahn★ : jardins★ – Musée Paul Landowski★.*
Paris 10 – Nanterre 14 – Versailles 13.

Golden Tulip BC 42
37 pl. René Clair ☎ 01 49 10 49 10, *info@goldentulip-parispscld.com, Fax 01 46 08 27 09*
M, – |‡| TV P – 150. AE O GB JCB
L'Entracte ☎ 01 49 10 49 50 *(fermé dim. midi, sam. et fériés)* **Repas** 180(déj.) et carte 200 à 300 ♀ – 95 – **176 ch** 1370/1880, 4 appart.
◆ Cet immeuble moderne abrite un important centre d'affaires (auditorium hyper-équipé) et des chambres de belle facture.

Acanthe BB 39
9 rd-pt Rhin et Danube ☎ 01 46 99 10 40, *hotel-acanthe@adiamail.com, Fax 01 46 99 00 05*
M sans rest – |‡| TV – 15 à 30. AE O GB JCB
75 – **69 ch** 895/995.
◆ Voisin des studios de Boulogne et des insolites jardins Albert-Kahn, hôtel parfaitement insonorisé disposant de jolies chambres contemporaines. Agréable patio fleuri.

Melià Confort BB 40
20 r. Abondances ☎ 01 48 25 80 80, *melia.confort.paris.boulogne@solmedia.com, Fax 01 48 25 33 13*
M, – |‡| , rest, TV – 20 à 80. AE O GB JCB
fermé 27 août au 31 déc. – **Repas** *(fermé sam. et dim.) (95)* - 125 – 80 – **75 ch** 850/1100.
◆ Dans un quartier calme de la ville qui faillit devenir le XXIe arrondissement de Paris, hôtel proposant des chambres entièrement rénovées, aux équipements actuels.

Sélect Hôtel BC 40
66 av. Gén.-Leclerc ☎ 01 46 04 70 47, *Fax 01 46 04 07 77*
sans rest – |‡| TV P. AE O GB JCB
45 – **62 ch** 540/660.
◆ Sur la nationale conduisant de Paris à Versailles, établissement bien insonorisé dont les sobres chambres adoptent un mobilier et un décor d'inspiration Art nouveau.

Paris BB40-41
104 bis r. Paris ☎ 01 46 05 13 82, *contact@hotel-paris-boulogne.com, Fax 01 48 25 10 43*
sans rest – |♦| ▤ TV ☎. AE ⓓ GB
☕ 41 – **31 ch** 355/430.
♦ Situé à un angle de rue, immeuble ancien en briques abritant de petites chambres avant tout pratiques et bien insonorisées. Accueil familial aimable et tenue méticuleuse.

Bijou Hôtel BC 41
15 r. V. Griffuelhes, pl. Marché ☎ 01 46 21 24 98, *Fax 01 46 21 12 98*
sans rest – |♦| TV. AE ⓓ GB JCB
☕ 34 – **50 ch** 340/370.
♦ Ne désespérons pas Billancourt en boudant ce petit "Bijou" à l'ambiance agréablement provinciale : les chambres, rustiques ou plus actuelles, sont propres et bien équipées.

Olympic Hôtel BC 41
69 av. V. Hugo ☎ 01 46 05 20 69, *Fax 01 46 04 04 07*
sans rest – |♦| TV. AE GB
fermé 6 au 20 août
☕ 35 – **36 ch** 350/440.
♦ Immeuble du début du 20e s. proche de l'intéressant musée des Années 30. Chambres peu spacieuses mais fonctionnelles. Petit-déjeuner servi dans une courette l'été.

XXX **Au Comte de Gascogne** (Charvet) BB 40
✿ 89 av. J.-B. Clément ☎ 01 46 03 47 27, *Fax 01 46 04 55 70*
▤. AE ⓓ GB
fermé 11 au 21 août, sam. midi et dim. – **Repas** 280 (déj.)/480 et carte 480 à 750.
♦ Décorée dans le style des jardins d'hiver, cette salle envahie de plantes exotiques luxuriantes est une véritable oasis de fraîcheur. Cuisine au goût du jour.
Spéc. Les foies gras de canard. Ragoût de homard et sa pince rôtie. Pigeon farci et confit aux lentilles du Puy (nov. à mars).

XX **L'Auberge** BB 40
86 av. J.-B. Clément ☎ 01 46 05 67 19, *Fax 01 46 05 23 16*
▤. GB
fermé sam. midi et dim. soir – **Repas** 195 ♀.
♦ Maquettes de voiliers, d'automobiles anciennes et hélices d'avions : un concentré de l'histoire boulonnaise et des passions de David Martin, chef de cette coquette auberge.

XX **Aux Merveilles de l'Océan** BB 40
117 av. J.-B. Clément ☎ 01 48 25 43 88, *Fax 01 41 10 94 40*
▤. AE ⓓ GB JCB
fermé sam. midi et dim. soir – **Repas** 198 et carte 270 à 430.
♦ Décor actuel pour cette salle en rotonde prolongée d'une véranda. La cuisine ne fait pas mentir l'enseigne : on privilégie ici les produits de l'océan. Vivier à homards.

XX **Ferme de Boulogne** BB 40
1 r. Billancourt ☎ 01 46 03 61 69, *Fax 01 46 04 55 70*
AE GB
fermé 5 au 27 août, sam. midi et dim. – **Repas** 175 et carte 270 à 300 ♀.
♦ Le superbe Parcours des Années 30 du Boulogne résidentiel vous a ouvert l'appétit ? La cuisine bourgeoise de ce petit restaurant n'attend que votre joli coup de fourchette.

Songe de Poliphile BC 41
79 bd République ✆ 01 49 10 05 41
AE GB
fermé sam., dim. et fériés – **Repas** carte 230 à 300.
◆ Le Songe de Poliphile, oeuvre italienne du 15e s., aurait inspiré Rabelais pour son Pantagruel. Crus choisis et cuisine du marché invitent à "boire et à savourer la vie".

Grange BC 39
34 quai Le Gallo ✆ 01 46 05 22 38, *Fax 01 48 25 19 66*
AE GB
fermé 5 au 30 août, sam. et dim. – **Repas** *(150)* - 170/250.
◆ Voisin d'un centre équestre, ce restaurant n'est pas à cheval sur le service et préfère cultiver son ambiance "bonne franquette". Le ticket gagnant ? La belle carte des vins !

Petit Bofinger BB 40
61 ter av. J.-B. Clément ✆ 01 46 03 01 63, *Fax 01 46 03 31 12*
– AE GB
Repas *(105)* - 149.
◆ Jolie salle façon brasserie, ambiance animée et sympathiques petits plats "canailles" : après la Bastille, Montparnasse et Neuilly, voici le "Petit Bofinger" de Boulogne.

Le Bourget *93350 Seine-St-Denis* 101 ⑰, 20 25 *G. Ile de France – 11 699 h alt. 47.*

Voir *Musée de l'Air et de l'Espace★★.*
Paris 12 – Bobigny 5 – Chantilly 38 – Meaux 40 – St-Denis 7 – Senlis 37.

Novotel AM 59
2 r. Perrin, ZA pont Yblon au Blanc-Mesnil ✉ 93150 ✆ 01 48 67 48 88, *h0388@accor-hotels.com, Fax 01 45 91 08 27*
M, – – 200. AE GB JCB
Repas carte environ 180, enf. 50 – 67 – **143 ch** 750/790.
◆ Construction moderne située sur un important carrefour. Les chambres, spacieuses et dotées d'un vrai plan de travail, sont bien insonorisées.

Bleu Marine AM 58
aéroport du Bourget - Zone aviation d'affaires ✆ 01 49 34 10 38, *Fax 01 49 34 10 35*
M – – 15 à 60. AE GB
Repas 165, enf. 49 – 65 – **86 ch** 800.
◆ Fréquenté par le personnel des compagnies aériennes, hôtel dont les chambres sont joliment meublées et équipées du double vitrage. Coquette salle à manger.

Bourg-la-Reine *92340 Hauts-de-Seine* 101 ㉕, 22 25 – *18 499 h alt. 56.*

Voir *L'Hay-les-Roses : roseraie★★ E : 1,5 km,* **G. Île de France.**
Office de Tourisme 1 bd Carnot ✆ 01 46 61 36 41, Fax 01 46 61 61 08.
Paris 10 – Boulogne-Billancourt 12 – Évry 24 – Versailles 18.

Alixia BJ 47
82 av. Gén. Leclerc ✆ 01 46 60 56 56, *hotel.alixia@wanadoo.fr, Fax 01 46 60 57 34*
M sans rest – cuisinette – 15. AE GB
45 – **41 ch** 550.
◆ Façade avenante sur la N 20, à deux pas du ravissant parc de Sceaux. Chambres contemporaines, bien équipées et insonorisées. Plateaux-repas sur demande.

Brie-Comte-Robert *77170 S.-et-M. 101 ㊴ G. Ile de France – 11 501 h alt. 90.*

Voir *Verrière★ du chevet de l'église.*

Syndicat d'Initiative (ouvert mer. et sam. après-midi, dim. matin) pl. Jeanne-d'Évreux ✆ 01 64 05 30 09.

Paris 31 – Brunoy 10 – Évry 21 – Melun 19 – Provins 56.

A la Grâce de Dieu

79 r. Gén. Leclerc (N 19) ✆ 01 64 05 00 76, *gracedie@alapia.com, Fax 01 64 05 60 57*

M – TV P. ⓓ GB

fermé 6 au 19 août – **Repas** *(fermé dim. soir) (89)* - 109/205 ♀, enf. 60 – ☕ 50 – **17 ch** 185/290.

◆ Au 17e s., ce relais de poste était l'ultime halte avant de possibles rencontres avec les bandits de grands chemins. Enseigne restée, certes, fataliste mais confort moderne.

Brou-sur-Chantereine *77177 S.-et-M. 101 ⑲, 25 – 4 469 h alt. 120.*

Paris 35 – Coulommiers 41 – Meaux 24 – Melun 49.

XX Lotus de Brou — AX-AW 74

2 ter r. Carnot ✆ 01 64 21 01 44

GB. ✗

fermé août et lundi – **Repas** carte 160 à 310.

◆ En léger retrait de la route, restaurant au décor extrême-oriental sobre et élégant. Cuisine chinoise et thaï, simple mais authentique, servie avec amabilité.

Bry-sur-Marne *94360 Val-de-Marne 101 ⑱, 25 – 13 826 h alt. 40.*

Paris 16 – Créteil 12 – Joinville-le-Pont 6 – Nogent-sur-Marne 4 – Vincennes 9.

XX Auberge du Pont de Bry — BC 65

3 av. Gén. Leclerc ✆ 01 48 82 27 70

AE GB

fermé août, merc. soir, dim. soir et lundi – **Repas** 175 et carte 200 à 280.

◆ Discrète auberge située sur un rond-point, face au pont de Bry. La salle à manger, au cadre moderne, est prolongée d'une véranda.

Carrières-sur-Seine *78420 Yvelines 101 ⑭, 18 25 – 11 469 h alt. 52.*

Paris 20 – Argenteuil 9 – Nanterre 10 – Pontoise 29 – St-Germain-en-Laye 6.

XX Panoramic de Chine — AT 36

1 r. Fermettes ✆ 01 39 57 64 58, *Fax 01 39 15 17 68*

– P. AE ⓓ GB. ✗

fermé 16 au 30 août – **Repas** 88/268 et carte 120 à 240 ♨.

◆ Cette maison des années 1920 est agrémentée d'une entrée "en pagode" : invitation à goûter sa cuisine chinoise et thaï. Terrasse avec vue sur la Grande Arche de la Défense.

Ne confondez pas :

Confort des hôtels : 🏨🏨🏨🏨🏨 ... 🏨, 🏠
Confort des restaurants : XXXXX ... X
Qualité de la table : ✿✿✿, ✿✿, ✿, 🙂

Cergy-Pontoise Ville Nouvelle

P 95 *Val-d'Oise* 55 ⑳, 106 ⑤ 101 ② *G. Ile de France.*

Paris 36 ② – Mantes-la-Jolie 40 ④ – Pontoise 3 – Rambouillet 61 ④ – Versailles 34 ③.

CERGY-PONTOISE

Bougara (Av. Redouane) . . . BV 4
Bouticourt (R. Ch.) . . . . BV 6
Constellation (Av. de la) . . . AV 15
Delarue (Av. du Gén.-G.) . . BX 16
Genottes (Av. des) . . . . AV 28
Lavoye (R. Pierre) . . . . BV 40
Mendès-France (Mail) . . . . . AX 44
Mitterrand (Av. Fr.) . . . . . . BVX 45
Moulin-à-Vent (Bd du) . . . . AV 47
Petit-Albi (R. du) . . . . AV 55
Verdun (Av. de) . . . . BX 76
Viosne (Bd de la) . . . . BVX 83

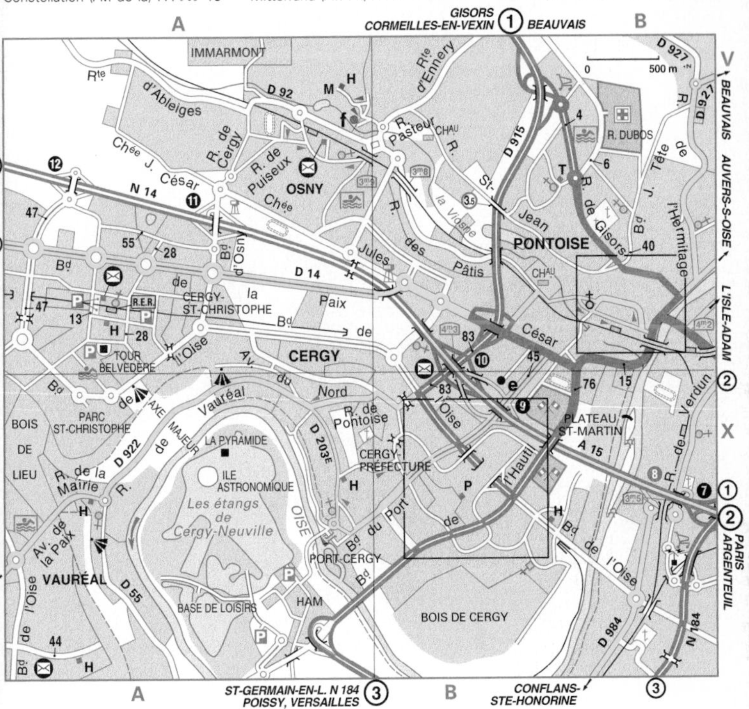

Cergy – *48 226 h. alt. 30* – ✉ *95000 :*

Astrée Y a

3 r. Chênes Émeraude par bd Oise ✆ 01 34 24 94 94, *astree95@club-internet.fr, Fax 01 34 24 95 15*

sans rest – 🛗 ▤ TV ✆ ♿ 🚗 – 🏛 60. AE ⓓ GB JCB

☕ 60 – **55 ch** 600.

◆ Construction récente abritant de vastes chambres très bien équipées et dotées d'un mobilier de style à dominante Directoire. Bonne insonorisation.

Novotel Z g

3 av. Parc, près préfecture ✆ 01 30 30 39 47, *h0381@accor-hotels.com, Fax 01 30 30 90 46*

M 🐎, 🏡, 🏊, 🪑 – 🛗 🚭, ▤ ch, TV ✆ ♿ P – 🏛 100. AE ⓓ GB

Repas carte environ 180 🍷, enf. 50 – ☕ 65 – **191 ch** 580/620.

◆ Immeuble des années 1980 situé près du centre administratif et à la lisière du parc. Chambres confortables et tranquilles ; la plupart viennent d'être rénovées.

CERGY-PRÉFECTURE

Arts (Pl. des) .... Z 2
Boucle (R. de la) .... Y 3
Bourgognes (R. des) .... Z 5
Chênes-Émeraudes (R. des) . Y 13
Colombia (Square) .... Y 14
Diapason (Square du) .... Y 17
Écureuil (R. de l') .... Y 19
Étoile (Allée de l') .... Y 21
Galeries (R. des) .... Y 24
Gare (R. de la) .... Z 25
Grouettes (Av. des) .... Z 33
Herbes (R. aux) .... Y 34
Italiens (R. des) .... Y 39
Marché-Neuf (R. du) .... Y 43
Pays-de-France (R. des) .... Y 52
Pergola (Pl. de la) .... Z 53
Platanes (Allée des) .... Z 59
Préfecture (Parvis de la) .... Z 63
Préfecture (R. de la) .... Z 64
Prieuré (R. du) .... Z 66
Théâtre (Allée du) .... Z 71
Traversière (R.) .... Y 74
Vergers (R. des) .... Z 77
Villarceaux (R. de) .... Y 81

XXX **Les Coupoles** — Y n
1 r. Chênes Emeraude par bd Oise ✆ 01 30 73 13 30, *Fax 01 30 73 46 90*
▤. AE ⓓ GB JCB
fermé sam. et dim. – **Repas** *(130 bc)* - 175/275 et carte 250 à 360.
◆ Murs habillés de boiseries, lumineuse verrière colorée et mobilier contemporain président au cadre de ce restaurant. Cuisine traditionnelle.

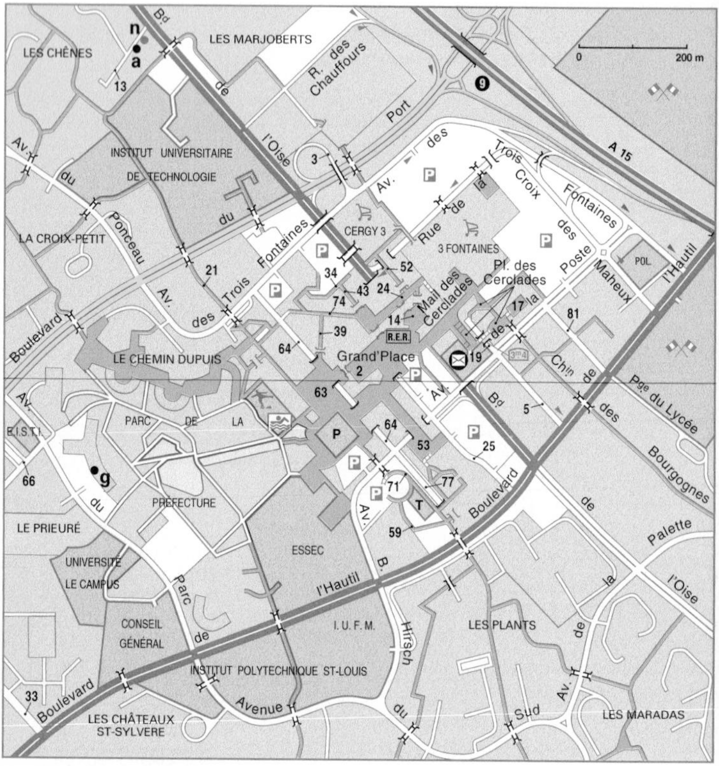

Cormeilles-en-Vexin *par ① : 10 km – 802 h. alt. 111 – ✉ 95830 :*

XXX **Relais Ste-Jeanne** (Cagna)
✿✿ sur ancienne D 915 ✆ 01 34 66 61 56, *saintejeanne@hotmail.com, Fax 01 34 66 40 31* – 🍽 – P. AE ⓓ GB
fermé 28 juil. au 22 août, 22 au 27 déc., dim. soir, lundi et mardi – **Repas** 300/550 et carte 530 à 680.
◆ Coquet salon et sa cheminée, décor sagement campagnard, agréable jardin accueillant la terrasse, cuisine raffinée : le bonheur existe, il habite cette jolie maison du Vexin.
Spéc. Soufflé landais et escalope de foie gras poêlé. Poitrine de canard challandais aux écorces d'orange. Adagio chocolat-pistache au coulis de griottes.

Hérouville *au Nord-Est par D 927 : 8 km – 439 h. alt. 120 – ✉ 95300 :*

XX Vignes Rouges
pl. Église ✆ 01 34 66 54 73, *Fax 01 34 66 20 88*
– ▤. GB
fermé 1er au 10 mai, 1er au 25 août, 2 au 13 janv., dim. soir, lundi et mardi – **Repas** 174 (déj.)/245.
◆ Cette maison francilienne dont l'enseigne fait allusion à une œuvre de Van Gogh, expose des tableaux d'un peintre régional. Terrasse dressée face à l'église.

Méry-sur-Oise *– 6 179 h. alt. 29 – ✉ 95540 :*
ℹ *Syndicat d'Initiative 30 av. M.-Perrin ✆ 01 34 64 85 15.*

XXX Chiquito (Mihura)
✿ rte Pontoise 1,5 km par D922 ✆ 01 30 36 40 23, *Fax 01 30 36 42 22*
– ▤ P. AE ⓓ GB
fermé 2 au 9 janv., sam. midi, dim. soir et lundi – **Repas** (prévenir) carte 320 à 380.
◆ Respect de la tradition - dans l'hospitalité comme dans le confort - et cuisine au goût du jour font le succès de cette adresse : il n'est pas rare qu'on affiche complet !
Spéc. Escargots de Bourgogne et grenouilles à la crème d'ail. Pavé de veau de lait en rognonnade. Croustillant aux poires.

Osny *– 12 195 h. alt. 37 – ✉ 95520 :*

XX Moulin de la Renardière AV **f**
r. Gd Moulin ✆ 01 30 30 21 13, *Fax 01 34 25 04 98*
, – P. AE ⓓ GB JCB
fermé dim. soir et lundi – **Repas** 179.
◆ Ancien moulin niché dans un parc. Attablez-vous dans la salle à grains égayée d'une belle cheminée ou sur la terrasse ombragée, au bord de la rivière.

Pontoise P *– 27 150 h. alt. 48 – ✉ 95300 :*
ℹ *Office de Tourisme 6 pl. du Petit-Matroy ✆ 01 30 38 24 45, Fax 01 30 73 54 84.*

PONTOISE

Bretonnerie (R. de la) . . . . . D 7
Butin (R. P.) . . . . DE 8
Canrobert (Av. du Mar.) . . . . D 10
Château (R. du) . . . . E 12
Écluse (Quai de l') . . . . E 18
Flamel (Pl. N.) . . . . E 22
Gisors (R.) . . . . D 30
Grand-Martroy (Pl. du) . . . . D 32
Hôtel-de-Ville (R.de l') . . . . E 36
Hôtel-Dieu (R. de l') . . . . E 37
Lavoye (R. Pierre) . . . . D 40
Leclerc (R. du Gén.) . . . . E 41
Lecomte (R. A.) . . . . E 42
Parc-aux-Charrettes (Pl. du) . . . . D 50
Petit-Martroy (Pl. du) . . . . D 56
Pierre-aux-Poissons (R.) . . . . D 57
Pothuis (Quai de) . . . . E 62
Roche (R. de la) . . . . E 67
Rouen (R. de) . . . . D 69
Souvenir (Pl. du) . . . . D 70
Thiers (R.) . . . . D 72
Vert-Buisson (R. du) . . . . E 80

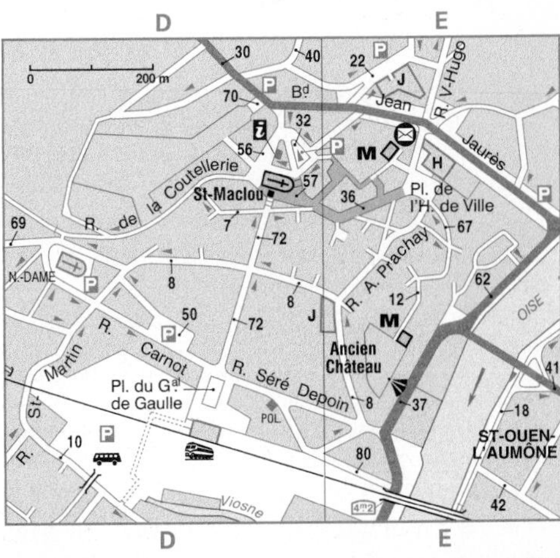

Campanile BVX e
r. P. de Coubertin ✆ 01 30 38 55 44, *Fax 01 30 30 48 87*
– TV ✆ ♿ P – 25. AE ⓓ GB
Repas 94/106 ♀, enf. 39 – ☕ 39 – **81 ch** 360.
♦ Situé dans une ZAC, ce Campanile offre des prestations habituelles à la chaîne : chambres fonctionnelles et bien tenues, restauration sous forme de buffets.

XX **Cheval Blanc**
47 r. Gisors (Nord du plan) ✆ 01 30 32 25 05, *Fax 01 34 24 12 34*
AE GB
fermé août, mardi soir, sam. midi et dim. – **Repas** 145/210 et carte 260 à 350 ♀.
♦ Cet ancien relais de poste du Vexin français abrite un restaurant au cadre sagement contemporain. Expositions de peintures d'artistes régionaux. Plats traditionnels.

Cernay-la-Ville *78720 Yvelines 101 ㉛, 106 ㉙ – 1 757 h alt. 170.*

Voir *Abbaye★ des Vaux-de-Cernay O : 2 km*, **G.Île de France.**

Paris 47 – Chartres *52 – Longjumeau 27 – Rambouillet 12 – Versailles 24.*

Abbaye des Vaux de Cernay
Ouest : 2,5 km par D 24 ✆ 01 34 85 23 00, *Fax 01 34 85 11 60*
, ←, , , – TV ♿ P – 25 à 500. AE ⓓ GB JCB
Repas 170 (déj.), 270/415, enf. 95 – ☕ 80 – **116 ch** 410/1900, 3 appart.
♦ Abbaye cistercienne du 12e s. restaurée au 19e s. par la famille Rothschild. Vastes chambres, salles voûtées, vestiges gothiques et promenades méditatives dans le parc.

Charenton-le-Pont *94220 Val-de-Marne 101 ㉗, 24 25 – 21 872 h alt. 45.*

Paris 8 – Alfortville 4 – Ivry-sur-Seine 4.

Novotel Atria BD 55
5 pl. Marseillais (r. Paris) ✆ 01 46 76 60 60, *h1549@accor-hotels.com, Fax 01 49 77 68 00*
M, – TV ✆ ♿ – 15 à 180. AE ⓓ GB
Repas *(98)* - carte environ 180 ♀, enf. 50 – ☕ 68 – **133 ch** 795/845.
♦ L'enseigne fait allusion à la cour intérieure coiffée d'une coupole translucide. Chambres adoptant le nouveau style de la chaîne et équipements complets pour réunions.

Write us...

If you have any comments on the contents of this Guide.

Your praise as well as your criticisms will receive careful consideration and, with your assistance, we will be able to add to our stock of information and, where necessary, amend our judgments.

Thank you in advance!

Châteaufort *78117 Yvelines 101 ㉒ – 1 427 h alt. 153.*

Paris 35 – Arpajon 30 – Chartres 75 – Versailles 14.

XX **Belle Époque** BP 27

10 pl. Mairie ✆ 01 39 56 95 48, *Fax 01 39 56 99 93*

– AE ⓓ GB JCB

fermé 13 août au 3 sept., dim. et lundi – **Repas** 175/280 et carte 290 à 430.

◆ Joli cadre rustique, terrasse ombragée de tilleuls, vue sur la vallée de Chevreuse et ambiance Belle Époque qualifient cette auberge de village.

Chatou *78400 Yvelines 101 ⑬, 18 25 G. Île de France – 27 977 h alt. 30.*

Paris 17 – Maisons-Laffitte 14 – Pontoise 34 – St-Germain-en-Laye 5 – Versailles 13.

XX **Les Canotiers** AW 33

16 av. Mar. Foch ✆ 01 30 71 58 69, *Fax 01 30 71 48 60*

. AE GB JCB

fermé 1er au 28 août, sam. midi, dim. soir et lundi – **Repas** 139 ♀.

◆ Restaurant installé sous les arcades d'un immeuble récent. Lumineuse salle à manger sagement contemporaine. Service souriant. Assiette traditionnelle.

Chennevières-sur-Marne *94430 Val-de-Marne 101 ㉘, 24 25 – 17 857 h alt. 108.*

Paris 20 – Coulommiers 54 – Créteil 10 – Lagny-sur-Marne 25.

XXX **Écu de France** BG 65

31 r. Champigny ✆ 01 45 76 00 03

<, , – P. GB.

fermé 3 au 10 sept., dim. soir et lundi – **Repas** carte 260 à 360.

◆ Cette villa du début du 20e s. abrite de charmantes salles à manger rustiques. Agréable terrasse fleurie en bordure de Marne. Cuisine traditionnelle.

Clamart *92140 Hauts-de-Seine 101 ㉕, 22 25 – 47 227 h alt. 102.*

Office de Tourisme 22 rue P.-V.-Couturier ✆ 01 46 42 17 95, Fax 01 46 42 44 30.

Paris 10 – Boulogne-Billancourt 6 – Issy-les-Moulineaux 4 – Nanterre 18 – Versailles 14.

Trosy BG 42

41 r. P. Vaillant-Couturier ✆ 01 47 36 37 37, *Fax 01 47 36 88 38*

sans rest – TV . AE GB

35 – **40 ch** 350/420.

◆ Le bois de Clamart est proche de cet immeuble moderne proposant des chambres meublées simplement et bien tenues. Réception courtoise et ambiance familiale.

Ne confondez pas :

Confort des hôtels	: ... ,
Confort des restaurants	: XXXXX ... X
Qualité de la table	: ✿✿✿, ✿✿, ✿,

Clichy *92110 Hauts-de-Seine 101 ⑮, 18 25 – 48 030 h alt. 30.*

Office de Tourisme 61 r. Martre ✆ 01 47 15 31 61, Fax 01 47 15 30 45.
Paris 9 – Argenteuil 8 – Nanterre 9 – Pontoise 26 – St-Germain-en-Laye 21.

Sovereign
AU 4

14 r. Dagobert ✆ 01 47 37 54 24, *sovereign.clichy@wanadoo.fr*
Fax 01 47 30 05 80
sans rest – . AE GB
40 – **42 ch** 390/460.
◆ Accueil charmant et bar-salon-billard de style anglais comptent parmi le atouts de cet hôtel. Chambres correctement équipées et salles de bains en attente de rénovation.

des Chasses
AU 46

49 r. Pierre Bérégovoy ✆ 01 47 37 01 73, *Fax 01 47 31 40 98*
sans rest – . AE GB
40 – **35 ch** 380/400.
◆ Cet hôtel qui donne dans une rue calme dispose de chambres pas très grandes mais tout juste rajeunies. Plaisante salle des petits-déjeuners.

Europe
AU 47

52 bd Gén. Leclerc ✆ 01 47 37 13 10, *europe-hotel@wanadoo.fr*
Fax 01 40 87 11 06
sans rest – – 25. AE GB
45 – **43 ch** 420/570.
◆ Immeuble en briques situé à un angle de rue. Les chambres, fonctionnelles et colorées, sont bien insonorisées ; préférez cependant celles qui donnent sur l'arrière.

Résidence Europe
AU 47

15 r. P. Curie ✆ 01 47 37 12 13, *europe-residence@wanadoo.fr*
Fax 01 47 37 15 43
sans rest – . AE GB
45 – **28 ch** 570.
◆ Dans une rue tranquille, établissement proposant des chambres rénovées depuis peu et meublées en bois cérusé. Salles des petits-déjeuners au décor "marin".

Romantica
AU 46

73 bd J. Jaurès ✆ 01 47 37 29 71, *Fax 01 47 37 76 32*
– AE GB
fermé sam. midi et dim. – **Repas** 215 (déj.), 260/315 et carte 280 à 380 ♀.
◆ Vous accédez par la cour d'un immeuble à ce restaurant qui vous accueille dans son élégante salle à manger avec véranda ou sur sa terrasse fleurie. Cuisine italienne.

Barrière de Clichy
AV 47

1 r. Paris ✆ 01 47 37 05 18, *Fax 01 47 37 77 05*
. AE GB
fermé 4 août au 3 sept., sam. midi et dim. – **Repas** 180/260 et carte 220 à 350.
◆ Restaurant situé dans une petite rue proche du "périphérique". Les habitués s'y retrouvent au déjeuner autour d'un repas traditionnel dans un cadre soigné.

Il est conseillé d'avoir une tenue vestimentaire adaptée à la classe et à la réputation de l'établissement choisi.

Conflans-Ste-Honorine *78700 Yvelines 101 ③ G. Île de France – 31 467 h alt. 25 Pardon national de la Batellerie (fin juin).*

Voir ≤★ *de la terrasse du parc du château – Musée de la Batellerie.*

Office de Tourisme 1 r. René-Albert ☎ 01 34 90 99 09, Fax 01 39 19 80 77.

Paris 38 – Mantes-la-Jolie 41 – Poissy 12 – Pontoise 8 – Versailles 28.

XX **Au Confluent de l'Oise**

15 cours Chimay ☎ 01 39 72 60 31, *Fax 01 39 19 99 90*

≤, 🌳 – P. AE GB

fermé dim. soir et lundi soir – **Repas** *(119)* - 139/200 et carte 230 à 360.

◆ Auberge d'esprit rustique sur le "Pointil" où confluent les eaux de la Seine et de l'Oise. En terrasse, à l'ombre des marronniers, profitez du spectacle des péniches.

X **Au Bord de l'Eau**

15 quai Martyrs-de-la-Résistance ☎ 01 39 72 86 51

▤. GB

fermé 10 au 24 août, 21 déc. au 4 janv. et lundi – **Repas** 169/295.

◆ En façade, un pimpant bow-window. Dans la salle à manger, plaques d'identité de bateaux et appareils de navigation rendent hommage à la batellerie.

Corbeil-Essonnes *91100 Essonne 101 ㊲ – 40 345 h alt. 37.*

Office de Tourisme 4 pl. P.-V.-Couturier ☎ 01 64 96 23 97, Fax 01 60 88 05 37.

Paris 540 ④ – Fontainebleau 37 ③ – Créteil 27 ① – Évry 5 ④ – Melun 25 ②.

Plans pages suivantes

XXX **Aux Armes de France** AZ a

1 bd J. Jaurès ☎ 01 64 96 24 04, *auxarmesdefrance@wanadoo.fr, Fax 01 60 88 11 29*

avec ch – ▤ rest, TV P. AE ⓓ GB. ✂ ch

fermé 30 juil. au 26 août – **Repas** *(fermé sam. midi et dim. soir)* 220 et carte 320 à 460 – ☕ 45 – **8 ch** 190/230.

◆ Bouquets de fleurs, sièges de style Directoire, peintures de Toffoli et argenterie agrémentent le décor plaisant de cette auberge ancienne. Cuisine traditionnelle.

au Coudray-Montceaux *Sud-Est par ⑤* : 5 km – *2 494 h. alt. 81 – ✉ 91850 :*

Mercure

rte Milly-la-Forêt sur D 948 : 1 km ☎ 01 64 99 00 00, *h0977accor-hotels.com, Fax 01 64 93 95 55*

M, 🌳, 🏊, 🎾, – |‡| ✗, ▤ ch, TV ☎ ♿ P – 🏛 15 à 200. AE ⓓ GB

Repas carte 200 à 250, enf. 65 – ☕ 70 – **125 ch** 700.

◆ À l'écart de la circulation, hôtel aux chambres spacieuses et contemporaines. Pour les clients attentifs à leur forme : nombreux aménagements sportifs.

XX **Auberge du Barrage**

par bord de Seine, 40 ch. de Halage ☎ 01 64 93 81 16, *Fax 01 69 90 41 32*

≤, 🌳 – AE ⓓ GB JCB

fermé 22 oct. au 7 nov., dim. soir et lundi – **Repas** 160/285 ♀.

◆ Attablez-vous sur la terrasse de cette ancienne guinguette si vous souhaitez bénéficier de la vue sur la Seine. Sinon, essayez la sympathique petite salle à manger.

CORBEIL-ESSONNES

Alsace-Lorraine (R. d') ..... BZ 3
Apport-Paris (Quai de l') ... BY
Arche (R. de l') .... CY 4
Armée Patton (Pont de l') . CY
Barbusse (Pl. Henri) .... AY
Barre (R. de la) .... BY 7
Bas-Coudray (R. du) .... CZ
Berteaux (R. Maurice) ... ABZ 8
Bourgoin (Quai Jacques) . CYZ
Briand (Allées Aristide) ... BYZ
Buisson (R. Ferdinand) .... CY 9
Carnot (Av.) .... BYZ
Champlouis (R.) .... BYZ
Chantemerle (Av. de) .... AYZ
Chevaliers St-Jean (R. des) BZ 13
Combes Marnes (Bd) ..... AZ 14
Commanderie (R. de la) ... BZ
Courbet (R. Gustave) ...... AY
Crété (Bd) .... BY
Darblay (Av.) .... BY
Dauphine (R. de la) ...... BCZ
Doumer (R. Paul) .... AZ 16
Dunant (Bd Henri) .... BZ
Essonne (Pl. d') .... AZ
Essonne (Quai de l') ...... BZ 17
Féray (R.) .... ABYZ
Fours à Chaux (R. des) .... CY
Galignani (Pl.) .... BY 18
Gournay (R. de) .... ABZ
Haymon (Pl. du Comte) ... BY 20
Jean-Jaurès (Bd) .... AZ
Kruger (R.) .... CZ
Lafayette (R.) .... ABY
Laminoir (R. du) .... AZ
Lattre-de-Tassigny (R. du Mar.de) .... AYZ
Leclerc (R. du Gén.) ..... ABY
Liberté (R. de la) .... AYZ
Marchand (R.) .... AZ 22
Matisse (R. Henri) .... AY
Mauzaisse (Quai) .... BY
Michel (Bd Georges) ...... AZ
Montagne des Glaises (R. de la) .... AY
Moulin (Pl. Jean) .... CZ
Nagis (R. de) .... BZ
Notre-Dame (R.) .... BY 23
Oberkampf (R.) .... ABYZ
Ormes (Allée des) .... CZ
Paris (R. de) .... AZ
Pècherie (R. de la) .... CY 24
Petit (R. Edouard) .... BZ 26
Remoiville (R.) .... CZ
Remparts (R. des) .... BY 28
République (R. de la) ...... BY 29
Riquiez (Quai Maurice) .... CY
Robert (R. Louis) .... ABZ
Robin (R. Charles) .... AY
Robinson (R. de) .... AZ 30
Rops (R. Félicien) .... BY 31
Rousseau (R. Jean-Jacques) ..... BYZ
Saint-Germain (Rte de) .... CY 32
Saint-Léonard (Pl.) .... CY
Saint-Nicolas (R.) .... CYZ
Saint-Spire (R.) .... CYZ
Seine (R.de) .... BY
Sémard (R. Pierre) .... BY 34
Vaillant-Couturier (Pl. Paul) . AZ
Victor Hugo (R.) .... AZ
Vigier (R.) .... BY 36
Vignes (R. du Dr.) .... ABY
Widmer (R.) .... ABZ
Zola (R. Emile) .... AY
14 Juillet (R. du) .... BCY

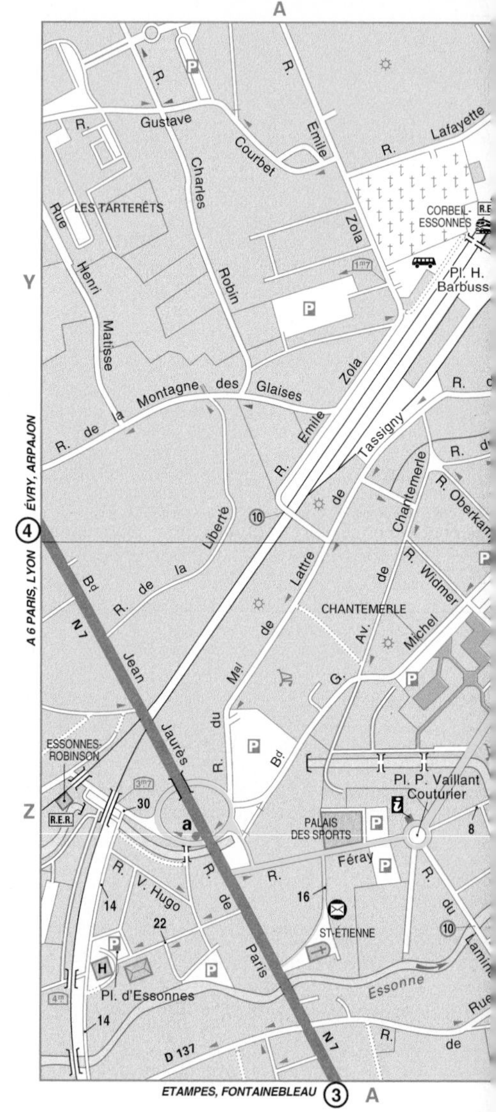

Ne confondez pas :

Confort des hôtels	:	🏨🏨🏨🏨🏨 ... 🏨, 🏡
Confort des restaurants	:	XXXXX ... X
Qualité de la table	:	✿✿✿, ✿✿, ✿, Bib Gourmand

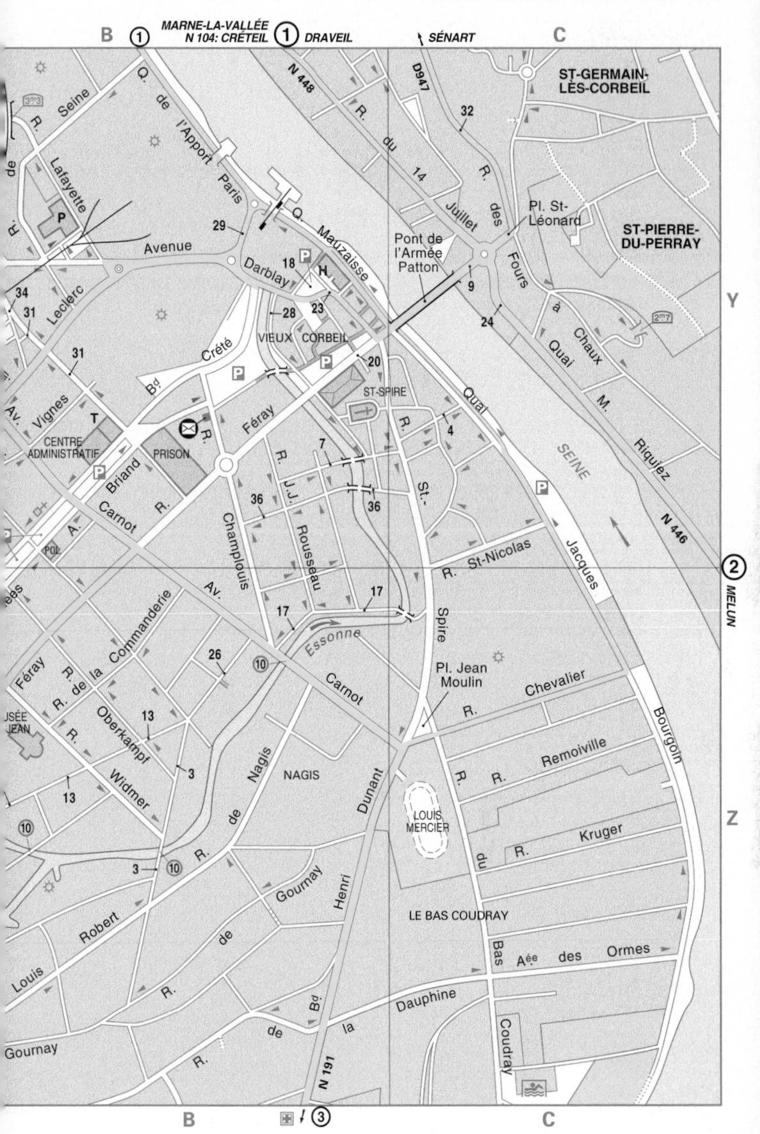

Ne confondez pas :

Confort des hôtels : ... ,
Confort des restaurants : ...
Qualité de la table : , , ,

Courbevoie 92400 Hauts-de-Seine 101 ⑮, 18 25 G. Île de France – 65 389 h alt. 28.

Paris 10 – Asnières-sur-Seine 3 – Levallois-Perret 3 – Nanterre 5 – St-Germain-en-Laye 18.

George Sand — AV 41

18 av. Marceau ✆ 01 43 33 57 04, *hotel.george.sand@golornet.com, Fax 01 47 88 59 38*
sans rest – AE GB JCB
50 – **31 ch** 490/600.
◆ L'hôtel se distingue par son mobilier du 19ᵉ s. et son décor raffiné et "cosy" évoquant l'univers de George Sand. Rêverie dans le salon, accompagnée par la musique de Chopin.

Central — AV 41

99 r. Cap. Guynemer ✆ 01 47 89 25 25, *Fax 01 46 67 02 21*
sans rest – AE GB
32 – **55 ch** 360/420.
◆ Situé dans une rue calme jouxtant le quartier de la Défense, cet établissement dispose de chambres bien tenues et garnies d'un mobilier actuel. Réservez-en une rénovée.

Quartier Charras :

Mercure La Défense 5 — AV 41

18 r. Baudin ✆ 01 49 04 75 00, *h1546@accor-hotels.com, Fax 01 47 68 83 32*
M – 150. AE GB JCB
Charleston Brasserie ✆ 01 49 04 75 85 **Repas** *(110)* et carte 160 à 310 ♀, enf. 50 – 82 – **509 ch** 820/1050, 6 appart.
◆ Imposante architecture en arc de cercle abritant des chambres fonctionnelles et bien équipées ; certaines offrent une vue sur Paris. Brasserie au cadre chaleureux.

au Parc de Bécon :

Trois Marmites — AV 43

215 bd St-Denis ✆ 01 43 33 25 35, *Fax 01 43 33 25 35*
AE GB
fermé 9 au 17 août, sam. et dim. – **Repas** (déj. seul.) *(170)* - 200.
◆ Petit restaurant de quartier proche des quais, face au parc de Bécon. L'adresse est appréciée notamment de la clientèle d'affaires. Cuisine traditionnelle.

Créteil P 94000 Val-de-Marne 101 ㉗, 24 25 G. Ile de France – 82 088 h alt. 48.

Voir *Hôtel de ville★ : parvis★.*

Office de Tourisme 1 r. F.-Mauriac ✆ 01 48 98 58 18, Fax 01 42 07 09 65.

Paris 14 – Bobigny 21 – Évry 32 – Lagny-sur-Marne 30 – Melun 36.

Novotel — BJ 58

au lac ✆ 01 56 72 56 72, *h0382@accor-hotels.com, Fax 01 56 72 56 73*
M – 80. AE GB
Repas carte environ 180 ♀, enf. 50 – 70 – **110 ch** 580/640, 5 appart.
◆ Hôtel dont les chambres, rénovées depuis peu (mobilier en stratifié blanc et tissus gaiement colorés), donnent pour moitié sur le lac.

Croissy-sur-Seine 78290 Yvelines 101 ⑬, 18 25 – 9 098 h alt. 24.

Paris 21 – Maisons-Laffitte 11 – Pontoise 29 – St-Germain-en-Laye 5 – Versailles 10.

Buissonnière **AX 32**
9 av. Mar. Foch (près église) ✆ 01 39 76 73 55
GB – *fermé août, dim. soir et lundi* – **Repas** 150 et carte 180 à 260.
◆ Les confortables sièges de style Louis XVI sont le luxe de cet ancien bar aménagé avec simplicité. Cuisine traditionnelle servie sans façon.

Dampierre-en-Yvelines *78720 Yvelines 101 ㉛ – 1 030 h alt. 100.*

Voir *Château de Dampierre*★★, G. Île de France.
Paris 49 – Chartres *58 – Longjumeau 29 – Rambouillet 16 – Versailles 19.*

Auberge du Château "Table des Blot"
1 Grande rue ✆ 01 30 47 56 56, *Fax 01 30 47 51 75*
avec ch – TV. GB. ch
fermé 20 au 30 août, 20 au 30 déc., vacances de fév., dim. soir, lundi et mardi –
Repas 180/270 et carte 260 à 310 – ☕ 50 – **12 ch** 400/700.
◆ Auberge du 17e s. où objets anciens choisis et sièges de style recouverts de tissus modernes s'harmonisent parfaitement. Cuisine traditionnelle personnalisée.
Spéc. Marmite de crustacés et coquillages en coque feuilletée (oct. à avril). Tête de veau pressée parfumée au gingembre, sauce ravigote. Savarin tiède au chocolat.

Écuries du Château
au château ✆ 01 30 52 52 99, *Fax 01 30 52 59 90*
P. AE ⓓ GB
fermé 30 juil. au 22 août, 11 au 27 fév. le soir en semaine, mardi et merc. –
Repas 230/330.
◆ Cette petite salle de restaurant bénéficie d'un cadre exceptionnel, dans l'enceinte même du château. On y sert une cuisine des plus traditionnelles.

Auberge St-Pierre
1 r. Chevreuse ✆ 01 30 52 53 53, *Fax 01 30 52 58 57*
GB – *fermé août, dim. soir et lundi* – **Repas** *(150)* - 190.
◆ Maison à colombage située presque en face du château. La salle à manger, gentiment campagnarde, vous accueille dans une atmosphère conviviale.

La Défense *92 Hauts-de-Seine 101 ⑭, 18 25 G. Paris –* ✉ *92400 Courbevoie.*

Voir *Quartier*★★ *: perspective*★ *du parvis.*
Paris 9 – Courbevoie 2 – Nanterre 4 – Puteaux 2.

Sofitel Grande Arche **AW 40**
11 av. Arche, sortie Défense 6 ✆ 01 71 00 50 00, *h3013@accor-hotels.com*, *Fax 01 71 00 56 78*
M, – – 100. AE ⓓ GB JCB
Avant Seine *(fermé sam. et dim.)* **Repas** *(165)*- et carte environ 300 ♀ – ☕ 120 – **368 ch** 1950/3500, 16 appart
◆ Belle architecture en proue de navire, toute de verre et de pierre ocre, pour le dernier-né des Sofitel. Bois blond et tissus coordonnés dans les spacieuses chambres.

Renaissance **AW 40**
60 Jardin de Valmy, par bd circulaire, sortie La Défense 7 ✉ 92918 Puteaux ✆ 01 41 97 50 50, *rhi.parld.sales.mgr@renaissancehotels.com*, *Fax 01 41 97 51 51*
M, – – 160. AE ⓓ GB JCB
Repas 187 ♀ – ☕ 120 – **331 ch** 1950/2250, 20 appart.
◆ Au pied de la Grande Arche en marbre de Carrare, construction contemporaine abritant des chambres bien équipées et décorées avec raffinement. Brasserie. Fitness complet.

Sofitel CNIT — AV-AW40

2 pl. Défense ✉ 92053 ☎ 01 46 92 10 10, *h1089@accor-hotels.com, Fax 01 46 92 10 50*
M – 20 à 60. AE GB JCB
Les Communautés *(fermé sam., dim. et fériés)* **Repas** 350 et carte 350 à 440 – 145 – **141 ch** 1960/2290, 6 appart.
◆ Hôtel aux chambres fonctionnelles situé dans l'enceinte du CNIT. Au 5e étage, le vaste restaurant Les Communautés offre une vue panoramique sur l'esplanade.

Sofitel La Défense — AW 41

34 cours Michelet, par bd circulaire sortie La Défense 4 ✉ 92060 Puteaux ☎ 01 47 76 44 43, *h0912@accor-hotels.com, Fax 01 47 76 72 10*
M – 100. AE GB
Les 2 Arcs ☎ 01 47 76 72 30 *(fermé vend. soir, dim. midi et sam.)* **Repas** carte 300 à 390, enf. 150
Botanic ☎ 01 47 76 72 40 **Repas** carte environ 240, enf. 110 – 135 – **152 ch** 1850/2250.
◆ Architecture en arc de cercle parmi les tours de la cité des affaires. Chambres spacieuses et bien équipées. Cadre actuel aux 2 Arcs, ambiance décontractée au Botanic.

Novotel La Défense — AW 42

2 bd Neuilly ☎ 01 41 45 23 23, *Fax 01 41 45 23 24*
M, – 130. AE GB JCB
Repas carte environ 180, enf. 50 – 75 – **280 ch** 1080/1200.
◆ Sculpture et architecture : la Défense, vrai musée de plein air, est aux portes de ce Novotel. Chambres pratiques ; certaines offrent une vue agréable sur Paris.

Ibis La Défense — AW 42

4 bd Neuilly ☎ 01 41 97 40 40, *h0771@accor-hotels.com, Fax 01 41 97 40 50*
M, – 40. AE GB
Repas carte 120 à 160 – 39 – **286 ch** 595.
◆ Équipées d'un mobilier design coloré, les chambres bénéficient d'une insonorisation efficace. Au premier niveau, restaurant de style bistrot.

Enghien-les-Bains *95880 Val-d'Oise* 101 ⑤, 18 25 *G. Île de France – 10 077 h alt. 45 – Stat. therm. (15 mars-31 oct.) – Casino.*

Voir *Lac★ – Deuil-la-Barre : chapiteaux historiés★ de l'église Notre-Dame NE : 2 km.*

Office de Tourisme pl. du Mar.-Foch ☎ 01 34 12 41 15, Fax 01 39 34 05 76.

Paris 17 – Argenteuil 6 – Chantilly 31 – Pontoise 21 – St-Denis 7 – St-Germain-en-Laye 26.

Grand Hôtel — AL 46

85 r. Gén. de Gaulle ☎ 01 39 34 10 00, *grandhotelenghien@lucienbarriere.com, Fax 01 39 34 10 01*
– 35. AE GB JCB
Repas 195/275 – 95 – **44 ch** 1100/1300, 3 appart.
◆ Face au vaste lac (40 ha), construction des années 1950 à belle façade blanche, abritant des chambres égayées de tissus colorés et garnies de meubles de style Louis XVI.

Lac — AL 46

89 r . Gén. de Gaulle ☎ 01 39 34 11 00, *hoteldulac@lucienbarriere.com, Fax 01 39 34 11 01*
M – cuisinette – 120. AE GB JCB
Repas 145, enf. 60 – 85 – **106 ch** 940/1075, 3 appart.
◆ Cet hôtel récent propose de confortables chambres modernes ; côté lac, elles bénéficient d'une agréable vue, côté jardin, elles sont plus au calme.

Aub. Landaise AK 47
32 bd d'Ormesson ☎ 01 34 12 78 36, *Fax 01 34 12 78 36*
AE GB
fermé août, 19 au 28 fév., dim. soir et merc. – **Repas** carte 170 à 220.
◆ Adresse appréciée pour son ambiance conviviale et sa cuisine landaise concoctée par le patron originaire du Sud-Ouest. Salle à manger sagement rustique.

Épinay-sur-Seine *93800 Seine-St-Denis 101 ⑮, 18 25 – 48 762 h alt. 34.*

Voir *Commune de la "Méridienne verte".*
Paris 16 – Argenteuil 5 – Bobigny 16 – Pontoise 21 – St-Denis 5.

Ibis AM 46
1 av. 18-Juin-1940 ☎ 01 48 29 83 41, *h0733@accor-hotels.com, Fax 01 48 22 93 03*
– 25 à 50. AE GB
Repas *(fermé sam. midi et dim. midi) (75)* - 95, enf. 39 – 39 – **91 ch** 305.
◆ En centre-ville, bâtiment moderne abritant des chambres propres et insonorisées. Celles du rez-de-chaussée ont été revues dans le nouveau style adopté par la chaîne.

Pour être inscrit au guide Michelin
– pas de piston,
– pas de pot de vin!

Évry (Agglomération d') *91 Essonne 101 ㊲, 25.*

Paris 32 – Fontainebleau 36 – Chartres 80 – Créteil 30 – Étampes 36 – Melun 23.

Évry P *G. Ile de France – 45 531 h. alt. 54 – ✉ 91000.*

Voir *Cathédrale de la Résurrection★.*
Office de Tourisme de l'Agglomératon d'Évry 23 Crs B.-Pascal, Évry-Centre ☎ 01 60 78 79 99, Fax 01 60 78 03 01.

Mercure CE 57
52 bd Coquibus (face cathédrale) ☎ 01 69 47 30 00, *h1986@accor-hotels.com, Fax 01 69 47 30 10*
M, – 15 à 100. AE GB
Repas *(fermé fériés le midi, sam. et dim.) (110)* - 145, enf. 60 – 70 – **114 ch** 595/635.
◆ Sur un boulevard passant, face à l'étonnante cathédrale de la Résurrection, hôtel dont les chambres, bien insonorisées, sont équipées d'un mobilier design confortable.

Novotel CE 56
Z.I. Évry, quartier Bois Briard, 3 r. Mare Neuve ☎ 01 69 36 85 00, *Fax 01 69 36 85 10*
M, P – 250. AE GB
Repas carte environ 180, enf. 50 – 70 – **174 ch** 595/635.
◆ Hôtel des années 1970 inscrit dans un site verdoyant, mais voisin d'axes routiers. Les chambres, régulièrement rénovées, offrent le confort "dernière tendance" de la chaîne.

Ibis CE 56
Z.I. Évry, quartier Bois Briard, 1 av. Lac ☎ 01 60 77 74 75, *Fax 01 60 78 06 03*
M, P – 60. AE GB
Repas *(77)* - 97, enf. 39 – 39 – **90 ch** 370.
◆ À l'écart de l'agitation citadine, immeuble moderne dont les chambres fonctionnelles et bien insonorisées répondent aux dernières normes Ibis.

à Courcouronnes – *13 262 h. alt. 80* – ✉ *91080 Évry-Courcouronnes :*

XX **Canal** CD 55
31 r. Pont Amar (près hôpital) ☎ 01 60 78 34 72, *Fax 01 60 79 22 70*
AE GB
fermé 6 au 19 août, sam. et dim. – **Repas** 89/179 et carte 210 à 310 ♁.
◆ À dénicher dans le tissu distendu de la ville nouvelle, un restaurant de cuisine traditionnelle mettant à l'honneur le pied de cochon.

à Lisses – *6 860 h. alt. 86* – ✉ *91090 :*

Espace Léonard de Vinci CG 55
av. Parcs ☎ 01 64 97 66 77, *contact@leonard-de-vinci.com, Fax 01 64 97 59 21*
M, , , , , – , rest, TV – 15 à 100. AE GB
Repas 150/250 ♁ – 50 – **73 ch** 535/650.
◆ Ce complexe hôtelier qui dispose de chambres pratiques vous ouvre les portes de son centre de balnéothérapie, en pleine campagne mais à deux pas des usines.

Restaurants serving a good but moderately priced meal are distinguished in the Guide by the symbol

---

Fontenay-sous-Bois *94120 Val-de-Marne* 101 ⑰, 20 24 – *51 868 h alt. 70.*
Office de Tourisme 4 bis av. Charles-Garcia ☎ 01 43 94 33 48, Fax 01 43 94 02 93.
Paris 17 – Créteil 12 – Lagny-sur-Marne 25 – Villemomble 7 – Vincennes 4.

Mercure BA 62
av. Olympiades ☎ 01 49 74 88 88, *h1037@accor-hotels.com, Fax 01 49 74 88 90*
M – TV – 15 à 70. AE GB. rest
Repas *(fermé dim. midi, sam. et fériés midi)* 125/165 ♀, enf. 60 – 70 – **133 ch** 700/800.
◆ À côté de la station RER, hôtel dont les chambres, fonctionnelles, sont rénovées par étapes. Le bar vous séduira par son ampleur et l'harmonie de ses couleurs.

X **Musardière** BA 62
61 av. Mar. Joffre ☎ 01 48 73 96 13
. AE GB
fermé 4 au 26 août, lundi soir, mardi soir et dim. – **Repas** *(99)* - 155 et carte 190 à 300.
◆ Ce restaurant qui partage ses murs avec une brasserie sert une cuisine traditionnelle et multiplie les suggestions. Cadre déjà ancien, mais propre.

Gagny *93220 Seine-St-Denis* 101 ⑱, 20 – *36 059 h alt. 70.*
Paris 17 – Bobigny 10 – Raincy 4 – St-Denis 18.

XX **Vilgacy** AW 65
45 av. H. Barbusse ☎ 01 43 81 23 33, *Fax 01 43 81 23 33*
– GB
fermé 7 au 30 août, dim. soir et lundi – **Repas** *(120)* - 148/186 et carte 190 à 290.
◆ Vous serez accueilli dans l'agréable décor contemporain des deux salles à manger ou dans le jardin en été. Goûteuse cuisine traditionnelle.

Garches *92380 Hauts-de-Seine 101 ⑭, 22 25 – 17 957 h alt. 114.*

Paris 16 – Courbevoie 9 – Nanterre 8 – St-Germain-en-Laye 15 – Versailles 9.

Tardoire — BB 36

136 Grande Rue ✆ 01 47 41 41 59

GB

fermé 1er au 19 août, dim. soir et lundi – **Repas** 110 (déj.)/180 et carte 230 à 330 ♀.

◆ La salle à manger de ce restaurant établi dans une petite rue est décorée d'une kyrielle d'objets paysans. Cuisine simple.

La Garenne-Colombes *92250 Hauts-de-Seine 101 ⑭, 18 25 – 21 754 h alt. 40.*

Office de Tourisme 24 r. E.-d'Orves ✆ 01 47 85 09 90.

Paris 12 – Argenteuil 6 – Asnières-sur-Seine 5 – Courbevoie 2 – Nanterre 3 – Pontoise 29.

Auberge du 14 Juillet — AU 42

9 bd République ✆ 01 42 42 21 79, *Fax 01 42 42 24 56*

AE JCB

fermé en août, sam. midi, lundi soir et dim. – **Repas** 170.

◆ Dans un quartier animé, auberge au cadre rustique chic où règne une sympathique atmosphère provinciale. La cheminée sert parfois pour les grillades.

Gentilly *94250 Val-de-Marne 101 ㉖, 24 25 G. Île de France – 17 093 h alt. 46.*

Voir *Commune de la "Méridienne verte".*

Paris 8 – Créteil 15.

Mercure — BE 50

51 av. Raspail ✆ 01 47 40 87 87, *h1651@accor-hotels.com, Fax 01 47 40 15 88*

M, – 40. AE GB

Repas *(fermé vend. soir, sam., dim. et fériés) (98)* - 135 ♀ – 65 – **88 ch** 680/720.

◆ À deux pas de la Maison Robert-Doisneau, immeuble moderne abritant des chambres fonctionnelles et bien insonorisées, plus petites et mansardées au dernier étage.

Goussainville *95190 Val-d'Oise 101 ⑦ – 24 812 h alt. 95.*

Paris 31 – Chantilly 24 – Pontoise 33 – Senlis 28.

Médian

2 av. F. de Lesseps (par D 47) ✆ 01 39 88 93 93, *Fax 01 39 88 75 65*

M, – P – 30. AE GB JCB

Repas *(fermé sam. et dim.)* 99/142 ♀ – 50 – **49 ch** 630/690, 6 appart.

◆ Sur un rond-point au trafic soutenu et à proximité de l'aéroport de Roissy, hôtel bénéficiant d'une bonne isolation phonique. Chambres pratiques bien tenues.

Gressy *77410 S.-et-M. 101 ⑩ – 868 h alt. 98.*

Paris 32 – Meaux 19 – Melun 58 – Senlis 34.

Manoir de Gressy

✆ 01 60 26 68 00, *gressy77@aol.com, Fax 01 60 26 45 46*

M rest, P – 100. AE GB JCB

Repas 195 et carte 290 à 430 ♀, enf. 80 – 95 – **86 ch** 1250/1650.

◆ Manoir datant du 17e s. Mariant les styles avec bonheur, chaque chambre possède son propre décor ; toutes s'ouvrent sur le jardin intérieur.

Issy-les-Moulineaux *92130 Hauts-de-Seine* 101 ㉕, 22 25 *G. Île de France – 46 127 h alt. 37.*

Voir *Musée de la Carte à jouer★.*

Office de Tourisme espl. de l'Hôtel-de-Ville ✆ 01 40 95 65 43, Fax 01 40 95 67 33.

Paris 8 – Boulogne-Billancourt 3 – Clamart 4 – Nanterre 15 – Versailles 15.

Campanile — BD 42

213 r. J.-J. Rousseau ✆ 01 47 36 42 00, *Fax 01 47 36 88 93*

rest, 15 à 40. AE GB. rest

Repas *(98)* - 116 , enf. 39 – 39 – **164 ch** 440.

◆ Façade vitrée moderne proche du tramway Val-de-Seine (la Défense en 22 mn !). Chambres bien tenues et conformes aux standards de la chaîne : murs crépis et mobilier en pin.

River Café — P 3

Pont d'Issy, 146 quai Stalingrad ✆ 01 40 93 50 20, *Fax 01 41 46 19 45*

– AE GB

fermé 25 déc. au 1er janv. et sam. midi – **Repas** *(160)* - 190 ♀, enf. 80.

◆ Une ex-barge devenue élégante - et "branchée" - péniche, amarrée face à l'île St-Germain. Intérieur colonial, brunch dominical, voiturier... À l'abordage, mille sabords !

L'Ile — BD 42

Parc Ile St-Germain, 170 quai Stalingrad ✆ 01 41 09 99 99, *Fax 01 41 09 99 19*

– . AE GB

Repas *(110)* - 140 (déj.), 220 bc/350 bc et carte 210 à 280.

◆ C'est la fleur au fusil que l'on rejoint cette vaste caserne postée sur une île de la Seine : un restaurant "tendance" y a élu domicile, aussitôt investi par une armée de Robinson.

Manufacture — BD 44

20 espl. Manufacture (face au 30 r. E. Renan) ✆ 01 40 93 08 98, *Fax 01 40 93 57 22*

– . AE GB

fermé 6 au 19 août, sam. midi et dim. – **Repas** *(158)* - 185 ♀.

◆ Reconversion réussie pour l'ancienne manufacture de tabac (1904) qui abrite désormais logements, boutiques et ce restaurant design complété d'une belle terrasse.

Coquibus — BD 43

16 av. République ✆ 01 46 38 75 80, *Fax 01 41 08 95 80*

AE GB

fermé 27 juil. au 20 août, sam. midi et dim. – **Repas** *(130)* - 170/270 ♀.

◆ Boiseries, tableaux colorés et coqs en terre cuite donnent des airs de brasserie des années 1930 à ce restaurant du centre-ville. Cuisine traditionnelle et fruits de mer.

Ivry-sur-Seine *94200 Val-de-Marne* 101 ㉖, 24 25 – *53 619 h alt. 60.*

Paris 7 – Créteil 10 – Lagny-sur-Marne 30.

L'Oustalou — BE 54

9 bd Brandebourg ✆ 01 46 72 24 71, *Fax 01 46 70 36 86*

AE GB

fermé 27 juil. au 20 août, lundi soir, mardi soir, merc. soir, sam. et dim. – **Repas** 105/159 ♀.

◆ La cuisine à l'accent chantant du Sud-Ouest et le cadre gentiment campagnard font le charme de ce modeste restaurant situé dans le quartier du port.

Joinville-le-Pont *94340 Val-de-Marne 101 ㉗, 24 25 – 16 657 h alt. 49.*

Syndicat d'Initiative 23 r. de Paris ✆ 01 42 83 41 16, Fax 01 49 76 92 28.
Paris 11 – Créteil 6 – Lagny-sur-Marne 24 – Maisons-Alfort 4 – Vincennes 5.

Bleu Marine BE 61
16 av. Gén. Gallièni ✆ 01 48 83 11 99, *Fax 01 48 89 51 58*
M, – – 80. AE GB
Repas 165 ♀, enf. 49 – 65 – **91 ch** 650.
◆ Architecture contemporaine abritant des chambres spacieuses et insonorisées, agencées pour les loisirs (coin-salon) ou pour le travail (bureau et fauteuil idoine).

Cinépole BE 61
8 av. Platanes ✆ 01 48 89 99 77, *Fax 01 48 89 43 92*
sans rest – . AE GB
34 – **34 ch** 310.
◆ L'enseigne de l'hôtel évoque les anciens studios de cinéma de Joinville. Chambres pratiques et bien tenues. Minipatio où l'on sert les petits-déjeuners en été.

Le Kremlin-Bicêtre *94270 Val-de-Marne 101 ㉖, 24 25 – 19 348 h alt. 60.*

Paris 6 – Boulogne-Billancourt 11 – Évry 29 – Versailles 27.

Campanile BE 51
bd Gén. de Gaulle (pte d'Italie) ✆ 01 46 70 11 86, *campa.kremlin@wanadoo.fr, Fax 01 46 70 64 47*
– – 100. AE GB
Repas *(90)* - 116 ♀, enf. 39 – 42 – **150 ch** 465.
◆ La plupart des chambres ont été rénovées dans le style actualisé de la chaîne. Elles sont bien insonorisées ; préférez néanmoins celles tournant le dos au "périphérique".

Lésigny *77150 S.-et-M. 101 ㉙, 25 – 7 865 h alt. 95.*

Paris 34 – Brie-Comte-Robert 9 – Évry 29 – Melun 27 – Provins 64.

au golf *par rte secondaire, Sud : 2 km ou par Francilienne : sortie n° 19 – ✉ 77150 Lésigny :*

Réveillon BR 73
ferme des Hyverneaux ✆ 01 60 02 25 26, *Fax 01 60 02 03 84*
P – 80. AE GB
Repas *(130)* - 140/180 ♀, enf. 55 – 55 – **48 ch** 410/460.
◆ Dans les murs d'une abbaye du 12e s., gâtés par une construction moderne. Chambres actuelles, gaiement colorées et tenues à l'écart des bruits de la route par un golf.

Levallois-Perret *92300 Hauts-de-Seine 101 ⑮, 18 25 – 47 548 h alt. 30.*

Paris 9 – Argenteuil 10 – Nanterre 7 – Pontoise 28 – St-Germain-en-Laye 20.

Evergreen Laurel AV 44
8 pl. G. Pompidou ✆ 01 47 58 88 99, *elhpar@evergreen.com.tw, Fax 01 47 58 88 88*
M, – cuisinette – 150. AE GB JCB.
Canton Palace : **Repas** 190(déj.) et carte 250 à 320 ♀
Café Laurel : **Repas** 180 ♀ – 100 – **333 ch** 1800/3100.
◆ Luxe, élégance et luminosité : un hôtel tout neuf pensé pour la clientèle d'affaires. Chambres dotées de meubles en bois de rose. Cuisine chinoise au Canton Palace.

Espace Champerret AW 45
26 r. Louise Michel ☎ 01 47 57 20 71, *Fax 01 47 57 31 39*
sans rest – AE GB JCB
40 – **39 ch** 405/435, 3 duplex.
♦ Dans une rue passante, hôtel proposant des chambres modernes, insonorisées et équipées d'un mobilier fonctionnel. Tenue impeccable.

Champagne Hôtel AV 44
20 r. Baudin ☎ 01 47 48 96 00, *Fax 01 47 58 13 29*
sans rest – AE GB
40 – **30 ch** 330/440.
♦ Établissement dont les chambres, très colorées, sont équipées d'un mobilier standard ou en rotin. Efficace double vitrage. Plaisante salle des petits-déjeuners.

Splendid'Hôtel AW 45
73 r. Louise Michel ☎ 01 47 37 47 03, *splendid.hotel@gofornet.com, Fax 01 47 37 50 01*
sans rest – AE GB JCB
40 – **47 ch** 359/429.
♦ Aux portes de la capitale, ce petit hôtel à la clientèle fidèle propose des chambres meublées simplement, bien tenues et équipées d'un double vitrage.

Parc AV 44
18 r. Baudin ☎ 01 47 58 61 60, *Fax 01 47 48 07 92*
sans rest – AE GB
50 – **52 ch** 420/760.
♦ En angle de rue, établissement aux chambres sobrement meublées, correctement équipées et insonorisées. Quelques-unes donnent sur la cour intérieure.

ABC Champerret AW 44
63 r. Danton ☎ 01 47 57 01 55, *Fax 01 47 57 54 23*
sans rest – AE GB
34 – **39 ch** 340/390.
♦ Pratique pour la clientèle d'affaires, hôtel disposant de chambres nettes, garnies de jolis meubles en rotin. Patio fleuri où l'on sert les petits-déjeuners en été.

Rôtisserie AW 45
24 r. A. France ☎ 01 47 48 13 82
AE GB
fermé sam. midi et dim. – **Repas** 160 ♀.
♦ Dans les murs d'une ancienne imprimerie, restaurant au décor d'inspiration Art déco, animé par un tournebroche installé au fond de la salle. Cuisine personnalisée.

Petit Jardin AV 44
58 r. Kléber ☎ 01 47 48 10 91, *Fax 01 47 48 11 28*
AE GB
fermé août, vacances de fév., sam. et dim. – **Repas** *(98)* - 120/220 et carte 130 à 260 ♀.
♦ Ancien garage récemment converti en restaurant dont la salle à manger moderne est équipée d'un mobilier de style "jardin" ; d'épais coussins améliorent le confort des sièges.

Petit Poste AV 45
39 r. Rivay ☎ 01 47 37 34 46
AE GB
fermé août, Noël au Jour de l'An, lundi soir, sam. midi et dim. – **Repas** 170.
♦ Une ambiance "bistrot", des murs décorés d'affiches de cinéma et une cuisine simple, à l'image de la mise en place des tables dans la salle à manger.

Lieusaint *77127 S.-et-M. 101 (38) – 5 200 h alt. 89.*
Paris 45 – Brie-Comte-Robert 11 – Évry 12 – Melun 15.

Flamboyant
98 r. Paris (près N 6) ☎ 01 60 60 05 60, *Fax 01 60 60 05 32*
M, ⛱, ⛱, ⚯ – |$|, ▤ rest, TV ☏ ♿ P – 🎖 45. AE ⓓ GB
Repas *(fermé dim. soir)* 100/180 ♀, enf. 45 – ☕ 38 – **72 ch** 310/380.
◆ Construction cubique située en bordure de route. Les chambres, aménagées simplement : murs crépis et mobilier en bois stratifié, sont équipées d'un double vitrage.

Livry-Gargan *93190 Seine-St-Denis* 101 (18), 20 25 – *35 387 h alt. 60.*
Office de Tourisme 5 pl. F.-Mitterrand ☎ 01 43 30 61 60, Fax 01 43 30 48 41.
Paris 19 – Aubervilliers 14 – Aulnay-sous-Bois 5 – Bobigny 8 – Meaux 27 – Senlis 43.

Petite Marmite AU 65
8 bd République ☎ 01 43 81 29 15, *Fax 01 43 02 69 59*
⛱ – ▤. GB
fermé août, dim. soir et merc. – **Repas** 185 et carte 210 à 350 ♀, enf. 100.
◆ Ce restaurant sert une cuisine traditionnelle généreuse dans un cadre gentiment rustique. La terrasse installée dans la cour intérieure est prise d'assaut en été.

Les Loges-en-Josas *78350 Yvelines* 101 (23), 22 25 – *1 506 h alt. 160.*
Paris 33 – Bièvres 7 – Chevreuse 14 – Palaiseau 12 – Versailles 6.

Relais de Courlande BL 31
23 av. Div. Leclerc ☎ 01 30 83 84 00, *Fax 01 39 56 06 72*
M ⚘, ⛱, F₆, ⛱ – |$| ⚞ TV ♿ P – 🎖 100. AE ⓓ GB JCB
Repas 169/199 ♀, enf. 90 – ☕ 60 – **53 ch** 550/750.
◆ Le bâtiment moderne abrite des chambres confortables. Le restaurant occupe les étables d'une ferme datant du 17ᵉ s., comme la tour de garde qui se dresse dans le jardin.

Longjumeau *91160 Essonne* 101 (35), 25 – *19 864 h alt. 78.*
Paris 21 – Chartres 70 – Dreux 85 – Évry 16 – Melun 42 – Orléans 112 – Versailles 27.

St-Pierre BV 45
42 Grande Rue (F. Mitterrand) ☎ 01 64 48 81 99, *saint-pierrer@wanadoo.fr, Fax 01 69 34 25 53*
▤. AE ⓓ GB
fermé 22 avril au 1er mai, 29 juil. au 20 août, lundi soir, merc. soir et dim. – **Repas** 135/220 et carte 260 à 350 ♀, enf. 98.
◆ Ce restaurant mitonne une cuisine nourrie des saveurs du Sud-Ouest, utilisant des produits en arrivage direct du Gers. Coquette salle à manger rustique.

à Saulx-les-Chartreux *Sud-Ouest par D 118 – 4 141 h. alt. 75 – ✉ 91160 :*

St-Georges BX42-43
rte de Montlhéry : 1 km ☎ 01 64 48 36 40, *Fax 01 64 48 89 48*
⚘, ⇐, ⛱, ⚯, ⚘ – |$| TV P – 🎖 150. AE GB
fermé mi-juil. à mi-août – **Repas** 160/450 et carte 200 à 340 – ☕ 40 – **41 ch** 430.
◆ Ambiance champêtre à seulement 20 km de Paris, dans cette imposante bâtisse moderne dont les chambres donnent toutes sur le parc et la forêt. Vaste et agréable terrasse.

Maisons-Alfort *94700 Val-de-Marne* 101 ㉗, 24 25 *G. Ile de France – 53 375 h alt. 37.*

Paris 10 – Créteil 5 – Évry 35 – Melun 40.

XX **Bourgogne** BG 57
164 r. J. Jaurès ✆ 01 43 75 12 75, *Fax 01 43 68 05 86*
. AE GB
fermé 6 au 26 août, sam. et dim. – **Repas** 180 et carte 240 à 420 ♀.
◆ Atmosphère d'auberge provinciale et solide cuisine traditionnelle sont les atouts de ce restaurant qui sert, comme le précise l'enseigne, des spécialités bourguignonnes.

Maisons-Laffitte *78600 Yvelines* 101 ⑬, 18 25 *G. Île de France – 22 173 h alt. 38.*

Voir *Château*★, G. Île de France.

Office de Tourisme 41 av. de Longueil ✆ 01 39 62 63 64, Fax 01 39 12 02 89.

Paris 22 – Mantes-la-Jolie 38 – Poissy 9 – Pontoise 21 – St-Germain-en-Laye 8 – Versailles 25.

Climat de France AN 33
2 r. Paris (accès par av. Verdun) ✆ 01 39 12 20 20, *Fax 01 39 62 45 54*
, – TV P – 25. AE GB
Repas 89/105 ♀, enf. 39 – 39 – **66 ch** 350.
◆ Entouré d'espaces verts, hôtel aux chambres simples et modernes, éclairées par des lucarnes au dernier étage. Pour la détente, salon équipé d'un billard.

XXX **Tastevin** (Blanchet) AN 32
9 av. Eglé ✆ 01 39 62 11 67, *Fax 01 39 62 73 09*
, – P. AE GB JCB
fermé 1er au 24 août, lundi et mardi – **Repas** 240 (déj.)et carte 310 à 500.
◆ Aménagé dans une accueillante maison de maître, restaurant de tradition apprécié pour son service attentionné, sa cuisine classique maîtrisée et son intéressante carte des vins.
Spéc. Foie gras chaud de canard au vinaigre de cidre. Gibier (saison). Sanciaux aux pommes (oct. à mars).

XX **Rôtisserie Vieille Fontaine** AM 33
8 av. Grétry ✆ 01 39 62 01 78, *Fax 01 39 62 13 43*
, – AE GB
fermé 13 au 20 août, dim. soir et lundi – **Repas** 183.
◆ Demeure du 19e s. dans cette banlieue "chic" de l'Ouest parisien. Une rôtissoire anime l'une des trois salles à manger complétées par une véranda ouverte sur le parc.

XX **Ribot** AN 32
5 av. St-Germain ✆ 01 39 62 01 53, *Fax 01 39 62 01 53*
AE GB
fermé 1er au 15 août, dim. soir et lundi – **Repas** 95 (déj.), 165/220 et carte 230 à 270 ♀.
◆ Mobilier contemporain et murs ornés de fresques sur le thème des cartes à jouer composent le cadre soigné de ce restaurant voué à la cuisine italienne.

For a description of French culinary terms or specialties, see the glossary pp 19 to 25.

Marcoussis *91460 Essonne* 101 ㉞ *G. Île de France – 5 680 h alt. 79.*

Syndicat d'Initiative 13 r. Alfred-Dubois ✆ 01 69 01 76 50, Fax 01 69 01 76 50.

Paris 30 – Arpajon 10 – Évry 17.

✗ Les Colombes de Bellejame

97 r. A. Dubois ✆ 01 69 80 66 47, *Fax 01 69 80 66 47*

GB

fermé 10 au 30 juil., dim. soir, mardi soir et merc. – **Repas** *(75)* - 130/180 et carte 180 à 310, enf. 45.

◆ Après avoir parcouru la vallée maraîchère de la Salmouille, faites halte dans ce petit restaurant au cadre rustique. Cuisine traditionnelle.

Marly-le-Roi *78160 Yvelines* 101 ⑫ ⑬, 18 25 *G. Île de France – 16 741 h alt. 90.*

Voir *Parc*★★.

Paris 23 – Saint-Germain-en-Laye 4 – Versailles 9.

✗✗ Village — AZ 28

3 Grande Rue ✆ 01 39 16 28 14, *Fax 01 39 58 62 60*

GB

fermé août, sam. midi, dim. soir et lundi – **Repas** (nombre de couverts limité, prévenir) 140 bc (déj.)/185 ♀.

◆ À quelques pas du parc, jolie maison ancienne du vieux Marly abritant un restaurant aménagé simplement : discrétion du décor, mais cuisine inventive.

Marne-la-Vallée *77206 S.-et-M.* 101 ⑲ ⑳, 24 *G. Ile de France.*

Maison du Tourisme d'Ile-de-France Disneyland Paris pl. des passagers du vent ✆ 01 60 43 33 33, Fax 01 60 43 74 95.

Paris 28 – Meaux 28 – Melun 42.

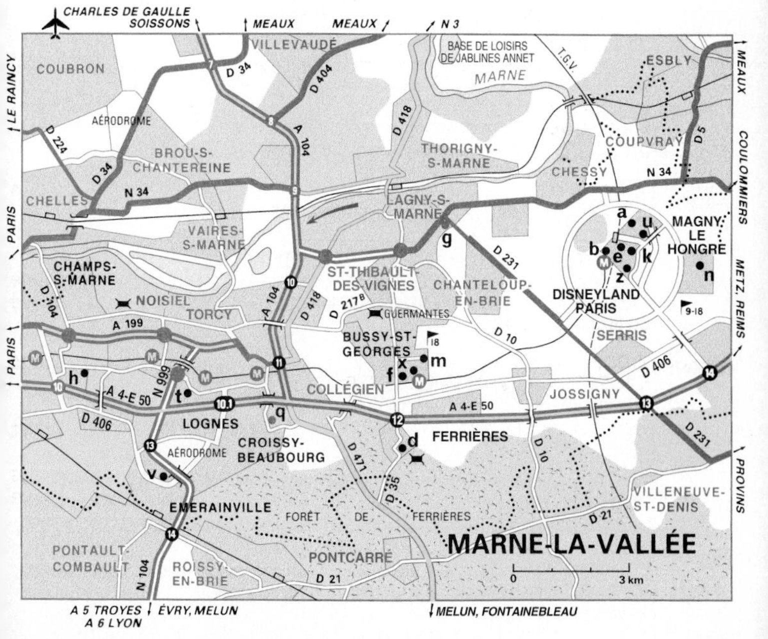

à Bussy-St-Georges – *1 545 h. alt. 105* – *77600 :*

Holiday Inn
39 bd Lagny **(f)** 01 64 66 35 65, *hibussy@compuserve.com, Fax 01 64 66 03 10*
M, – – 80. AE GB
Repas (dîner seul.) 179, enf. 65 – 80 – **120 ch** 1100/1260.
◆ En bordure d'une large avenue, chambres spacieuses à la tenue sans défaut, équipées d'un double vitrage. Agréable bar.

Golf Hôtel
15 av. Golf **(m)** 01 64 66 30 30, *golf.hotel@wanadoo.fr, Fax 01 64 66 04 36*
M – – 120. AE GB
Repas *(fermé dim. midi et sam. de nov. à mars)* 130/170 ♀, enf. 55 – 65 – **94 ch** 600/675.
◆ Dans un quartier résidentiel et en bordure du golf, bâtiment moderne où vous trouverez des chambres dotées d'un bon équipement en bois stratifié.

Sol Inn Paris Bussy
44 bd A. Giroust **(x)** 01 64 66 11 11, *solinn@wanadoo.fr, Fax 01 64 66 29 05*
M, – – 90. AE GB
Repas *(fermé sam. midi et dim.)* carte 140 à 160 – 54 – **87 ch** 480/610.
◆ Intégré à un grand ensemble immobilier, face à la station RER, hôtel aux chambres fonctionnelles et bien insonorisées. Bar décoré dans l'esprit "Louisiane".

à Champs-sur-Marne – *21 611 h. alt. 80* – *77420 :*
Voir *Château★ (salon chinois★★) et parc★★.*

Ibis
cité Descartes, bd Newton **(h)** 01 64 68 00 83, *Fax 01 64 68 02 60*
– – 45. AE GB
Repas 97 , enf. 39 – 39 – **110 ch** 305/315.
◆ Établissement situé dans un quartier résidentiel et universitaire. Les chambres, bien tenues, devraient adopter bientôt le nouveau "look" de la chaîne.

à Croissy-Beaubourg – *2 396 h. alt. 102* – *77183 :*

L'Aigle d'Or
8 r. Paris **(q)** 01 60 05 31 33, *Fax 01 64 62 09 39*
, – P. AE GB
fermé dim. soir – **Repas** 180/450 et carte 360 à 420 ♀.
◆ Ce restaurant aménagé dans un ancien relais de poste propose une cuisine au goût du jour dans son élégante salle à manger feutrée, ou sur sa terrasse aux beaux jours.

à Disneyland Paris *accès par autoroute A 4 et bretelle Disneyland :*
Voir *Disneyland Paris★★★ (voir Guide Vert Disneyland Paris).*

Disneyland Hôtel
(b) 01 60 45 65 00, *Fax 01 60 45 65 33*
M, , , , – – 25 à 50. AE GB JCB.
California Grill (dîner seul.) **Repas** 250 ♀, enf.150
Inventions (buffet) **Repas** 180 (déj.)/250 ♀,, enf. 140 – **478 ch** 2550/3800, 18 appart.
◆ Dans le monde fabuleux de Disney, la magie opère dès l'entrée du parc avec ce bel ensemble de style victorien, d'un rose tendre, coiffé de multiples clochetons. Onirique.

New-York

(e) 01 60 45 73 00, *Fax 01 60 45 73 33*
M, <, 1 500. AE GB JCB.

Manhattan Restaurant (dîner seul.) **Repas** 195, enf. 65
Parkside Diner : **Repas** 119, enf. 55 – **536 ch** 1580/1880, 27 appart.

◆ Vous voici à Manhattan : ses gratte-ciel, ses maisons de Gramercy Park et ses pittoresques "brownstones" - le tout au bord de l'eau. Ambiance et décor des années folles.

Newport Bay Club

(z) 01 60 45 55 00, *Fax 01 60 45 55 33*
M, <, 1 500. AE GB JCB.

Cape Cod : **Repas** 155 (déj.)/119 (dîner)
Yacht Club (dîner seul.) **Repas** 195/235 – **1 082 ch** 1345/1745, 11 appart.

◆ Sur la rive du lac Disney, vous tomberez sous le charme d'une station balnéaire de la Nouvelle Angleterre au début du 20e s., et de ses rocking-chairs sous la véranda !

Séquoia Lodge

(k) 01 60 45 51 00, *Fax 01 60 45 51 33*
M, <, rest, 75. AE GB JCB.

Hunter's Grill (dîner seul.) **Repas** 150, enf. 55
Beaver Creek Tavern (dîner seul.) **Repas** 119, enf. 55 – **1 001 ch** 1220/1420, 10 appart.

◆ Jardin paysager et façades de pierre et de bois recréant l'atmosphère des "lodges" des Montagnes Rocheuses. Accueil par des gardes forestiers ; cascades... dans la piscine.

Cheyenne

(a) 01 60 45 62 00, *Fax 01 60 45 62 33*
rest, AE GB JCB.

Chuck Wagon Café (self) **Repas** carte environ 130, enf. 55 – **1 000 ch** 1010.

◆ Petite ville du Far West tout droit sortie d'un western. Rues bordées de constructions de bois, cow-boys, saloon, fort, chariots, barbecues : il ne manque que les Indiens !

Santa Fé

(u) 01 60 45 78 00, *Fax 01 60 45 78 33*
AE GB JCB.

La Cantina (self) **Repas** carte environ 130 enf. 55 – **1 000 ch** 865.

◆ "Ay caramba !" Parmi les sables du désert du Nouveau-Mexique, les "gringos" dormiront dans une quarantaine de "pueblos" aux chambres rustiques. "Tex-mex" à La Cantina.

à Émerainville – *6 766 h. alt. 109 – 77184 :*

Ibis

ZI Pariest bd Beaubourg **(v)** 01 60 17 88 39, *Fax 01 64 62 12 34*
150. AE GB

Repas 105, enf. 39 – 39 – **80 ch** 340/370.

◆ Étape proche d'une zone industrielle. Les chambres sont équipées d'un double vitrage ; environ la moitié ont été rénovées dans un style actuel.

à Ferrières-en-Brie – *1 655 h. alt. 108 – ✉ 77164 :*

St-Rémy
24 r. J. Jaurès **(d)** ✆ 01 64 76 74 00, *Fax 01 64 76 74 01*
M, – TV. AE GB.
Repas 135/195, enf. 55 – ☕ 50 – **25 ch** 550/690.
◆ Découvrez à l'étage de cette pimpante maison du 19e s. la jolie salle des fêtes créée par la famille Rothschild. Chambres et restaurant relookés dans un style très "tendance".

à Lognes – *12 973 h. alt. 97 – ✉ 77185 :*

Relais Mercure
55 bd Mandinet **(t)** ✆ 01 64 80 02 50, *h2210@accor-hotels.com, Fax 01 64 80 02 70*
– TV P – 60. AE GB JCB
Repas 79/90 ♀, enf. 55 – ☕ 54 – **57 ch** 480/565, 28 duplex.
◆ Dans un quartier résidentiel, établissement fonctionnel et bien tenu proposant des chambres récemment refaites. Duplex pratiques pour les familles.

à Magny-le-Hongre – *331 h. alt. 117 – ✉ 77700 :*

Moulin de Paris
60 r. Moulin à Vent **(n)** ✆ 01 60 43 77 77, *Fax 01 60 43 78 88*
M, – TV P – 25. AE GB JCB
Repas *(85)* - 115 ♀, enf. 49 – ☕ 50 – **82 ch** 420/470.
◆ Construction moderne située à proximité de Disneyland. Les chambres, grandes et pratiques, sont agencées pour les familles et équipées d'un double vitrage.

Massy *91300 Essonne* **101** ㉕, **22** 25 – *38 574 h alt. 78.*
Paris 20 – Arpajon 19 – Évry 21 – Palaiseau 3 – Rambouillet 39.

Mercure **BS 43**
21 av. Carnot (gare T.G.V.) ✆ 01 69 32 80 20, *h1176@accor-hotels.com, Fax 01 69 32 80 25*
M, – TV P – 100. AE GB
Repas *(fermé dim. midi, vend. soir et sam.) (135)* - 155 ♀, enf. 60 – ☕ 68 – **116 ch** 620/670.
◆ Situation commode entre gares TGV et RER pour cet hôtel résolument contemporain présentant un décor intérieur tout en nuances. Chambres fonctionnelles.

Pavillon Européen **BR 43**
5 av. Gén. de Gaulle ✆ 01 60 11 17 17, *Fax 01 69 20 05 60*
GB
fermé août, dim. soir – **Repas** 180/250.
◆ Cadre actuel raffiné, baies vitrées largement ouvertes sur le lac et service tout en gentillesse font le charme de ce restaurant. Cuisine au goût du jour.

Ne confondez pas :
Confort des hôtels : ... ,
Confort des restaurants : XXXXX ... X
Qualité de la table : ✿✿✿, ✿✿, ✿,

Maurepas *78310 Yvelines 101 ㉑ – 19 718 h alt. 165.*
Voir *France Miniature★ NE : 3km,* G. Île de France.
Paris 40 – Houdan 28 – Palaiseau 35 – Rambouillet 17 – Versailles 20.

Mercure — BM 15
N 10 ✆ 01 30 51 57 27, *h038@accor-hotels.com, Fax 01 30 66 70 14*
M, – |‡| ⊟ TV P – 25 à 80. AE ① GB JCB
Repas *(fermé vend. soir, dim. midi et sam.)* carte 180 à 200, enf. 55 – 68
– **91 ch** 535/585.
◆ La petite route qui part de la N 10 vous conduira jusqu'à cet hôtel dont les chambres, spacieuses et bien insonorisées, sont peu à peu rénovées.

Meudon *92190 Hauts-de-Seine 101 ㉔, 22 25 G. Île de France – 45 339 h alt. 100.*
Voir *Terrasse★ : ★ – Forêt de Meudon★.*
Paris 11 – Boulogne-Billancourt 4 – Clamart 4 – Nanterre 16 – Versailles 15.

au sud *à Meudon-la-Forêt – ✉ 92360 :*

Mercure Ermitage de Villebon — BH 39
rte Col. Moraine ✆ 01 46 01 46 86, *Fax 01 46 01 46 99*
M, – |‡|, ⊟ ch, TV P – 15 à 90. AE ① GB
Repas 110/285, enf. 110 – 65 – **63 ch** 730/875.
◆ À l'orée de la forêt de Meudon et au bord de la voie rapide, hôtel bien insonorisé aux chambres décorées dans un esprit Directoire. Une maison du 19e s. abrite le restaurant.

Montmorency *95160 Val-d'Oise 101 ⑤, 25 G. Île de France – 20 920 h alt. 82.*
Voir *Collégiale St-Martin★ – Commune de la "Méridienne verte".*
Env. *Château d'Écouen★★ : musée de la Renaissance★★ (tenture de David et de Bethsabée★★★).*
Office de Tourisme 1 av. Foch ✆ 01 39 64 42 94, Fax 01 39 12 18 65.
Paris 20 – Enghien-les-Bains 5 – Pontoise 24 – St-Denis 9.

Au Coeur de la Forêt — AG 48
av. Repos de Diane et accès par chemin forestier ✆ 01 39 64 99 19, *Fax 01 34 28 17 52*
, – P. GB
fermé 6 au 29 août, jeudi soir, dim. soir et lundi – **Repas** 155/190 et carte 260 à 330.
◆ La romantique avenue du Repos de Diane vous conduira "Au Coeur de la Forêt", restaurant au cadre soigné aménagé dans une maison récente. Cuisine traditionnelle simple.

Montreuil *93100 Seine-St-Denis 101 ⑰, 20 25 G. Ile de France – 94 754 h alt. 70.*
Office de Tourisme fermé sam. après-midi et lundi) 1 r. Kléber ✆ 01 42 87 38 09, Fax 01 42 27 27 13.
Paris 8 – Bobigny 10 – Lagny-sur-Marne 31 – Meaux 38 – Senlis 47.

Gaillard — AZ 57
71 r. Hoche ✆ 01 48 58 17 37, *gaillard@free.fr, Fax 01 48 70 09 74*
, – P. GB
fermé 6 au 23 août, dim. soir et lundi soir – **Repas** 160/220 et carte 240 à 340.
◆ Demeure de la fin du 19e s. où il fait bon s'attabler l'hiver auprès de la cheminée ; l'été, profitez de la terrasse, de l'ombre des marronniers et du chant des oiseaux.

Montrouge *92120 Hauts-de-Seine 101 ㉕, 22 25 – 38 106 h alt. 75.*

Paris 5 – Boulogne-Billancourt 7 – Longjumeau 18 – Nanterre 18 – Versailles 17.

Mercure — BE 48

13 r. F.-Ory ☎ 01 58 07 11 11, *h0374@accor-hotels.com, Fax 01 58 07 11 21*

M – |‡| ⇌, ▤ rest, TV ☏ ♿ P – 🏊 15 à 100. AE ⓘ GB

Repas *(fermé dim. midi et sam.)* 160 ♀, enf. 55 – ☕ 72 – **180 ch** 990/1090, 7 appart.

◆ En léger retrait du périphérique, vaste construction abritant des chambres fonctionnelles et bien insonorisées. La plupart, rénovées, présentent une décoration colorée.

Morangis *91420 Essonne 101 ㉟, 25 – 10 043 h alt. 85.*

Voir *Commune de la "Méridienne verte".*

Paris 22 – Évry 14 – Longjumeau 5 – Versailles 24.

Sabayon — BV 49

15 r. Lavoisier ☎ 01 69 09 43 80, *Fax 01 64 48 27 28*

▤. AE GB

fermé 31 août au 30 sept. , sam. midi, lundi soir, mardi soir et dim. – **Repas** 185/335 et carte 200 à 330 ♀, enf. 105.

◆ Restaurant à dénicher dans une ZI. Dans la salle à manger aux couleurs "mode", oeuvres contemporaines, nombreuses plantes vertes et sièges de style Louis XVI.

Nanterre P *92000 Hauts-de-Seine 101 ⑭, 18 25 – 84 565 h alt. 35.*

Office de Tourisme (fermé dim. et lundi) 4 r. du Marché ☎ 01 47 21 58 02, Fax 01 47 25 99 02.

Paris 13 – Beauvais 82 – Rouen 121 – Versailles 18.

Mercure La Défense Parc — AV 39

r. des 3 Fontanot ☎ 01 46 69 68 00, *Fax 01 47 25 46 24*

M – |‡| ⇌, ▤ rest, TV ☏ ♿ 🚗 – 🏊 130. AE ⓘ GB JCB

Repas *(fermé le soir du 13 juil. au 19 août, dim. midi, vend. soir, sam. et fériés)* *(113)* - 188 ♀, enf. 60 – ☕ 80 – **135 ch** 1180/1230, 25 appart.

◆ Immeuble moderne et son annexe situés à côté du parc André Malraux. Mobilier design, équipement complet : demandez une chambre rénovée. Cuisine du monde au restaurant.

Quality Inn — AV 37

2 av. B. Frachon ☎ 01 46 95 08 08, *quality.nanterre@wanadoo.fr, Fax 01 46 95 01 24*

M – |‡| ⇌ ▤ TV ♿ 🚗 – 🏊 30. AE ⓘ GB JCB

Repas *(fermé août, vend. soir, sam. et dim.)* *(115)* - 135 – ☕ 65 – **85 ch** 800/1100.

◆ Construction de 1992 dont les chambres, plus ou moins spacieuses, sont joliment meublées et bénéficient d'un double vitrage. Chaleureuse salle à manger d'esprit colonial.

Rôtisserie — AW 39

180 av. G. Clemenceau ☎ 01 46 97 12 11

🏖 – AE GB

fermé 11 au 26 août, lundi soir, sam. midi et dim. – **Repas** 160.

◆ Restaurant au cadre soigné coordonant tons ocre et mobilier contemporain. Terrasse agréable et calme sur l'arrière. Cuisine traditionnelle et viandes rôties à la broche.

Neuilly-sur-Seine *92200 Hauts-de-Seine 101 ⑮, 18 25 G. Île de France – 61 768 h alt. 34.*

Paris 8 – Argenteuil 11 – Nanterre 5 – Pontoise 30 – St-Germain-en-Laye 18 – Versailles 17.

Courtyard AW 44
58 bd V. Hugo ✆ 01 55 63 64 65, *cy.parcy.sales@marriott.com, Fax 01 55 63 64 66*
M, – 220. AE GB JCB. ch
Repas 180 ♀ – ☕ 110 – **173 ch** 1500, 69 appart.
◆ Établissement des années 1970 dont les chambres, joliment meublées, répondent aux exigences du confort moderne. Salons confortables et coin bar "cosy".

Paris Neuilly AX 42
1 av. Madrid ✆ 01 47 47 14 67, *h0883@accor-hotels.com, Fax 01 47 47 97 42*
sans rest – . AE GB
☕ 75 – **74 ch** 940/1100, 6 appart.
◆ La décoration des chambres s'inspire de divers styles. Petits-déjeuners servis dans le patio couvert orné d'une fresque représentant le Palacio Real de Madrid.

Jardin de Neuilly AX 44
5 r. P. Déroulède ✆ 01 46 24 51 62, *hotel.jardin.de.neuilly@wanadoo.fr, Fax 01 46 37 14 60*
sans rest – . AE GB.
☕ 95 – **30 ch** 800/1300.
◆ Hôtel particulier de la fin du 19e s. abritant des chambres garnies d'un mobilier chiné dans les brocantes. Certaines donnent côté jardin : la campagne aux portes de Paris.

Jatte AV 43
4 bd Parc ✆ 01 46 24 32 62, *Fax 01 46 40 77 31*
sans rest – . AE GB JCB
☕ 60 – **68 ch** 850/950, 3 appart.
◆ Sur l'île de la Jatte, établissement dont les chambres récemment rénovées sont modernes et s'égayent de jolies couleurs. Les autres sont plus simples.

Neuilly Park Hôtel AX 44
23 r. M. Michelis ✆ 01 46 40 11 15, *Fax 01 46 40 14 78*
sans rest – . AE GB JCB
☕ 60 – **30 ch** 650/870.
◆ Cet hôtel du centre-ville affiche peu à peu un tout nouveau visage : menues chambres personnalisées par des meubles de style Art nouveau et accueil des plus charmants.

Riad AX 44
42 av. Ch. de Gaulle ✆ 01 46 24 42 61, *Fax 01 46 40 19 91*
. AE GB
fermé 5 au 19 août, sam. midi et dim. – **Repas** carte 270 à 380 ♀.
◆ Discret décor mauresque, fresques murales représentant la ville de Fès et cuisine marocaine offrent une suave échappée vers "L'île du Couchant".

Truffe Noire (Jacquet) AX 44
2 pl. Parmentier ✆ 01 46 24 94 14, *Fax 01 46 24 94 60*
AE GB JCB
fermé 19 au 27 mai, août, sam. et dim. – **Repas** 195 et carte 280 à 400 ♀.
◆ Sur une place tranquille, table de tradition proposant des spécialités tourangelles. La salle à manger, jaune d'or, accueille des expositions de peintures.
Spéc. Mousseline de brochet au beurre blanc. Truffes d'été et d'hiver (saisons). Gibier (oct. à déc.).

Foc Ly AW 42

79 av. Ch. de Gaulle ✆ 01 46 24 43 36, *Fax 01 46 24 48 46*

AE GB

fermé 10 au 26 août – **Repas** 99 (déj.), 110/270 et carte 170 à 300, enf. 75.

◆ Deux lions encadrent l'entrée de ce restaurant qui déploie en façade sa "terrasse-pagode". Intérieur sobrement aménagé, salle plus intime à l'étage. Cuisine chinoise.

Les Feuilles Libres AX 44

34 r. Perronet ✆ 01 46 24 41 41, *feuilibre@wanadoo.fr, Fax 01 46 40 77 61*

AE GB.

fermé 7 au 24 août, 24 déc. au 2 janv., sam. et dim. – **Repas** 150 (déj.), 220/260 et carte 240 à 310.

◆ Ici, tout est mini : la terrasse, la salle à manger principale et le salon-bibliothèque à l'étage. Décor chic, vaisselle en Limoges et argenterie. Cuisine au goût du jour.

Bistrot d'à Côté Neuilly AX 42

4 r. Boutard ✆ 01 47 45 34 55, *rostang@relaischateau.fr, Fax 01 47 45 15 08*

AE GB

fermé sam. midi et dim. – **Repas** 129 (déj.)/192 ♀.

◆ Service décontracté, suggestions inscrites sur ardoise, moulins à café anciens et collection d'affiches font la personnalité de ce "vrai-faux bistrot".

Petit Bofinger AX 44

18 av. Ch. de Gaulle ✆ 01 47 22 37 25, *Fax 01 46 24 95 35*

AE GB

Repas *(98)* - 149.

◆ "Petit cousin" de la fameuse brasserie, cette adresse "branchée" sert une cuisine au goût du jour dans une salle à manger aménagée dans un esprit bistrot.

Les Pieds dans l'Eau AW 43

39 bd Parc ✆ 01 47 47 64 07, *Fax 01 47 22 09 55*

– AE ⓓ GB

fermé sam. midi et dim. d'oct. à avril – **Repas** *(140)* - 180 et carte 220 à 370 ♀.

◆ Restaurant joliment décoré d'objets se rapportant à la batellerie. L'été, sur la terrasse au bord de la Seine, on mange pour ainsi dire "les pieds dans l'eau" !

Catounière AX 43

4 r. Poissonniers ✆ 01 47 47 14 33, *Fax 01 47 47 13 85*

AE GB

fermé août, sam. midi et dim. – **Repas** *(158)* - 186 bc.

◆ Ce restaurant est apprécié pour son accueil chaleureux et son atmosphère presque provinciale. Décor simple, tables alignées et cuisine familiale.

Nogent-sur-Marne

SP *94130 Val-de-Marne* 101 ㉗, 24 25 *G. Île de France – 25 248 h alt. 59.*

Office de Tourisme 5 av. Joinville ✆ 01 48 73 73 97, Fax 01 48 73 75 90.

Paris 13 – Créteil 8 – Montreuil 5 – Vincennes 4.

Mercure Nogentel BC 62

8 r. Port ✆ 01 48 72 70 00, *h1710@accor.hotels.com, Fax 01 48 72 86 19*

M, – , ch, TV – 15 à 200. AE ⓓ GB JCB

Le Canotier : **Repas** *(175)*-215 – 68 – **60 ch** 580/650.

◆ Hôtel des bords de Marne proposant des chambres actuelles. Au Canotier, attablez-vous près des baies vitrées pour jouir du "spectacle" des bateaux.

Campanile BC62-63
quai du port (Pt de Nogent) ✆ 01 48 72 51 98, *Fax 01 48 72 05 09*
– 40. AE GB
Repas 98/130 – 45 – **90 ch** 425.
◆ Immeuble moderne situé sur un quai animé. La moitié des chambres, équipées selon les standards de la chaîne et insonorisées, donnent sur la Marne.

Noisy-le-Grand *93160 Seine-St-Denis* 101 (18), 24 25 *G. Île de France – 54 032 h alt. 82.*

Office de Tourisme Ancienne Mairie 167 r. P.-Brossolette ✆ 01 43 04 51 55, Fax 01 43 03 79 48.

Paris 19 – Bobigny 18 – Lagny-sur-Marne 14 – Meaux 37.

Mercure BB 67
2 bd Levant ✆ 01 45 92 47 47, *Fax 01 45 92 47 10*
M, – 150. AE GB
Les Météores *(fermé sam. midi et dim. midi)* **Repas** (95)-125 ♀, enf. 60 – 70 – **192 ch** 575/690.
◆ Immeuble moderne dont la façade vitrée permet de suivre le ballet des ascenseurs panoramiques. Chambres spacieuses et fonctionnelles, garnies de meubles en bois clair.

Novotel Atria BC 67
2 allée Bienvenüe-quartier Horizon ✆ 01 48 15 60 60, *h1536@accor-hotels.com, Fax 01 43 04 78 83*
M, – 250. AE GB JCB
Repas carte environ 160 ♀, enf. 60 – 70 – **144 ch** 610/670.
◆ Architecture contemporaine à deux pas de la station RER. Chambres bien agencées et équipements complets séduiront familles et clientèle d'affaires.

Amphitryon BA 68
56 av. A. Briand ✆ 01 43 04 68 00, *Fax 01 43 04 68 10*
AE GB
fermé 10 au 23 août, sam. midi et dim. soir – **Repas** 130/230.
◆ Murs framboise et vaisselle multicolore donnent le ton de cette élégante salle de restaurant. La cuisine, traditionnelle, est servie rapidement et avec le sourire.

Orgeval *78630 Yvelines* 101 (11) *– 4 509 h alt. 100.*

Paris 31 – Mantes-la-Jolie 23 – Pontoise 25 – St-Germain-en-Laye 11 – Versailles 22.

Moulin d'Orgeval
r. Abbaye, Sud : 1,5 km ✆ 01 39 75 85 74, *moulin-orgeval@wanadoo.fr, Fax 01 39 75 48 52*
– 15 à 30. AE GB
Repas *fermé 21 au 30 déc. et dim. soir* (160) - 220/370 ♀ – 75 – **12 ch** 650/850.
◆ Attablez-vous dans la salle à manger qui occupe ce vieux moulin, ou en terrasse face au parc et son étang sur lesquels donnent aussi les chambres.

Il est conseillé d'avoir une tenue vestimentaire adaptée à la classe et à la réputation de l'établissement choisi.

Orly (Aéroports de Paris) *94310 Val-de-Marne* 101 ㉖, 24 25 – *21 646 h alt. 89.*

✈ ✆ 01 49 75 15 15.

Paris 16 – Corbeil-Essonnes 24 – Créteil 12 – Longjumeau 15 – Villeneuve-St-Georges 9.

Hilton Orly — BR 51

près aérogare, Orly Sud ✉ 94544 ✆ 01 45 12 45 12, *fb-orly@hilton.com, Fax 01 45 12 45 00*

M, Ls – |‡| ⇆ ▤ TV P – 🏫 280. AE ⓓ GB JCB

Repas *(145)* - 198 (dîner) 🍷 – ☕ 100 – **353 ch** 630/1300.

◆ Cet hôtel des années 1960, abritant des chambres sobres et élégantes, dispose d'équipements de pointe pour les réunions et de services adaptés à la clientèle d'affaires.

Mercure — BP 51

N 7, Z.I. Nord, Orlytech ✉ 94547 ✆ 01 46 87 23 37, *h1246@accor-hotels.com, Fax 01 46 87 71 92*

M – |‡| ⇆ ▤ TV ✆ ♿ P – 🏫 40. AE ⓓ GB

Repas *(115)* - carte 150 à 200 ♀, enf. 55 – ☕ 70 – **190 ch** 800.

◆ Adresse convenant particulièrement à la clientèle aéroportuaire qui trouve là un ensemble de services très pratiques entre deux avions. Chambres bien tenues.

Aérogare d'Orly Ouest :

Maxim's — BS 51

2e étage ✆ 01 49 75 16 78, *Fax 01 46 87 05 39*

⋞ – ▤. AE ⓓ GB

fermé août, 22 déc. au 2 janv., sam., dim. et fériés – **Repas** 230/480 et carte 360 à 440 ♀.

◆ L'atmosphère Belle Époque recréée d'après celle du "grand frère" parisien et la vue sur les pistes de l'aéroport font la personnalité de ce restaurant. Cuisine classique.

à Orly ville : *21 646 h. alt. 71.*

Kyriad - Air Plus — BN 54

58 voie Nouvelle (près Parc G. Méliès) ✆ 01 41 80 75 75, *airplus@club-internet.fr, Fax 01 41 80 12 12*

M, 🌳 – |‡| ⇆ ▤ TV ♿ P. AE ⓓ GB JCB

Repas *(fermé sam. et dim.) (67)* - 129 – ☕ 38 – **72 ch** 425.

◆ Non loin de l'aéroport, un hôtel pensé pour votre bien-être. Ambiance "aéronautique" au pub anglais et allées du parc Méliès accueillantes aux adeptes du jogging.

Voir aussi à *Rungis*

Ozoir-la-Ferrière *77330 S.-et-M.* 101 ㉚, 106 ㉝ – *19 031 h alt. 110.*

ℹ *Syndicat d'Initiative pl. de la Mairie ✆ 01 60 40 10 20, Fax 01 64 40 09 91.*

Paris 35 – Coulommiers 43 – Lagny-sur-Marne 15 – Melun 31 – Sézanne 84.

Gueulardière

66 av. Gén. de Gaulle ✆ 01 60 02 94 56, *Fax 01 60 02 98 51*

🌳 – AE GB

fermé août, vacances de fév., sam. midi, dim. soir et lundi – **Repas** 160/380 et carte 260 à 440, enf. 100.

◆ Cette auberge du centre-ville sert une cuisine traditionnelle dans une élégante salle à manger ou sur la terrasse d'été, dressée dans une petite cour.

Palaiseau

91120 Essonne 101 ㉞, 22 25 – *28 395 h alt. 101.*

Paris 23 – Arpajon 19 – Chartres 72 – Évry 21 – Rambouillet 37.

Novotel — BS 43
18 r. E. Baudot (Z.I. Massy) ☎ 01 64 53 90 00, *Fax 01 64 47 17 80*
M, rest, TV – 15 à 180. AE GB JCB
Repas carte environ 180 ♀, enf. 50 – 65 – **147 ch** 580/630.
◆ Ce Novotel proche d'un nœud autoroutier dispose de chambres actuelles et confortables. Aux beaux jours, le restaurant se complète d'une terrasse généralement animée.

Pantin

93500 Seine-St-Denis 101 ⑯, 20 25 – *47 303 h alt. 26.*

Voir *Centre international de l'Automobile*★, **G. Île de France.**

Office de Tourisme 25 ter r. du Pré-St-Gervais ☎ 01 48 44 93 72, Fax 01 48 44 18 51.

Paris 9 – Bobigny 5 – Montreuil 7 – St-Denis 6.

Référence — AW 54
22 av. J. Lolive ☎ 01 48 91 66 00, *Fax 01 48 44 12 17*
M, rest, TV – 15 à 70. AE GB JCB
Repas *fermé sam., dim. et fériés* 100/180 ♀ – 82 – **123 ch** 920/990.
◆ À côté du boulevard périphérique, architecture pyramidale abritant des chambres modernes et bien insonorisées, joliment meublées et décorées de reproductions de Dufy.

Mercure Porte de Pantin — AV-AW54
25 r. Scandicci ☎ 01 49 42 85 85, *h0680@accor-hotels.com, Fax 01 48 46 07 90*
M – TV – 25 à 100. AE GB JCB
Repas *(98)* - 128 ♀, enf. 55 – 72 – **129 ch** 820/880, 9 appart.
◆ Hôtel dont les chambres s'équipent peu à peu d'un mobilier cossu. Les unes sont agencées pour recevoir des familles, les autres sont adaptées à la clientèle d'affaires.

Le Perreux-sur-Marne

94170 Val-de-Marne 101 ⑱, 24 25 – *28 477 h alt. 50.*

Office de Tourisme 75 av. Ledru-Rollin ☎ 01 43 24 26 58, Fax 01 43 24 26 58.

Paris 16 – Créteil 11 – Lagny-sur-Marne 23 – Villemomble 7 – Vincennes 7.

Les Magnolias (Chauvel) — BC 63
48 av. Bry ☎ 01 48 72 47 43, *Fax 01 48 72 22 28*
. AE GB
fermé août, lundi midi, sam. midi et dim. – **Repas** *(185)* - 230 ♀.
◆ Cadre résolument moderne agrémenté de spots, boiseries et tentures rouges, abrité des regards de la rue par des stores vénitiens. Cuisine au goût du jour recherchée.
Spéc. Risotto d'ailerons de volaille. Nougatine d'agneau à la marjolaine. Œufs coque au chocolat café (dessert).

Les Lauriers — BA 63
5 av. Neuilly-Plaisance ☎ 01 48 72 45 75
– GB
fermé sam. midi, dim. soir et lundi – **Repas** 190 et carte 250 à 370 ♀.
◆ Ce restaurant occupe un pavillon dans un quartier résidentiel. Décor contemporain assez clair et tables joliment dressées où l'on sert une cuisine traditionnelle.

Restaurants serving a good but moderately priced meal are distinguished in the Guide by the symbol

Petit-Clamart *92 Hauts-de-Seine* 101 ㉔, 22 25 – ✉ *92140 Clamart.*

Voir *Bièvres : Musée français de la photographie★ S : 1 km,* **G. Ile de France.**

Paris 13 – Antony 9 – Clamart 5 – Meudon 6 – Nanterre 21 – Sèvres 9 – Versailles 9.

XX **Au Rendez-vous de Chasse** BK 40

1 av. du Gén. Eisenhower ☎ 01 46 31 11 95, *Fax 01 40 94 11 40*

P. AE GB

fermé dim. soir et lundi soir – **Repas** *(170)* - 198 et carte 300 à 370 ₸.

◆ La cité est passée à la postérité avec l'attentat manqué contre le Général. Pas de coup de fusil à attendre de ce "Rendez-Vous de Chasse" où l'on sert une cuisine de tradition.

Poissy *78300 Yvelines* 101 ⑫ *G. Île de France.*

Voir *Collégiale Notre-Dame★ – Villa Savoye★ –* *Office de Tourisme 132 r. du Gén.-de-Gaulle ☎ 01 30 74 60 65, Fax 01 39 65 07 00.*

Paris 33 ③ – Mantes-la-Jolie 30 ④ – Pontoise 20 ② – St-Germain-en-Laye 6 ③.

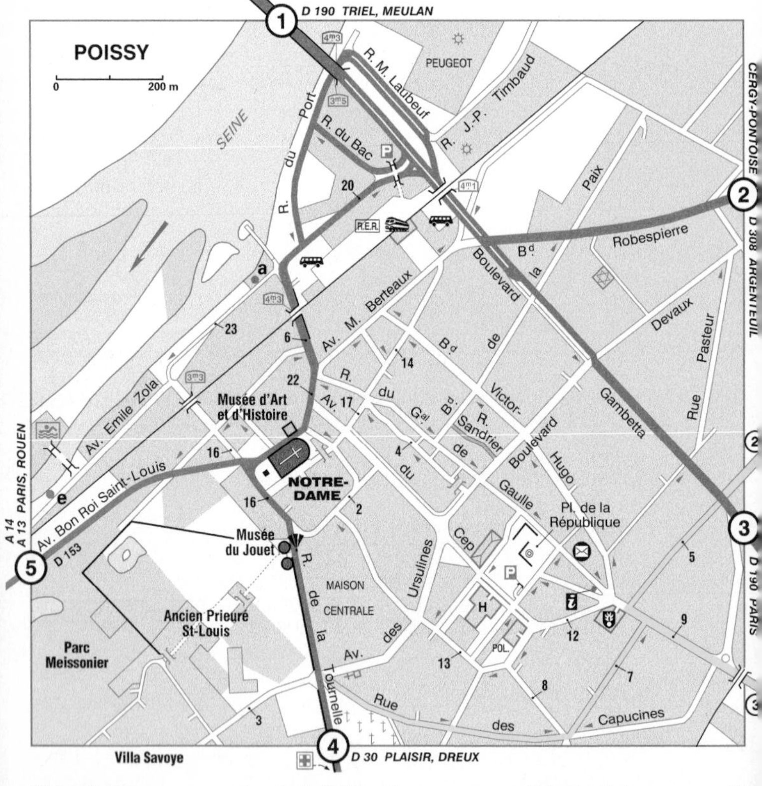

XX Bon Vivant
30 av. É. Zola **(e)** ✆ 01 39 65 02 14, *Fax 01 39 65 28 05*
≤, 🏠 – GB
fermé août, vacances de fév., dim. soir et lundi – **Repas** 220.
◆ De la guinguette 1900, ce restaurant a conservé l'ambiance conviviale et la terrasse en bord de Seine. Cadre rustique et repas traditionnels.

XX L'Esturgeon
6 cours 14-Juillet **(a)** ✆ 01 39 65 00 04, *Fax 01 39 79 19 94*
≤ – GB
fermé août, dim. soir et jeudi – **Repas** 200/300 et carte 260 à 400.
◆ L'esturgeon honoré par l'enseigne fut pêché ici-même en 1839... Cadre gentiment "rétro", cuisine traditionnelle et vue sur les arcades du pont.

Pontault-Combault *77340 S.-et-M.* 101 ㉙, 24 25 – *26 804 h alt. 94.*
Paris 30 – Créteil 26 – Lagny-sur-Marne 18 – Melun 34.

Saphir Hôtel BH 74
aire des Berchères sur N 104 ✆ 01 64 43 45 47, *saphirhotel@wanadoo.fr, Fax 01 64 40 52 43*
M, 🏠, Fб, 🏊, 🎾 – |♦| ≡ TV ✆ ♿ 🚗 P – 🎤 150. AE ⓓ GB
Repas *(97)* - 127 🍷, enf. 50 – ☕ 60 – **158 ch** 500/550, 21 appart.
◆ Architecture contemporaine au bord de la Francilienne. Les chambres, fonctionnelles et bien tenues, bénéficient d'une insonorisation parfaite.

Pour être inscrit au guide Michelin
– pas de piston,
– pas de pot de vin !

Le Port-Marly *78560 Yvelines* 101 ⑬, 18 25 – *4 181 h alt. 30.*
Paris 22 – St-Germain-en-Laye 3 – Versailles 12.

XX Auberge du Relais Breton AX 29
27 r. Paris ✆ 01 39 58 64 33, *Fax 01 39 58 35 75*
🏠, 🌳 – AE GB
fermé août, dim. soir et lundi – **Repas** 159/239 bc et carte 220 à 400.
◆ Poutres apparentes, imposante cheminée, mobilier breton et cuivres rutilants personnalisent le cadre de cette auberge. Cuisine traditionnelle.

Le Pré St-Gervais *93310 Seine-St-Denis* 101 ⑯, 20 25 – *15 373 h alt. 82.*
Paris 9 – Bobigny 6 – Lagny-sur-Marne 30 – Meaux 37 – Senlis 44.

X Au Pouilly Reuilly AW 55
68 r. A. Joineau ✆ 01 48 45 14 59
AE GB
fermé août, sam. midi et dim. – **Repas** carte 180 à 380 🍷.
◆ Décor de bistrot d'avant-guerre, joyeuse ambiance et cuisine roborative où les abats sont à l'honneur. Une adresse où se retrouve le "Tout-Paris".

Puteaux *92800 Hauts-de-Seine* 101 ⑭, 18 25 – *42 756 h alt. 36.*
Paris 10 – Nanterre 5 – Pontoise 30 – St-Germain-en-Laye 18 – Versailles 17.

Syjac AX 41
20 quai de Dion-Bouton ✆ 01 42 04 03 04, *Fax 01 45 06 78 69*
sans rest – |♦| TV ✆ – 🎤 30. AE ⓓ GB
☕ 60 – **30 ch** 670/980, 3 duplex.
◆ Les chambres ont vue sur Seine en façade mais sont plus au calme sur l'arrière ; toutes sont personnalisées et joliment meublées. Élégants salons. Navette pour la Défense.

Princesse Isabelle AX 41

72 r. J. Jaurès ✆ 01 47 78 80 06, *princesse.isa@wanadoo.fr, Fax 01 47 75 25 20*
sans rest – . AE GB
60 – **29 ch** 765/1300.

◆ Hôtel proposant de plaisantes chambres contemporaines. Le hall d'accueil abrite un coin salon agrémenté d'une cheminée et un bar anglais animé d'un piano mécanique.

Vivaldi AX 41

5 r. Roque de Fillol ✆ 01 47 76 36 01, *vivaldi@hotelvivaldi.com, Fax 01 47 76 11 45*
sans rest – . AE GB
47 – **27 ch** 550/570.

◆ Près de l'hôtel de ville où furent tournées des scènes de La Banquière, l'immeuble abrite des chambres rénovées, équipées d'un mobilier fonctionnel. Salon doté d'un piano.

Dauphin AX 41

45 r. J. Jaurès ✆ 01 47 73 71 63, *ledauphin2@wanadoo.fr, Fax 01 46 98 08 82*
sans rest, – . AE GB
50 – **37 ch** 600.

◆ Établissement du centre-ville proposant des chambres de taille moyenne habillées de boiseries et de tissus muraux. Tenue sans défaut. Mini-terrasse pour le petit-déjeuner.

Chaumière AX 39

127 av. Prés. Wilson - rd-pt des Bergères ✆ 01 47 75 05 46, *Fax 01 47 75 05 46*
. AE GB
fermé 28 juil. au 25 août, dim. soir, lundi soir et sam. – **Repas** *(150)* - 180 et carte 220 à 370 ♀.

◆ Vous goûterez la cuisine simple et généreuse de cette auberge dans la salle à manger rustique qu'une vaste véranda rend lumineuse. La carte fait la part belle aux poissons.

Table d'Alexandre AX 41

7 bd Richard Wallace ✆ 01 45 06 33 63, *Fax 01 41 38 27 42*
. AE GB
fermé 4 au 26 août, sam., dim. et fériés – **Repas** 130 et carte 200 à 270 ♀.

◆ À quelques foulées de la sportive île de Puteaux, cuisine au goût du jour servie dans un sympathique cadre rétro : tons ocre, éclairage étudié et jolies chaises paillées.

Dans la liste des rues des plans de villes,
les noms en rouge indiquent les principales voies commerçantes.

La Queue-en-Brie *94510 Val-de-Marne* 101 ㉙, 24 25 – *9 897 h alt. 95.*

Paris 22 – Coulommiers 52 – Créteil 13 – Lagny-sur-Marne 23 – Melun 33 – Provins 67.

Relais de Pincevent BH 68

av. Hippodrome ✆ 01 45 94 61 61, *pietro-salvi@wanadoo.fr, Fax 01 45 93 32 69*
– – 60. AE GB JCB
Repas 120/190 – 45 – **57 ch** 290/390.

◆ En léger retrait de la route, chambres des années 1980 régulièrement rénovées, mais toujours équipées de leur mobilier d'origine. Bonne insonorisation.

XXX **Auberge du Petit Caporal** **BJ 70**

42 r. Gén. de Gaulle (N 4) 01 45 76 30 06, *Fax 01 45 76 30 06*
. AE GB
fermé 28 juil. au 24 août, vacances de fév., mardi soir, merc. soir et dim. – **Repas** 190 (déj.)/240 et carte 285 à 460.
◆ Dans les murs d'un ancien relais de poste, ce restaurant vous invite à découvrir l'ambiance conviviale de ses petites salles à manger et sa cuisine au goût du jour

---

Quincy-sous-Sénart *91480 Essonne 101 ㊳ – 7 079 h alt. 76.*

Paris 33 – Brie-Comte-Robert 7 – Évry 12 – Melun 23.

X **Lisière de Sénart**

33 r. Libération 01 69 00 87 15
– AE GB
fermé 15 au 30 août et vacances de fév. – **Repas** 165/255 et carte 270 à 400.
◆ Murs ornés d'objets paysans et tables gentiment dressées : telles sont les principales caractéristiques de ce modeste restaurant aménagé dans une maison de banlieue.

Roissy-en-France (Aéroports de Paris) *95700 Val-d'Oise 101 ⑧ – 2 054 h alt. 85.*

Charles-de-Gaulle 01 48 62 22 80.
Paris 26 – Chantilly 28 – Meaux 39 – Pontoise 38 – Senlis 27.

à Roissy-ville :

Copthorne

allée Verger 01 34 29 33 33, *sales.cdg@mill-cop.com, Fax 01 34 29 03 05*
M, , , – TV – 150. AE GB.
Repas *(fermé sam. midi, dim. midi et fériés midi)* 160 – 90 – **239 ch** 2050/2650.
◆ Avec ses équipements "dernier cri", cet hôtel a été pensé pour la clientèle d'affaires internationale ; télécopie, ordinateurs et salons privés dans certaines chambres.

Bleu Marine

Z.A. parc de Roissy 01 34 29 00 00, *bleu.roissy@wanadoo.fr, Fax 01 34 29 00 11*
M, – TV P – 80. AE GB JCB
Repas *(105)* - 165 et carte le dim. , enf. 49 – 65 – **153 ch** 760/960.
◆ Proximité de l'aéroport, espace, confort, chambres parfaitement insonorisées et salon équipé d'un billard font de cet hôtel une plaisante étape.

Mercure

allée Verger 01 34 29 40 00, *h1245@accor-hotels.com, Fax 01 34 29 00 18*
M, – TV P – 90. AE GB
Repas 124 , enf. 50 – 75 – **203 ch** 970/1600.
◆ Construction moderne située à 800 m de l'aéroport. Les chambres, avant tout pratiques, spacieuses et insonorisées, sont dans l'attente d'une rénovation.

Campanile

Z.A. parc de Roissy 01 34 29 80 40, *Fax 01 34 29 80 39*
– TV P – 100. AE GB
Repas *(82)* - 98/116 , enf. 39 – 39 – **264 ch** 525.
◆ Hôtel dont les chambres, conformes aux normes de la chaîne, sont bien tenues et bénéficient d'un double vitrage. Grande salle à manger dressée autour de buffets.

Ibis
av. Raperie ✆ 01 34 29 34 34, *Fax 01 34 29 34 19*
M – 70. AE GB JCB
Repas *(75)* - 95, enf. 49 – 65 – **300 ch** 850.
◆ À proximité de l'aéroport, immeuble récent dont les chambres bénéficient d'une isolation phonique correcte. La plupart ont adopté le nouveau style de la chaîne.

à l'aérogare n° 2 :

Sheraton
Aérogare n° 2 ✆ 01 49 19 70 70, *Fax 01 49 19 70 71*
M – 60. AE GB JCB
Les Étoiles *(fermé août, sam. et dim.)* **Repas** 310(déj.)/350
Les Saisons : **Repas** 210(déj.)/250, enf. 120 – 145 – **256 ch** 2900/3550, 12 appart.
◆ Descendez de votre avion et montez dans ce "paquebot" conçu dans un esprit futuriste. Décor d'Andrée Putman, vue sur le tarmac et calme absolu.

à Roissypole :

Hilton
✆ 01 49 19 77 77, *cdghitwsal@hilton.com, Fax 01 49 19 77 78*
M – – 500. AE GB JCB. rest
Gourmet *(fermé 15 juil. au 15 août, sam. et dim.)* **Repas** *(190)*-220
Aviateurs - brasserie **Repas** 195
– ***Oyster bar*** - produits de la mer **Repas** carte 250 à 350 – 130 – **387 ch** 3200/3700, 4 appart.
◆ Architecture audacieuse, espace et lumière sont les traits principaux de cet hôtel. Ses équipements de pointe en font un lieu propice au travail comme à la détente.

Sofitel
Zone centrale Ouest ✆ 01 49 19 29 29, *Fax 01 49 19 29 00*
M – 60. AE GB JCB
Repas (déj. seul.) *(95)* - 170/220 – 110 – **343 ch** 1800/2100, 5 appart.
◆ Accueil personnalisé, atmosphère feutrée, confort moderne et repas "brasserie" servis 24 h sur 24 sont les atouts maîtres de cet hôtel bâti entre les deux aérogares.

Novotel
✆ 01 49 19 27 27, *h1014@accor-hotels.com, Fax 01 49 19 27 99*
M – 60. AE GB JCB
Repas carte environ 180, enf. 50 – 75 – **201 ch** 870.
◆ Face aux pistes de l'aéroport, Novotel dont la majorité des chambres, bien tenues et équipées d'un double vitrage, ont adopté le nouveau style de la chaîne.

Ibis
✆ 01 49 19 19 19, *Fax 01 49 19 19 21*
M – rest, – 80. AE GB
Repas *(77)* - 97, enf. 39 – 39 – **556 ch** 510.
◆ Hôtel voisin de la station RER. Les chambres, rénovées peu à peu, sont plus grandes et chaleureuses dans le bâtiment récent.

Z.I. Paris Nord II – ✉ *95912 :*

Hyatt Regency
351 av. Bois de la Pie ✆ 01 48 17 12 34, *Fax 01 48 17 17 17*
M – 300. AE GB JCB.
Repas 230 (déj.), 295/345 – 115 – **383 ch** 2430/3030, 5 appart.
◆ Spectaculaire architecture érigée à proximité de l'aéroport. Modernité des installations et efficacité des services répondent aux attentes de la clientèle.

Voir aussi *ressources hôtelières au* **Mesnil-Amelot (77 S.-et-M.)**

Romainville 93230 Seine-St-Denis 101 ⑰, 20 25 – 23 563 h alt. 110.

Paris 10 – Bobigny 4 – St-Denis 12 – Vincennes 5.

Chez Henri AV 57
72 rte Noisy ✆ 01 48 45 26 65, *Fax 01 48 91 16 74*
P. AE GB
fermé août, dim., lundi et fériés – **Repas** 130/180 et carte 280 à 380 ♀.
◆ Mobilier de style Louis XVI et salle joliment dressée, dans une auberge égarée au milieu des usines. Cuisine au goût du jour, carte des vins étoffée (vieux millésimes).

Rosny-sous-Bois 93110 Seine-St-Denis 101 ⑰, 20 25 – 37 489 h alt. 80.

Paris 17 – Bobigny 8 – Le Perreux-sur-Marne 4 – St-Denis 16.

Quality Hôtel AY 61
4 r. Rome ✆ 01 48 94 33 08, *qualityhotel.rosny@wanadoo.fr, Fax 01 48 94 30 05*
M, – TV P – 15 à 100. AE GB
Vieux Carré *(fermé août, 24 déc. au 2 janv., vend. soir, sam. et dim.)* **Repas** *(99)*-135/150 – 70 – **97 ch** 850/950.
◆ Face au golf, un hôtel dont l'architecture et la décoration intérieure s'inspirent de la Louisiane. Tout comme le Vieux Carré est un clin d'oeil à La Nouvelle-Orléans.

Comfort Inn AX 61
1 r. Lisbonne ✆ 01 48 12 30 30, *confort.rosny@wanadoo.fr, Fax 01 45 28 83 69*
, rest, TV P – 30 à 70. AE GB.
Repas *(fermé 20 juil. au 20 août, 21 déc. au 2 janv., vend. soir, sam. et dim.)* carte environ 160 – 55 – **100 ch** 550/650.
◆ Dans une zone commerciale, petites chambres au mobilier contemporain régulièrement rafraîchies. Insonorisation satisfaisante. Ambiance feutrée au bar.

Dans la liste des rues des plans de villes,
les noms en rouge indiquent les principales voies commerçantes.

Rueil-Malmaison 92500 Hauts-de-Seine 101 ⑭, 18 25 *G. Ile de France – 66 401 h alt. 40.*

Voir *Château de Bois-Préau★ – Buffet d'orgues★ de l'église – Malmaison : musée★★ du château.*

Office de Tourisme 160 av. Paul-Doumer ✆ 01 47 32 35 75, Fax 01 47 14 04 48 et La Capitainerie 11 pl. des Impressionnistes ✆ 01 47 16 72 66, Fax 01 47 49 46 68.

Paris 14 – Argenteuil 11 – Nanterre 3 – St-Germain-en-Laye 9 – Versailles 13.

Novotel Atria AW 34
21 av. Ed. Belin ✆ 01 47 16 60 60, *Fax 01 47 51 09 29*
M – , rest, TV – 20 à 180. AE GB JCB
Repas *(fermé dim. midi et sam.)* 125/145 ♀, enf. 50 – 75 – **118 ch** 850/1020.
◆ Imposant immeuble moderne du quartier d'affaires Rueil 2000, à deux pas de la gare RER. Chambres fonctionnelles, décor contemporain au restaurant et centre de conférences.

Cardinal AY 35

1 pl. Richelieu ✆ 01 47 08 20 20, *hotelcardinal@wanadoo.fr, Fax 01 47 08 35 84*

sans rest – 15. AE GB

60 – **63 ch** 750/930.

◆ Construction récente située à proximité des châteaux et parcs. Chambres actuelles ou de style rustique, certaines avec mezzanine pour les familles. Salon-bar confortable.

Rastignac AW 34

1 pl. Europe ✆ 01 47 32 92 29, *Fax 01 47 32 93 35*

AE GB

fermé 30 juil. au 26 août, sam. et dim. – **Repas** 195/395 et carte 260 à 330 ♀.

◆ Au sein du nouveau quartier d'affaires, ce restaurant propose une cuisine au goût du jour dans une élégante salle à manger évoquant l'univers balzacien du Pére Goriot.

Pavillon des Muettes AX 36

4 r. René Cassin ✆ 01 47 08 41 68, *Fax 01 47 08 43 20*

– AE GB

fermé 30 juil. au 25 août, vacances de fév., sam. midi et dim. – **Repas** 190 et carte 200 à 310 ♀.

◆ Dans un secteur résidentiel jouxtant le centre-ville, ancienne maison particulière transformée en restaurant. Cadre élégant et confortable. Salons. Petite terrasse.

Bonheur de Chine AZ 37

6 allée A. Maillol (face 35 av. J. Jaurès) ✆ 01 47 49 88 88, *Fax 01 47 49 48 68*

AE GB

fermé lundi – **Repas** 98 (déj.), 160/230 et carte 130 à 200.

◆ Mobilier et autres éléments de décor en provenance d'Extrême-Orient composent le cadre authentique de ce restaurant où confluent toutes les saveurs de la cuisine chinoise.

Il est conseillé d'avoir une tenue vestimentaire adaptée à la classe et à la réputation de l'établissement choisi.

Rungis *94150 Val-de-Marne* 101 ㉖, 24 25 – *2 939 h alt. 80 Marché d'Intérêt National.*

Voir *Commune de la "Méridienne verte".*

Paris 14 – Antony 5 – Corbeil-Essonnes 29 – Créteil 10 – Longjumeau 11.

à Pondorly : *accès : de Paris, A6 et bretelle d'Orly ; de province, A6 et sortie Rungis*

Holiday Inn BM 50

4 av. Ch. Lindbergh ✆ 01 49 78 42 00, *hiorty-sales@alliance-hospitality.fr, Fax 01 45 60 91 25*

M – 15 à 150. AE GB

Repas *(98)* - 138 ♀, enf. 75 – 85 – **171 ch** 1050/1250.

◆ Au bord de l'autoroute, établissement de grand confort dont les chambres, équipées du double vitrage, sont spacieuses et modernes.

Grand Hôtel Mercure Orly BM 50

20 av. Ch. Lindbergh ✆ 01 56 70 56 70, *h1298@accor-hotels.com, Fax 01 56 70 56 56*

M, – 15 à 140. AE GB

Repas *(fermé sam. midi et dim. midi)* 215 ♀, enf. 65 – 75 – **190 ch** 1235.

◆ Cet hôtel installé dans une tour dispose de chambres fonctionnelles, bien insonorisées et joliment colorées. Au bar, le décor rend hommage aux héros de l'Aéropostale.

Novotel BM 50
Zone du Delta, 1 r. Pont des Halles ✆ 01 45 12 44 12, *h1628@accor-hotels.com, Fax 01 45 12 44 13*
M, – ♿ 15 à 150. AE GB
Repas *(99)* - carte environ 160 ♀, enf. 50 – 70 – **187 ch** 830/875.
◆ Les chambres de ce Novotel sont aménagées selon les normes de la chaîne et équipées d'un double vitrage. Bar décoré sur le thème de la B. D.

Ibis BM 50
1 r. Mondétour ✆ 01 46 87 22 45, *h085@accor-hotels.com, Fax 01 46 87 84 72*
– ♿ P – 60. AE GB. rest
Repas 95 – 39 – **119 ch** 395.
◆ Construction cubique dont les chambres adoptent progressivement le nouveau style de la chaîne. À l'heure du déjeuner, la petite terrasse sur l'arrière est très prisée.

à Rungis-ville :

Charolais BN 50
13 r. N.-Dame ✆ 01 46 86 16 42
AE GB
fermé 8 août au 3 sept., sam. et dim. – **Repas** 150/215.
◆ Auberge bordant une placette à la charmante atmosphère provinciale. Vous y prendrez un repas traditionnel dans un cadre rustique.

St-Cloud *92210 Hauts-de-Seine 101 ⑭, 22 25 G. Ile de France – 28 597 h alt. 63.*

Voir *Parc★★ (Grandes Eaux★★) – Église Stella Matutina★.*
Paris 13 – Nanterre 8 – Rueil-Malmaison 6 – St-Germain 17 – Versailles 11.

Villa Henri IV BB 38
43 bd République ✆ 01 46 02 59 30, *Fax 01 49 11 11 02*
P – 25. AE GB
Bourbon *(fermé 27 juil. au 27 août et dim. soir)* **Repas** *(90)*-120/185 ♀, enf. 85 – 48 – **36 ch** 480/580.
◆ Le charme de l'ancien dans cette villa clodoaldienne aux chambres garnies de meubles de style ; toutes sont bien insonorisées. Cuisine traditionnelle au Bourbon.

Quorum BB 38
2 bd République ✆ 01 47 71 22 33, *Fax 01 46 02 75 64*
rest, ♿ P. AE GB
Repas *(fermé août, sam. et dim.)* 128 – 45 – **58 ch** 480/520.
◆ Bâtiment récent abritant des chambres rénovées depuis peu, fonctionnelles et équipées d'un double vitrage. Le beau parc de Saint-Cloud (450 ha) est à deux pas.

Garde-Manger BB 39
21 r. Orléans ✆ 01 46 02 03 66, *Fax 01 46 02 11 55*
GB
fermé dim. et fériés – **Repas** 90 et carte environ 220 ♀.
◆ Accueil souriant, service décontracté mais efficace et cuisine généreuse sont les atouts de ce petit bistrot de quartier. On y mange au coude à coude.

St-Denis *SP 93200 Seine-St-Denis 101 ⑯, 20 25 G. Île de France – 89 988 h alt. 33.*

Voir *Basilique★★★ – Stade de France★ – Commune de la "Méridienne Verte".*
Office de Tourisme 1 r. de la République ✆ 01 55 87 08 70, Fax 01 48 20 24 11.
Paris 12 – Argenteuil 12 – Beauvais 71 – Bobigny 10 – Chantilly 31 – Pontoise 27 – Senlis 43.

Ibis Stade de France Sud AS 51

r. Coquerie ✆ 01 55 93 36 00, *Fax 01 55 93 36 36*

M sans rest – ✉ ✉ ✉ TV ✆ ♿ P. AE ① GB

☕ 39 – **95 ch** 345.

◆ Ibis récent proposant des chambres meublées dans le nouveau style de la chaîne, toutes bien insonorisées et équipées de doubles fenêtres côté boulevard.

Campanile AP 51

14 r. J. Jaurès ✆ 01 48 20 74 31, *Fax 01 48 20 74 26*

TV ✆ ♿ – 25. AE ① GB

Repas 98/116 ♀, enf. 39 – ☕ 39 – **99 ch** 460.

◆ Bonne situation à proximité de la station de métro et de la basilique. Chambres petites mais très bien tenues, dans l'attente d'une rénovation.

Les Verdiots AR 50

26 bd M. Sembat ✆ 01 42 43 24 33, *verdiotsperney@wanadoo.fr, Fax 01 42 43 43 44*

AE GB

fermé août, 14 au 20 janv., dim. et lundi – **Repas** 68 (déj.)/108 et carte environ 230 ♀.

◆ L'une des salles à manger est conviviale et simplement dressée, l'autre est plus intime et cossue. La cuisine du marché privilégie les produits landais.

Pour être inscrit au **guide Michelin**
– pas de piston,
– pas de pot de vin!

St-Germain-en-Laye

SP *78100 Yvelines* 101 ⑬, 18 25 *G. Île de France – 39 926 h alt. 78.*

Voir *Terrasse★★ – Jardin anglais★ – Château★ : musée des Antiquités nationales★★ – Musée du Prieuré★.*

Office de Tourisme 38 r. Au Pain ✆ 01 34 51 05 12, Fax 01 34 51 36 01.

Paris 24 ③ – Beauvais 81 ① – Dreux 68 ③ – Mantes-la-Jolie 35 ④ – Versailles 14 ③.

Ermitage des Loges AY x

11 av. Loges ✆ 01 39 21 50 90, *ermitage@easynet.fr, Fax 01 39 21 50 91*

M, – TV ✆ ♿ P – 30 à 150. AE ① GB. rest

Repas *(98)* - 175/335 ♀, enf. 60 – ☕ 60 – **56 ch** 600/710 – ½ P 555.

◆ Hôtel rénové dans le style Art déco ; harmonie des tons dans les chambres (à l'annexe, elles bénéficient du calme du jardin), atmosphère feutrée au restaurant.

Clémentine AZ v

24 r. St-Pierre ✆ 01 34 51 77 78, *Fax 01 39 73 87 32*

AE GB JCB

fermé 15 au 31 août, dim. soir et lundi – **Repas** 90 (déj.), 179/450 et carte 300 à 550 ♀.

◆ Cadre contemporain aux lignes épurées et murs égayés de lithographies colorées. Petite adresse très courue pour sa cuisine aux accents provençaux.

Feuillantine AZ a

10 r. Louviers ✆ 01 34 51 04 24

AE GB

Repas *(98)* - 155 ♀.

◆ Restaurant dans une rue piétonne commerçante. En salle, poutres anciennes, banquettes et ambiance "bonne franquette" ; on y mange au coude à coude.

ST-GERMAIN-EN-LAYE

Bonnenfant (R.A.) . . . . . AZ 3
Coches (R. des) . . . . AZ 4
Denis (R. M.) . . . . AZ 5
Detaille (Pl.) . . . . AY 6
Giraud-Teulon (R.) . . . . . BZ 9
Gde-Fontaine (R.) . . . . . AZ 10
Loges (Av. des) . . . . AY 14
Malraux (Pl. A.) . . . . BZ 16
Marché-Neuf (Pl. du) . . AZ
Mareil (Pl.) . . . . AZ 19
Pain (R. au) . . . . AZ 20
Paris (R. de) . . . . AZ
Poissy (R. de) . . . . AZ 22
Pologne (R. de) . . . . AY 23
Surintendance (R. de la) . AY 28
Victoire (Pl. de la) . . . . . . AY 30
Vieil-Abreuvoir (R. du) . . . AZ 32
Vieux-Marché (R. du) . . . . AZ 33

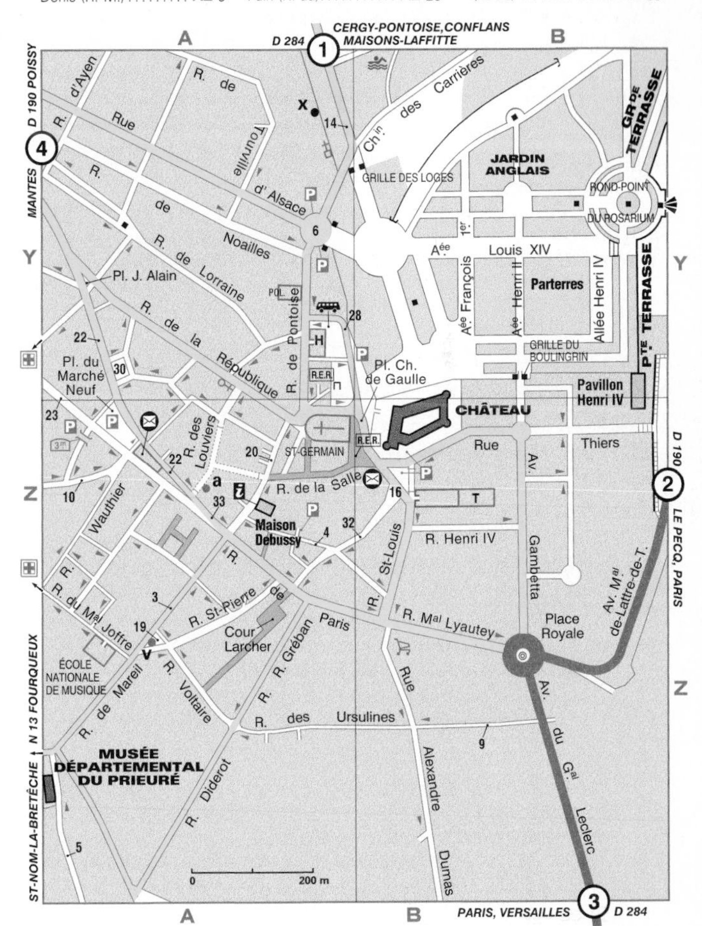

par ① *et D 284 : 2,5 km –* ✉ *78100 St-Germain-en-Laye :*

Forestière
1 av. Prés. Kennedy ✆ 01 39 10 38 38, *hotel@cazauddechore.fr*, *Fax 01 39 73 73 88*
M, – – P – 30. AE GB JCB
voir rest. ***Cazaudehore*** ci-après – ☕ 85 – **25 ch** 950/1200, 5 appart.
◆ Séduisante maison située dans un jardin en lisière de forêt. Le choix des coloris et un mobilier de belle facture personnalisent les chambres, toutes "cosy".

Cazaudehore
1 av. Prés. Kennedy 01 30 61 64 64, *hotel@cazauddehore.fr, Fax 01 39 73 73 88*
, – P. AE GB JCB
fermé lundi sauf fériés – **Repas** (190) - 290 bc (déj.)/380 bc et carte 300 à 500.
◆ En cette belle demeure entourée d'un jardin fleuri, il est permis d'hésiter entre l'élégante salle à manger où le feu crépite dans la cheminée et la terrasse ombragée.

St-Leu-la-Forêt *95320 Val d'Oise 101 ④ – 14 489 h alt. 120.*

Paris 27 – Nanterre 21 – Beauvais 60 – Chantilly 29 – L'Isle-Adam 15 – Pontoise 14.

Petit Castor
68 r. Paris 01 39 32 94 13, *Fax 01 30 40 85 52*
. GB
fermé août, dim. soir et merc. – **Repas** 100/250 et carte 240 à 430 ♀.
◆ Situé au centre de la localité, ce restaurant propose une cuisine traditionnelle. Murs crépis et poutres apparentes président au décor rustique de la salle à manger.

St-Mandé *94160 Val-de-Marne 101 ㉗, 24 25 – 18 684 h alt. 50.*

Paris 7 – Créteil 10 – Lagny-sur-Marne 30 – Maisons-Alfort 6 – Vincennes 2.

Ambassade de Pékin BA 56
6 av. Joffre 01 43 98 13 82, *Fax 01 43 28 31 93*
. AE GB
– **Repas** 76(déj.) et carte 140 à 250.
◆ Adresse appréciée avant tout pour l'originalité de sa cuisine vietnamienne et thaïlandaise, servie avec courtoisie et efficacité dans un cadre actuel.

Rhétais BB 56
34 av. Gén. de Gaulle 01 43 28 10 28
. AE GB
fermé août, dim. soir et lundi – **Repas** 150 (déj.)/210 ♀
◆ Tons bleu et jaune, marines, vivier et carte où poissons et fruits de mer se volent la vedette : retrouvez l'atmosphère îlienne de Ré au cœur de l'Île... de France !

Aux Capucins BB 56
44 av. Gén. de Gaulle 01 43 28 23 93, *Fax 01 43 28 10 90*
. AE GB JCB
fermé août et merc. – **Repas** 130/185 ♀.
◆ Dans une rue commerçante d'un quartier animé, petite auberge au cadre rustique, où l'on prépare une cuisine du marché inspirée du Sud-Ouest.

St-Maur-des-Fossés *94100 Val-de-Marne 101 ㉗, 24 25 – 77 206 h alt. 38.*

Office de Tourisme 70 av. République 01 42 83 84 74, Fax 01 42 83 84 74.
Paris 12 – Créteil 6 – Nogent-sur-Marne 5.

Auberge de la Passerelle BH 61
37 quai de la Pie 01 48 83 59 65, *Fax 01 48 89 91 24*
. AE GB
fermé août – **Repas** 190/260 et carte 300 à 350 ♀.
◆ Salle à manger aménagée dans une véranda flanquant un pavillon des bords de Marne. Décor sobre et cuisine traditionnelle privilégiant poissons et crustacés.

XX **Gourmet** BH 62
150 bd Gén. Giraud (quartier de la Pie) ✆ 01 48 86 86 96, *Fax 01 48 86 86 96*
– GB
fermé 1er au 15 sept., 7 au 15 janv., dim. soir et lundi – **Repas** 175/300.
◆ Petite atmosphère Belle Époque en ce restaurant où le chef concocte une cuisine gorgée de soleil. L'été, la terrasse fleurie est très demandée.

à La Varenne-St-Hilaire – ✉ *94210 :*

Winston BG 65
119 quai W. Churchill ✆ 01 48 85 00 46, *Fax 01 48 89 98 89*
sans rest – TV P. AE GB JCB
40 – **23 ch** 500/600.
◆ Dans un secteur résidentiel, grande chaumière moderne abritant des chambres meublées en bois cérusé, bien tenues et régulièrement rafraîchies.

XXX **Bretèche** BJ 64
171 quai Bonneuil ✆ 01 48 83 38 73, *labreteche@cyber-club.org, Fax 01 42 83 63 19*
– . AE GB
fermé vacances de fév., dim. soir et lundi – **Repas** 160 et carte 300 à 360.
◆ Adresse estimée pour son décor élégant et sa cuisine au goût du jour. La terrasse en bord de Marne devient agréable aux heures où les RER se raréfient.

XX **Régency 1925** BH 65
96 av. Bac ✆ 01 48 83 15 15, *Fax 01 48 89 99 74*
. AE GB
Repas 140 et carte 280 à 380.
◆ Décor d'inspiration Art déco, boiseries, box de velours et baies vitrées tournées vers le patio font l'agrément de ce restaurant. Cuisine traditionnelle.

X **Gargamelle** BG 65
23 av. Ch. Péguy ✆ 01 48 86 04 40
– AE GB
fermé 12 au 27 août, dim. soir et lundi – **Repas** *(95)* - 149/249.
◆ Cuisine simple et goûteuse, service tout sourire et agréable terrasse fleurie sont les atouts de ce restaurant par ailleurs modeste : on s'y bouscule !

St-Maurice *94410 Val-de-Marne* 101 ㉗ – *11 157 h alt. 50.*
Paris 8 – Évry 34 – Fontainebleau 66 – Chartres 90 – Étampes 53 – Melun 43.

XXX **Michel B.** BE 59
6 r. P. Verlaine ✆ 01 48 89 40 90, *Fax 01 48 89 48 23*
– . AE GB
fermé août, vacances de fév., sam. midi, dim. soir et lundi soir – **Repas** *(160)* - 200.
◆ Dans un quartier neuf voisin de l'hippodrome de Vincennes, restaurant dont le confort, l'élégance et la cuisine traditionnelle séduisent la clientèle.

St-Ouen *93400 Seine-St-Denis* 101 ⑯, 18 25 – *42 343 h alt. 36.*
Voir *Commune de la "Méridienne verte".*
Office de Tourisme (fermé en août) pl. République ✆ 01 40 11 77 36, Fax 01 40 11 01 70.
Paris 9 – Bobigny 11 – Chantilly 35 – Meaux 48 – Pontoise 26 – St-Denis 5.

Sovereign AS 49
54 quai Seine ✆ 01 40 12 91 29, *sovereign.st.ouen@wanadoo.fr*, *Fax 01 40 10 89 49*
– 30. AE GB
Repas *(fermé sam. et dim.) (78)* - 115 – 40 – **104 ch** 320/355.
◆ Immeuble moderne dominant la Seine. Les petites chambres, équipées d'un mobilier moderne simple, sont égayées de tissus colorés et fleuris.

Coq de la Maison Blanche AT 49
37 bd J. Jaurès ✆ 01 40 11 01 23, *Fax 01 40 11 67 68*
– . AE GB JCB
fermé dim. – **Repas** 190 et carte 230 à 360 ♀.
◆ Allure de brasserie cossue et cuisine traditionnelle sont les traits principaux de ce restaurant aménagé dans un ancien relais de poste. Service décontracté et efficace.

St-Pierre-du-Perray *91280 Essonne 101 ㊳ – 3 342 h alt. 88.*
Paris 43 – Brie-Comte-Robert 16 – Évry 10 – Melun 21.

Novotel
golf de Greenparc ✆ 01 69 89 75 75, *h1783@accor-hotel.com*, *Fax 01 69 89 75 50*
M, , , – – 120. AE GB JCB
Repas *(98)* - 128 ♀, enf. 50 – 65 – **78 ch** 595/735.
◆ De construction récente, cet hôtel dispose de chambres du modèle "dernière génération" de la chaîne ; la moitié d'entre elles offrent une vue sur le golf.

Pour être inscrit au guide Michelin
– pas de piston,
– pas de pot de vin !

St-Quentin-en-Yvelines *78 Yvelines 101 ㉑, 25 G. Île de France.*
Paris 33 – Houdan 31 – Palaiseau 22 – Rambouillet 21 – Versailles 14.

Montigny-le-Bretonneux *– 31 687 h. alt. 162 – ✉ 78180 :*

Mercure BJ 23
9 pl. Choiseul ✆ 01 39 30 18 00, *h1983@accor-hotels.com*, *Fax 01 30 57 15 22*
M, – – 20 à 70. AE GB
Repas *(fermé dim. midi et sam.) (95)* - 125/165 ♀ – 68 – **74 ch** 640/695.
◆ Intégré à un ensemble immobilier, hôtel dont les chambres, assez grandes, sont d'une discrète élégance : sobriété du décor, harmonie des couleurs et meubles raffinés.

Auberge du Manet BL 21
61 av. Manet ✆ 01 30 64 89 00, *mail@aubergedumanet*, *Fax 01 30 64 55 10*
, – . AE GB JCB
Repas 160/215 ♀, enf. 50 – 60 – **35 ch** 520/630.
◆ Propriété de l'abbaye de Port-Royal-des-Champs au 17e s., domaine agricole sous la Révolution, et aujourd'hui auberge à l'atmosphère chaleureuse.

Holiday Inn Garden Court BH 22
r. J.-P. Timbaud (rte Bois d'Arcy sur D 127) ✆ 01 30 14 42 00, *higcsaintquentin@alliance-hotellerie.fr*, *Fax 01 30 14 42 42*
M, – – 20 à 60. AE GB JCB
Repas *(fermé sam. et dim.) (88)* - 102/142 , enf. 50 – 65 – **81 ch** 800.
◆ Dans le quartier du Pas-du-Lac, établissement moderne dont les chambres, plutôt petites, meublées dans un style actuel, sont bien équipées et rigoureusement tenues.

Voisins-le-Bretonneux – *11 220 h. alt. 163 – ✉ 78960 :*

Voir *Vestiges de l'abbaye Port-Royal des Champs★ SO : 4 km.*

Novotel St-Quentin Golf National **BN 25**
au Golf National, Est : 2 km par D 36 ✉ 78114 Magny-lès-Hameaux
✆ 01 30 57 65 65, *h1139@accor-hotels.com, Fax 01 30 57 65 00*
M, 15 à 180. AE GB
Repas carte environ 180 ♀, enf. 50 – ☕ 68 – **130 ch** 620/670.
◆ Environnement calme du golf, chambres confortables, parfois dotées d'un balcon : des atouts pouvant séduire la clientèle, principalement d'affaires, de cet hôtel.

Relais de Voisins **BM 23**
av. Grand-Pré ✆ 01 30 44 11 55, *Fax 01 30 44 02 04*
40. GB.
fermé 1er au 15 déc. et dim. soir – **Repas** 79/159 – ☕ 32 – **54 ch** 350/370.
◆ Dans un quartier résidentiel et juste à côté du jardin botanique, établissement proposant des chambres très simplement meublées, mais fonctionnelles et bien tenues.

Port Royal **BM 24**
20 r. H. Boucher ✆ 01 30 44 16 27, *Fax 01 30 57 52 11*
sans rest, P. GB
☕ 38 – **40 ch** 300/320.
◆ Niché dans une impasse, hôtel dont les chambres, de style rustique ou moderne, sont agréablement lambrissées, mais aussi plus simples, au dernier étage.

Un automobiliste averti utilise le **guide Michelin** *de l'année.*

Ste-Geneviève-des-Bois *91700 Essonne 101 ㉟ ㊱ G. Île de France – 31 286 h alt. 78.*

Voir *Commune de la "Méridienne verte".*

Office de Tourisme Le Donjon 8 av. du Château ✆ 01 60 16 29 33, Fax 01 60 15 56 78.

Paris 28 – Arpajon 12 – Corbeil-Essonnes 17 – Étampes 31 – Évry 10 – Longjumeau 10.

Table d'Antan **CC 48**
38 av. Gde Charmille du Parc, près H. de Ville ✆ 01 60 15 71 53, *Fax 01 60 15 71 53*
GB
fermé 7 août au 3 sept., mardi soir, merc. soir, dim. soir et lundi – **Repas** 155/295 et carte 230 à 370 ♀.
◆ Nouveau décor, dans les tons bordeaux, pour cet aimable restaurant égaré dans un ensemble résidentiel. Carte traditionnelle agrémentée de spécialités du Sud-Ouest .

Sartrouville *78500 Yvelines 101 ⑬, 18 25 – 50 329 h alt. 46.*

Paris 21 – Maisons-Laffitte 2 – Pontoise 19 – St-Germain-en-Laye 8 – Versailles 20.

Jardin Gourmand **AN 37**
109 rte Pontoise (N 192) ✆ 01 39 13 18 88, *Fax 01 61 04 03 07*
AE GB
fermé 13 au 26 août et dim. soir – **Repas** 140/280 et carte 260 à 340.
◆ Aménagé dans un ancien garage, ce restaurant offre un surprenant cadre rustico-bourgeois. Un vivier à homards anime la salle à manger.

Savigny-sur-Orge *91600 Essonne 101 ㊱ – 33 295 h alt. 81.*

Voir *Commune de la "Méridienne verte".*

Paris 23 – Arpajon 19 – Corbeil-Essonnes 17 – Évry 11 – Longjumeau 6.

XX Au Ménil BX 50

24 bd A. Briand ☎ 01 69 05 47 48, *Fax 01 69 44 09 44*

▤. AE GB

fermé 15 juil. au 15 août, lundi soir et mardi – **Repas** 168/280 ♁.

◆ Accueil chaleureux, service attentionné et cuisine sans tralala sont les atouts de ce restaurant au cadre de bistrot élégant. Il n'est pas rare qu'on s'y bouscule !

Sevran *93270 Seine-St-Denis 101 ⑱, 20 25 – 48 478 h alt. 50.*

Paris 21 – Bobigny 8 – Meaux 28 – Villepinte 4.

Campanile AN 65

5 r. A. Léonov ☎ 01 43 84 67 77, *Fax 01 43 83 27 40*

- 25. AE ⓓ GB

Repas 98/119 ♁, enf. 39 – ☕ 39 – **55 ch** 395.

◆ Bordant la route et proche d'un centre commercial, immeuble abritant des chambres parquetées, récemment repeintes et équipées du double vitrage.

Pour être inscrit au guide Michelin
– pas de piston,
– pas de pot de vin!

Sèvres *92310 Hauts-de-Seine 101 ㉔, 22 25 G. Île de France – 21 990 h alt. 48.*

Voir *Musée National de céramique★★ – Étangs★ de Ville d'Avray O : 3 km.*

Paris 12 – Boulogne-Billancourt 3 – Nanterre 14 – St-Germain-en-Laye 19 – Versailles 8.

XX Auberge Garden BF 38

24 rte Pavé des Gardes ☎ 01 46 26 50 50, *Fax 01 46 26 58 58*

– AE GB

fermé 30 juil. au 20 août, 23 déc. au 1er janv., sam. midi, dim. soir et lundi – **Repas** *(152)* - 188.

◆ Ancienne auberge du quartier des Bruyères, à l'orée de la forêt de Meudon. Sympathique salle à manger sobrement décorée. Agréable terrasse en été.

Soisy-sur-Seine *91450 Essonne 101 ㊲ – 7 145 h alt. 39.*

Paris 34 – Évry 4 – Fontainebleau 40 – Chartres 83 – Étampes 40 – Melun 26.

XX Terrasse des Donjons CB 59

74 av. République ☎ 01 60 75 66 06, *Fax 01 60 75 66 44*

– GB

fermé sam. midi, dim. soir et lundi – **Repas** *(125)* - 160.

◆ En 1905, cette maison faisait commerce de vins. Aujourd'hui, la même enseigne signale un restaurant. Salle à manger contemporaine complétée d'une terrasse abritée.

Sucy-en-Brie *94370 Val-de-Marne* 101 ㉘, 24 25 – *25 839 h alt. 96.*
Voir *Château de Gros Bois★ : mobilier★★ S : 5 km,* **G. Ile de France.**
Paris 22 – Créteil 7 – Chennevières-sur-Marne 4.

quartier les Bruyères *Sud-Est : 3 km :*

Tartarin BM 68
carrefour de la Patte d'Oie ✆ 01 45 90 42 61, *aub-tartarin@wanadoo.fr, Fax 01 45 90 52 55*
– – 30. GB
fermé août et lundi – **Repas** 125/275 – **12 ch** 295/325.
◆ Depuis trois générations, la même famille vous reçoit dans cet ancien rendez-vous de chasse posté à l'orée de la forêt. Il y règne une chaleureuse atmosphère campagnarde.

Terrasse Fleurie BM 68
1 r. Marolles ✆ 01 45 90 40 07, *Fax 01 45 90 40 07*
– P. AE GB
fermé 6 au 29 août, 2 au 12 fév., le soir (sauf vend. et sam.) et merc. – **Repas** 110/190, enf. 60.
◆ Aménagé dans un pavillon, restaurant dont la cuisine, simple et généreuse, se savoure dans la salle à manger rustique ou sur l'agréable terrasse fleurie.

Suresnes *92150 Hauts-de-Seine* 101 ⑭, 18 25 *G. Ile de France – 35 998 h alt. 42.*
Voir *Fort du Mont Valérien (Mémorial National de la France combattante).*
Office de Tourisme 50 bd Henri-Sellier ✆ 01 41 18 18 76, Fax 01 41 18 18 78.
Paris 12 – Nanterre 5 – Pontoise 33 – St-Germain-en-Laye 14 – Versailles 13.

Novotel AY 40
7 r. Port aux Vins ✆ 01 40 99 00 00, *h1143@accor-hotels.com, Fax 01 45 06 60 06*
M – – 25 à 100. AE GB
Repas *(110)* - 150 et carte 180 à 230, enf. 50 – 70 – **107 ch** 940, 3 appart.
◆ Hôtel de chaîne construit en 1990 dans une rue calme proche des quais. Chambres fonctionnelles insonorisées et bien tenues. Restaurant actuel ouvert sur un îlot de verdure.

Atrium AZ 39
68 bd H. Sellier ✆ 01 42 04 60 76, *Fax 01 46 97 71 61*
M sans rest, – – 25. AE GB JCB
55 – **42 ch** 680/750.
◆ Chambres feutrées, meublées dans le style anglais ; quelques-unes regardent Paris. Fauteuils en osier et canapés en cuir dans les salons éclairés par une vaste verrière.

Astor AY 39
19 bis r. Mt Valérien ✆ 01 45 06 15 52, *Fax 01 42 04 65 29*
sans rest – . AE GB
42 – **51 ch** 380.
◆ À 200 m du Mont Valérien - lieu de mémoire de la Résistance - établissement familial aux chambres sobres et bien tenues, équipées d'un double vitrage efficace.

Les Jardins de Camille AY 39
70 av. Franklin Roosevelt ✆ 01 45 06 22 66, *Fax 01 47 72 42 25*
<, – AE GB JCB
fermé dim. soir – **Repas** 175/210.
◆ Magnifique vue sur Paris et la Défense depuis la salle et la terrasse de cette ancienne ferme transformée en restaurant. Côté cuisine, la Bourgogne est à l'honneur.

Tremblay-en-France
93290 Seine-St-Denis 101 ⑱, 20 25 – 31 385 h alt. 60.
Paris 24 – Aulnay-sous-Bois 6 – Bobigny 14 – Villepinte 4.

Relais Gourmand — AL 68
2 rte Petits Ponts ✆ 01 48 60 87 34, *Fax 01 49 63 85 47*
▤. AE GB
fermé 1er au 8 mai, dim. soir et lundi – **Repas** 198 et carte 320 à 410
◆ À 10 mn de l'aéroport de Roissy, dégustez une cuisine classique renouvelée chaque saison dans cette salle d'esprit années 1980. Bon choix de gibier en automne.

au Tremblay-Vieux-Pays :

Cénacle — AJ 68
1 r. Mairie ✉ 93290 ✆ 01 48 61 32 91, *Fax 01 48 60 43 89*
AE GB
fermé août, sam et dim. – **Repas** 230/380 et carte 290 à 430, enf. 100.
◆ Cette façade assez anodine dissimule trois élégantes petites salles à manger : tons ocre, tableaux, sièges cannés et, apanage de l'une d'elles, aquarium à crustacés.

Triel-sur-Seine
78510 Yvelines 101 ① ② G. Île de France – 9 615 h alt. 20.
Voir *Église St-Martin*★.
Paris 39 – Mantes-la-Jolie 27 – Pontoise 14 – Rambouillet 55 – St-Germain-en-Laye 12.

St-Martin
2 r. Galande (face Poste) ✆ 01 39 70 32 00, *Fax 01 39 74 30 34*
GB
fermé 5 au 29 août, dim. soir, lundi soir et merc. – **Repas** (nombre de couverts limité, prévenir) 109/180, enf. 60.
◆ À côté d'une jolie église gothique du 13e s., restaurant dont le point fort est sa goûteuse cuisine, préparée avec simplicité. Une adresse qui a ses fidèles.

Vanves
92170 Hauts-de-Seine 101 ㉕, 22 25 – 25 967 h alt. 61.
Paris 7 – Boulogne-Billancourt 4 – Nanterre 17.

Mercure Porte de la Plaine — BD 45
36 r. Moulin ✆ 01 46 48 55 55, *h0375@accor-hotels.com, Fax 01 46 48 56 56*
M – ▤ TV ✆ ♿ – 🏊 20 à 180. AE ⓓ GB JCB
Repas *(105)* - carte 130 à 210 ♀, enf. 50 – ☕ 80 – **384 ch** 1060/1220, 4 appart.
◆ Face au parc des expositions, bâtiment des années 1980 abritant des chambres bien insonorisées. Peu à peu rénovées, elles adoptent un décor actuel. Restaurant-atrium.

Parc des Expositions — BD 44
18 r. E. Baudouin ✆ 01 41 46 06 46, *info@hotel-parc-expositions.fr, Fax 01 41 46 06 47*
M sans rest – TV ✆ ♿ – 15 à 30. AE GB
☕ 60 – **55 ch** 650/750.
◆ Dans une petite rue calme voisine du parc, cet hôtel propose des chambres confortables, aménagées dans un discret esprit Art déco. Confortables fauteuils club au salon.

Ibis — BD 45
43 r. J. Bleuzen ✆ 01 40 95 80 00, *Fax 01 40 95 96 99*
M sans rest – TV ✆ ♿. AE ⓓ GB
☕ 39 – **71 ch** 425/475.
◆ Près de la station de métro Malakoff-Plateau de Vanves. L'hôtel est tranquille, les chambres sont fonctionnelles et bien tenues. Préférez celles donnant sur l'arrière.

XXX **Pavillon de la Tourelle** **BE 44**
10 r. Larmeroux ☎ 01 46 42 15 59, *pavillontourelle@wanadoo.fr, Fax 01 46 42 06 27*
– AE GB JCB
fermé 30 juil. au 27 août, vacances de fév., dim. soir et lundi – **Repas** *(160)* - 200/490 bc et carte 310 à 500, enf. 150.
◆ Bordant le parc municipal, ce pavillon surmonté d'une tourelle abrite un élégant restaurant : tons pastel, sièges de style Louis XVI et bouquets de fleurs fraîches.

Vaucresson *92420 Hauts-de-Seine 101 ㉓, 22 25 – 8 118 h alt. 160.*

Voir *Etang de St-Cucufa★ NE : 2,5 km – Institut Pasteur - Musée des Applications de la Recherche★ à Marnes-la-Coquette SO : 4 km,* **G. Ile de France.**
Paris 18 – Mantes-la-Jolie 44 – Nanterre 17 – St-Germain-en-Laye 12 – Versailles 5.

Voir Plan de Versailles

XXX **Auberge de la Poularde** U a
36 bd Jardy (près autoroute) D 182 ☎ 01 47 41 13 47, *Fax 01 47 41 13 47*
– AE GB JCB
fermé août, vacances de fév., dim. soir, mardi soir et merc. – **Repas** 175 et carte 260 à 340.
◆ Accueil aimable et service impeccable distinguent cette auberge à la charmante atmosphère provinciale. La carte, classique, met la poularde de Bresse à l'honneur.

Un automobiliste averti utilise le **guide Michelin** *de l'année.*

Vélizy-Villacoublay *78140 Yvelines 101 ㉔, 22 25 – 20 725 h alt. 164.*

Paris 19 – Antony 13 – Chartres 81 – Meudon 9 – Versailles 6.

Holiday Inn **BJ 39**
av. Europe, près centre commercial Vélizy II ☎ 01 39 46 96 98, *hivelizy.hotel@alliance-hotellerie.fr, Fax 01 34 65 95 21*
M, – 170. AE GB. rest
Repas 200/245 et carte 190 à 340, enf. 65 – 95 – **182 ch** 1390/1590.
◆ Les chambres de cet établissement sont confortables et bien tenues, plus actuelles au sixième étage. Préférez celles tournant le dos à l'autoroute.

XX **Orée du Bois** **BH 35**
2 r. M. Sembat ☎ 01 39 46 38 40, *Fax 01 30 70 88 67*
– AE GB
fermé août, sam. et dim. – **Repas** *(125)* - 155 et carte environ 300.
◆ Restaurant installé dans un pavillon moderne. Spacieuse salle à manger avec sol dallé de marbre, pimpant cadre contemporain et éclairage bien étudié.

Vernouillet *78540 Yvelines 101 ① G. Île de France – 8 676 h alt. 24.*

Voir *Clocher★ de l'église.*
Paris 37 – Mantes-la-Jolie 25 – Pontoise 16 – Rambouillet 53 – Versailles 28.

XX **Les Charmilles**
38 av. P. Doumer ☎ 01 39 71 64 02, *Fax 01 39 65 98 62*
avec ch, – 30. AE GB
fermé 8 au 22 août – **Repas** *(fermé dim. soir et lundi) (110)* - 160/230 – 35 – **9 ch** 230/330.
◆ Belle résidence de banlieue abritant un restaurant chaleureux et élégant. La terrasse d'été s'avance vers un jardin dont la végétation masque les constructions alentour.

Versailles

P 78000 Yvelines 101 ㉓, 22 25 *G. Île de France – 87 789 h alt. 130.*

Voir *Château★★★ – Jardins★★★ (Grandes Eaux★★★ et fêtes de nuit★★★ en été) – Ecuries Royales★ – Trianon★★ – Musée Lambinet★* Y **M.**

Env. *Jouy-en-Josas : la "Diège"★ (statue) dans l'église, 7 km par ③.*

Office de Tourisme 2 bis av. Paris ☎ 01 39 24 88 88, Fax 01 39 24 88 89.

Paris 21 ① – Beauvais 95 ⑨ – Dreux 60 ⑥ – Évreux 89 ⑧ – Melun 65 ④ – Orléans 127 ④.

Plans pages suivantes

Trianon Palace — X r

1 bd Reine ☎ 01 30 84 50 00, *trian@westin.com, Fax 01 30 84 50 01*
M, ch, – 15 à 200. AE GB JCB
voir rest. ***Les Trois Marches*** ci-après
- ***Café Trianon :*** **Repas** carte 240 à 420 ♀, enf. 80 – ☕ 190 – **166 ch** 2700/3400, 26 appart.

◆ L'architecture classique de ce luxueux hôtel situé en lisière du parc du château s'accorde avec un élégant décor du début du 20e s. rehaussé d'un mobilier choisi.

Sofitel Château de Versailles — Y a

2 bis av. Paris ☎ 01 39 07 46 46, *h1300@accor-hotels.com, Fax 01 39 07 46 47*
M, – 90. AE GB JCB. rest
Repas *(fermé 28 juil. au 26 août et 22 au 30 déc.)* 175/290 – ☕ 120 – **146 ch** 1400/1600, 6 appart.

◆ Des anciens manèges d'artillerie, il n'a été conservé que le portail. Les vastes chambres dotées d'un solide mobilier sont rénovées par étapes.

Versailles — Y p

7 r. Ste-Anne ☎ 01 39 50 64 65, *Fax 01 39 02 37 85*
M sans rest – – 25. AE GB JCB
☕ 61 – **46 ch** 540/660.

◆ Occupant un bâtiment de style classique, cet hôtel propose des chambres spacieuses et accueillantes. Mobilier d'inspiration Art déco.

Résidence du Berry — Z s

14 r. Anjou ☎ 01 39 49 07 07, *resa@hotel-berry.com, Fax 01 39 50 59 40*
M sans rest – . AE GB JCB
☕ 58 – **38 ch** 580/710.

◆ Entre carrés St-Louis et potager du Roi, immeuble du 18e s. abritant des petites chambres plaisantes et intimes. Certaines s'agrémentent de poutres apparentes.

Relais Mercure — Y n

19 r. Ph. de Dangeau ☎ 01 39 50 44 10, *hotel@mercure-versaille.com, Fax 01 39 50 65 11*
M sans rest – – 35. AE GB JCB
☕ 48 – **60 ch** 490/540.

◆ Dans un quartier calme, établissement dont les chambres sont avant tout pratiques. Hall d'accueil bien meublé, ouvrant sur une agréable salle des petits-déjeuners.

Ibis — Y u

4 av. Gén. de Gaulle ☎ 01 39 53 03 30, *Fax 01 39 50 06 31*
sans rest – . AE GB
☕ 39 – **85 ch** 455.

◆ L'hôtel n'occupe qu'une partie de l'immeuble. Chambres de taille moyenne équipées d'un mobilier coloré. Aucune ne donne directement sur l'avenue : repos vraisemblable !

VERSAILLES

Bellevue (Av. de) . . . . **U** 2
Coste (R.) . . . . **V** 9
Dr-Schweitzer (Av. du) . . **U** 12
Franchet-d'Esperey (Av. du Mar.) . . . . **U** 15
Glatigny (Bd de) . . . . **U** 19
Leclerc (Av. du Gén.) . . . **V** 22
Marly-le-Roi (R. de) . . . . . **U** 26
Mermoz (R. Jean) . . . . . . **V** 27
Moxouris (R.) . . . . **U** 29
Napoléon-III (Rte). . . . . . . **U** 30
Pelin (R. L.) . . . . **U** 32
Porchefontaine (Av. de) . . . . **V** 33
Pottier (R.) . . . . **U** 35
Rocquencourt (Av. de) . . . **U** 39
St-Antoine (Allée) . . . . **V** 40
Sports (R. des) . . . . **U** 43
Vauban (R.) . . . . **V** 45

N 186: ST-GERMAIN-EN-LAYE
RUEIL, LA DÉFENSE
LA CELLE-ST-CLOUD
ROUEN
MANTES
MANTES
ST-CLOUD
PARIS Pte DE ST-CLOUD
Pte D'AUTEUIL
ST-CLOUD
VILLE D'AVRAY
N 10: RAMBOUILLET
ST-CYR-L'ÉCOLE
PARIS (Pte DE ST-CLOUD)
BOULOGNE-BILLANCOURT
RAMBOUILLET, DREUX
ST-QUENTIN-EN-Y.
PALAISEAU
ORLY, CRETEIL
GUYANCOURT
TOUSSUS-LE-N.
ST-RÉMY-LES-CH.
JOUY-EN-JOSAS
SACLAY
BEAUREGARD
LA CHÂTAIGNERAIE
PAVILLON DU BUTARD
VAUCRESSON
Bd de la République
D 907
ROCQUENCOURT
Av. de Verdun
D 307
A 13 - E 5
D 184
D 112A
Jardy
Arboretum National de Chèvreloup
LE GRAND CHESNAY
CHau
POL.
Ch. de Gaulle
D 173
PARC DÉPARTEMENTAL DES HARAS DE JARDY
D 182
Bd de Jardy
PARLY 2
N. D. DE LA RÉSURRECTION
Av. Dutartre
R. de St-Germain
Versailles
N 321
D 321
LE CHESNAY
R. de Rueil
GLATIGNY
Rte de Glatigny
Bd de la Pte Verte
Rte de l'Impératrice
Carrefour de la Porte Verte
FORÊT DE FAUSSE REPOSE
Pte DE ST-ANTOINE
LE HAMEAU
PETIT TRIANON
GRAND TRIANON
Bd St-Antoine
ST-ANTOINE DE PADOUE
L'ERMITAGE
Av. de Villeneuve-l'Étang
Rue du Gal Pershing
D 185
CLAGNY
Av. de Trianon
Bd du Roi
LES PRÉS
Av. des États-Unis
LES PETITS BOIS
STE-BERNADETTE
JARDINS
GRAND CANAL
Bd de la Reine
Av. de St-Cloud
CHÂTEAU
Bd de la République
R. de l'École des Postes
D 183
D 10
ST SYMPHORIEN
MONTREUIL
Rte de St-Cyr
Av. de Paris
R. Champ Lagarde
PIÈCE D'EAU DES SUISSES
ST LOUIS
D 938
R. de Buc
R. des Chantiers
N 186
LES CHANTIERS
ST-MICHEL
R. le Coz
PARC DES SPORTS DE PORCHEFONTAINE
Av. Clément Ader
D 91
N 286
Rte de Buc
D 939
CAMP DE SATORY
R. L. Blériot
BOIS DES GONARDS
BOIS DU PONT COLBERT
D 446
A 86
0 1km

Les **Guides Rouges**, les **Guides Verts** et les **cartes Michelin** sont complémentaires.
Utilisez-les ensemble.

VERSAILLES

Carnot (R.) . . . . Y
Clemenceau
(R. Georges) . . . . Y 7
Chancellerie (R. de la) . . . Y 3
Chantiers (R. des) . . . . . . Z 5
Cotte (R. Robert-de) . . . . Y 10
Europe (Av. de l') . . . . Y 14
États-Généraux (R. des) . Z
Foch (R. du Mar.) . . . . . XY
Gambetta (Pl.) . . . . Y 17
Gaulle (Av. Gén.-de) . . . YZ 18
Hoche (R.) . . . . Y
Indép. Américaine
(R. de l') . . . . Y 20
Leclerc (R. du Gén.) . . . . Z 24
Mermoz (R. Jean) . . . . Z 27
Nolhac (R. Pierre-de) . . . . . Y 31
Orangerie (R. de l') . . . . . YZ
Paroisse (R. de la) . . . . Y
Porte de Buc (R. de la) . . . Z 34
Royale (R.) . . . . Z
Rockefeller (Av.) . . . . Y 37
Satory (R. de) . . . . YZ 42
Vieux-Versailles (R. du) . . YZ 47

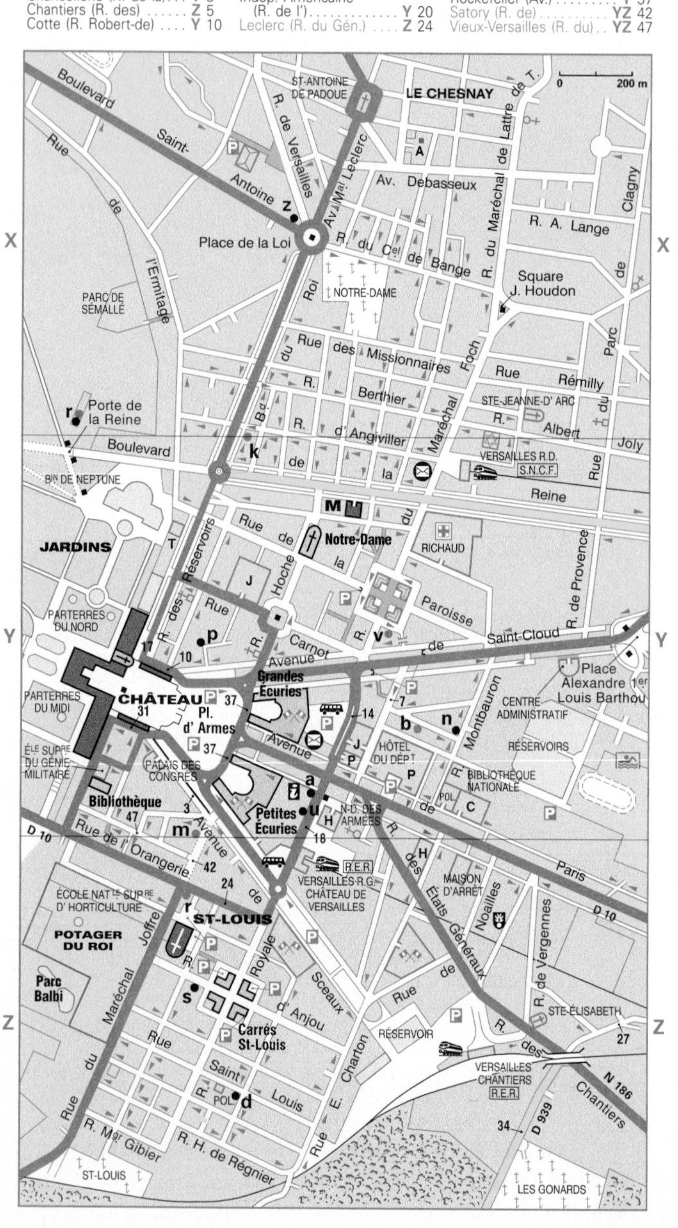

Home St-Louis Z d
28 r. St-Louis ✆ 01 39 50 23 55, *Fax 01 30 21 62 45*
sans rest – TV. AE GB JCB
☕ 37 – **25 ch** 300/330.
◆ Maison parementée de brique où vous serez accueilli dans une ambiance familiale. Les chambres, à vocation fonctionnelle, sont modernisées peu à peu.

Les Trois Marches - Hôtel Trianon Palace X r
1 bd Reine ✆ 01 39 50 13 21, *Fax 01 30 21 01 25*
≤, 🏠 – ▤ P. AE ⓓ GB JCB
fermé août, dim. et lundi – **Repas** 380 (déj.), 750/850 ♀.
◆ Cuisine raffinée, élégant décor et baies vitrées s'ouvrant sur le parc et le jardin à la française : ah, si Sacha Guitry nous contait Versailles aujourd'hui !
Spéc. Gâteau de poireaux aux champignons, lotte et homard. Côte de veau de lait piquée de truffes. Assortiment des desserts.

Valmont Y v
20 r. au Pain ✆ 01 39 51 39 00, *Fax 01 30 83 90 99*
🏠 – ▤. AE ⓓ GB JCB
fermé dim. soir et lundi – **Repas** *(118)* - 169 et carte 280 à 370.
◆ Façade engageante, cadre riant, sièges de style Louis XVI, peintures de paysages franciliens : sympathique adresse où vous savourerez une cuisine personnalisée.

Marée de Versailles Y t
22 r. au Pain ✆ 01 30 21 73 73, *Fax 01 39 50 55 87*
🏠 – ▤. AE GB
fermé 3 au 18 août, vacances de fév., dim. et lundi – **Repas** carte 240 à 350.
◆ On mange au coude à coude une cuisine orientée "produits de la mer" dans ce restaurant décoré sur le thème nautique. En été, la terrasse est prise d'assaut.

Potager du Roy Z r
1 r. Mar.-Joffre ✆ 01 39 50 35 34, *Fax 01 30 21 69 30*
▤. AE GB
fermé sam. midi, dim. soir et lundi – **Repas** *(145)* - 189/285 ♀.
◆ Cadre gentiment "rétro", et cuisine au goût du jour mettant à l'honneur les légumes : l'enseigne elle-même insiste sur la proximité du potager du Roi !

Étape Gourmande V n
125 r. Yves Le Coz ✆ 01 30 21 01 63
🏠 – GB
fermé 30 juil. au 23 août, dim. soir, mardi soir et merc. – **Repas** *(128)* - 168 ♀.
◆ L'hiver, attablez-vous près de l'âtre dans la salle à manger d'esprit rustique. L'été, goûtez au privilège d'un jardin au coeur de la ville. Cuisine personnalisée.

Chevalet Y b
6 r. Ph. de Dangeau ✆ 01 39 02 03 13, *Fax 01 39 50 81 41*
AE GB
fermé 6 au 21 août, dim. et lundi – **Repas** *(94)* - 125 (déj.)/165 ♀.
◆ Petit restaurant orné de tableaux. À midi, c'est la "cantine" des hommes de loi (on est à deux pas des tribunaux) ; le soir, plutôt une adresse touristique.

Cuisine Bourgeoise XY k
10 bd Roi ✆ 01 39 53 11 38, *la.cuisine.bougeoise@wanadoo.fr, Fax 01 39 53 25 26*
AE GB
fermé 3 au 27 août, sam. midi, dim. et lundi – **Repas** *(120)* - 175 (déj.), 270/350 et carte environ 340.
◆ Restaurant décoré comme un bistrot ancien. L'une des salles offre cependant un cadre plus actuel. Outre la carte, menus et vins sont proposés sur ardoise.

Le Falher Y t
22 r. Satory ✆ 01 39 50 57 43, *Fax 01 39 49 04 66*
AE GB.
fermé 8 au 26 août, sam. midi, lundi midi et dim. – **Repas** 138 (déj.), 168/195 et carte environ 280 ♀.
◆ Nappes colorées, petites lampes sur les tables et reproductions de tableaux égayent cette salle de restaurant au décor rustique assez simple.

au Chesnay – *29 542 h. alt. 120* – ✉ *78150* :.

Novotel X z
4 bd St-Antoine ✆ 01 39 54 96 96, *h1022@accor-hotels.com, Fax 01 39 54 94 40*
M – – 90. AE GB
Repas carte 160 à 220 ♀, enf. 50 – 65 – **105 ch** 620/670.
◆ Situé sur un rond-point, établissement récent proposant des chambres joyeusement colorées. Bien insonorisées, elles sont régulièrement rajeunies.

Mercure U e
r. Marly-le-Roi, face centre commercial Parly II ✆ 01 39 55 11 41, *reception@mercure-parly.com, Fax 01 39 55 06 22*
M sans rest – P – 15. AE GB JCB
68 – **89 ch** 660/850.
◆ Construction des années 1970 dont les chambres, rénovées peu à peu, adoptent une ligne contemporaine. Salle des petits-déjeuners aux couleurs ensoleillées.

Ibis U n
av. Dutartre, centre commercial Parly II ✆ 01 39 63 37 93, *Fax 01 39 55 18 66*
sans rest – . AE GB
39 – **72 ch** 420.
◆ Les chambres sont celles d'un Ibis traditionnel : murs crépis, mobilié en bois stratifié. Au restaurant, pimpant décor inhabituel à cette catégorie d'établissement.

Le Vésinet *78110 Yvelines 101 ⑬, 18 25 – 15 945 h alt. 44.*

Office de Tourisme Hôtel-de-Ville 60 bd Carnot ✆ 01 30 15 47 00 et 3 av. des Pages ✆ 01 30 15 47 80, Fax 01 30 15 47 77.

Paris 19 – Maisons-Laffitte 9 – Pontoise 25 – St-Germain-en-Laye 3 – Versailles 16.

Auberge des Trois Marches AW 31
15 r. J. Laurent (pl. Église) ✆ 01 39 76 10 30, *Fax 01 39 76 62 58*
. AE GB
fermé 12 au 26 août – **Repas** *(fermé dim. soir) (110)* - 152 et carte 210 à 340 ♀ – 45 – **15 ch** 450/560.
◆ Immeuble d'angle abritant des chambres de taille moyenne, fonctionnelles et progressivement rénovées. Au restaurant, accueillante simplicité.

Pensez à prévenir immédiatement l'hôtelier si vous ne pouvez pas occuper la chambre que vous avez retenue.

Villejuif *94800 Val-de-Marne* 101 ㉖, 22 25 – *48 405 h alt. 100.*
Paris 8 – Créteil 11 – Orly 7 – Vitry-sur-Seine 3.

Relais Mercure Timing **BH 50**
116 r. Éd. Vaillant ✆ 01 53 14 50 50, *h1879@accor-hotels.com, Fax 01 53 14 50 60*
M, ⛳, 🏊 – 🛗 ⇔, ▤ ch, TV 📞 P – 🎤 15 à 300. AE ⓓ GB
Repas *(fermé 12 juil. au 22 août, sam. midi, dim. midi et fériés le midi) (124)* - 154 bc 🍷, enf. 55 – ☕ 65 – **148 ch** 645/685.
◆ Hôtel dont l'atout majeur est le libre accès au club sportif voisin. Chambres en cours de rénovation ; préférer celles qui tournent le dos à l'autoroute.

Campanile **BG 50**
20 r. Dr Pinel ✆ 01 46 78 10 11, *Fax 01 46 77 88 94*
🍽 – 🛗 ⇔ TV 📞 ♿ P – 🎤 50. AE ⓓ GB
Repas *(82)* - 90/119 🍷, enf. 39 – ☕ 39 – **72 ch** 410.
◆ Ce Campanile propose des chambres meublées dans l'esprit de la chaîne et équipées d'un double vitrage. Salle à manger complétée d'une terrasse offrant une vue sur Paris.

Villejust *91140 Essonne* 101 ㉞ – *1 324 h alt. 162.*
Paris 25 – Chartres 65 – Étampes 32 – Évry 20 – Melun 46 – Versailles 23.

à Courtaboeuf 7 *sur D 118 : 2 km – ✉ 91971 :*

Campanile **BX 38**
av. des Deux Lacs ✆ 01 69 31 16 17, *Fax 01 69 31 07 18*
🍽 – ⇔ TV 📞 ♿ P. AE ⓓ GB
Repas 80/106 🍷, enf. 39 – ☕ 39 – **76 ch** 360.
◆ La proximité de la zone industrielle est compensée par celle du parc de Villejust. Les chambres, garnies d'un mobilier standard, sont bien tenues. Accueil aimable.

Villeneuve-la-Garenne *92390 Hauts-de-Seine* 101 ⑮, 20 25 – *23 824 h alt. 30.*
Voir *Commune de la "Méridienne verte".*
Paris 13 – Nanterre 13 – Pontoise 24 – St-Denis 3 – St-Germain-en-Laye 23.

XXX **Les Chanteraines** **AP 48**
av. 8 Mai 1945 ✆ 01 47 99 31 31, *Fax 01 41 21 31 17*
≤, 🍽 – P. AE GB
fermé 14 au 21 août, dim. soir et sam. – **Repas** 185 et carte 280 à 330 🍷.
◆ Le comptoir de l'entrée, trouvé aux "puces" et restauré avec soin, et la vue reposante sur le parc fleuri et le plan d'eau font le charme de ce restaurant.

Villeneuve-le-Roi *94290 Val-de-Marne* 101 ㉖ – *20 325 h alt. 100.*
Paris 21 – Créteil 9 – Arpajon 31 – Corbeil-Essonnes 22 – Évry 15.

XX **Beau Rivage** **BS 58**
17 quai de Halage ✆ 01 45 97 16 17, *Fax 01 49 61 02 60*
≤ – AE ⓓ GB
fermé 13 au 20 août , merc. soir d'oct. à avril, mardi soir, dim. soir et lundi – **Repas** 190 et carte 200 à 290.
◆ Comme son nom l'indique, le Beau Rivage borde la rivière ; attablez-vous près des baies vitrées pour jouir de la vue sur la Seine. Cadre moderne et cuisine traditionnelle.

Villeneuve-sous-Dammartin *77230 S.-et-M. 101 ⑨ – 413 h alt. 70.*

Paris 35 – Bobigny 25 – Goussainville 16 – Meaux 26 – Melun 71 – Senlis 27.

XXX **Amarande**
28 r. Paris ✆ 01 60 54 92 92, *Fax 01 60 54 92 92*
– P. AE ⓪ GB JCB
fermé dim. soir – **Repas** 140 (déj.), 255/310 et carte 220 à 360.
◆ Dans un corps de ferme restauré, élégante salle à manger aux murs égayés de tableaux. L'été, on sert sur la terrasse ou sur la pelouse ombragée du parc.

Villeparisis *77270 S.-et-M. 101 ⑲, 25 – 18 790 h alt. 72.*

Paris 25 – Bobigny 15 – Chelles 10 – Tremblay-en-France 5.

Relais du Parisis AN 74
Z.I. L'Ambrésis ✆ 01 64 27 83 83, *Fax 01 64 27 94 49*
– TV ✆ ♿ P. AE GB JCB
Repas *(fermé dim. soir)* 85/218 ♀, enf. 48 – ☕ 42 – **44 ch** 295.
◆ Situation dans un quartier affairé, chambres meublées simplement mais bien tenues et accueil attentionné affirment la vocation d'étape de cet hôtel.

XX **Bastide** AP 73
15 av. J. Jaurès ✆ 01 60 21 08 99
GB
fermé 10 au 31 août, dim. et lundi – **Repas** *(98)* - 132/162 et carte 200 à 340.
◆ Il règne en ce discret restaurant du centre-ville une sympathique ambiance d'auberge provinciale. Cadre rustique avec poutres et cheminée. Cuisine traditionnelle.

Villiers-le-Bâcle *91190 Essonne 101 ㉓, 22 25 – 953 h alt. 153.*

Paris 32 – Arpajon 27 – Rambouillet 28 – Versailles 11.

XX **Petite Forge** BS 30
✆ 01 60 19 03 88, *Fax 01 60 19 03 88*
– AE GB
fermé sam. et dim. – **Repas** 250 et carte 330 à 370 ♀.
◆ Enclume, fourneau et maxi-soufflet décorent la salle à manger de ce restaurant installé dans une ancienne forge. Cadre rustique et cuisine traditionnelle.

Vincennes *94300 Val-de-Marne 101 ⑰, 24 25 – 42 267 h alt. 51.*

Voir *Château*★★ – *Bois de Vincennes*★★ : *Zoo*★★, *Parc floral de Paris*★★, *Musée des Arts d'Afrique et d'Océanie*★, **G. Paris.**

Office de Tourisme 11 av. Nogent ✆ 01 48 08 13 00, Fax 01 43 74 81 01.

Paris 8 – Créteil 11 – Lagny-sur-Marne 27 – Meaux 46 – Melun 52 – Senlis 49.

St-Louis BB 57
2 bis r. R. Giraudineau ✆ 01 43 74 16 78, *Fax 01 43 74 16 49*
M sans rest – TV ✆ ♿ – 25. AE ⓪ GB JCB
☕ 58 – **25 ch** 590/990.
◆ À deux pas du château, immeuble abritant de plaisantes chambres modernes. Quelques-unes, de plain-pied avec le jardinet, ont leur salle de bains en sous-sol.

Daumesnil Vincennes BB 57
50 av. Paris ✆ 01 48 08 44 10, *daumesnil@micronet.fr, Fax 01 43 65 10 94*
sans rest – TV ✆. AE ⓪ GB JCB
☕ 45 – **50 ch** 490/620.
◆ Situé sur une avenue passante, hôtel disposant de chambres actuelles et bien insonorisées. Salle des petits-déjeuners dans la véranda ouverte sur un minipatio.

Donjon BB 57
22 r. Donjon ✆ 01 43 28 19 17, *Fax 01 49 57 02 04*
sans rest – . GB
fermé 26 juil. au 27 août
33 – **25 ch** 330/390.
◆ Établissement du centre-ville proposant des chambres assez exiguës, mais proprettes. Salle des petits-déjeuners et salon agréablement meublés.

Rigadelle BB 57
26 r. Montreuil ✆ 01 43 28 04 23
AE GB
fermé août, vacances de fév., dim. soir et lundi – **Repas** (nombre de couverts limité, prévenir) *(125)* - 170 et carte 230 à 330.
◆ Dans une rue commerçante, coquette et minuscule salle à manger agrandie par des miroirs. Vous y découvrirez une cuisine au goût du jour privilégiant les poissons.

Viroflay *78220 Yvelines 101 ㉔, 22 – 14 689 h alt. 115.*
Paris 17 – Antony 16 – Boulogne-Billancourt 8 – Versailles 4.

Chaumière BG 34
3 av. Versailles ✆ 01 30 24 48 76, *Fax 01 30 24 59 69*
– GB
fermé 6 au 19 août, merc. soir et lundi – **Repas** *(140)* - 175/240.
◆ Depuis les années 1930, la même famille vous accueille dans sa salle à manger sobrement rustique ou, aux beaux jours, sur sa terrasse ombragée. Cuisine traditionnelle.

Viry-Châtillon *91170 Essonne 101 ㊱ – 30 580 h alt. 34.*
Paris 27 – Corbeil-Essonnes 16 – Évry 9 – Longjumeau 9 – Versailles 33.

Dariole de Viry BX 52
21 r. Pasteur ✆ 01 69 44 22 40, *Fax 01 69 96 88 87*
. AE GB
fermé 4 au 22 août, 22 déc. au 5 janv., sam. midi et dim. – **Repas** 250.
◆ Dans une rue commerçante, discrète façade dissimulant une salle à manger contemporaine dont les tables s'agrémentent de nappes en dentelle. Cuisine au goût du jour.

Marcigny BY 52
27 r. D. Casanova ✆ 01 69 44 04 09
. GB
fermé 5 au 21 août, dim. soir et lundi – **Repas** 100/230 ♀, enf. 80.
◆ L'enseigne évoque un petit village bourguignon et la cuisine traditionnelle est escortée de spécialités charolaises. Ambiance conviviale et service attentionné.

Ne confondez pas :
Confort des hôtels : ... ,
Confort des restaurants : XXXXX ... X
Qualité de la table : ✿✿✿, ✿✿, ✿,

Transports

SNCF - RER ______________________
MÉTRO - TAXI ____________________

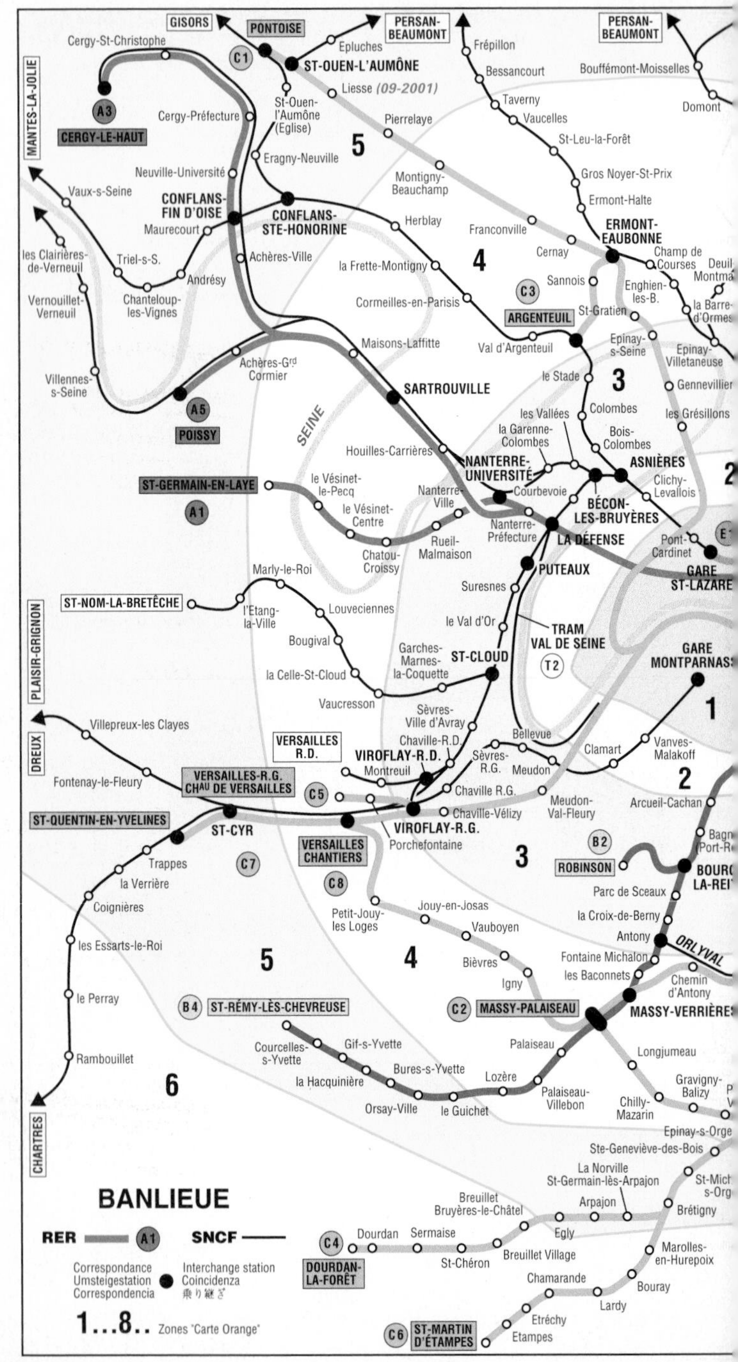
GISORS
PONTOISE
PERSAN-BEAUMONT
Cergy-St-Christophe
C1
Epluches
ST-OUEN-L'AUMÔNE
Liesse (09-2001)
St-Ouen-l'Aumône (Eglise)
MANTES-LA-JOLIE
A3
CERGY-LE-HAUT
Cergy-Préfecture
Pierrelaye
Eragny-Neuville
5
Frépillon
Bessancourt
Taverny
Vaucelles
St-Leu-la-Forêt
Gros Noyer-St-Prix
Ermont-Halte
Bouffémont-Moisselles
Domont
Neuville-Université
Vaux-s-Seine
CONFLANS-FIN D'OISE
CONFLANS-STE-HONORINE
Maurecourt
Montigny-Beauchamp
Herblay
Franconville
ERMONT-EAUBONNE
Cernay
Champ de Courses
les Clairières-de-Verneuil
Triel-s-S.
Achères-Ville
la Frette-Montigny
4
Sannois
C3
Enghien-les-B.
Andrésy
Vernouillet-Verneuil
Chanteloup-les-Vignes
Cormeilles-en-Parisis
ARGENTEUIL
St-Gratien
la Barre-d'Ormes
Maisons-Laffitte
Val d'Argenteuil
Epinay-s-Seine
Epinay-Villetaneuse
Achères-Grd Cormier
Villennes-s-Seine
A5
POISSY
SARTROUVILLE
le Stade
3
Gennevilliers
les Vallées
Colombes
les Grésillons
SEINE
la Garenne-Colombes
Bois-Colombes
Houilles-Carrières
NANTERRE-UNIVERSITÉ
ASNIÈRES
ST-GERMAIN-EN-LAYE
le Vésinet-le-Pecq
Courbevoie
BÉCON-LES-BRUYÈRES
Clichy-Levallois
A1
le Vésinet-Centre
Nanterre-Ville
Nanterre-Préfecture
LA DÉFENSE
Rueil-Malmaison
Chatou-Croissy
Pont-Cardinet
GARE ST-LAZARE
Marly-le-Roi
PUTEAUX
Suresnes
ST-NOM-LA-BRETÊCHE
l'Etang-la-Ville
Louveciennes
le Val d'Or
TRAM VAL DE SEINE
PLAISIR-GRIGNON
Bougival
Garches-Marnes-la-Coquette
ST-CLOUD
T2
GARE MONTPARNASSE
la Celle-St-Cloud
Vaucresson
1
Sèvres-Ville d'Avray
Villepreux-les Clayes
VERSAILLES R.D.
Chaville-R.D.
Bellevue
Clamart
Vanves-Malakoff
DREUX
VIROFLAY-R.D.
Sèvres-R.G.
Meudon
2
Montreuil
Fontenay-le-Fleury
VERSAILLES-R.G. CHAU DE VERSAILLES
C5
Chaville R.G.
Meudon-Val-Fleury
Arcueil-Cachan
ST-QUENTIN-EN-YVELINES
ST-CYR
Chaville-Vélizy
VIROFLAY-R.G.
Porchefontaine
VERSAILLES CHANTIERS
3
B2
Trappes
C7
ROBINSON
la Verrière
C8
Parc de Sceaux
Coignières
Petit-Jouy-les Loges
Jouy-en-Josas
Vauboyen
la Croix-de-Berny
Antony
ORLYVAL
les Essarts-le-Roi
5
4
Bièvres
Fontaine Michalon
les Baconnets
Chemin d'Antony
Igny
le Perray
B4
ST-RÉMY-LÈS-CHEVREUSE
C2
MASSY-PALAISEAU
Courcelles-s-Yvette
Gif-s-Yvette
Palaiseau
Rambouillet
Bures-s-Yvette
Longjumeau
6
la Hacquinière
Lozère
Gravigny-Balizy
Orsay-Ville
le Guichet
Palaiseau-Villebon
Chilly-Mazarin
CHARTRES
Epinay-s-Orge
Ste-Geneviève-des-Bois
La Norville St-Germain-lès-Arpajon
BANLIEUE
Breuillet Bruyères-le-Châtel
Arpajon
Brétigny
RER
A1
SNCF
Dourdan
Sermaise
Egly
C4
St-Chéron
Breuillet Village
Marolles-en-Hurepoix
Correspondance
Umsteigestation
Correspondencia
Interchange station
Coincidenza
乗り継ぎ
DOURDAN-LA-FORÊT
Chamarande
Bouray
Lardy
1...8.. Zones "Carte Orange"
Etréchy
C6
ST-MARTIN D'ÉTAMPES
Etampes

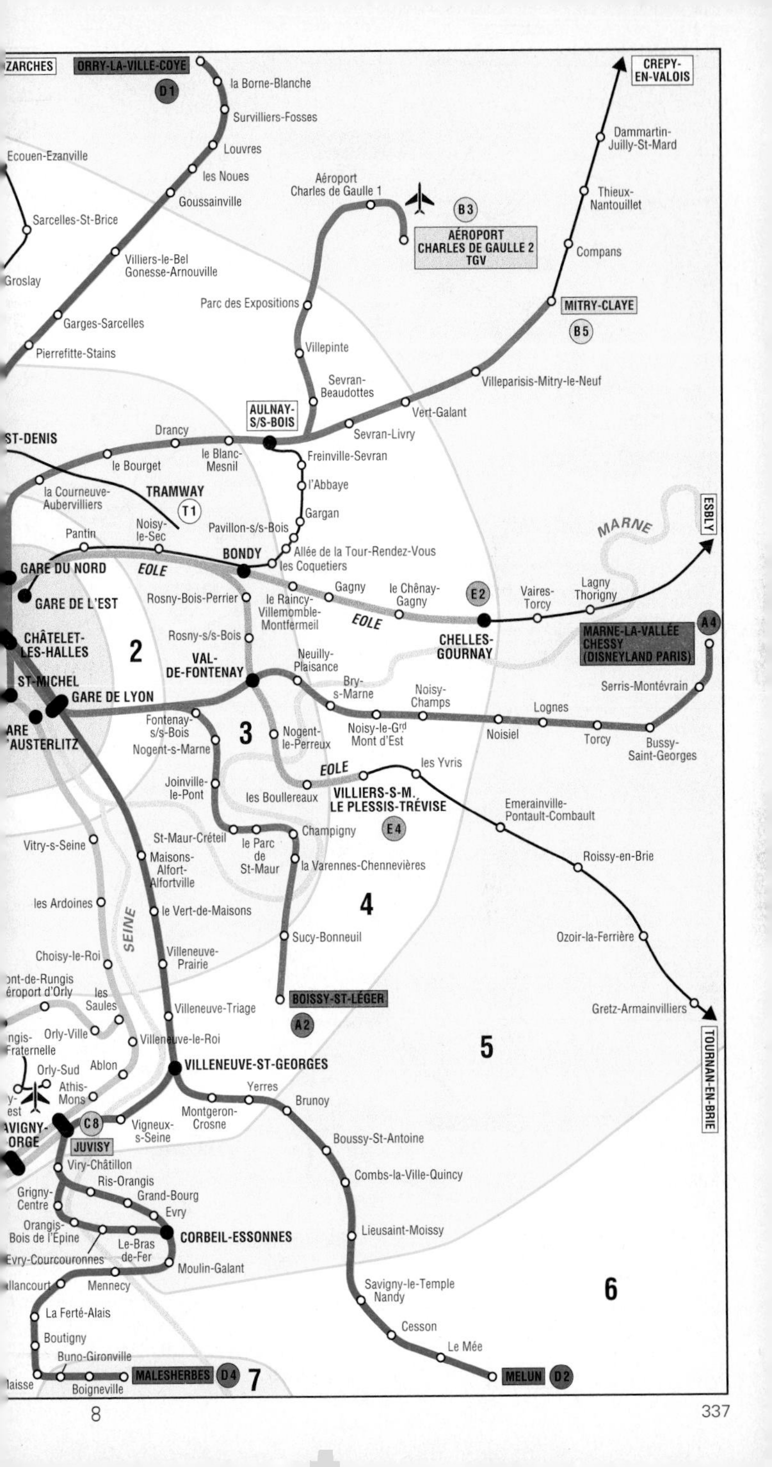
ORRY-LA-VILLE-COYE
D1
la Borne-Blanche
Survilliers-Fosses
Louvres
Ecouen-Ezanville
les Noues
Goussainville
Sarcelles-St-Brice
Villiers-le-Bel
Gonesse-Arnouville
Groslay
Garges-Sarcelles
Pierrefitte-Stains
Aéroport
Charles de Gaulle 1
B3
AÉROPORT
CHARLES DE GAULLE 2
TGV
Parc des Expositions
Villepinte
Sevran-
Beaudottes
CREPY-
EN-VALOIS
Dammartin-
Juilly-St-Mard
Thieux-
Nantouillet
Compans
MITRY-CLAYE
B5
Villeparisis-Mitry-le-Neuf
Vert-Galant
Sevran-Livry
AULNAY-
S/S-BOIS
ST-DENIS
Drancy
le Bourget
le Blanc-
Mesnil
Freinville-Sevran
l'Abbaye
Gargan
la Courneuve-
Aubervilliers
TRAMWAY
T1
Pantin
Noisy-
le-Sec
Pavillon-s/s-Bois
Allée de la Tour-Rendez-Vous
les Coquetiers
BONDY
GARE DU NORD
EOLE
GARE DE L'EST
MARNE
ESBLY
Rosny-Bois-Perrier
le Raincy-
Villemomble-
Montfermeil
Gagny
le Chênay-
Gagny
E2
Vaires-
Torcy
Lagny
Thorigny
EOLE
CHELLES-
GOURNAY
A4
MARNE-LA-VALLÉE
CHESSY
(DISNEYLAND PARIS)
CHÂTELET-
LES-HALLES
2
Rosny-s/s-Bois
VAL-
DE-FONTENAY
Neuilly-
Plaisance
Bry-
s-Marne
Noisy-
Champs
Serris-Montévrain
ST-MICHEL
GARE DE LYON
Lognes
Noisiel
Torcy
Bussy-
Saint-Georges
ARE
'AUSTERLITZ
Fontenay-
s/s-Bois
Nogent-s-Marne
3
Nogent-
le-Perreux
Noisy-le-Grd
Mont d'Est
EOLE
les Yvris
Joinville-
le-Pont
les Boullereaux
VILLIERS-S-M.
LE PLESSIS-TRÉVISE
Emerainville-
Pontault-Combault
St-Maur-Créteil
le Parc
de
St-Maur
Champigny
E4
Vitry-s-Seine
Maisons-
Alfort-
Alfortville
la Varennes-Chennevières
Roissy-en-Brie
les Ardoines
le Vert-de-Maisons
4
SEINE
Sucy-Bonneuil
Ozoir-la-Ferrière
Choisy-le-Roi
Villeneuve-
Prairie
ont-de-Rungis
éroport d'Orly
les
Saules
Villeneuve-Triage
BOISSY-ST-LÉGER
A2
Gretz-Armainvilliers
TOURNAN-EN-BRIE
Orly-Ville
ngis-
Fraternelle
Villeneuve-le-Roi
5
Orly-Sud
Ablon
VILLENEUVE-ST-GEORGES
Athis-
Mons
Yerres
Brunoy
AVIGNY-
ORGE
C8
JUVISY
Vigneux-
s-Seine
Montgeron-
Crosne
Boussy-St-Antoine
Viry-Châtillon
Ris-Orangis
Combs-la-Ville-Quincy
Grigny-
Centre
Grand-Bourg
Evry
Orangis-
Bois de l'Epine
Le-Bras
de-Fer
CORBEIL-ESSONNES
Lieusaint-Moissy
Evry-Courcouronnes
Moulin-Galant
Mennecy
Savigny-le-Temple
Nandy
6
La Ferté-Alais
Boutigny
Cesson
Buno-Gironville
Le Mée
MALESHERBES
D4
7
MELUN
D2
Boigneville

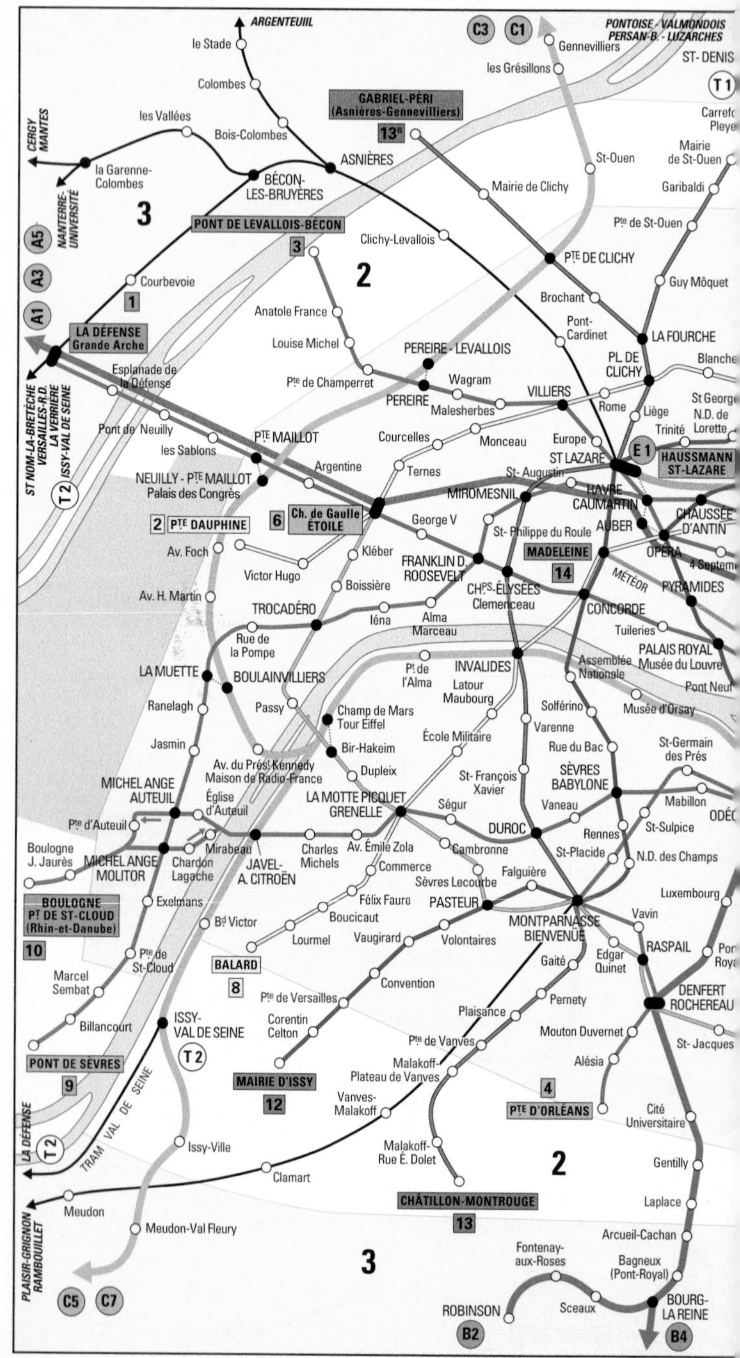
ARGENTEUIL
PONTOISE - VALMONDOIS
PERSAN-B. - LUZARCHES
ST-DENIS
CERGY
MANTES
NANTERRE-UNIVERSITÉ
GABRIEL-PÉRI
(Asnières-Gennevilliers)
13B
PONT DE LEVALLOIS-BÉCON
3
LA DÉFENSE
Grande Arche
1
ST NOM-LA-BRETÈCHE
VERSAILLES-R.D.
LA VERRIÈRE
ISSY-VAL DE SEINE
NEUILLY - P^TE MAILLOT
Palais des Congrès
P^TE DAUPHINE
2
Ch. de Gaulle
ÉTOILE
6
MADELEINE
14
HAUSSMANN
ST-LAZARE
E 1
MÉTÉOR
BOULOGNE
P^T DE ST-CLOUD
(Rhin-et-Danube)
10
BALARD
8
PONT DE SÈVRES
9
MAIRIE D'ISSY
12
P^TE D'ORLÉANS
4
CHÂTILLON-MONTROUGE
13
TRAM VAL DE SEINE
LA DÉFENSE
PLAISIR-GRIGNON
RAMBOUILLET
ROBINSON
B2
B4
C1
C3
C5
C7
A1
A3
A5
T 1
T 2
3
2
2
3
le Stade
Colombes
les Vallées
Bois-Colombes
la Garenne-Colombes
ASNIÈRES
BÉCON-LES-BRUYÈRES
Courbevoie
Esplanade de la Défense
Pont de Neuilly
les Sablons
P^TE MAILLOT
Argentine
Gennevilliers
les Grésillons
St-Ouen
Mairie de Clichy
Clichy-Levallois
P^TE DE CLICHY
Brochant
Pont-Cardinet
LA FOURCHE
PL. DE CLICHY
Anatole France
Louise Michel
P^te de Champerret
PEREIRE - LEVALLOIS
PEREIRE
Wagram
Malesherbes
VILLIERS
Rome
Liège
Courcelles
Monceau
Europe
ST LAZARE
Ternes
St- Augustin
MIROMESNIL
HAVRE CAUMARTIN
AUBER
CHAUSSÉE D'ANTIN
OPÉRA
4 Septem
PYRAMIDES
Carrefo
Pleye
Mairie de St-Ouen
Garibaldi
P^te de St-Ouen
Guy Môquet
Blanche
St George
N.D. de Lorette
Trinité
George V
St- Philippe du Roule
Av. Foch
Victor Hugo
Kléber
Boissière
FRANKLIN D. ROOSEVELT
CH^PS-ÉLYSÉES Clemenceau
CONCORDE
Tuileries
PALAIS ROYAL Musée du Louvre
Av. H. Martin
TROCADÉRO
Iéna
Alma Marceau
Rue de la Pompe
LA MUETTE
BOULAINVILLIERS
P^t de l'Alma
INVALIDES
Latour Maubourg
Assemblée Nationale
Pont Neuf
Musée d'Orsay
Solférino
Varenne
Ranelagh
Passy
Champ de Mars Tour Eiffel
Bir-Hakeim
École Militaire
Jasmin
Av. du Prés^t Kennedy Maison de Radio-France
Dupleix
Rue du Bac
St-Germain des Prés
SÈVRES BABYLONE
Mabillon
ODÉ
St- François Xavier
MICHEL ANGE AUTEUIL
Église d'Auteuil
LA MOTTE PICQUET GRENELLE
Ségur
Vaneau
P^te d'Auteuil
DUROC
Rennes
St-Sulpice
Boulogne J. Jaurès
MICHEL ANGE MOLITOR
Mirabeau
Chardon Lagache
JAVEL- A. CITROËN
Charles Michels
Av. Émile Zola
Cambronne
St-Placide
N.D. des Champs
Commerce
Sèvres Lecourbe
Falguière
Luxembourg
Exelmans
Félix Faure
PASTEUR
Boucicaut
Vavin
B^d Victor
Lourmel
Vaugirard
Volontaires
MONTPARNASSE BIENVENÜE
RASPAIL
P^te de St-Cloud
Edgar Quinet
Gaité
Port Royal
Marcel Sembat
Convention
DENFERT ROCHEREAU
P^te de Versailles
Pernety
Plaisance
Billancourt
ISSY- VAL DE SEINE
Corentin Celton
Mouton Duvernet
St- Jacques
P^te de Vanves
Malakoff- Plateau de Vanves
Alésia
Vanves- Malakoff
Cité Universitaire
Issy-Ville
Malakoff- Rue É. Dolet
Clamart
Gentilly
Meudon
Laplace
Meudon-Val Fleury
Arcueil-Cachan
Fontenay- aux-Roses
Bagneux (Pont-Royal)
Sceaux
BOURG- LA REINE

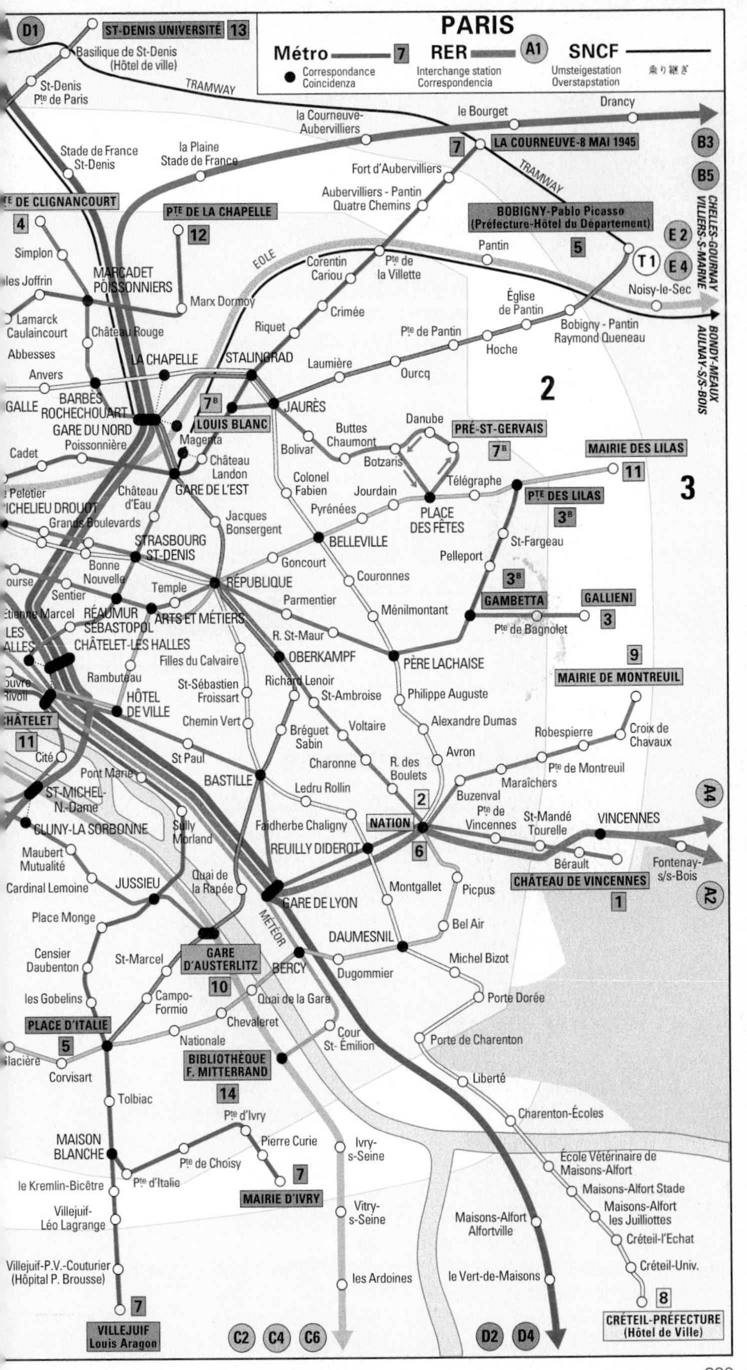
PARIS
Métro 7
Correspondance
Coincidenza
RER A1
Interchange station
Correspondencia
SNCF
Umsteigestation
Overstapstation
乗り継ぎ
ST-DENIS UNIVERSITÉ 13
Basilique de St-Denis (Hôtel de ville)
St-Denis Pte de Paris
TRAMWAY
la Courneuve-Aubervilliers
le Bourget
Drancy
Stade de France St-Denis
la Plaine Stade de France
LA COURNEUVE-8 MAI 1945
Fort d'Aubervilliers
Aubervilliers - Pantin Quatre Chemins
BOBIGNY-Pablo Picasso (Préfecture-Hôtel du Département)
PTE DE CLIGNANCOURT
PTE DE LA CHAPELLE
Simplon
MARCADET POISSONNIERS
Marx Dormoy
EOLE
Corentin Cariou
Pte de la Villette
Pantin
Noisy-le-Sec
CHELLES-GOURNAY
VILLIERS-S-MARNE
Crimée
Église de Pantin
Bobigny - Pantin Raymond Queneau
BONDY-MEAUX
AULNAY-S/S-BOIS
Lamarck Caulaincourt
Château Rouge
Riquet
Pte de Pantin
Hoche
Abbesses
LA CHAPELLE
STALINGRAD
Laumière
Ourcq
Anvers
BARBÈS ROCHECHOUART
JAURÈS
LOUIS BLANC
GARE DU NORD
Magenta
Danube
PRÉ-ST-GERVAIS
Buttes Chaumont
Bolivar
Botzaris
MAIRIE DES LILAS
Cadet
Poissonnière
Château Landon
Colonel Fabien
Télégraphe
GARE DE L'EST
Château d'Eau
Jourdain
PTE DES LILAS
Grands Boulevards
Jacques Bonsergent
Pyrénées
PLACE DES FÊTES
STRASBOURG ST-DENIS
BELLEVILLE
St-Fargeau
Bonne Nouvelle
Goncourt
Pelleport
Sentier
Temple
RÉPUBLIQUE
Couronnes
GAMBETTA
GALLIENI
Parmentier
Ménilmontant
RÉAUMUR SÉBASTOPOL
ARTS ET MÉTIERS
Pte de Bagnolet
CHÂTELET-LES HALLES
R. St-Maur
OBERKAMPF
PÈRE LACHAISE
MAIRIE DE MONTREUIL
Filles du Calvaire
Rambuteau
HÔTEL DE VILLE
St-Sébastien Froissart
Richard Lenoir
St-Ambroise
Philippe Auguste
Chemin Vert
Alexandre Dumas
Robespierre
Croix de Chavaux
Bréguet Sabin
Voltaire
Cité
St Paul
Avron
Pte de Montreuil
Pont Marie
Charonne
R. des Boulets
Maraîchers
BASTILLE
ST-MICHEL-N.-Dame
Ledru Rollin
Buzenval
Pte de Vincennes
St-Mandé Tourelle
VINCENNES
CLUNY-LA SORBONNE
Sully Morland
Faidherbe Chaligny
NATION
Maubert Mutualité
REUILLY DIDEROT
Bérault
Fontenay-s/s-Bois
Quai de la Rapée
CHÂTEAU DE VINCENNES
Cardinal Lemoine
JUSSIEU
Montgallet
Picpus
GARE DE LYON
Place Monge
Bel Air
MÉTÉOR
DAUMESNIL
Censier Daubenton
St-Marcel
GARE D'AUSTERLITZ
BERCY
Michel Bizot
Dugommier
Campo-Formio
Quai de la Gare
Porte Dorée
les Gobelins
Chevaleret
Cour St-Émilion
PLACE D'ITALIE
Nationale
Porte de Charenton
Corvisart
BIBLIOTHÈQUE F. MITTERRAND
Liberté
Tolbiac
Pte d'Ivry
Charenton-Écoles
MAISON BLANCHE
Pierre Curie
Ivry-s-Seine
École Vétérinaire de Maisons-Alfort
Pte de Choisy
Pte d'Italie
Maisons-Alfort Stade
le Kremlin-Bicêtre
MAIRIE D'IVRY
Maisons-Alfort les Juilliottes
Villejuif-Léo Lagrange
Vitry-s-Seine
Maisons-Alfort Alfortville
Créteil-l'Echat
Créteil-Univ.
Villejuif-P.V.-Couturier (Hôpital P. Brousse)
les Ardoines
le Vert-de-Maisons
CRÉTEIL-PRÉFECTURE (Hôtel de Ville)
VILLEJUIF Louis Aragon

Taxis

Un taxi est libre lorsque le lumineux placé sur le toit est éclairé.

Taxis may be hailed in the street when showing the illuminated sign.

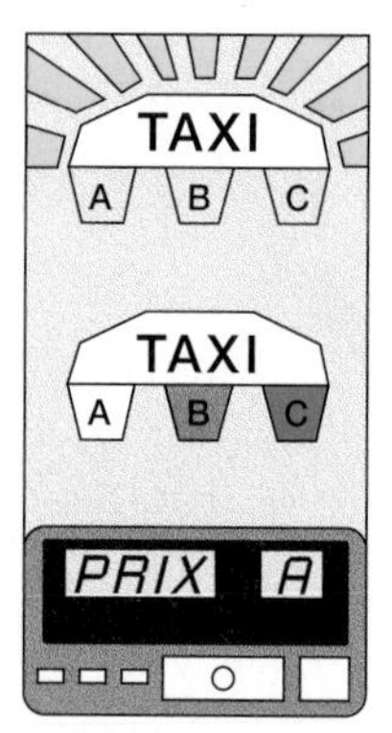

Le prix d'une course varie suivant la zone desservie et l'heure.
Les voyants lumineux A, B ou C (blanc, orange ou bleu) et le compteur intérieur indiquent le tarif en vigueur.

The rate varies according to the zone and time of day. The white, orange or blue lights correspond to the three different rates A, B and C. These also appear on the meter inside the cab.

Compagnies de Radio-Taxis
Radio-Taxi companies

Taxis Bleus (01.49.36.10.10)
Taxis G7 Radio (01.47.39.47.39)
Alpha Taxis (01.45.85.85.85)
Taxis Étoile (01.41.27.27.27)
Artaxi (01.42.03.50.50)

Les stations de taxis sont indiquées ⊤ sur les plans d'arrondissements. Numéros d'appels : Consulter les plans MICHELIN de Paris n° 9 ou 11.

Taxi ranks are indicated by a ⊤ on the arrondissement maps. The telephone numbers are given in the MICHELIN plans of Paris nos 9 or 11.

Outre la somme inscrite au compteur, l'usager devra acquitter certains suppléments :
- *au départ d'une gare parisienne ou des terminaux d'aéroports des Invalides et de l'Avenue Carnot.*
- *pour des bagages de plus de 5 kg.*
- *pour le transport d'une quatrième personne ou d'un animal domestique.*

A supplementary charge is made:
- for taxis from the forecourts of Parisian railway stations and the Invalides or Avenue Carnot air terminals.
- for baggage over 5 kilos or unwieldy parcels
- for a fourth person or a domestic animal.

Zones de tarification
Taxi fare zones

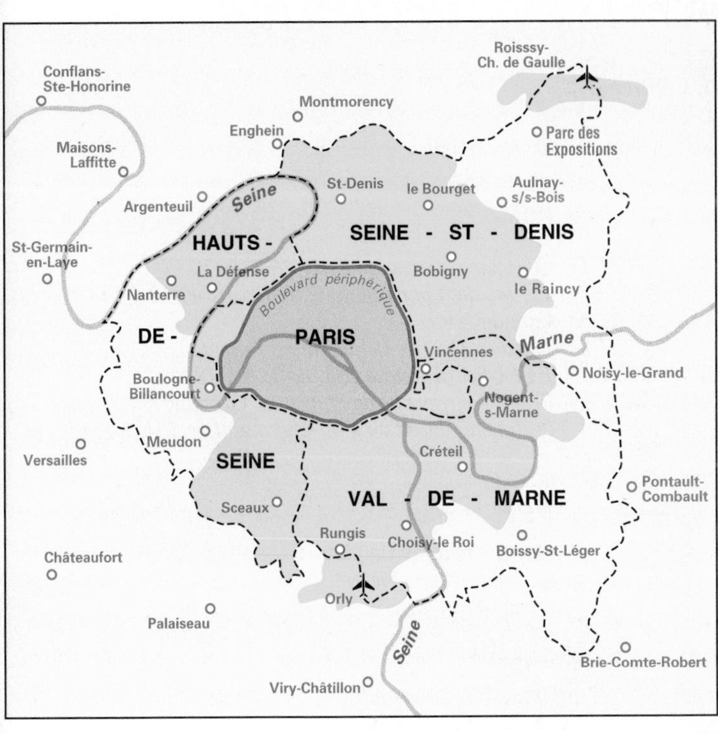

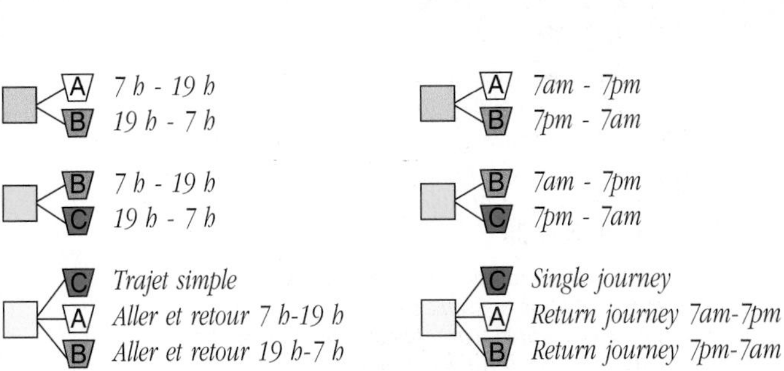

Renseignements pratiques

Offices de Tourisme

08 36 68 31 12	*Office de Tourisme de Paris : (7 jours/7) 127 av. des Champs-Élysées 8e, Fax 01 49 52 53 20*
01 45 26 94 82	*Gare du Nord,*
01 43 43 33 24	*Bureaux Annexes (fermés dim.) Gare de Lyon,*
01 45 51 22 15	*Tour Eiffel (de mai à sept. de 11 h à 18 h)*
01 44 50 19 98	*Espace Tourisme Ile-de-France du Carrousel du Louvre (ouvert en sem. sauf mardi de 10 h à 19 h)*

Bureaux de change

Banques ouvertes (la plupart), de 9 h à 16 h 30 sauf sam., dim. et fêtes
à l'aéroport d'Orly-Sud : de 6 h 30 à 23 h
à l'aéroport Roissy-Charles-de-Gaulle : de 6 h à 23 h 30

Compagnies aériennes

08 02 80 28 02	*Air France : 119 av. des Champs Élysées, 8e*
08 01 87 28 72	*American Airlines : 109 r. Fg St-Honoré, 8e*
01 44 77 23 00	*British Airways : 13-15 bd de la Madeleine, 1er*
08 00 35 40 80	*Delta Airlines : 4 r. Scribe, 9e*
08 01 89 28 92	*T.W.A. : 6 r. Christophe-Colomb, 8e*
08 01 72 72 72	*United Airlines : 55 bd Raspail, 6e*

Police-Secours

17	*Paris et banlieue*

Pompiers

18	*Incendies, asphyxies, y compris en banlieue*
01 55 76 20 00	*Laboratoire Central de la Préfecture de Police (Explosifs, intoxications)*

Santé

15	*SAMU (Paris)*
01 43 29 05 30	*S.O.S. Médecin*
01 48 53 94 94	*Urgences médicales de Paris* (24 h/24)
01 40 35 49 16	*Ambulances Assistance Publique*
01 47 07 37 39	*Port-Royal Ambulances*
01 46 25 23 74	*Centre anti-brûlures (hôpital Foch)*
01 45 74 00 04	*Centre anti-drogue (hôpital Marmottan)*
01 40 05 48 48	*Centre anti-poison (hôpital Fernand-Widal)*
01 43 37 51 00	*S.O.S. Dentaire* (tous les jours de 20 h à 23 h 40 et de 9 h 20 à 12 h et 14 h 20 à 19 h les samedis, dimanches et jours fériés)
08 36 68 99 33	*S.O.S. Vétérinaire Paris* (nuits 20 h à 8 h et les dimanches)

Pharmacies

01 45 62 02 41	*84 av. des Champs-Élysées (galerie Les Champs), 8e* (24 h/24)
01 48 74 65 18	*6, pl. Clichy, 9e* (24 h/24)
01 44 24 19 72	*Angle av. Italie/r. de Tolbiac, 13e* (8 h à 24 h – dim. et jours fériés 9 h à 24 h)
01 43 35 44 88	*106 bd du Montparnasse, 14e* (8 h 30 à 24 h – sam. de 9 h à 24 h, dim. et jours fériés 16 h à 21 h)
01 46 36 67 42	*6 r. de Belleville, 20e* (t.l.j. sauf dim. de 8 h à 21 h 30 – sam. de 9 h à 21 h)
01 43 43 19 03	*6 pl. Félix-Eboué, 12e* (24 h/24)

Circulation - Transports

01 53 90 20 20	*SNCF Informations, horaires et tarifs (Ile de France)*
01 43 46 14 14	*RATP – Renseignements – 55 quai Gds-Augustins, 6e*
01 40 28 73 73	*Allô information. Voirie* (de 9 h à 17 h du lundi au vend.)
01 40 28 72 72	*Voirie (Fermeture du boulevard périphérique et des voies sur berge)*
01 42 20 12 34	*F.I.P. (FM 105,1 – circulation à Paris)*
01 48 99 33 33	*Centre Régional d'Information Routière de l'Ile-de-France*
01 47 07 99 99	*S.O.S. Dépannage 24 h/24, 66, bd Auguste-Blanqui, 13e*
01 53 71 53 71	*Préfecture de Police, 9 bd du Palais, 4e*

Salons - Foires - Expositions

01 46 92 11 11 *Centre National des Industries et des Techniques (CNIT) – La Défense*
08 36 68 31 12 *Office du Tourisme de Paris, 127 av. des Champs-Élysées, 8e*
01 49 09 60 00 *Comexpo Paris – Boulogne-Billancourt – 55 quai Alphonse Le Gallo*
01 53 94 60 70 *Espace Austerlitz – 30, quai d'Austerlitz, 13e*
01 40 55 19 55 *Espace Champerret – pl. Porte de Champerret, 17e*
01 40 03 75 00 *Grande Halle de la Villette – 211, av. Jean-Jaurès, 19e*
01 48 00 20 20 *Drouot-Richelieu (hôtel des ventes) – 9 r. Drouot, 9e*
01 48 00 20 80 *Drouot-Montaigne (hôtel des ventes) – 15 av. Montaigne, 8e*
01 40 68 22 22 *Palais des Congrès – 2 pl. de la Pte-Maillot, 17e*
01 43 95 37 00 *Parc des Expositions – Pte-de-Versailles, 15e*
01 48 63 30 30 *Parc d'expositions de Paris-Nord – Villepinte – Z.A.C. – Paris-Nord II*

Divers

01 40 28 20 00 *La Poste Paris Louvre RP (Recette Principale), 52 r. du Louvre, 1er* (24 h/24)
01 55 76 20 00 *Objets trouvés, 36 r. des Morillons, 15e*
08 36 69 08 80 *Perte ou vol Carte Bleue (Visa)* (7 jours/7, 24 h/24)
01 47 77 72 00 *Perte ou vol Carte American Express* (7 jours7, 24 h/24)

Calendrier des vacances scolaires

Voir pages suivantes

School holidays calendar

See next pages

ACADÉMIES ET DÉPARTEMENTS

Zone A

Caen (14-50-61), Clermont-Ferrand (03-15-43-63), Grenoble (07-26-38-73-74), Lyon (01-42-69), Montpellier (11-30-34-48-66), Nancy-Metz (54-55-57-88), Nantes (44-49-53-72-85), Rennes (22-29-35-56), Toulouse (09-12-31-32-46-65-81-82).

Zone B

Aix-Marseille (04-05-13-84), Amiens (02-60-80), Besançon (25-39-70-90), Dijon (21-58-71-89), Lille (59-62), Limoges (19-23-87), Nice (06-83), Orléans-Tours (18-28-36-37-41-45), Poitiers (16-17-79-86), Reims (08-10-51-52), Rouen (27-76), Strasbourg (67-68).

Zone C

Bordeaux (24-33-40-47-64), Créteil (77-93-94), Paris-Versailles (75-78-91-92-95).

Nota : La Corse bénéficie d'un statut particulier.

2001 MARS

1	J	s Aubin
2	V	s Charles le B.
3	S	s Guénolé
4	**D**	**Carême**
5	L	s^e Olive
6	M	s^e Félicité
7	M	s Jean de Dieu
8	J	**Cendres**
9	V	s^e Françoise
10	S	s Vivien
11	**D**	s^e Rosine
12	L	s^e Tatiana
13	M	s Rodrigue
14	M	s^e Mathilde
15	J	s^e Louise
16	V	s^e Bénédicte
17	S	s Patrice
18	**D**	s Cyrille
19	L	s Joseph
20	M	**PRINTEMPS**
21	M	s^e Clémence
22	J	s^e Léa
23	V	s Victorien
24	S	s^e Cath. de Su.
25	**D**	4e Dim. Carême
26	L	**Annonciation**
27	M	s Habib
28	M	s Gontran
29	J	s^e Gwladys
30	V	s Amédée
31	S	s Benjamin

AVRIL

1	**D**	s Hugues
2	L	s^e Sandrine
3	M	s Richard
4	M	s Isidore
5	J	s Irène
6	V	s Marcellin
7	S	s J.-B. de la S.
8	**D**	**Rameaux**
9	L	s Gautier
10	M	s Fulbert
11	M	s Stanislas
12	J	s Jules
13	V	s^e Ida
14	S	s Maxime
15	**D**	**PÂQUES**
16	L	**Lundi de Pâques**
17	M	s Étienne H.
18	M	s Parfait
19	J	s^e Emma
20	V	s^e Odette
21	S	s Anselme
22	**D**	s Alexandre
23	L	s Georges
24	M	s Fidèle
25	M	s Marc
26	J	s Alida
27	V	s^e Zita
28	S	s^e Valérie
29	**D**	**Jour du Souv.**
30	L	s Robert

MAI

1	M	**FÊTE DU TR.**
2	M	s Boris
3	J	ss Phil., Jacq.
4	V	s Sylvain
5	S	s^e Judith
6	**D**	s^e Prudence
7	L	s^e Gisèle
8	M	**VICTOIRE 45**
9	M	s Pacôme
10	J	s^e Solange
11	V	s Estelle
12	S	s Achille
13	**D**	**F. Jeanne d'Arc**
14	L	s Matthias
15	M	s^e Denise
16	M	s Honoré
17	J	s Pascal
18	V	s Éric
19	S	s Yves
20	**D**	s Bernardin
21	L	s Constantin
22	M	s Émile
23	M	s. Didier
24	J	**ASCENSION**
25	V	**s^e Sophie**
26	S	**s Bérenger**
27	**D**	**Fête des Mères**
28	L	s Germain
29	M	s Aymard
30	M	s Ferdinand
31	J	**Visitation**

JUIN

1	V	s Justin
2	S	s^e Blandine
3	**D**	**PENTECÔTE**
4	L	Lundi Pent.
5	M	s Igor
6	M	s Norbert
7	J	s Gilbert
8	V	s Médard
9	S	s^e Diane
10	**D**	s Landry
11	L	s Barnabé
12	M	s Guy
13	M	s Antoire
14	J	s Élisée
15	V	s^e Germaine
16	S	s J.-F. Régis
17	**D**	**Fête des Pères**
18	L	s Léonce
19	M	s Romuald
20	M	s Silvère
21	J	**ÉTÉ**
22	V	s Alban
23	S	s^e Audrey
24	**D**	s Jean-Bapt.
25	L	s Prosper
26	M	s Anthelme
27	M	s Fernand
28	J	s Irénée
29	V	ss Pierre, Paul
30	S	s Martial

JUILLET

1	**D**	s Thierry
2	L	s Martinien
3	M	s Thomas
4	M	s Florent
5	J	s Antoine-Marie
6	V	s^e Marietta
7	S	s Raoul
8	**D**	s Thibaut
9	L	s^e Amandine
10	M	s Ulrich
11	M	s Benoît
12	J	s Olivier
13	V	ss Henri, Joël
14	S	**FÊTE NAT.**
15	**D**	s Donald
16	L	N.-D. Mt-Carmel
17	M	s^e Charlotte
18	M	s Frédéric
19	J	s Arsène
20	V	s^e Marina
21	S	s Victor
22	**D**	s^e Marie-Mad.
23	L	s^e Brigitte
24	M	s^e Christine
25	M	s Jacques
26	J	ss Anne
27	V	s^e Nathalie
28	S	s Samson
29	**D**	s^e Marthe
30	L	s^e Juliette
31	M	s Ignace de L.

AOÛT

1	M	s Alphonse
2	J	s Julien
3	V	s^e Lydie
4	S	s J.-M. Vianney
5	**D**	s Abel
6	L	Transfiguration
7	M	s Gaëtan
8	M	s Dominique
9	J	s Amour
10	V	s Laurent
11	S	s^e Claire
12	**D**	s^e Clarisse
13	L	s Hippolyte
14	M	s Evrard
15	M	**ASSOMPTION**
16	J	s Armel
17	V	s Hyacinthe
18	S	s^e Hélène
19	**D**	s Jean-Eudes
20	L	s Bernard
21	M	s Christophe
22	M	s Fabrice
23	J	s^e Rose de Lima
24	V	s Barthélemy
25	S	s Louis de F.
26	**D**	s^e Natacha
27	L	s^e Monique
28	M	s Augustin
29	M	s^e Sabine
30	J	s Fiacre
31	V	s Aristide

2001 SEPTEMBRE

1	S	s Gilles
2	**D**	s^e Ingrid
3	L	s Grégoire
4	M	s^e Rosalie
5	M	s^e Raïssa
6	J	s Bertrand
7	V	s^e Reine
8	S	Nativité de Marie
9	**D**	s Alain
10	L	s^e Inès
11	M	s Adelphe
12	M	s Apollinaire
13	J	s Aimé
14	V	S^e Croix
15	S	s Roland
16	**D**	s^e Édith
17	L	s Renaud
18	M	s^e Nadège
19	M	s^e Émilie
20	J	s Davy
21	V	s Matthieu
22	S	**AUTOMNE**
23	**D**	s Constant
24	L	s^e Thècle
25	M	s Hermann
26	M	ss Côme, Dam.
27	J	s Vinc. de Paul
28	V	s Venceslas
29	S	s Michel
30	**D**	s Jérôme

2001 OCTOBRE

1	L	s^e Th. de l'E.-J.
2	M	s Léger
3	M	s Gérard
4	J	s Fr. d'Assise
5	V	s^e Fleur
6	S	s Bruno
7	**D**	s Serge
8	L	s^e Pélagie
9	M	s Denis
10	M	s Ghislain
11	J	s Firmin
12	V	s Wilfried
13	S	s Géraud
14	**D**	s Juste
15	L	s^e Thérése d'Avila
16	M	s^e Edwige
17	M	s Baudouin
18	J	s Luc
19	V	s René
20	S	s^e Adeline
21	**D**	s^e Céline
22	L	s^e Élodie
23	M	s Jean de C.
24	M	s Florentin
25	J	s Crépin
26	V	s Dimitri
27	S	s^e Émeline
28	**D**	s Simon
29	L	s Narcisse
30	M	s^e Bienvenue
31	M	s Wolfgang

NOVEMBRE

1	J	**TOUSSAINT**
2	V	**Défunts**
3	S	s Hubert
4	**D**	s Charles
5	L	s^e Sylvie
6	M	s^e Bertille
7	M	s^e Carine
8	J	s Geoffroy
9	V	s Théodore
10	S	s Léon
11	**D**	**ARMIST. 1918**
12	L	s Christian
13	M	s Brice
14	M	s Sidoine
15	J	s Albert
16	V	s^e Marguerite
17	S	s^e Élisabeth
18	**D**	s^e Aude
19	L	s Tanguy
20	M	s Edmond
21	M	Prés. de Marie
22	J	s Cécile
23	V	s Clément
24	S	s^e Flora
25	**D**	s^e Catherine
26	L	s^e Delphine
27	M	s Séverin
28	M	s Jacq. de la Marche
29	J	s Saturnin
30	V	s André

DÉCEMBRE

1	S	s^e Florence
2	**D**	**Avent**
3	L	s Xavier
4	M	s^e Barbara
5	M	s Gérald
6	J	s Nicolas
7	V	s Ambroise
8	S	Im. Conception
9	**D**	s Pierre Fourier
10	L	s Romaric
11	M	s Daniel
12	M	s^e Chantal
13	J	s^e Lucie
14	V	s^e Odile
15	S	s^e Ninon
16	**D**	s^e Alice
17	L	s Judicaël
18	M	s Gatien
19	M	s Urbain
20	J	s Abraham
21	V	**HIVER**
22	S	s^e Franç.-Xavière
23	**D**	s Armand
24	L	s^e Adèle
25	M	**NOËL**
26	M	s Étienne
27	J	s Jean
28	V	ss Innocents
29	S	s David
30	**D**	s Roger
31	L	s Sylvestre

2002 JANVIER

1	M	**J. DE L'AN**
2	M	s Basile
3	J	s^e Geneviève
4	V	s Odilon
5	S	s Édouard
6	**D**	**Épiphanie**
7	L	s Raymond
8	M	s Lucien
9	M	s^e Alix de Ch.
10	J	s Guillaume
11	V	s Paulin
12	S	s^e Tatiana
13	**D**	s Hilaire
14	L	s^e Nina
15	M	s Remi
16	M	s Marcel
17	J	s Antoine
18	V	s^e Prisca
19	S	s Marius
20	**D**	s Fabien
21	L	s^e Agnès
22	M	s Vincent
23	M	s Barnard
24	J	s Fr. de Sales
25	V	Conv. s. Paul
26	S	s^e Mélanie
27	**D**	s^e Angèle
28	L	s Th. d'Aquin
29	M	s Gildas
30	M	s^e Martine
31	J	s^e Marcelle

FÉVRIER

1	V	s^e Ella
2	S	Prés. Seigneur
3	**D**	s Blaise
4	L	s^e Véronique
5	M	s^e Agathe
6	M	s Gaston
7	J	s^e Eugénie
8	V	s^e Jacqueline
9	S	s^e Apolline
10	**D**	s Arnaud
11	L	N.-D. Lourdes
12	M	**Mardi-Gras**
13	M	**Cendres**
14	J	s Valentin
15	V	s Claude
16	S	s^e Julienne
17	**D**	s Alexis
18	L	s^e Bernadette
19	M	s Gabin
20	M	s^e Aimée
21	J	s Pierre
22	V	s^e Isabelle
23	S	s Lazare
24	**D**	s Modeste
25	L	s Roméo
26	M	s Nestor
27	M	s^e Honorine
28	J	s Romain

2002 MARS

1	V	s Aubin
2	S	s Charles
3	**D**	s Guénolé
4	L	s Casimir
5	M	s^e Olive
6	M	s^e Colette
7	J	s^e Félicité
8	V	s Jean de Dieu
9	S	s^e Françoise
10	**D**	s Vivien
11	L	s^e Rosine
12	M	s^e Justine
13	M	s Rodrigue
14	J	s^e Mathilde
15	V	s^e Louise
16	S	s^e Bénédicte
17	**D**	s Patrice

Parution de votre nouveau Guide 2002.

Issue of your new Guide 2002.

Découvrir

PERSPECTIVES CÉLÈBRES ET PARIS VU D'EN HAUT

⩽★★★ depuis l'Obélisque de la place de la Concorde : Champs-Élysées, Arc de Triomphe, Grande Arche de la Défense. La Madeleine, Assemblée nationale. - ⩽★★★ depuis la terrasse du Palais de Chaillot : Tour Eiffel, École Militaire, Trocadéro. - ⩽★★ depuis le pont Alexandre III : Invalides, Grand et Petit Palais - Tour Eiffel★★★ - Tour Montparnasse★★★ - Tour Notre-Dame★★★ - Dôme du Sacré-Cœur★★★ - Plate-forme de l'Arc de Triomphe★★★

QUELQUES MONUMENTS HISTORIQUES

Le Louvre★★★ (cour carrée, colonnade de Perrault, la pyramide) - Tour Eiffel★★★ - Notre-Dame★★★ - Sainte-Chapelle★★★ - Arc de Triomphe★★★ - Invalides★★★ (Tombeau de Napoléon) - Palais-Royal★★ - Opéra★★ - Conciergerie★★ - Panthéon★★ - Luxembourg ★★

Églises

Notre-Dame★★★ - La Madeleine★★ - Sacré-Coeur★★ - St-Germain-des-Prés★★ - St-Étienne-du-Mont★★ - St-Germain-l'Auxerrois★★

Dans le Marais

Place des Vosges★★★ - Hôtel Lamoignon★★ - Hôtel Guénégaud★★ - Palais Soubise★★

QUELQUES MUSÉES

Le Louvre★★★ - Orsay★★★ (milieu du 19ᵉ s. jusqu'au début du 20ᵉ s.) - Art moderne★★★ (Centre Pompidou) - Armée★★★ (Invalides) - Arts décoratifs★★ (107, rue de Rivoli) - Musée National du Moyen Âge et Thermes de Cluny★★ - Rodin★★ (Hôtel de Biron) - Carnavalet★★ (Histoire de Paris) - Picasso★★ - Cité des Sciences et de l'Industrie★★★ (La Villette) - Marmottan★★ - Orangerie★★ (des Impressionnistes à 1930) - Jacquemart-André★★

Réouvertures et création

janv. : Réouverture du Centre Georges-Pompidou et courant de l'année du musée Guimet - fév. : Réouverture du Musée des Arts et Métiers - Sept. : création d'un jardin médiéval au musée national du Moyen-Age

MONUMENTS CONTEMPORAINS

La Défense★★ (C.N.I.T., la Grande Arche) - Centre Georges-Pompidou★★ - Forum des Halles - Institut du Monde Arabe★ - Opéra-Bastille - Bibliothèque Nationale de France à Tolbiac (BNF)

QUARTIERS PITTORESQUES

Montmartre★★★ - Le Marais★★★ - Île St-Louis★★ - les Quais★★ (entre le Pont des Arts et le Pont de Sully) - St-Germain-des-Prés★★ - Quartier St-Séverin★★

Assistance automobile des principales marques :

Cette nouvelle édition propose une liste des principales marques automobiles qui ont un Service d'Assistance avec un numéro de téléphone «vert» gratuit et accessible 24 h/24.

Helpline for main marques of car:

Included in this edition is a list of the main car dealers who have a "green" emergency helpline, free of charge and available 24 hours.

CONSTRUCTEURS FRANÇAIS :

CITROËN
62 bd Victor Hugo, 92008 NEUILLY
– *Numéro Vert 08 00 05 24 24*

PEUGEOT Automobiles
siège et services commerciaux : 75 av. Gde-Armée, 75116 PARIS
– *Numéro Vert 08 00 44 24 24*

RENAULT
860 quai de Stalingrad, 92109 BOULOGNE-BILLANCOURT CEDEX
– *Numéro Vert 08 00 05 15 15*

IMPORTATEURS :

BMW
3 av. Ampère, Montigny-le-Bretonneux, 78886 ST-QUENTIN-EN-YVELINES CEDEX
– *Numéro Vert 08 00 00 16 24*

DAEWOO
33 av du bois de la Pie, ZAC Paris-Nord II, BP 50069, 95947 ROISSY CDG CEDEX
– *Numéro Vert (véhicules avant 02.2000) 08 00 25 21 34*
– *Numéro Vert (véhicules après 02.2000) 08 10 32 39 66*

DAIHATSU
37 rue des Peupliers, 92752 NANTERRE CEDEX
– *Numéro Vert 01 40 25 51 26*

DAIMLER - CHRYSLER (Jeep - Chrysler) SMART
Parc de Roquencourt, BP 100, 78153 LE CHESNAY CEDEX
– *MERCEDES : Numéro Vert 08 800 1 777 77 77*
– *CHRYSLER : Numéro Vert 0800 77 49 72*
– *SMART : Numéro Vert 0801 02 80 28*

FERRARI - MASERATI

Etablissement Charles Pozzi, 109 rue Aristide Briand, 92300 LEVALLOIS-PERRET

– *Numéro Vert (véhicules avant 01.2000) 08 00 10 15 71*

– *Numéro Vert (véhicules après 01.2000) 08 10 80 80 82*

FIAT AUTO France (Alfa Roméo, Lancia)

Siège social, 80-82 quai Michelet, 92532 LEVALLOIS-PERRET CEDEX

– *ALFA ROMEO : Numéro Vert 08 00 61 62 63*

– *FIAT : Numéro Vert 08 00 34 35 36*

– *LANCIA : Numéro Vert 08 00 54 55 56*

FORD France

Siège Social, 344 av. Napoléon Bonaparte, BP 307, 92506 RUEIL MALMAISON CEDEX

– *Numéro Vert 08 00 00 50 05*

GENERAL MOTORS France - OPEL France (Chevrolet, Buick, Cadillac, Oldsmobile)

19 av. du Marais, Angle quai de Bezons, BP 84,95100 ARGENTEUIL

– *OPEL, CADILLAC, CHEVROLET : Numéro Vert 08 00 04 04 58*

– *BUICK, OLDSMOBILE : Numéro Vert 01 41 85 82 26*

HONDA

Parc des Activités de Pariest
Allée du 1er Mai, BP 46, CROISSY-BEAUBOURG, 77312 MARNE-LA-VALLEE CEDEX 2

– *Numéro Vert 01 41 85 84 70*

HYUNDAI

1 av. du Fief, ZA Les Bethunes, BP 479, 95005 CERGY-PONTOISE CEDEX

– *Numéro Vert 01 41 85 86 87*

ISUZU

6 rue des Marguerites, 92737 NANTERRE CEDEX

– *Numéro Vert 01 40 25 57 36*

JAGUAR

231 rue du 1er Mai, BP 309, 92003 NANTERRE CEDEX

– *Numéro Vert 01 40 25 58 00*

LADA France

10 bd des Martyrs-de-Chateaubriand, BP 140, 95103 ARGENTEUIL CEDEX

– *Numéro Vert 08 00 47 49 00*

LAND-ROVER

Rue Ambroise-Croizat, BP 71, 95101 ARGENTEUIL CEDEX

– *Numéro Vert 01 49 93 72 72*

MAZDA

ZI Moimont 2, 95670 MARLY-LA-VILLE

– *Numéro Vert 08 01 32 36 26*

MITSUBISHI

Mitsubishi Motor sales Europe BV, 15 rue Cortambert, 75116 PARIS

– *Numéro Vert 01 41 85 84 23*

NISSAN

Siège Social, 13 av. d'Alembert, Parc de Pissaloup, BP 123, 78194 TRAPPES CEDEX

– *Numéro Vert (véhicules avant 03.2000) 08 00 00 77 88*

– *Numéro Vert (véhicules après 03.2000) 08 00 81 58 15*

PORSCHE
122 av. du Général Leclerc, 92514 BOULOGNE-BILLANCOURT CEDEX
– *Numéro Vert 08 01 22 92 29*

ROLLS-ROYCE-BENTLEY
Etablissement Jacques Savoye, 237 bd Pereire, 75017 PARIS
– *Numéro Vert 01 40 25 58 80*

SAAB
Siège Social, 12 rue des Peupliers, BP 701, 92007 NANTERRE CEDEX
– *Numéro Vert 08 00 06 95 11*

SUBARU
41 rue des Peupliers, 92752 NANTERRE CEDEX
– *Numéro Vert 01 40 25 57 55*

TOYOTA-LEXUS
20 bd de la République, 92423 VAUCRESSON CEDEX
– *Numéro Vert 08 00 80 89 35*

VOLKSWAGEN-AUDI-SKODA-SEAT
Siège Social et Administratif, 11 av. de Boursonne, BP 62, 02601 VILLERS COTTERETS CEDEX
– *Numéro Vert 08 00 00 24 24*

VOLVO
55 av. des Champs Pierreux, 92757 NANTERRE CEDEX
– *Numéro Vert 08 00 40 09 60*

D'où vient cette auto?
Where does that car come from?

Voitures françaises :

Le régime normal d'immatriculation en vigueur comporte :
- *un numéro d'ordre dans la série (1 à 3 ou 4 chiffres)*
- *une, deux ou trois lettres de série (1re série : A, 2e série : B,... puis AA, AB,... BA,...)*
- *un numéro représentant l'indicatif du département d'immatriculation.*

Exemples : 854 BFK 75 : Paris – 127 HL 63 : Puy-de-Dôme.

Voici les numéros correspondant à chaque département :

01 *Ain*
02 *Aisne*
03 *Allier*
04 *Alpes-de-H.-Pr.*
05 *Alpes (Hautes)*
06 *Alpes-Mar.*
07 *Ardèche*
08 *Ardennes*
09 *Ariège*
10 *Aube*
11 *Aude*
12 *Aveyron*
13 *B.-du-Rhône*
14 *Calvados*
15 *Cantal*
16 *Charente*
17 *Charente-Mar.*
18 *Cher*
19 *Corrèze*
2A *Corse-du-Sud*
2B *Hte-Corse*
21 *Côte-d'Or*
22 *Côtes d'Armor*
23 *Creuse*
24 *Dordogne*
25 *Doubs*
26 *Drôme*
27 *Eure*
28 *Eure-et-Loir*
29 *Finistère*
30 *Gard*
31 *Garonne (Hte)*
32 *Gers*
33 *Gironde*
34 *Hérault*
35 *Ille-et-Vilaine*
36 *Indre*
37 *Indre-et-Loire*
38 *Isère*
39 *Jura*
40 *Landes*
41 *Loir-et-Cher*
42 *Loire*
43 *Loire (Hte)*
44 *Loire-Atl.*
45 *Loiret*
46 *Lot*
47 *Lot-et-Gar.*
48 *Lozère*
49 *Maine-et-Loire*
50 *Manche*
51 *Marne*
52 *Marne (Hte)*
53 *Mayenne*
54 *Meurthe-et-M.*
55 *Meuse*
56 *Morbihan*
57 *Moselle*
58 *Nièvre*
59 *Nord*
60 *Oise*
61 *Orne*
62 *Pas-de-Calais*
63 *Puy-de-Dôme*
64 *Pyrénées-Atl.*
65 *Pyrénées (Htes)*
66 *Pyrénées-Or.*
67 *Rhin (Bas)*
68 *Rhin (Haut)*
69 *Rhône*
70 *Saône (Hte)*
71 *Saône-et-Loire*
72 *Sarthe*
73 *Savoie*
74 *Savoie (Hte)*
75 *Paris*
76 *Seine-Mar.*
77 *Seine-et-M.*
78 *Yvelines*
79 *Sèvres (Deux)*
80 *Somme*
81 *Tarn*
82 *Tarn-et-Gar.*
83 *Var*
84 *Vaucluse*
85 *Vendée*
86 *Vienne*
87 *Vienne (Hte)*
88 *Vosges*
89 *Yonne*
90 *Belfort (Ter.-de)*
91 *Essonne*
92 *Hauts-de-Seine*
93 *Seine-St-Denis*
94 *Val-de-Marne*
95 *Val-d'Oise*

Voitures étrangères :

Des lettres distinctives variant avec le pays d'origine, sur plaque ovale placée à l'arrière du véhicule, sont obligatoires (F pour les voitures françaises circulant à l'étranger).

A *Autriche*
AL *Albanie*
AND *Andorre*
B *Belgique*
BG *Bulgarie*
BIH *Bosnie-Herzégovine*
CDN *Canada*
CH *Suisse*
CZ *République Tchèque*
D *Allemagne*
DK *Danemark*
DZ *Algérie*
E *Espagne*
EW *Estonie*
F *France*
FIN *Finlande*
FL *Liechtenstein*
GB *Gde-Bretagne*
GR *Grèce*
H *Hongrie*
HR *Croatie*
I *Italie*
IL *Israël*
IRL *Irlande*
L *Luxembourg*
LT *Lituanie*
LV *Lettonie*
MA *Maroc*
MC *Monaco*
N *Norvège*
NL *Pays-Bas*
P *Portugal*
PL *Pologne*
RL *Liban*
RO *Roumanie*
RUS *Russie*
S *Suède*
SK *Slovaquie*
SLO *Slovénie*
TN *Tunisie*
TR *Turquie*
UA *Ukraine*
USA *États-Unis*
V *Vatican*
YU *Yougoslavie*

Immatriculations spéciales :

CMD *Chef de mission diplomatique (orange sur fond vert)*
CD *Corps diplomatique ou assimilé (orange sur fond vert)*
C *Corps consulaire (blanc sur fond vert)*
K *Personnel d'ambassade ou de consulat ou d'organismes internationaux (blanc sur fond vert)*
TT *Transit temporaire (blanc sur fond rouge)*
W *Véhicules en vente ou en réparation*
WW *Immatriculation de livraison*

Indicatifs Téléphoniques Internationaux

de/from \ vers/to	A	B	CH	CZ	D	DK	E	FIN	F	GB	GR
A Autriche		0032	0041	00420	0049	0045	0034	00358	0033	0044	0030
B Belgique	0043		0041	00420	0049	0045	0034	00358	0033	0044	0030
CH Suisse	0043	0032		00420	0049	0045	0034	00358	0033	0044	0030
CZ République Tchèque	0043	0032	0041		0049	0045	0034	00358	0033	0044	0030
D Allemagne	0043	0032	0041	00420		0045	0034	00358	0033	0044	0030
DK Danemark	0043	0032	0041	00420	0049		0034	00358	0033	0044	0030
E Espagne	0043	0032	0041	00420	0049	0045		00358	0033	0044	0030
FIN Finlande	0043	0032	0041	00420	0049	0045	0034		0033	0044	0030
F France	0043	0032	0041	00420	0049	0045	0034	00358		0044	0030
GB Royaume Uni	0043	0032	0041	00420	0049	0045	0034	00358	0033		0030
GR Grèce	0043	0032	0041	00420	0049	0045	0034	00358	0033	0044	
H Hongrie	0043	0032	0041	00420	0049	0045	0034	00358	0033	0044	0030
I Italie	0043	0032	0041	00420	0049	0045	0034	00358	0033	0044	0030
IRL Irlande	0043	0032	0041	00420	0049	0045	0034	00358	0033	0044	0030
J Japon	00143	00132	00141	001420	00149	00145	00134	001358	00133	00144	00130
L Luxembourg	0043	0032	0041	00420	0049	0045	0034	00358	0033	0044	0030
N Norvège	0043	0032	0041	00420	0049	0045	0034	00358	0033	0044	0030
NL Pays-Bas	0043	0032	0041	00420	0049	0045	0034	00358	0033	0044	0030
PL Pologne	0043	0032	0041	00420	0049	0045	0034	00358	0033	0044	0030
P Portugal	0043	0032	0041	00420	0049	0045	0034	00358	0033	0044	0030
RUS Russie	81043	81032	81041	810420	81049	81045	*	810358	81033	81044	*
S Suède	0043	0032	0041	00420	0049	0045	0034	00358	0033	0044	0030
USA	01143	01132	01141	001420	01149	01145	01134	011358	01133	01144	01130

**Pas de sélection automatique*

Important : Pour les communications internationales le zéro (0) initial de l'indicatif interurbain n'est pas à composer (excepté pour les appels vers l'Italie).

International dialling codes

H	I	IRL	J	L	N	NL	PL	P	RUS	S	USA	
0036	0039	00353	0081	00352	0047	0031	0048	00351	007	0046	001	**Autriche A**
0036	0039	00353	0081	00352	0047	0031	0048	00351	007	0046	001	**Belgique B**
0036	0039	00353	0081	00352	0047	0031	0048	00351	007	0046	001	**Suisse CH**
0036	0039	00353	0081	00352	0047	0031	0048	00351	007	0046	001	**République Tchèque CZ**
0036	0039	00353	0081	00352	0047	0031	0048	00351	007	0046	001	**Allemagne D**
0036	0039	00353	0081	00352	0047	0031	0048	00351	007	0046	001	**Danemark DK**
0036	0039	00353	0081	00352	0047	0031	0048	00351	007	0046	001	**Espagne E**
0036	0039	00353	0081	00352	0047	0031	0048	00351	007	0046	001	**Finlande FIN**
0036	0039	00353	0081	00352	0047	0031	0048	00351	007	0046	001	**France F**
0036	0039	00353	0081	00352	0047	0031	0048	00351	007	0046	001	**Royaume Uni GB**
0036	0039	00353	0081	00352	0047	0031	0048	00351	007	0046	001	**Grèce GR**
	0039	00353	0081	00352	0047	0031	0048	00351	007	0046	001	**Hongrie H**
0036		00353	0081	00352	0047	0031	0048	00351	*	0046	001	**Italie I**
0036	0039		0081	00352	0047	0031	0048	00351	007	0046	001	**Irlande IRL**
00136	00139	001353		001352	00147	00131	00148	001351	*	001146	0011	**Japon J**
0036	0039	00353	0081		0047	0031	0048	00351	007	0046	001	**Luxembourg L**
0036	0039	00353	0081	00352		0031	0048	00351	007	0046	001	**Norvège N**
0036	0039	00353	0081	00352	0047		0048	00351	007	0046	001	**Pays-Bas NL**
0036	0039	00353	0081	00352	0047	0031		00351	007	0046	001	**Pologne PL**
0036	0039	00353	0081	00352	0047	0031	0048		007	0046	001	**Portugal P**
81036	*	*	*	*	*	81031	81048	*		*	*	**Russie RUS**
0036	0039	00353	0081	00352	0047	0031	0048	0035	007		001	**Suède S**
01136	01139	011353	01181	011352	01147	01131	01148	011351	*	011146		**USA**

**Direct dialing not possible*

Note: When making an international call, do not dial the first «0» of the city codes (except for calls to Italy).

L'Euro

*1999 a vu l'avènement de la monnaie européenne commune : l'EURO.
Onze pays de l'Union Européenne ont d'ores et déjà adopté l'EURO :
l'Allemagne, l'Autriche, la Belgique, l'Espagne, la Finlande, la France,
l'Irlande, l'Italie, le Luxembourg, les Pays-Bas et le Portugal.
Dans ces pays, les prix sont désormais affichés
en monnaies nationales et en euros.
Toutefois, les billets de banque et pièces en euros n'étant disponibles
qu'en 2002, seuls les règlements par chèques bancaires
ou cartes de crédit pourront être libellés en euros.
Dans cette édition, nous avons choisi de mentionner les prix
dans la monnaie nationale.
Les tableaux ci-après indiquent la parité fixe entre l'euro
et les devises européennes et celle fluctuante de monnaies
hors zone euro, en Décembre 2000.*

The Euro

*1999 saw the launch of the European single currency: the EURO.
11 countries in the European Union are already using the EURO:
Austria, Belgium, Finland, France, Germany, Ireland, Italy,
Luxembourg, Netherlands, Portugal and Spain.
In each of these countries, prices will today be displayed
in the local currency and in Euros.
However, as Euro notes and coins will not be available
until 2002, payment in Euros is currently only possible by bank
or credit cards.
We have therefore retained the local currency prices only for entries
in this year's guide.
The following tables show the fixed rates between the Euro
and other European currencies, together with fluctuating rates
for non-Euro countries as in December 2000.*

1 € = 13,7603 ATS	A	1 ATS = 0,0726728 €
1 € = 40,3399 BEF	B	1 BEF = 0,0247893 €
1 € = 1,9583 DEM	D	1 DEM = 0,5112918 €
1 € = 166,386 ESP	E	1 ESP = 0,0060101 €
1 € = 6,55957 FRF	F	1 FRF = 0,152449 €
1 € = 5,94573 FIM	FIN	1 FIM = 0,1681879 €
1 € = 1936,27 ITL	I	1 ITL = 0,0005164 €
1 € = 0,787564 IEP	IRL	1 IEP = 1,269738 €
1 € = 40,3399 LUF	L	1 LUF = 0,0247893 €
1 € = 2,20371 NLG	NL	1 NLG = 0,4537802 €
1 € = 200,482 PTE	P	1 PTE = 0,0049879 €

1 € = 0,6256 £	GB	1 £ = 1,5985 €
1 € = 104,31 Y	J	1 Y = 0,009587 €
1 € = 1,5237 CHF	CH	1 CHF = 0,6563 €
1 € = 0,9233 $	USA	1 $ = 1,0831 €

Index

A

B

C

D

E

F

G

H - I

J - K

L

M

N

O

P

S

T

V

W - X

Y

Z

Dans la même collection

Benelux
Deutschland
España & Portugal
Europe Main cities
France
Great Britain & Ireland
Ireland
Italia
London
Portugal
Suisse/Schweiz/Svizzera

Manufacture française des pneumatiques Michelin
Société en commandite par actions au capital de 2 000 000 000 de francs
Place des Carmes-Déchaux – 63 Clermont-Ferrand (France)
R.C.S. Clermont-Fd B 855 200 507

Michelin et Cie, Propriétaires-Éditeurs, 2001

Dépôt légal Mars 2001 – ISBN 2-06-000288-5

Printed in France, 02-2001/1.1

Compogravure : A.P.S.-CHROMOSTYLE, Tours.
Impression : CASTERMAN, Tournai (Belgique).
Brochure : DIGUET-DENY, Breteuil-sur-Iton.

Illustrations :

Rodolphe CORBEL : pages 3, 11, 33, 42, 55, 56, 64, 83, 85, 89, 97, 101, 117, 127, 147, 161, 183, 199, 209, 227, 243 et 257.

Bernadette DROUILLOT : page 48.

Bernard DUMAS : pages 24 à 27.

Cécile GIRAUDEL : pages 2, 4 à 8, 10, 12 à 17, 30, 35, 37, 44, 49, 69, 72, 79, 100, 268 et 340.

Photo de la couverture :

Philippe GAJIC : photo réalisée à la terrasse du restaurant ROTONDE, 105 boulevard Montparnasse, PARIS (6e).